KB110609

꽃선비 열애사

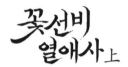

초판 1쇄 인쇄일 2023년 04월 04일
초판 1쇄 발행일 2023년 04월 20일

지은이 | 김정화
펴낸이 | 김기선

편집부 | 박신혜, 김수린, 강연정, 강지원, 김수정, 황신애, 김은희
표지디자인 | 디자인그룹 헌드레드
내지디자인 | 한주희

펴낸곳 | 주식회사 와이엠북스(YMBOOKS)
출판등록 | 2021년 5월 27일 (제2021-000014호)
주소 | 서울특별시 중랑구 신내역로3길 40-36 B동 710호 (신내동)
전화 | 02)906-7768 / 팩스 | 02)906-7769
E-mail | ymbooks@nate.com

ISBN 979-11-322-7014-0 (04810)
ISBN 979-11-322-7013-3 (set)

© 김정화 2023 Printed in Korea

값 14,000원

꽃선비 열애사

김정화 장편소설

— ❋ —

上

ym
BOOKS

차 례

—❖—

서장. 때마침, 봄   ···7

1장. 이화원의 꽃   ···18

2장. 바람꽃 기억   ···51

3장. 방설단(訪雪團): 눈을 쫓는 자들 ···93

4장. 열병   ···143

5장. 바람 별 바다   ···193

6장. 비밀과 진실   ···241

7장. 두 마음   ···287

8장. 화살이 시위를 떠난 밤   ···335

9장. 청춘애사(靑春愛史)   ···388

10장. 흑(黑)   ···441

서장. 때마침, 봄

　때마침 봄이었다. 이른 봄을 맞은 산자락은 연초록 새순들로 보석처럼 반짝거렸다.

　소녀는 열다섯 살이었다. 소녀를 딸처럼 아끼는 육호 아재는 열다섯 살이 봄날에 홀리기 좋은 나이라고 했다. 그 말처럼 소녀는 겁도 없이 산중을 돌아다녔다. 나물 소쿠리가 꽉 채워졌고, 손아귀 한가득 들꽃다발을 쥐었음에도 소녀의 걸음은 쉴 줄을 몰랐다.

　"와. 곱다."

　깎아지른 낭떠러지 위로 비죽 솟은 하얀 꽃 한 송이. 살금살금, 소녀는 꽃을 향해 다가갔다. 난(蘭)을 닮은 청아한 향기가 코끝을 스쳤다.

　"처음 보는 꽃인데……. 어여쁘다, 정말로."

　미풍에 꽃대가 술렁술렁 흔들린다. 꽃망울이 속살거리는 소리가 들리는 것 같다. 가까이 와 보렴, 이리 와서 너도 네 고운 얼굴을 보여 줘.

　낭떠러지로 다가선 소녀가 조심스레 손을 뻗었다. 아슬아슬하게 손끝이 꽃잎을 스쳤다. 조바심이 난 소녀가 한 발짝 더 걸음을 내디뎠다.

"아악!"

소녀의 발이 쭉 미끄러졌다. 소녀가 들고 있던 소쿠리가 뒤집어지며 온갖 산나물이며 꽃송이들이 허공으로 튀어 올랐다.

때마침 봄이었고, 때마침 봄에 홀리기 좋은 나이였다. 그래서 생긴 일이었다.

* * *

"사람 살려!"

소녀의 처량한 목소리가 산중에 울려 퍼졌다.

"누구 없어요? 제발 도와주세요! 살려 주세요!"

그사이 밤이 깊었다. 소녀는 벼랑 끝에 가까스로 매달린 상태였다. 벼랑 아래 작은 턱이 있었고, 돌부리를 붙들었기에 목숨을 건졌지만 앞이 막막한 건 매한가지였다. 혼자 힘으로는 올라갈 수도, 내려갈 수도 없었다.

"이깟 꽃이 뭐라고……."

소녀가 원망스러운 표정으로 제 얼굴 근처에서 한들거리는 흰 꽃을 바라보았다. 불현듯 눈물이 차올랐다.

소녀는 유독 꽃을 좋아했다. 돌아가신 소녀의 아버지는, 그녀가 꽃만 보면 정신을 차리지 못하고 팔랑댄다며 걱정하곤 하셨다.

"아버지……. 저 좀 살려 주세요. 다시는 늦게까지 쏘다니지 않을게요. 제발요. 제발……."

소리를 지를 기운조차 남지 않아 힘없이 중얼거리던 순간이었다.

"거기 누구 있소?"

불쑥 날아온 질문. 사내의 목소리는 소녀의 머리 바로 위에서 들려왔다.

"살려 주세요! 선비님. 제발요. 저 좀 구해 주세요."

반가운 나머지 왈칵 울음이 터질 것 같아서, 소녀는 대뜸 소리쳤다.

"저 여기 있어요. 아래예요! 낭떠러지 끝에 매달려 있거든요."

"흠……."

산중을 뒤덮은 암흑 속에서 무언가를 고심하는 듯한 소리가 들렸다.

"거기서 뭐 하시오?"

"예에? 꼬, 꽃을 꺾으려다가 그만……."

갑자기 쯧쯧, 혀 차는 소리가 들렸다. 어둠 속에서 사내가 얼굴을 쓱 내밀었다.

"선비님! 설마 그냥 가시려는 건 아니죠?"

혹시라도 사내가 저를 지나쳐 버릴까 두려워서, 소녀는 목소리를 높였다. 그 순간 무엇인가가 불쑥 내려왔다. 소녀가 외마디 소리를 낼 틈도 없이, 순식간에 사내는 그녀의 팔을 붙들어 길 위로 끌어 올렸다.

"아아……."

살았다. 소녀의 입에서 그제야 거친 숨이 터져 나왔다. 맥이 풀린 탓에 온 세상이 빙글빙글 도는 기분이었다. 그러나 사내는 괜찮냐는 물음 한마디 없이 낭떠러지 쪽을 살펴보고 있었다. 어둠 속에서 부스럭거리는 소리가 났다.

"서, 선비님. 고, 고, 고……."

"고맙다고? 됐어."

툭, 소녀의 앞에 무엇인가가 떨어졌다. 숨을 고르던 그녀가 희끄무레한 물체를 쳐다보았다.

코끝을 스치는 희미한 단향. 그건, 소녀가 꺾으려고 애를 썼던 이름 모를 하얀 꽃이었다.

"꽃 따위가 대체 뭐라고 목숨을 다 걸담."

사내가 던진 말은 그게 전부였다. 말이 끝나기가 무섭게 저벅저벅 발소리가 들렸다. 새카만 어둠 속에 멀거니 앉아 있던 소녀가 후다닥 일어났다.

"서, 선비님!"

소녀가 그를 목 놓아 불렀다. 멀어지던 발소리가 멈추고, 주변은 다시 고요해졌다.

"너, 너무 어두워서……. 저 혼자서는 마을까지 찾아갈 자신이 없어서……."

사내가 귀찮다는 듯 쯧, 하는 소리를 냈다.

"잘 따라와. 천천히 걸을 테니."

"예, 그럴게요."

안도의 한숨을 내쉬며 소녀는 어둠을 뚫고 걸음을 내디뎠다. 키 큰 나무들에 둘러싸여 달조차 가려진 숲길은 눈먼 세상처럼 캄캄했다. 소녀에게 보이는 것은 묘령의 선비가 입은 연푸른 도포 자락 하나뿐. 그 옷자락이 밤길의 유일한 길잡이가 되어 주었다.

사내는 한 번도 뒤를 돌아보지 않았다. 하지만 소녀의 발소리가 멀어질 때마다 그는 무심히 멈추었다가 전진하길 반복했다. 아마도 뒤따라오는 소녀를 기다려 주는 것이리라.

얼마나 걸었을까. 마침내 소녀의 눈에 익숙한 마을 어귀 풍경이 드러났다. 산을 벗어나자 밤의 암흑도 한결 옅어졌다.

"아……."

긴장이 풀린 탓일까. 마을이 눈에 들어오자마자 소녀의 눈앞이 하얘졌다. 갑자기 다리에 힘이 들어가지 않았다.

꼼짝없이 낭떠러지 아래로 굴러떨어져 세상을 뜰 줄 알았다. 밤새 오들오들 떨다가 산짐승의 먹이가 되고 말 줄 알았는데.

'살았어. 정녕 살았다고.'

그 말을 되뇌고 또 되뇐 끝에, 소녀는 그만 까무룩 정신을 잃어버리고 말았다.

툭, 무엇인가가 뺨을 건드린다.

"으음……."

소녀가 외마디 소리를 뱉으며 눈꺼풀을 들어 올렸다. 소녀는 잠시 동안 제가 왜 흙바닥에 누워 있나 곰곰 생각했다.

"정신이 들어?"

암흑 속에서 들려오는 목소리. 소녀는 그제야 낭떠러지에 매달려 있던 기억을 떠올렸다. 그랬다. 저 선비님이 죽을 뻔한 저를 살려 주신 것이다.

"선비님, 고맙……. 헉!"

밤이 깊었다는 걸 깜빡 잊고 있었다. 소녀는 해 지기 전까지 꼭 돌아오겠노라며 집을 나선 참이었다. 지금쯤 이화원(理化院) 사람들은 저를 찾느라 야단법석일 것이다. 어서 돌아가야만 했다.

다급한 마음에 소녀는 튀어 오르듯 자리에서 몸을 일으켰다. 마침 사내가 제 얼굴을 내려다보고 있었다는 사실은 요만큼도 모른 채였다.

솟구쳐 오른 소녀의 얼굴이 그를 향해 돌진했다. 놀란 사내가 몸을 움찔했으나, 그건 너무나 순식간에 일어난 일이었다.

촉- 물기 어린 나지막한 소리와 함께, 두 입술이 맞닿았다. 몸을 일으키던 소녀, 그리고 뒤로 물러나던 사내. 두 몸이 그대로 정지했다. 둘 중 누군가가 흑 숨을 들이켜는 소리가 들렸다.

"엄마야!"

불에라도 덴 듯 외마디 비명을 지르며 소녀는 후다닥 일어섰다. 입술에 철썩 달라붙었던 것이 무엇인지 감히 상상조차 못 하겠다. 그것은 무척이나 부드러웠고, 촉촉했고…….

"송구합니다!"

에라, 모르겠다! 소녀는 그대로 줄행랑을 쳤다. 산기슭 아래의 마을 초입부터 이화원까지는 제법 먼 길이었으나, 놀란 걸음은 쉬지도 않고 내달렸다.

이화원 식구들에게 무어라 말할 것인지, 소쿠리조차 잃어버린 빈손으로 돌아가는 사정을 어떻게 변명할 건지, 그리고 저를 구해 주었던 선비님은 대체 누구인지. 떠오르는 오만 생각들을 휘휘 물러나는 풍경들 속에 내버린 채, 소녀는 있는 힘껏 도망쳤다.

"하아……. 하아……."

한참을 내달린 소녀는 이화원의 솟을대문 앞에 당도해서야 걸음을 멈추었다. 소녀가 그제야 제 손을 내려다보았다. 손안에 꼭 쥐어져 있는 건, 여전히 향기를 내뿜고 있는 흰 꽃 한 송이였다.

"이름이라도 물어볼걸……."

꼭 제 손에 쥐어진 야생화 같은, 이름도 나이도 알 수 없는 선비.

"꽃을 훔치려다가 그만……."

선비님의 입술을 훔쳐 버렸네.

"어이쿠, 단오 왔느냐?"

그때, 이화원 대문이 열리며 중년 사내가 얼굴을 내보였다.

"단오야. 이리 늦게까지 무얼 하다 온 게냐? 형수께서 얼마나 걱정을 하셨는데. 내 횃불이라도 들고 너를 찾으러 나가 보려던 참이다."

윤단오. 그것이 소녀의 이름이었다. 단오가 고개를 떨어뜨렸다.

"아, 육호 아재……. 산에서 사고가 좀 있어 가지고."

"사고? 다쳤느냐?"

"아니요. 아니에요. 다치지는 않았어요. 발을 좀 헛디뎠을 뿐입니다. 종일 캔 나물을 소쿠리째 잃어버리긴 했지만……."

"다치지 않았으면 되었다. 어서 들어가서 쉬어라. 아직 해가 짧아. 산속에서는 잠깐 멈칫한 사이에 밤이 깊어진다고 내 늘 말하지 않았느냐."

"자꾸 까먹어서요. 앞으로 조심할게요, 아재."

단오가 후다닥 문지방을 넘었다. 대문이 닫히는 찰나, 단오는 흘깃 등 뒤를 돌아보았다. 혹시 모를 사내의 자취를 찾았지만, 문틈으로 보이는 이화원 앞길은 당연하게도 텅 비어 있었다.

휘잉, 어디선가 따스한 바람이 분다. 다시는 봄에 홀리지 말아야지. 헛된 다짐을 하며 단오는 제 방으로 돌아갔다. 그런 단오의 걸음을 따라, 연분홍 치마폭에 밴 이름 모를 꽃향기가 이화원 뜰 안에 넘실거렸다.

뒤에 홀로 남은 사내가 제 아랫입술을 슬쩍 문질렀다. 순식간에 일어난 일이지만, 소녀의 입술이 와 닿았던 순간의 느낌은 여전히 그의 입술에 남아 있었다.

냅다 뛰어가는 소녀의 뒷모습이 선연했다. 쫑쫑 땋은 머리끝에 매달린 꽃분홍 댕기마저 어찌 그리 부산하게 까불대는지.

"바람꽃……."

정신을 잃는 와중에도 소녀가 꼭 쥐고 있던 야생화. 그 흰 꽃의 이름이 바로 바람꽃이다. 신기한 일이었다. 바람꽃은 한양 근방에서는 좀처럼 볼 수 없는 진귀한 꽃이다. 게다가 이리 일찍 피어나는 꽃 역시 아니었다.

"꼭……. 바람꽃 같네."

제 입술을 훔치고선 바람처럼 도망쳐 버린 소녀.

멍하니 생각에 잠긴 사이, 소녀의 연분홍 치마폭은 멀리 모퉁이를 돌아 사라져 버렸다.

결심한 듯, 사내는 소녀의 발자취를 따라 걸음을 옮기기 시작했다. 봄밤에 날아든 꽃나비 같은 향기를 따라, 자취를 따라.

＊　＊　＊

춘삼월.

곳곳마다 봄이 만개했다. 촉촉하게 기름진 땅에서 온갖 녹음들이 피어났다. 산바람에 실려 온 싱그러운 풋내가 진동하는 계절이었다.

볕이 제법 쨍쨍한 한낮. 말끔하게 단장한 선비 하나가 중촌 한복판에 모습을 드러냈다. 선비의 걸음은 이화원 대문 앞에서 멈추었다.

선비의 한 손에는 옷가지며 서책이 들었음이 분명한 묵직한 봇짐 하나가 들려 있었다. 이런 차림의 선비를 마주치는 것은 이곳 중촌에서 흔한 일이다. 이 근방에는 이화원을 위시한 과거 객주, 즉 과거 공부를 하는 선비들이 투숙하는 객사(客舍)가 여럿 있었기 때문이었다.

선비는 이화원 대문에 종이로 써 붙인 방문을 뚫어져라 쳐다보고 있었다.

〈有空房(빈방 있음)[1].〉

한참을 고민하던 선비가 결심한 듯 이화원의 대문으로 손을 뻗었다. 문을 두드리려는 의도였으나, 대문은 그대로 스르르 열렸다.

"계십니까."

선비의 기척에, 문간방의 문이 열리며 중년의 사내 하나가 얼굴을 내밀었다.

"과거생이신가?"

"예, 그렇습니다."

"장기 투숙을 하러 오신 게고?"

"예. 빈방이 있다고 써 붙인 것을 보았습니다."

"저 방문은 내가 손수 써 붙였지. 방을 내건 지 하루가 채 지나지 않았는데, 이렇게 첫 손님이 드는구먼."

중년 사내가 선비의 손에 들린 봇짐을 흘낏 보았다. 봇짐 틈새로 비죽 튀어나온 서책이 눈에 띄었다.

"문과를 준비하는가 보군."

---

1) 有空房. 유공방.

"예. 식년시(式年試)²⁾를 준비하고 있습니다."

"그렇군. 여기 있던 과거생들은 모두 지난 과거에 급제하여 짐을 싸서 나갔다네. 마침 방이 세 개 비었지."

"하여 저도 이곳에 방을 얻으려고……."

때마침 뒤에서 끼익- 대문 열리는 소리가 난 탓에, 선비는 말을 끝마치지 못했다.

"어이쿠, 또 한 분이 오시는군. 방을 구하러 오셨는가?"

"그렇습니다만……."

모습을 드러낸 것은 무인 복장을 한 선비였다. 그의 손에 들려 있는 장검을 본 사내의 눈이 가늘어졌다.

"오호. 무과생이시오?"

"예."

"이화원에 무예를 닦는 사람이 드는 건 퍽 오랜만이군. 여긴 주로 글 읽는 선비들만 득시글거렸다네."

"그렇습니까?"

중년 사내와 무인 복장의 선비가 대화를 나누는 동안, 먼저 들어온 선비는 멀뚱멀뚱 둘을 바라보고 있었다. 대화가 멈춘 틈을 타 그가 입을 열었다.

"하여 방을 얻으려고 합니다, 주인어른."

사내가 무슨 소리냐는 듯 선비를 쳐다보았다. 곧 그의 입에서 픽 하는 웃음이 새어 나왔다.

"미안하네만, 나는 여기 주인이 아닐세. 나도 과거생이야."

"예?"

족히 마흔 줄은 되어 보이는 사내의 말에 당황한 선비가 되물었다. 하기

---

2) 3년마다 치러지는 과거 시험.

야, 마흔이 무엇이랴. 나이 쉰, 심지어 환갑을 넘어서 과거에 급제하는 경우도 왕왕 있었다. 아마도 남자는 말로만 듣던 과거 장수생인 모양이었다.

"그렇다면 주인은 어디 계십니까?"

"잠시 일을 보러 나갔네. 기다리면 곧 올 것이야. 그건 그렇고, 통성명이나 합세. 나는 육호라고 하네. 자네들은 이름이 무언가?"

"저는 정유하라고 합니다."

먼저 들어온 선비가 이름을 말하자, 무인 복장의 선비 역시 입을 열었다.

"강산입니다."

"강씨 성에, 이름이 산? 외자 이름인가?"

"예, 그렇습니다."

그때, 다시 한번 대문이 열리는 소리가 났다.

"대체 이게 뭔 일이람. 잠깐 사이 벌써 세 명째⋯⋯."

육호가 이상하다는 듯 중얼거렸다.

"안녕하십니까. 방을 얻으러 왔소이다. 저는 김시열이라 하옵고, 문과를 준비하고 있으며, 나이는 올해로 열일곱⋯⋯."

"열일곱? 더 먹어 보이는데."

"하하. 사내의 풍모가 벌써부터 풍기나 보지요? 그나저나 주인어른, 방을 얻으려고 하는데⋯⋯."

새로 등장한 선비는 말이 꽤 많았다. 끝도 없이 이어지는 소개를 듣던 육호가 인상을 찌푸렸다.

"나는 주인이 아닐세. 나도 과거생이라고!"

"아니, 어르신이야말로 나이가 꽉 들어차 보여서 그만 결례를⋯⋯. 그렇다면, 주인은 어디 있습니까?"

또 한 번 들려온 문소리에, 선비 셋과 육호가 동시에 대문을 쳐다보았다. 그러나 이번에 나타난 건 사내가 아니었다. 열대여섯이나 되었을까 싶은 말간 소녀 하나가 문지방을 넘어 이화원 안으로 들어섰다.

"선비님들께서 이화원의 주인을 찾고 계신가 봅니다."

"예. 주인은 어디 계시오?"

누군가가 다시 물었다. 소녀는 스스럼없이 안뜰 중앙까지 걸어 들어왔고, 이어 선비들을 마주 보았다.

"여깄습니다."

"……에?"

"예. 제가 이화원의 주인이옵니다만."

쪼르르 줄을 맞춰 서 있던 선비 셋의 시선이 동시에 소녀에게로 향했다. 놀란 듯한 선비들의 표정을 바라보던 그녀의 입가에 새치름한 미소가 솟았다.

"처음 뵙겠습니다. 저는 이화원의 주인, 윤단오라고 하옵니다."

단오의 시선이 천천히 유하와 산, 시열의 얼굴을 따라 움직였다.

그녀는 꿈에도 몰랐다. 여전히 문득문득 생각나는 그 밤. 제게 입술을 도둑맞던 사내가 그녀를 마주 보고 있다는 것을.

1장. 이화원의 꽃

청춘은 유유히 흐르는 강과 같아, 눈 깜짝하는 새 저만치 흘러가 버린 다던가. 객주 이화원의 시간 역시 제법 빨리 흘러, 새로운 과거생을 맞이한 이후 세 번째 봄이 찾아왔다.

"그러니까, 여기가 이화원이라는 거지?"

삼 년 전 그날 같은 봄날. 턱밑에 갓끈을 동여맨 앳된 선비 둘이 이화원 대문을 바라보며 서 있었다.

"그렇다네. 여기가 그 유명한 이화원일세. 두 이(二), 꽃 화(花). 두 송이 꽃이 피어 있다는 객주!"

"아아, 꽃처럼 곱다는 여주인이 있는 객주가 바로 저기로구먼."

"삼십 년이 넘은 명문 객주라더군. 조부와 아비가 죽은 후 딸에게 객주가 넘어갔다 들었네."

그때, 이화원을 바라보며 두런거리는 선비들 등 뒤로 사뿐사뿐 걸어오는 여인 하나가 있었다. 선비들 뒤에서 이야기에 귀 기울이던 여인이 성큼 앞으로 나섰다.

"선비님들, 과거 시험을 보러 올라오신 게지요?"

"그, 그렇소만."

일면식이 없는 선비들에게 다짜고짜 질문을 건네는 여인의 태도가 꽤 당돌했다. 그녀의 해사한 얼굴을 본 선비 둘이 귀신에라도 홀린 듯 고개를 주억거렸다.

"과거생이라면 필시 객주를 구해야 할 터, 삼십 년 전통을 자랑하는 한양 객주 이화원의 명성을 듣고 예까지 오셨나 봅니다. 사람들이 그러더이까? 이화원에는 어여쁜 꽃 같은 여인 둘이 있다고."

청산유수처럼 말을 쏟아 내는 여인 앞에서 다시 한번 선비들이 고개를 끄덕거렸다.

"그것은 참으로 쓸데없는 생각입니다. 꽃 두 송이가 대체 과거생들에게 무슨 의미가 있답디까? 과거생들에게 중요한 것은!"

갑자기 그녀가 목소리를 높였다.

"첫째도 과거 급제, 둘째도 과거 급제, 셋째도!"

여인이 손가락을 척 들어 올려 넋 놓은 표정으로 저를 보고 있는 선비를 가리켰다. 그리고 답을 종용이라도 하듯 한쪽 눈썹을 까딱, 치켜올렸다.

"과, 과거 급제."

얼떨떨한 표정을 짓고 있던 선비가 대답하자 여인이 만족스럽다는 듯 고개를 끄덕였다.

"그렇지요! 하나 더 묻겠습니다. 과거생들이 과거에 급제하기까지 보통 몇 해가 걸리는지 아십니까?"

"그, 글쎄요. 십…… 년?"

여인이 한참 잘못 짚었다는 표정으로 고개를 슬슬 저었다.

"십오 년! 평균 십오 년이라는 긴 시간이 걸립니다. 그러나 이화원은 다르지요. 이화원은 그 어떤 객주보다 빠르게 선비님들을 급제의 길로 인도 하니까요."

"어, 얼마나 시간이 걸리는지요?"

"오 년."

그녀가 낭창한 팔을 들어 올리더니 손가락 다섯 개를 활짝 펼쳐 보였다.

"이화원과 함께라면 단 오 년 만에 과거에 급제하시어 어사화(御史花)[3]를 받게 되실 겁니다."

"저, 정말 오 년이면 과거에 급제할 수 있다는 게요?"

"소수 정예, 숙식 제공, 최단기간 과거 급제, 최고의 급제율! 이것이 이화원의 자랑입지요, 선비님."

"그, 그럼 우리도 이화원으로 들어가야겠구려."

선비의 태도는 당장이라도 이화원 대문을 박차고 들어갈 듯 다급했다. 그를 보던 여인의 입가에 자신만만한 미소가 솟아났다.

"송구하오나, 이화원은 인원이 꽉 차서 더 이상의 과거생을 받지 않습니다. 내후년쯤에는 아마도 방이 날 것입니다. 올해로 과거생들을 들인 지꼭 삼 년이 되었거든요."

"에잉……."

두 선비의 얼굴에 허탈한 표정이 떠올랐다.

"아쉬우실 테지요. 이해합니다만, 다음을 기약해 주시옵소서. 좋은 객주를 구하시기를 기원하겠습니다. 물론 이화원만은 못하겠지만요."

"그, 그런데 낭자는 누구시오?"

"저 말입니까? 이미 알고 계시는 줄 알았는데요."

여인이 살짝 눈을 내리깔았다. 엷은 복숭앗빛 뺨 위로 긴 속눈썹 그늘이 졌다.

"선비님들께서 말씀하시기를, 이화원의 꽃이라 하지 않으셨습니까."

---

3) 임금이 과거급제자에게 하사하는 종이꽃.

이내 여인의 모습은 이화원 대문 안으로 사라졌다. 선비들만이 남은 문 앞에 순간 적막함이 맴돌았다.

"이보게. 나……. 귀신한테 홀린 것 같네."

"내 말이……. 저 여인이 아마 이화원의 꽃이라는 둘째 딸인가 보군. 단오라는 이름이었나. 정말 소문대로 대단하구먼. 용모도, 배포도……."

"아, 이제야 생각이 났네! 과거생들이 그런 얘기를 하는 걸 들었거든. 과거 급제하는 것보다 더 들어가기 어렵다는 객주, 그게 이화원이라고."

"맞네, 맞아. 젊은 과거생 셋이 삼 년째 방을 차지하고 앉아서 빈방이 없다고 했었어. 거기에 훈장님이래도 믿을 늙은 과거생까지 얹혀 있다던가."

"어쩔 수 없지. 우리는 다른 객주를 찾는 수밖에……."

두 선비가 터벅터벅 걸음을 옮겼다. 얼마쯤 걸었을까. 뒤편에서 들려오는 대문 소리에 그들이 뒤를 돌아보았다. 이화원의 대문 밖으로 모습을 드러낸 것은, 이번에는 단오가 아닌 젊은 선비 둘이었다.

"저자들일세!"

"이화원을 몇 년째 차지하고 있다는 선비 놈들인가?"

"그러하네. 젊은 선비 셋이 늘 붙어 다닌다 하더니……. 하나는 어디 갔는지 안 보이는구먼."

"하나같이 키만 멀대같이 커 가지고, 여인처럼 곰살갑게도 생겼구먼."

선비 중 하나가 못마땅한 듯 미간을 찌푸린 채 이화원에서 튀어나온 두 선비를 바라보았다.

"그래서 저치들을 아주 고약한 별명으로 부른다네."

"고약한 별명이라면, 무언가?"

"자고로 사내는 당당한 풍모가 있어야 하는 법, 한데 저치들은 여인처럼 호리호리하고 허여멀건하여……."

선비가 음흉하게 입을 이죽거리며 내뱉었다.

"꽃선비라 부른다네. 이화원의 꽃선비들!"

"꽃선비? 아이구, 망측해라. 사내놈 체면에 그런 별명이라니. 그리 남세스러운 별명으로 불릴 바엔, 차라리 얼굴에 흙칠이라도 하고 말겠네!"

"그렇지. 그게 사내다운 배포지!"

"그럼 우리는 진정한 사내다움을 알아주는 객주를 찾아가 봄세."

이화원 대문 앞에 선 채, 멀어지는 두 선비를 바라보던 '이화원 꽃선비' 중 하나가 휘익 휘파람을 불었다. 인상부터 장난기가 그득한 것이, 재미있다는 듯 설핏 웃음 짓는 눈매가 반원을 그리며 휘어졌다. 그는 문과를 준비하고 있었으나 글을 읽는 시간보다는 기방에서 보내는 시간이 훨씬 많다는 천하의 한량, 김시열이었다.

시열이 언제부터 들고 있었는지 모를 부채를 착 펼쳐 들었다.

"이화원에는 아리따운 꽃 두 송이가 피어 있으니, 하나는 화려한 모란이요, 다른 하나는 은은한 연꽃이로다. 중촌 과거생치고 언감생심 이 꽃을 탐내지 않는 자가 없으니⋯⋯."

"시열. 생전 글공부라고는 뒷전인 네가 시를 읊다니. 무슨 바람이 든 게냐?"

"이봐, 유하. 서책을 파고드는 것만이 공부인 줄 아나? 나는 서책이 아니라, 넓디넓은 세상을 통해 학문을 익히고 있다고!"

시열의 곁에 있던 이는 정유하로, 세 선비 중 근소하나마 가장 먼저 이화원에 발을 디뎠던 이였다. 삼 년을 이화원에서 보내는 동안 그는 유별나도록 키가 자라, 지금은 다른 선비들보다 한 뼘 이상 컸다.

유난히 흰 얼굴, 진중한 눈빛, 단정한 입매. 유하는 참으로 반듯해 보이는 모습이었다.

"네가 말하는 넓은 세상이라 함은, 설마 기방을 말하는 건 아니고?"

"왜, 부러우냐? 하기야⋯⋯ 샌님처럼 골방에 틀어박혀 서책만 파는 유

하 도령께서 어찌 세상 재미를 알겠는가. 말 나온 김에, 어떠냐? 오늘 밤
내 새로운 세상을 구경시켜 주지."

"생각 없으니, 그 좋은 구경은 너 혼자 실컷 하도록 해라."

"쯧쯧……. 이리 꽉 막혀서야. 당최 재미가 없어, 재미가. 여기가 무슨
절간도 아니고 말이야."

무료한 표정으로 팔랑팔랑 부채질을 하던 시열이 퍼뜩 주위를 두리번
거렸다.

"그런데 그 녀석은 어디 갔지?"

"글쎄다. 새벽부터 안 보이던데."

"그렇지? 어쩐지 아침부터 심신이 아주 평안하더라니. 역시나, 그 녀석
이 눈에 띄지 않은 덕분이었어."

구시렁대던 시열이 말을 멈췄다. 이화원 모퉁이에서 젊은 사내 하나가
모습을 드러냈기 때문이었다.

무인 복장을 한 사내는 장검을 들고 있었다. 비스듬히 치켜 올라간 눈
썹에 제법 날카로운 눈빛. 그는 만사가 귀찮은 듯 무심한 분위기를 풍겼
다. 그는 다름 아닌 이화원의 유일한 무과생, 강산이었다.

"산!"

시열이 산을 불러 세웠다.

"어디 갔다 오냐? 내내 안 보이기에 과거고 나발이고 다 집어치우고 도
망간 줄 알고 속이 시원하던 참이었……."

"시끄러."

시열의 말을 단칼에 쓱 잘라 버린 산이 이화원 안으로 모습을 감췄다.

이화원의 부엌에서는 점심 준비가 한창이었다. 군침 도는 기름 냄새,
달착지근한 장 냄새가 부엌 안에 가득했다. 산에서 뜯어 온 산나물이며

절임, 김치 같은 소박한 반찬들이 소반 위에 가지런히 놓여 있었다.

가냘픈 체격에 어울리지 않게 단오는 소반을 가뿐히 들어 올렸다. 걷어 올린 옷소매 틈으로 따스한 봄바람이 들어왔다.

봄날. 달큼한 봄꽃 향기가 담장마다 넘실거린다. 눈을 돌려 보면 담장 옆 매화나무마다 연분홍 꽃망울이 그득했다.

"봄이네, 봄이야."

소반을 들고 부엌을 나서던 단오가 조그맣게 중얼거렸다.

"날씨 참, 샘나게도 좋다."

이런 날엔 어디론가 떠나고 싶어진다. 초록 들판을 지나 새파란 하늘의 경계까지 내달리고 싶었다. 숨이 턱에 닿을 듯 달려 그 하늘을 들이마시면, 제 몸속까지 시푸른 쪽물이 들 것만 같다.

"무슨 생각을 그리해?"

상상 속 푸른 들판을 뛰어다니던 단오를 현실로 불러들인 건, 다름 아닌 유하의 목소리였다. 유하는 그새 그녀의 바로 옆까지 다가와 있었다.

"날씨 한번 더럽게 좋다는 생각."

"어여쁘게 좋아야지, 더럽게 좋은 게 어디 있누."

얼핏 타박하는 것 같으면서도, 유하의 눈빛에는 웃음기가 일렁였다. 그런 유하와 눈이 마주친 단오가 혀를 날름 내밀었다.

"이리 내. 무겁겠다."

"고마워요, 유하 오라버니."

한 번쯤 거절할 법도 하건만, 단오는 스스럼없이 유하의 호의를 받아들였다. 단오는 세 선비 중 유하와 가장 가까웠다. 그녀는 그를 친오라비나 다름없이 여겼다.

"단오야, 단오야. 매일같이 점점 더 고와지는 꽃 같은 단오야."

"시끄러워요, 시열 오라버니."

"어허, 그 곱디고운 꽃 같은 입으로 어찌 그리 험한 말을 하시나. 그러다가 할미꽃처럼 보기 흉해진다오."

"오라버니야말로 그 번듯한 입으로 어찌 그런 악담을 하시나요. 정녕 내일부터 소금밥이 드시고 싶은 건가요?"

주거니 받거니 티격태격하는 단오와 시열이었으나, 표정은 놀이라도 하는 듯 장난스러웠다. 평상 위에 양반다리를 하고 앉아 있던 시열이 갑자기 팔을 뻗어 단오의 머리를 쓱 쓰다듬었다. 싱글벙글한 표정이, 마치 귀여워 죽겠다는 듯한 태도였다. 몸을 돌리던 단오가 소리를 빽 질렀다.

"아이참, 머리 만지지 말래두!"

"예예. 알겠습니다요, 단오 아씨."

말은 그리하면서도, 시열은 다시 한번 손을 뻗어 단오의 쫑쫑 땋은 머리채를 건드렸다. 그녀의 손이 찰싹, 그의 손 위로 떨어졌다.

"아이고, 한량 살려! 여기 한량이 두드려 맞고 있어요!"

방정맞게 큰 소리를 낸 시열이 곧 웃음을 터뜨렸다.

"잘들 논다."

평상 위에 걸터앉아, 다리를 쭉 뻗은 채 장검을 만지작거리고 있던 산이 중얼거렸다.

"산 너, 지금 샘 부리는 거지?"

"뭐라?"

"단오가 나나 유하한테만 잘해 주는 것 같아 질투가 나냐, 이 말이야."

"질투는 무슨 얼어 죽을 놈의 질투."

정말로 기가 막힌다는 듯, 산이 헛웃음을 흘렸다. 그러나 시열은 이내 장광설을 늘어놓기 시작했다.

"내 충고하네만, 저리 어여쁜 아씨를 대할 때는 그렇게 툭툭 집어 던지는 못된 말투부터 고쳐야 한다고. 가는 말이 고와야 오는 말이 곱다, 모르나?"

"어디서 개 짖는 소리가 나는구나."

"쯧쯧. 저런 고얀 말버릇을 보았나. 대체 어떤 가여운 여인네가 너 같은 놈한테 시집을 갈지……."

"너 같은 난봉꾼에게 시집가는 것보다야 낫겠지."

산과 시열에게는 일상이나 다름없는 투덕거림이 한창일 때.

"자네들은 밥상머리에서 또 말싸움이구만."

건넌방 문이 드륵 열리며, 부스스한 모습의 사내 하나가 눈곱을 떼며 마당으로 걸어 나왔다.

"육호 아재, 주무셨습니까."

"더 자려고 했네만. 자네랑 산이가 또 투덕거려서 깼지 뭔가. 밤새 유하에게 줄 생원시(生員試)[4]족보를 정리했거든."

"그 귀한걸요? 역시 과거 시험의 살아 있는 족보다우십니다. 한데 제 건 없습니까, 아재?"

시열의 물음에 육호는 흥, 코웃음을 쳤다.

"유하처럼 배움이 빨라야 저런 걸 만들어 줄 마음도 나는 거지. 시열 자네 같은 멍텅구리는 읽어도 무슨 소린지 모를 걸세. 웬만한 아녀자도 자네보단 책을 더 읽었을 것을."

"아니 아재, 그럴 리가요! 제 주변 어느 여인도 저보다 글을 많이 읽지는 않았습니다만."

"그건 자네 주변에 여인이라고는 기생뿐이라 그런 거야."

"아."

할 말이 없어진 시열이 입을 비죽거렸다.

"유하는 이따 방으로 와서 족보를 받아 가게. 산 자네도 한번 읽어 보겠는가?"

---

4) 조선시대 소과 중 하나.

"아직 생원시를 공부할 단계까지는 가지 못했습니다."

"뭐, 하기야, 무과를 준비하는 처지니 글공부까지 할 여력은 없겠지. 매일 무예 연습을 하지?"

"예, 연습하기에 좋은 장소를 하나 알아내어 매일 가고 있습니다."

육호가 고개를 끄덕였다. 부엌에서 솔솔 풍겨 오는 고소한 향내를 맡은 그가 코를 벌름거렸다.

"오오, 고깃국을 끓이는 모양이야. 냄새가 아주 기가 막히구먼."

육호는 20년이 넘게 과거에 응시하고 있었으나, 낙방을 거듭한 끝에 과거 시험의 주제란 주제는 모두 달달 외워 버리는 경지에 이르렀다. 그가 '살아 있는 족보'라 불리는 이유는 이 때문이었다.

"훠이, 비키십시오! 뜨끈뜨끈한 고깃국이 나갑니다!"

김이 모락모락 피어오르는 소반을 든 단오가 소리쳤다.

'이화원의 꽃', 윤단오.

단옷날에 태어나 단오라는 이름이 붙었다. 그녀는 올해로 열여덟 살이 되었다. 이 계절이 그러하듯, 단오 역시 소녀티를 벗고 여인으로 피어나는 시기에 속해 있었다.

가문 대대로 이화원을 운영해 온 아버지가 돌아가신 후 객주는 단오의 어머니에게 상속되었다. 그러나 어머니는 세상 물정에 몹시 어두웠다. 결국 어린 시절부터 영민하던 단오가 자연스레 주인 역할을 하게 되었다.

"해가 길어졌으니, 오늘부터 저녁 식사는 유시(酉時)⁵⁾에 올리도록 할게요. 늦어도 해시(亥時)⁶⁾에는 잠자리에 들도록 하시고요."

선비들의 의식주를 포함한 일거수일투족을 관리하는 것이 그녀의 일이었다.

---

5) 17시에서 19시 사이.

6) 21시에서 23시 사이.

"다음번 식년시에는 반드시 급제를 하셔야지요. 오라버니들께서 이화원에 드신 지도 이미 삼 년이니까요."

"벌써 시간이 그리 흘렀나."

산이 낮은 소리로 중얼거렸다. 그가 새삼스러운 눈길로 유하와 시열을 바라보았다. 삼 년 전 이화원 문턱을 넘어 들어오던 기억이 생생하게 떠올랐다.

같은 날, 같은 시간, 같은 장소에서 마주친 인연. 단오가 소녀에서 여인이 되었듯, 갓 관례(冠禮)[7]를 치른 앳된 소년이었던 그들 역시 어엿한 청년이 되어 있었다.

"제가 늘 말씀드렸지요? 남들이야 과거 급제에 십 년이 걸린다, 십오 년이 걸린다 하지만 이화원에서는 오 년이면 어사화를 받을 수 있다고! 이제 꼭 이 년 남았으니, 열심히 정진하셔야 해요."

"그런데 단오야, 오 년 만에 과거에 급제한 사람이 정말 있기는 해? 난 도무지 믿기지가 않는데."

시열의 물음에 단오가 당연하다는 듯 고개를 크게 끄덕였다.

"그럼요, 있고말고요."

"그게 누군데?"

"제 아버지요."

"아버님 한 분 말고는 또?"

"그건……. 이화원의 기밀이옵니다만."

종종걸음으로 부엌으로 사라지는 단오의 모습 뒤로 선비들의 시선이 따라붙었다.

"내가 그 기밀 말해 줄까?"

육호의 말에 선비들이 눈을 빛내며 고개를 끄덕였다.

---

7) 상투를 트는 성인식

"단오 아버지. 그 한 명이 전부야. 자네들 모두 단오한테 속은 걸세."

풋, 시열의 입에서 헛웃음이 터졌다.

"내 저럴 줄 알았다. 오 년 만에 과거에 급제하는 객주라고 그리 소문을 내고 다니더니, 결국 단오 아씨께서 사기를 친 게군."

"엄밀히 말해서 사기는 아니지. 아예 없는 소리를 한 건 아니잖아."

"유하 도령께서 또 단오 편을 들어 주는구나, 그래. 유하 네가 단오 소원을 들어주면 되겠네. 나는 이미 버린 몸이니."

육호가 혀를 끌끌 찼다.

"시열 자네, 그러다가 내 꼴 나네."

"어이쿠, 육호 아재. 어찌 그리 무시무시한 말씀을."

"그렇게 세월아 네월아 하다, 나중에 시열 아재라고 불릴 날이 있을 게야."

오가는 대화 사이로 선비들의 왁자한 웃음소리가 들려오는 이화원의 점심시간. 부엌에 있던 단오가 빼꼼 얼굴을 내밀었다. 정겨운 안뜰 풍경을 바라보는 그녀의 뺨에 움푹 볼우물이 패었다.

단오는 이화원을 사랑했다. 이화원은 그녀의 집이자 행복의 원천이었다.

그리고 단오에게는 몰래 간직한 비밀이자, 힘이 되어 주는 또 하나의 순간이 있다.

하루가 끝나 가는 시각, 푸르스름한 어둠이 깔린 이화원의 끄트머리 방. 단오는 문갑 밑에 넣어 둔 서책 하나를 꺼내 들었다. 서책 중간쯤을 펼치자, 마른 꽃 한 송이가 모습을 드러냈다.

어느덧 삼 년이 흘렀던가. 본래의 새하얀 꽃잎은 누르스름하게 빛이 바랬지만, 여전히 그 밤의 기억을 불러일으키는 이름 모를 꽃.

"그 선비님은 대체 누구였을까……."

가만히 손을 내밀어 바삭바삭 마른 꽃잎을 쓸어 보는 단오의 기억 속, 삼 년 전 그 밤이 되살아났다. 이름도, 나이도, 얼굴도 알 수 없는 그 선비.

그는 지금 어디에 있을까.

단오가 제 아랫입술을 손끝으로 지그시 눌렀다. 그 밤, 입술에 닿았던 그 아릿한 감촉을 되새기듯이.

봄은 머리 위 나뭇가지에만 피어난 것이 아니었으니, 발길이 닿는 길목마다 흐드러진 들꽃이 지천이었다.

파릇한 봄길. 간질간질한 봄바람을 맞으며 걷는 단오의 걸음이 가벼웠다. 사뿐사뿐 걸어가는 단오의 곁에는 유하가 보폭을 맞추어 걷고 있었다. 산과 시열은 그들 뒤를 앞서거니 뒤서거니 따랐다.

"힘들지 않아?"

불쑥 유하가 질문을 던졌다.

"뭐가요?"

"객주 일도 죄다 단오 네 몫인데, 이렇게 저자에 나가 물건까지 팔아 와야 하잖아."

"아아, 힘들어요."

그러나 힘들다는 말과는 달리, 해맑게 웃는 단오의 얼굴에 그늘은 보이지 않았다.

"특히 오늘처럼 날씨 더럽게 좋은 날. 나는 마음이 바빠 죽겠는데 세상 모든 게 마냥 들떠 보이는 날. 이런 날은 어디로든 도망가고 싶고, 떠나고 싶고."

"단오야, 이 시열 오라비는 어떠냐? 네 밥 안 굶길 자신 있는데. 오라버니랑 도망갈까?"

"오라버니의 그 애틋한 마음은 잘 알겠습니다만, 넣어 두시지요."

시열의 농에 단오가 깔깔대며 웃었다.

"시집 같은 거 가서 뭐 해요. 재미없게."

"정말로 시집 안 갈 테야?"

"내가 시집가 버리면 오라버니들 과거 공부는 누가 챙겨요? 또 모르죠. 오라버니들 셋 다 과거에 급제하면 그때 가서 생각해 볼 수도."

"뭘 생각해 본다는 건데? 우리 중에 누구한테 시집이라도 오려고?"

푸훗, 단오가 웃음을 터뜨렸다.

"그럴까요?"

"그래, 좋은 생각이야. 이리 고운 아씨께서 평생 독수공방하다니, 말도 안 되는 소리라고. 그러니 나나 유하 중에 아무나 골라잡아. 산 저놈만 아니면 돼."

"그 입 좀 다물 수 없냐?"

산이 시열에게 쏘아붙였다.

"어이쿠, 산이 화났다. 제 이름만 빼서 화가 난 게로군. 그래, 단오야. 아쉬운 대로 산이도 서방님 후보에 넣어 주도록 해."

"관심 없거든."

또다시 말싸움을 시작한 산과 시열 사이로, 단오가 황급히 끼어들었다.

"또, 또 싸운다. 오라버니들은 하루라도 말싸움 안 하면 큰일 나는가 봐. 그건 그렇고……."

퍼뜩 생각났다는 듯, 단오가 손에 들고 있던 꾸러미를 끌렀다. 희고 노랗고 붉은 고운 원석으로 장식된 노리개 세 개가 모습을 드러냈다. 따사로운 한낮의 햇살이 반지르르한 노리개 위로 주르륵 미끄러졌다.

"정말 곱죠?"

"곱다. 홍주 낭자가 만든 것이로구나."

"예. 지난번 포목전 황 아저씨께서 특별 주문한 물건이에요. 아마 값을 잘 받을 수 있을 거예요."

"홍주 낭자도 이리 좋은 날 바깥바람도 쐬고 하면 좋을 것을."

시열이 불쑥 던진 말에, 단오는 대답 대신 조용히 웃기만 했다. 노리개를 챙기던 그녀의 표정이 문득 쓸쓸해졌다.

'다스려 깨우치다'라는 의미를 가진 이화원. 하지만 언제부턴가 사람들은 이화원을 본래 이름이 아닌 두 이(二)에 꽃 화(花) 자를 써 '두 송이 꽃이 핀 객주'라 부르곤 했다. 이화원에 사는 두 자매, 단오와 홍주 때문이었다.

홍주는 이화원의 큰딸이자 단오의 언니였다. 그러나 삼 년간 이화원에서 살아온 선비들조차 그녀의 얼굴을 잘 알지 못했다.

끔찍한 비극을 겪은 후, 홍주는 완전히 방 안에 틀어박혀 세상과의 연을 끊었다. 그녀가 이화원 대문 밖으로 걸음을 하지 않은 지도 어느덧 사 년이 흘러 있었다.

단오는 문득 아득하게만 느껴지는 기억을 떠올렸다. 단오와 홍주 둘이서 손깍지를 쥐고선 마을 곳곳을 쏘다니던 시절. 홍주 언니한테도 분명 그런 날들이 있었는데…….

"아야!"

생각에 잠겨 걷던 단오의 발이 삐끗한 순간, 묵묵히 뒤에서 따라오던 산이 불쑥 그녀의 팔을 붙들었다. 비틀대던 단오가 중심을 되찾자마자 그는 다시 한 걸음 물러났다.

"괜찮으냐?"

"단오야, 안 다쳤어?"

호들갑스럽게 안부를 묻는 유하와 시열과는 달리, 산은 언제 그랬냐는 듯 무심한 표정으로 돌아가 있었다.

"잠깐 딴생각을 하다가……. 괜찮아요. 고마워요, 산 오라버니."

"넌 정신을 어디다가 팔고 다니냐. 번거롭게."

퉁명스럽게 내뱉은 산이 손을 탈탈 털었다. 그를 보던 시열이 입을 이죽거렸다.

"웃기는 놈이라니까. 내가 다 봤다고."

"뭘?"

"저만치 뒤에 있다가 단오가 삐끗하자마자 득달같이 뛰어들었잖아. 혹시라도 우리 단오 아씨 다칠까 싶어서. 무슨 비호가 나타난 줄 알았다니까? 그래 놓고서 말하는 꼬락서니 하고는."

"그런 적 없어. 마침 보여서 붙들었을 뿐."

"오, 그래? 입 꾹 닫고 걸으면서도 눈으로는 단오를 훔쳐보고 있었다? 너도 참, 보기보다 음흉하단 말이야."

산이 몹시 짜증 난다는 표정으로 후, 입바람을 불었다.

"훔쳐보긴 누가 훔쳐본다는 거냐. 제발 그 입 좀 다물 수 없나?"

"항상 느낀 건데, 단오를 보는 눈빛이 영 수상했어. 아아, 불쌍한 단오. 어쩌다가 저런 냉혈한 같은 녀석의 눈에 들어 가지고설랑은……."

"관심 없거든. 닥쳐라, 김시열."

"닥쳐 주세요, 시열 형님이라고 해 봐."

"닥쳐 주세요는 또 뭐야. 바보냐?"

또다시 시작된 산과 시열의 싸움은 소강될 기색을 보이지 않았다. 유하가 저도 모르겠다는 듯 어깨를 으쓱하자, 단오 역시 웃음을 터뜨리고 말았다.

저잣거리 초입에 들어서자, 조용한 중촌과는 완전히 다른 풍경이 눈앞에 펼쳐졌다. 떡이며 강정 같은 주전부리를 사고파는 소리, 물건을 흥정하는 사람들의 목소리. 활기 넘치는 풍경에 그들의 마음마저 들썩였다.

"단오 아씨 나오셨습니까? 아이쿠, 오늘은 선비님들도 같이 오셨구먼요."

"단오 아씨님은 어찌 이리 볼 때마다 고와지시는지."

"아씨! 이거 하나 드시고 가시우!"

상인들과 인사를 나누느라 단오의 걸음은 자꾸만 느려졌다.

누구에게나 환한 웃음을 건네는 모습. 사랑받는 것에 익숙하여, 감정을 표현하는 데 거리낌이 없는 태도. 단오에게는 바라보는 이마저 미소 짓게 하는 힘이 있었다.

번잡한 저자 초입을 지난 단오의 걸음은 사거리 포목점 앞에서 멈췄다.

"황 아저씨! 노리개 가져왔어요."

"오오, 단오 아씨."

포목점 주인장이 웃음을 흘리며 걸어 나왔다. 단오가 들고 있던 꾸러미를 풀어냈다.

백옥 노리개가 하나, 밀화(蜜花) 노리개가 하나, 산호 노리개가 하나. 홍주가 만든 장신구들은 제법 좋은 값으로 팔렸다. 비록 방 안에만 틀어박혀 있었지만, 홍주도 나름의 방식으로 가족의 생계에 보탬이 되고 있는 것이다.

"특별히 공들여 만든 거예요. 재료도 진짜 귀한 것들만 썼고요."

"나무랄 데 없이 잘 만들었구면요. 석 냥 드리겠수."

"에에?"

단오의 입가에 헛웃음이 맴돌았다.

"아니 되어요. 석 냥이라니. 재료값만 해도 얼만데. 닷 냥은 받아야죠."

"흠, 넉 냥."

"아저씨……."

갑자기 단오의 표정이 달라졌다. 영민한 눈꼬리가 순식간에 비 맞은 강아지처럼 축 처졌다. 단오가 두어 번 눈을 깜빡였다. 어느덧 단오의 눈망울에는 눈물이 그렁그렁했다.

"객주 사정이 좋지 않아요. 이거라도 팔아서 살림에 보태야 하는데……. 넉 냥. 물론 큰돈이지만, 아저씨께서 그리 주신다면 감사히 받아야겠지만……."

단오는 차마 말을 잇지 못하고 입술을 달싹거렸다. 큰 눈에 맺힌 눈물은 툭 떨어지기 일보 직전이었다.

"아이고, 아, 아닙니다요."

포목점 주인 황 씨가 당황한 듯 손사래를 쳤다.

"다, 닷 냥! 아니 닷 냥하고도 다섯 푼! 내가 미쳤나 봅니다요. 이리 공이 들어간 물건값을 깎으려 들고."

울상이던 단오가 그제야 희미하게 미소를 지었다. 그러나 어딘지 처연한 것이, 눈빛은 여전히 비탄에 잠긴 듯 애처롭기만 했다. 포목점 주인장이 다급한 손길로 전대 속을 더듬었다.

"고맙습니다, 아저씨. 이 은혜는 잊지 않을게요."

"별말씀을요. 은혜는 무슨. 여기 있습니다요. 닷 냥……."

"하고도 다섯 푼."

"그, 그렇지요. 닷 냥 다섯 푼."

"고맙습니다, 황 아저씨."

작은 주머니 안에 돈을 챙겨 넣은 단오가 꾸벅 고개를 숙였다. 먼발치에서 단오를 지켜보고 있던 시열이 킬킬대며 웃기 시작했다.

"역시 윤단오. 여우네, 여우야. 오늘은 포목점 주인장을 구워삶는구나. 영감쟁이 표정 봤어? 간이고 쓸개고 다 빼어 줄 기세네. 단오가 달라면 저 포목점도 덥석 내어 줄 것 같구먼."

"저렇게 겁 없이 굴다가 무슨 일이 생길 줄 알고. 저 영감이 순한 사람인 걸 다행으로 알아야지. 엄한 놈한테 걸리기라도 하면 어찌하려고."

잔뜩 신난 시열과는 달리, 산의 표정은 영 마뜩잖아 보였다.

"저러다가 귀찮은 날파리나 꼬이지."

산이 못마땅한 듯 인상을 찌푸렸다.

"산, 그렇게 말하지 마라."

"뭘?"

평소와는 달리 유하의 표정이 밝지 않았다.

"단오라고 저러고 싶어서 저럴까. 아버지는 돌아가셨고, 어머니는 그저 순박하시기만 하고, 홍주 낭자는 방에만 틀어박혀 있지 않은가. 단오 혼자 사내 몫까지 다 하고 있는 것을."

"무슨 말이 하고 싶은 건데?"

"단오의 처지가 안됐다는 얘기를 하는 거다. 안쓰럽잖나. 혼자서 생계를 다 짊어졌으니……."

유하가 말끝을 흐리며 입을 다물었다.

"그리 단오가 안타까우면 유하 네가 혼인이라도 올리지 그래?"

빙글빙글 웃으며 건네는 시열의 말에, 유하가 눈을 치켜떴다.

"뭐?"

"자네, 단오 좋아하잖나. 생계를 짊어진 게 안쓰럽다니 자네가 혼인하여 먹여 살리면 되겠네. 혼례식 대접 음식은 무조건 소고깃국이다. 알았지?"

"무슨 소리를! 좋아하다니. 누이동생처럼 여기는 것이네."

"아이구, 유하. 너는 서책만 읽은 샌님이라 사랑을 몰라. 사랑도 서책으로 배울 기세로구먼. 원래 다 그런 거라고. 누이가 정인이 되고, 정인이 부인이 되고, 그러다가 부인이 천하의 원수가 되고……."

"그만해, 괴상한 자식아."

언제나처럼 또다시 시작된 시열의 궤변에 지쳤다는 듯 산이 중얼거렸다.

"시열 오라버니랑 산 오라버니는 또 싸웠나 봐요."

이화원으로 돌아가는 길. 단오의 곁에는 유하뿐이었다. 시열은 부채를 펄럭거리며 저만치 앞서가는 중이었고, 산은 멀찍이 뒤에서 묵묵히 따라오고 있었다.

"네가 포목점에 들어가 있을 때 또 한바탕했어."

"또 시열 오라버니가 먼저 시작했죠? 시열 오라버니는 왜 이렇게 산 오라버니를 못살게 굴까요? 늘 되로 주고 말로 받으면서."

단오가 고개를 갸웃거렸다.

"글쎄다. 오히려 산이 편해서 그런 거 아닐까? 시열이는 산한테만 유독 유난스럽게 굴거든."

"산 오라버니는……."

"산이가 뭐?"

"벌써 삼 년째 매일 얼굴을 보고 있는데도 좀 어려워요. 무슨 말을 해도 화를 낼 것만 같고……. 가끔은 말 붙이기도 무서운걸요. 산 오라버니는 내가 싫은가 봐요."

"너를 싫어할 사람이 어디 있겠느냐. 이리 착한 단오를 싫어할 리가."

곰곰이 생각하는 듯 미간을 찌푸리고 있는 단오를 내려다보던 유하가 빙긋 웃음을 지었다.

"워낙 제 얘기를 하지 않는 녀석이라 나 역시 그 속은 모르겠구나. 하지만 그런 생각이 든다. 남들 앞에서 가시를 세우는 사람일수록, 그만큼 가시에 많이 찔려 왔다는 뜻이 아닐까, 하는."

"가시요?"

"그래. 그러니 산이 가끔 서운케 해도 너무 신경 쓰지 마. 저 녀석도 속마음은 전혀 그렇지 않을 테니. 아까도 네가 비틀거릴 때 냉큼 달려와 붙잡아 주지 않았느냐."

"그런가……."

단오는 휘청거리던 제 몸을 받쳐 주던 산의 팔을 떠올렸다. 무예로 단련된 그의 팔은 쇠처럼 단단했다.

"그래요, 그럴게요. 역시, 유하 오라버니랑 이야기를 하면 속이 좀 풀린

다니까."

유하를 올려다보는 단오의 얼굴에 맑은 웃음이 번졌다.

"생각해 보면, 처음 오라버니를 만났을 때도 딱 이런 봄이었는데."

"그래, 봄이었지. 시간이 참 빠르구나."

유하가 단오를 처음 보았을 때, 단오는 솜털이 보송보송한 열다섯 소녀였다. 그랬던 그녀가 고작 삼 년 사이 이리 아리따운 여인으로 자라나다니.

불어오는 봄바람 틈으로 스며든 꽃내음이 코끝을 스친다. 과거를 떠올리는 유하의 입가에도 옅은 웃음이 배었다. 해가 저 산 너머로 모습을 감추기 시작한 늦은 오후, 나란히 걸어가는 단오와 유하의 뒷모습이 주홍빛 노을 속으로 잠겨 들었다.

그리고 산은 조용히 그 뒤를 따라 걷고 있었다.

"좋아 보이네."

산이 나지막하게 중얼거렸다. 무엇이 그리 즐거운지 단오의 얼굴에선 웃음이 끊이지를 않는다. 유하를 올려다보며 웃음을 터뜨리는 단오의 볼 위에 해 질 녘 노을이 붉게 내려앉았다.

그때, 단오와 유하가 갑자기 걸음을 멈추었다.

"산 오라버니!"

단오가 빙글 몸을 돌려 산을 바라보았다. 산은 대답 대신 눈썹을 까딱 움직였다.

"왜 혼자 떨어져서 걷고 계세요. 이리 와요. 우리랑 같이 가요."

"……."

그래 볼까. 두 사람 틈으로 끼어들어 함께, 저 노을빛 속 하나가 되어……. 그래도 될까.

"일없어."

그러나, 산의 입에서 튀어나온 대답은 퉁명스럽기 그지없었다.

"에이, 또 그런다. 빨리요."

"산. 적당히 불퉁거리고 어서 와. 좋은 봄날 아니냐. 같이 걷자."

단오뿐 아니라 유하마저 산에게 어서 오라 손짓을 했다.

"이제 너까지 무슨 봄 타령이야. 봄 따위, 어차피 매년 돌아오는 것을."

"매년 돌아오지만, 지금 이 순간은 다시는 안 돌아온다고요!"

단오의 대답을 들은 산의 표정이 설핏 누그러졌다.

그래. 어차피 흘러 흘러 저만치 뒤로 사라져 버릴 봄이라면, 그 봄날 한 자락 함께 나누지 못할 이유가 무엇인가. 잠시 망설이던 산이 단오와 유하에게로 걸음을 옮겼다.

이화원으로 돌아가는 길. 석양에 물든 풍경 속으로 그들은 함께 걸어 들어갔다.

이화원 안뜰 평상 위에서는 늦은 저녁 식사가 한창이었다. 종일 저자를 누빈 탓에, 한창때인 선비들은 몹시 배가 고팠던 듯했다. 한동안 수저며 젓가락이 상 위를 오가는 소리만이 분주했다.

"육호 아재, 오라버니들. 식사하시고 이것도 좀 드세요."

"황정엿이로구먼."

"예, 아재. 어머니가 만들어 놓으셨어요. 기력 보하는 데 좋대요."

"감사히 먹겠다고 전해 드려라."

그릇을 내려놓고 부엌으로 돌아가던 단오의 눈에 담장 위에 소담하게 핀 매화꽃이 들어왔다. 단오가 무심코 꽃을 향해 손을 뻗었다. 그러나 높다란 매화나무 가지에 손이 닿을 리 없어, 손가락은 허공을 움켜쥘 뿐이었다.

"단오야, 그 꽃 꺾어 주련?"

그런 단오를 바라보고 있던 유하가 물었다.

"아니요, 괜찮아요. 식사들 하시어요."

단오가 민망한 듯 총총대며 사라지고 난 후, 황정엿을 베어 물던 육호가 입을 열었다.

"어릴 때부터 꽃이라면 사족을 못 쓰더니, 나이 먹어서도 여전하단 말이야. 내가 처음 단오를 보았을 때가, 어디 보자……. 십이 년 전이니, 단오가 여섯 살 때였나. 그때도 쟤는 하루 종일 동네방네 다니면서 꽃 꺾어 오는 게 일이었지."

그의 이야기를 듣고 있던 유하의 얼굴에 말간 미소가 번졌다.

"아재, 단오는 어릴 때 어땠습니까?"

"어땠기는. 아주 왈가닥이었지. 사내애들보다 더했어. 골목대장이었으니까. 겁이 없어서 사내애들도 막 후려 팼지. 그 와중에도 야무지게 꽃 꺾으러 다니고 말이야."

"어릴 때부터 보통내기가 아니었나 봐요."

"보통이 아니다마다. 그런 기개가 있으니 여인 혼자 몸으로 객주 주인 노릇도 할 수 있는 것이네. 본인이 원한다면 좋은 혼처로 시집가서 편히 살 수도 있을 것인데……."

육호가 말끝을 흐렸다. 그는 오랫동안 보아 온 단오를 친딸처럼 귀엽게 여겼다.

"단오는 혼인할 마음이 없다 하던데요."

"정녕 없어서 없다 하겠는가. 단오가 혼인을 해 버리면 이화원을 돌볼 사람이 없어지니 아니 간다 하는 것이지. 그러지 말고……."

육호가 유하의 얼굴을 찬찬히 훑어보았다.

"유하 자네가 과거에 급제하는 대로 단오와 혼인을 하게. 그래서 이화원을 같이 꾸려 나가는 게야. 어떤가?"

"예에?"

반문하는 유하를 보던 육호가 웃음을 터뜨렸다.

"농일세, 농이야."

육호는 껄껄 웃으며 자리를 떴다.

"유하."

"으응?"

"너 얼굴 빨개졌어. 마치 열여덟 봄 처녀 볼때기 같구나."

"무슨 소리를!"

자리에서 벌떡 일어난 유하가 자리를 뜨는 것을 바라보던 시열이 재미있다는 듯 킬킬거렸다. 그가 평상 위에 놓여 있던 황정엿 하나를 집어 들었다.

"산, 옜다. 엿 먹어라."

엿을 내밀던 시열의 시선이 산의 얼굴 위에 머물렀다.

"왜 또 그리 심기가 불편한 표정을 짓고 있어? 여기 큼직한 엿이나 먹으래도."

뭐가 그리 신이 나는지, 시열은 웃음을 흘리며 재차 엿을 권했다. 그러나 산은 시열의 말에는 대꾸조차 없이 제 방으로 들어가 버렸다.

바쁜 하루가 끝나고, 밤이 찾아왔다. 제 방 문갑 앞에 앉은 단오는 제법 이화원 주인이라고 부를 법한 모양새였다. 그녀 앞에 펼쳐진 것은 두툼한 장부로, 이화원의 출납을 꼼꼼히 기록한 것이었다.

"돈이 모자라."

잘근, 붓대를 깨물던 잇새로 혼잣말이 흘러나왔다.

선비들이 매달 지불하는 숙식비와 홍주가 만든 노리개를 팔아 버는 돈, 그리고 단오가 가끔 시전 일을 돕는 대가로 얻는 수익이 수입의 전부였다. 게다가 이화원에는 빚이 있었다. 단오는 돌아가신 아버지의 병수발로 인해 졌던 빚을 매달 갚아야만 했던 것이다. 당연하게도 이화원 살림은 늘 빠듯했다.

"그렇다고 오라버니들께 돈을 더 내놓으라 할 수도 없고."

도무지 답이 나오지 않는 장부를 뚫어져라 들여다보던 그녀가 한숨을 내쉴 때였다. 갑자기 문가에서 툭 하는 소리가 났다.

"누구세요?"

문을 연 그녀가 휘휘 주변을 둘러봤다. 그러나 사람 그림자는 보이지 않았다.

"괴[8]인가?"

다시 방문을 닫으려는 찰나, 그녀의 눈이 동그래졌다. 문 앞 쪽마루 위에 떨어져 있는 꽃가지 한 묶음을 발견했기 때문이었다. 꽃가지를 들어 올리자, 앙증맞은 분홍 꽃잎이 팔랑대며 떨어져 내렸다.

문틈으로 살랑살랑 들어오는 미풍. 봄밤 바람이 실어 나르는 매화꽃 내음이 열여덟 여인의 방을 가득 채웠다.

"대체 이걸 누가……."

단오가 고개를 들어 문밖을 바라보았다. 매화 향기에 홀리기라도 한 것처럼 그녀는 방을 나섰다.

달빛에 잠긴 고즈넉한 이화원 안마당. 정갈한 안뜰을 바라보고 있자니 갑갑하던 마음이 어느새 평온해진다. 이어 아늑한 행복감이 밀려들었다.

이화원은 단오가 직접 가꾸고 관리해 온 공간이었다. 나무 한 그루, 마당에 뒹구는 작은 돌 조각 하나마저도 그녀의 손길이 닿지 않은 곳이 없었다. 이화원에 속해 있는 모든 것들은 단오가 평생을 보내며 쌓아 온 추억의 일부였다.

---

8) 고양이.

아버지 생전, 아무런 걱정도 고민도 없던 행복한 시절의 기억들. 그것이 열여덟 단오를 이화원의 주인으로 살아가게 하는 힘의 원천이었다.

'아버지, 저, 잘해 내고 있어요.'

살며시 눈을 감은 그녀의 입가에 은은한 미소가 어렸다.

매일 밤 장부를 들여다볼 때마다 절로 한숨이 나곤 했다. 명문 객주라는 이름만이 화려할 뿐, 그 안에서 살아가는 가족의 삶은 소박하기 그지없었다. 그래도 아버지만은 알아주실 것이다. 제가 얼마나 이화원에 정성을 쏟고 있는지, 얼마나 진심으로 이곳을 사랑하고 아끼는지를.

아련한 생각에 잠긴 단오가 천천히 담장 안 풍경을 눈에 담고 있을 때였다. 건너편, 반쯤 열린 행랑채의 문 사이로 보이는 두 개의 눈동자.

"엄마야!"

제 방 안에서 저를 쳐다보고 있는 산을 발견한 단오가 외마디 소리를 내질렀다.

"뭘 놀라고 그래."

"아아……. 산 오라버니."

단오가 손으로 제 가슴을 쓸어내리며 후우 심호흡을 했다.

"심장 떨어지는 줄 알았어요. 귀신인 줄 알고요!"

"말은 바른대로 해. 난 그저 내 방에 앉아 있었을 뿐이거든. 방해한 건 네 쪽이라고."

심드렁하게 대꾸하는 산의 말에 무안해진 단오가 되물었다.

"대체 이 시간까지 아니 주무시고 뭐 하고 계신 거예요?"

"그러는 너는?"

"그냥……. 잠이 안 와서요."

"나도 잠이 잘 안 와서."

몸을 일으킨 산이 안마당으로 걸어 나왔다. 평상에 털썩 주저앉은 그가 단오의 얼굴을 쳐다보았다. 제가 놀라게 한 탓인지, 달빛을 받은 낮빛이 오늘따라 더 희다.

"다리 안 아프냐?"

"다리요?"

"하루 종일 쏘다녔잖아. 나도 다리가 지끈대는데, 넌 어찌 그리 팔팔한지."

"오라버니, 지금 제 걱정해 주시는 거예요?"

"내가 왜 네 걱정을 하냐."

언제나처럼 퉁명스러운 산의 대답. 그러나 단오의 얼굴엔 빙긋 미소가 번졌다.

유하 오라버니의 말이 맞았나 보다. 이렇게 걱정도 해 주고, 쓸쓸한 밤 말동무도 해 주는 좋은 사람인 것을. 그저 말을 툭툭 내지르는 습관이 있을 뿐, 산 역시 마음이 차가운 사람은 아닌 모양이었다.

산은 늘 냉랭했다. 사실 지금도 그는 웃음기 없는 무표정이었다. 하지만 오늘 밤, 단오는 왠지 그가 유하나 시열만큼이나 살갑게 느껴졌다.

"다리가 갑자기…… 아프네요. 왜 이러지?"

자못 궁금하다는 듯 중얼거리며 단오는 산 곁에 나란히 앉았다.

"다리가 아프냐고 물었지, 누가 내 옆에 와서 앉으라 하디?"

"오라버니 옆에 앉은 거 아닌데요. 그냥 다리가 아픈 김에 쉬어 가는 거지."

산은 굳이 대꾸하지 않았다. 평상 위에 걸터앉은 단오의 발이 가만가만 흔들렸다. 그녀가 신은 꽃신이 바닥을 스치는 소리만이 들려올 뿐, 두 사람 모두 한동안 입을 열지 않았다.

얼마나 앉아 있었을까. 산은 흘낏 그녀의 모습을 곁눈질했다.

단오는 먼 밤하늘을 바라보고 있었다. 숱 많은 속눈썹이 그녀의 볼 위에 가지런한 그림자를 만들었다. 팔랑, 매화나무에서 떨어진 꽃잎이 생각에 잠긴 단오의 머리 위에 내려앉았다.

흐드러지게 피어난 매화꽃 차양이 드리워진 이화원의 안뜰, 고요한 봄날의 밤이 깊어 가고 있었다.

"그림 좋네."

갑자기 들려오는 목소리. 단오와 산은 동시에 뒤를 돌아보았다.

"웬일이래. 산 네놈이 단오랑 그리 어여쁘게 나란히 앉아 있고."

"시열 오라버니, 안 주무세요?"

"자려고 누웠는데 밖에서 두런두런 말소리가 들리잖아. 가만 듣자 하니 산 저 녀석 목소리 아니겠어? 이 고얀 놈이 혹시 단오 아씨를 보쌈해 가면 어쩌나, 걱정이 되어 뛰어나왔지."

언제나처럼 능글맞은 시열의 말에, 산이 피식 실소했다.

"시열이 넌 꼭 너 같은 생각만 골라서 하는구나."

"그런 황송한 칭찬을 해 주다니. 고맙네, 친구여."

"욕을 칭찬으로 들어 줘서 내가 고맙다, 친구여."

"오, 산 요 녀석, 기분이 좋은가 본데? 나한테 지금 친구라고 했겠다. 일 년에 한 번 온다는, 강산한테 친구 소리를 듣는 날이 바로 오늘이로군."

"시끄러우니 이만 좀 사라지지 그래."

"흐음……. 단오랑 단둘이서만 밀담을 나누시겠다? 좋아, 좋다고. 오늘 하루는 내 단오를 양보해 주겠네, 친구여."

다시 제 방으로 돌아가려는 듯 몸을 돌리던 시열이 문득 생각났다는 듯 단오를 보았다.

"유하가 아까 네 방 쪽에서 오던데, 무슨 얘기라도 나눈 것이냐?"

"유하 오라버니가요?"

단오가 되물었다. 퍼뜩 문 앞에 놓여 있던 매화꽃 생각이 났다. 그러하다면 문 앞에 꽃을 가져다 둔 이가 정녕…….

"아니요. 안 오셨는데요. 곳간에라도 다녀가셨나……."

"유하가 야밤에 곳간을 들락거릴 리가. 깊은 밤 윤단오가 그리워서 서성이다가 되돌아간 거겠지."

"시열 오라버니, 자꾸 그런 민망한 농 하실 거예요?"

"농이라니! 단오야. 내 정말 궁금해서 묻는 것인데, 정말로 유하가 사내로 안 보여?"

시열을 쳐다보는 단오의 표정이 자못 진지해졌다.

"이화원에 사내가 어디 있어요? 제 눈에 보이는 건, 사내가 아니라 과거생들뿐인걸요. 여기 계신 누구도 사내라고 여겨 본 적 없어요. 평생 한 번도요."

"어이쿠."

또박또박 야무진 단오의 태도에, 시열이 졌다는 듯 두 손을 휘휘 내저었다.

"누가 단오 아니랄까 봐 단호하기가 그지없어. 기개가 대장군 감이야, 진짜."

"그러니 그런 장난은 이제 그만이에요, 오라버니."

"알았다, 알았어. 그나저나 우리 불쌍한 유하 도령은 어쩌나. 나 때문에 덩달아 단오에게 퇴짜를 맞았구먼."

그때, 갑자기 산이 자리에서 벌떡 일어났다.

"쓸데없는 소리 집어치우고, 들어가서 잠이나 자."

"왜, 단오랑 둘이서 밀담 나누려던 것 아니었어?"

"밀담은 무슨, 얼어 죽을……. 네놈 떠드는 걸 듣고 있자니 머리가 지끈지끈 아프다. 이만 자러 갈 테니 시끄럽게 굴지 마라."

쌩하니 단오와 시열을 지나친 산이 제 방문을 쾅 하고 닫았다. 어찌나 세게 닫았는지, 문 아래 마당에서 풀썩 먼지가 솟아오를 정도였다.

"산 저 자식은 밤이나 낮이나 시도 때도 없이 성질이야. 거참, 알면 알

수록 더 괴팍한 놈일세."

"이상하다. 조금 전까지만 해도 기분 좋아 보였는데……."

제 방 안에 있던 산의 귀에 단오와 시열의 목소리가 들려왔다. 펼쳐진 이불 위에 벌렁 드러누운 산이 눈을 질끈 감았다.

타박타박, 단오와 시열의 발소리가 점점 멀어져 갔다.

* * *

조정의 세도가들이 모여 산다는 북촌에서도 유난히 높은 솟을대문 안. 이곳은 한때 나는 새도 떨어뜨린다고 불렸던 세도가, 좌의정 신운호의 집이었다.

벼슬길에 나서길 바라는 선비라면 누구나 한 번쯤 꿈꾸었을 삼정승(三政丞)의 자리. 신운호는 그 삼정승 중에서도 가장 특별하고 또 탁월한 사람이었다.

고래 등 같은 사랑채 안에서, 신운호는 눈을 지그시 감은 채 생각에 잠겨 있었다. 그런 그의 맞은편에는 관복을 입은 날렵한 사내 하나가 자리했다. 쉬이 끝날 줄 모르는 침묵이 불편한 듯, 사내가 다리께를 움찔거렸다.

"전하께옵서는 아직 깨어나시지 못하셨네."

여전히 눈을 감은 채인 좌의정의 목소리가 적요한 방 안에 울려 퍼졌다.

"올해 들어 벌써 두 번째 아닙니까? 전하께서 갑작스레 쓰러지신 것 말입니다."

"그렇지. 두 번째……. 워낙 성정이 불같으시어 화를 누르지 못하여 생기는 병이라고만 진단할 뿐, 어의마저 치료법을 찾아내지 못하고 있으니."

"좌상 대감, 참으로 걱정이 크시겠습니다."

"크지. 크다마다. 당장 전하께옵서……."

좌의정이 그제야 감았던 눈을 떴다. 그의 표정도, 목소리도 한층 은밀해졌다.

"붕어(崩御)[9]하시게 된다면……."

감히 신하로서 입에 담아서는 아니 되는 가정. 그 무서운 말의 무게 앞에, 사내는 마른침을 꿀꺽 삼켰다.

"후사가 없지 않은가. 왕가의 피를 이어받은 자들을 모조리 숙청하고 보위에 오르셨으니, 왕위를 이을 왕손이 하나도 없단 말일세."

"그러게 말입니다."

"여인을 좋아하시는 전하께옵서 이토록 후사를 보지 못할 줄이야. 참으로 얄궂은 운명의 장난 아닌가."

이창(李昌). 조선의 임금. 그는 선대 임금의 붕어 후 왕자의 난을 일으켜 임금이 되었다.

강녕전에 입성하기 위한 그의 욕망은 지독한 피바람을 몰고 왔다. 일찍부터 전투적이고 잔혹한 성미를 가졌던 그는 두 형제와 가족, 나아가 여동생과 숙부의 일가족까지 몰살하는 참혹한 패륜 끝에 왕위에 올랐다. 그가 붉은 용포 자락을 휘날리게 된 그날, 조선 땅에 왕가의 자손은 단 한 명도 남지 않았다.

십오 년 전 온 천지에 피 냄새를 뿌리며 왕이 된 자. 그가 바로 의식을 잃은 채 병석에 누워 있는 이창이었다.

"중전마마는 물론이옵고 후궁이 그리 많은데, 이런 일이 생길 줄 누가 예상이나 했을까."

"참으로……."

신운호 앞에 앉아 있던 사내가 말끝을 흐렸다. 차마 입에 담을 수는 없는 말이기 때문이었다. 사람들은 그것을 일컬어 이렇게 말했다. 천륜을 저

---

9) 임금이 세상을 떠남.

버리고 임금이 된 자에게 대를 이을 수 없는 저주가 내렸노라고.

"장 판관."

"예, 좌상 대감."

"조선의 종묘사직이 위태롭네. 이러다간 정녕 이씨 왕조의 대가 끊기고야 말 것이야."

"하면 어찌하실 생각이십니까?"

좌의정은 한참 동안 말이 없었다. 그러나 장 판관이라 불린 사내의 태도는 잘 훈련된 사냥개처럼 진득했다.

훈련원 판관, 장태화. 그는 오랜 시간을 좌의정의 수족으로 살아왔다. 그는 기다림 끝에는 반드시 보상이 주어진다는 것을 경험을 통해 알고 있었다.

"때가 되었다."

장태화는 묵묵히 좌의정의 다음 말을 기다렸다.

"사 년 전 일을 기억하고 있을 테지. 무엇을 뜻하는지는 자네도 알 것이네."

침묵을 지키고 있던 장태화가 마침내 입을 열었다.

"대감, 소인은 사 년 전에 이미 그자를 찾는 데 실패했었습니다."

"그러나 그가 살아 있다는 사실을 확인한 것 역시 자네뿐이었네."

"그 사건 이후, 이미 한양을 떴을 것입니다."

"떠나지 않았네."

장태화가 고개를 들었다. 그가 신운호를 마주 보았다.

"어찌 아십니까?"

"그를 한동안 보살핀 늙은 종놈이 있었지. 그자가 말해 주었다."

사 년 전, 실패로 돌아갔던 좌의정의 명. 당시 장태화는 그 대가로 뼈아픈 희생을 치러야만 했다.

"그 종놈이 무엇이라 하던가요?"

"그는 한양 객주에 숨어들어 있다고 했네. 어려서부터 총명하여 글재간이 대단했다고 하니, 아마 과거생으로 신분을 위장하고 있을 것이야."

"객주요? 어느 객주에 있단 말입니까?"

"모르네. 그 종놈이 죽었으니까."

"그렇다면……."

장태화가 미간을 좁혔다. 좌의정의 주름진 입가에 묘한 미소가 걸렸다.

"그래. 방법은 하나뿐이겠지. 자네가 다시 일을 맡는 것 말일세."

신운호의 말에, 장태화가 마른침을 삼켰다.

사 년 전 간발의 차이로 놓쳤던 자. 사람들은 그를 잊었다. 장태화 역시 그가 영영 사라졌으리라 여겼다. 그랬던 그가, 결국 이렇게 다시 모습을 드러내는 것인가.

'그'는 임금 이창의 형님인 호성군 이평(李平)의 아들이었다. 십오 년 전의 왕자의 난. 그 와중에 유일하게 살아남았다 알려졌던 단 한 명의 왕손. 그는 지금의 임금이 붕어한다면, 왕이 될 자격을 가진 유일한 사람이었다.

"장 판관."

마침내, 좌의정의 지엄하고도 은밀한 명이 떨어졌다.

"이설(李設)을 찾아라."

2장. 바람꽃 기억

"아이쿠, 다리야……."

단오는 황 씨네 포목점 일을 돕고 막 이화원으로 돌아온 참이었다. 종일 서 있었던 데다 먼 길을 걸어온 탓에 다리가 욱신거렸다. 끄응, 소리를 내며 단오는 품삯 대신 받아 온 무명을 마루 위에 내려놓았다.

봄은 무심히도 흘러간다. 바쁘게 흘러가는 윤단오의 매일 따위 아랑곳없이, 봄은 이미 저 멀리 내달려 앞서가고 있었다.

다리를 쿵쿵 두드리던 단오가 무심코 담벼락 아래를 내려다보았다. 무르익은 사월, 만개했던 매화가 낙화하는 계절. 처음이자 마지막 봄을 보낸 꽃잎들은 수북한 분홍빛 무덤을 남긴 채 사그라지는 중이었다.

"단오야, 다녀왔느냐."

"예, 다녀왔습니다, 어머니."

"단오야, 어미 좀 잠깐 보련?"

어머니가 단오에게 손짓을 했다. 무슨 일이 있는 것인지, 고개를 갸우뚱하며 그녀는 안방으로 들어갔다.

"다른 게 아니라……."

어머니는 쉽사리 말을 꺼내지 못했다. 단오가 이유를 알겠다는 듯 포옥 한숨을 내쉬었다.

"또 중매쟁이가 다녀갔어요?"

"그래. 단오야, 혼담이 들어왔는데, 이번에는 아주 높은 양반집 자제라고……."

"싫어요, 어머니."

낮은 목소리였으나 그 어조만은 단호하기 그지없었다.

"양반집 자제가 아니라 대군마마라도 싫어요. 그렇게 시집 안 간다고 말씀을 드렸는데 또 왜……."

어머니의 눈시울이 붉어지는 것을 본 단오가 아랫입술을 잘근 깨물었다.

단오도 어머니의 마음을 이해하기는 했다. 여자가 혼기를 놓치는 것처럼 큰 허물이 없다고 여기는 세상이었으니까.

만일 제가 부잣집 며느리가 된다면 이화원의 형편이 한결 나아질지도 모른다. 지금도 중매쟁이들은 부잣집에 넣을 사주단자를 보내라며 성화를 부려 댔다. 그렇지만…….

"어머니, 저는 이화원 사람으로 사는 게 좋아요. 이곳을 제 손으로 지켜 가고 싶어요."

"이 어미가 어찌 그걸 모르겠느냐. 하나……."

"아예 혼인하지 않겠다는 소리를 하는 게 아니에요. 그렇지만 돈이 많고, 지체가 귀하다 하여 덜컥 모르는 자에게 시집가고 싶지는 않아요. 저는 어머니랑 아버지가 그랬듯, 제가 좋아하는 이를 만나 혼인하고 싶어요."

아버지 이야기를 꺼내자마자 어머니의 눈가가 촉촉이 젖어 들었다. 괜한 말을 꺼냈나 싶어 단오의 표정도 착잡해졌다.

"그래, 단오야. 어미가 또 실없는 소리를 하였다."

"어머니…… 너무 걱정 마세요. 저는 지금이 정말로 좋은걸요. 제가 잘할 수 있어요."

"그래……."

어머니의 한숨을 뒤로한 채 안방을 나서는 단오의 걸음이 무거웠다.

지금이 좋은 것은 그저 제 얘기일 뿐, 모두 욕심일지도 모른다. 조선 천지 대부분의 여인들이 생판 얼굴도 모르는 사내와 부부의 연을 맺지 않는가. 결국 제 이기심으로, 어머니와 언니가 편안해질 방법을 알면서도 외면하는 게 아닐까.

"……언니."

툇마루를 가로지르던 단오가 걸음을 멈췄다. 안채 끄트머리, 좀체 열리지 않던 문틈 사이로 파리한 얼굴이 보였기 때문이었다. 홍주와 눈이 마주친 단오가 얼굴에 떠올라 있던 심각한 표정을 지웠다.

"방물가게 주인장이 또 노리개를 부탁했어. 궁에서 쓰는 물건만큼 곱다며 입이 마르도록 칭찬을 하더라."

홍주가 희미하게 미소를 지었다. 그런 칭찬을 들을 때가 그녀의 표정이 잠시나마 밝아지는 유일한 순간이었다.

"밥은 먹었어? 저자 다녀올 때 주전부리라도 좀 사다 줄까?"

"아니야, 나는 괜찮아."

"응……."

안뜰로 내려가는 단오의 등 뒤로 문소리가 들렸다. 잠깐 동안 열렸던 홍주의 방문은 다시금 굳게 닫혔다. 홍주의 방이 다시 캄캄해졌듯, 돌아서는 단오의 마음 역시 그러했다.

깊은 밤. 유난히 생각이 많은 탓에 단오는 쉬이 잠들지 못했다. 애써 잠을 청해 보지만 그럴수록 정신은 말똥말똥해질 뿐이었다. 한참을 뒤척이던 끝에, 단오는 결국 한숨을 내쉬며 자리에서 일어났다.

호롱불을 켠 단오가 머리맡에 놓여 있던 서책을 괜히 뒤적였다. 그래 봤자 내용도 글자도 눈에 들어오지는 않았다.

"더워서 잠이 안 오나?"

방문을 살짝 열자, 서늘한 밤공기가 훅 끼쳐 왔다.

"이제 좀 살겠네."

그렇게 중얼거리는데, 갑자기 센 바람이 불어왔다. 그 탓에 활짝 젖혀 진 방문이 쿵 소리를 내며 반대편 벽에 부딪혔다. 그녀가 문을 닫기 위해 밖으로 팔을 뻗으려던 순간이었다. 누군가 단오의 시야에 들어왔다.

"오라버니."

평상 위에 팔베개를 한 채 드러누워 밤하늘을 올려다보고 있는 사내. 산이었다.

"이 시간까지 안 자고 뭐 하냐."

단오 쪽으로는 시선조차 던지지 않으며 산이 툭 내뱉었다.

"그러는 오라버니는요?"

"자고 있었어. 네가 꽈당대는 통에 깼다."

"왜 멀쩡한 방 놔두고 거기서 주무세요?"

"더럽게 더워서."

산은 오늘따라 유난히 더 퉁명스러웠다. 그러나 단오는 작정한 듯 안마 당으로 걸음을 옮겼다. 어차피 잠 따위 오지 않는 밤. 혼자서 끙끙 앓느니 불퉁대는 말동무나마 있는 것이 나았다.

"산 오라버니, 있잖아요……."

툇마루에 앉은 단오가 말끝을 길게 늘였다. 그제야 산은 자리에서 일어 나 비딱한 자세로 단오를 마주 봤다.

"있잖아요, 뭐?"

"무과 준비는 잘되고 있나 해서."

"그럭저럭."

"식년시까지 이제 이 년 남았네요. 그때쯤엔, 산 오라버니랑 유하 오라버니는 과거 급제해서 이화원을 떠나겠죠?"

"떠나?"

정녕 그렇게 될까. 단오의 말을 곱씹던 산이 불현듯 피식 웃었다.

"육호 아재랑 시열이 놈은 왜 빼놓는 건데?"

"아아……."

단오가 민망한 듯 얼굴을 붉혔다.

"육호 아재는 아시다시피…… 과거장에만 들어가면 울렁증이 도져 배 앓이를 하시는 분이라서……."

"그럼 시열이는?"

"시열 오라버니는 사실, 글공부랑은 담쌓은 사람이잖아요. 뭐, 혹시 모르죠. 기방이라도 열어서 이화원을 떠날지도요."

단오의 대답에 산이 낮은 웃음을 흘렸다.

"기방이라. 잘 어울리네, 시열이랑."

"시열 오라버니가 들으면 서운해하겠다. 산 오라버니랑 둘이 흉봤다고."

"괜찮아. 그놈은 내 흉 보고 다니는 게 인생의 목표잖아. 다 업보려니 할 게다."

단오가 킥킥 웃었다. 실없는 이야기를 두런거리고 있자니 한결 마음이 가벼워지는 것 같았다.

단오는 제 방 툇마루에, 산은 마당 위 평상에 있었다. 둘 사이 공간은 몇 발짝에 불과했다. 그 빈 공간을 비추는 달빛을 바라보던 단오가 한숨을 내쉬었다.

"오라버니들이 모두 떠나고 나면, 그때 이화원은 어떻게 될까."

"뭘 어떻게 돼. 또 다른 과거생들이 들어오겠지. 주인이 어여쁘다고 소문이 자자해서, 다들 빈방이 나기만 애타게 기다리고 있다잖아."

"제가 예쁘다고요?"

쿨럭, 산이 급히 헛기침을 했다.

"남들이 그랬다고. 내가 한 얘기가 아니라."

단오가 산을 바라봤다. 눈길이 닿은 것도 잠시, 산이 슬그머니 시선을 피했다.

"하지만 그때가 되면, 저도 이화원에 없을지도 모르는걸요."

"네가 이화원에 없다고?"

"어쩌면요. 사람 일은 모르니까……."

단오가 말을 이었다.

"오라버니. 저는……. 가끔 제가 이기적인 것 같다는 생각이 들어요."

왜 갑자기 내내 마음을 괴롭히던 이야기를 털어놓고 싶은 생각이 들었을까. 유하도, 시열도 아닌 늘 냉정하게만 구는 산에게.

"뭐가 이기적인데?"

"이화원을 지키겠다는 것도 따지고 보면 그냥 내 욕심일 뿐인 것 같아서……. 어머니가 정말 바라는 건, 이화원이 아니라 제가 혼인하여 잘 사는 걸지도 모른다는 생각이 들어서."

"혼인?"

"네, 열여덟……. 지금도 그리 빠른 나이는 아니라고들 하니까."

"해, 그럼."

내뱉으며, 산은 자리에서 일어섰다.

단오가 아무리 으름장을 놓아도, 중매쟁이들은 혼담을 넣기 위해 뻔질나게 이화원 문 앞을 기웃거렸다. 중매꾼들은 벼슬아치며 만석꾼의 이름을 늘어놓으며 그들이 가진 부를 들먹였다. 단오 정도면 누구든 골라잡아 혼인할 수 있다고. 그러면 가족 모두 평생 아무 걱정 없이 호의호식할 것이라고.

"해, 혼인. 이기적이네 마네 고민할 필요가 뭐가 있어. 그런 생각이 들었으면 하면 되는 거지."

"정말 혼인하겠다는 소리가 아니잖아요."

"이화원 따위 무슨 의미가 있다고. 양반 나리한테 시집가서 정경부인, 숙부인으로 살면 모두 편한 거 아냐?"

"이화원에 대해 그렇게 말하지 말아요!"

단오가 자리에서 벌떡 일어났다. 치맛자락을 꽉 쥔 손이 파르르 떨렸다.

"뭐, 어쨌든 나랑은 아무 상관 없잖아."

단오와 눈이 마주친 순간, 반짝 빛나는 물기를 본 산이 시선을 거두었다.

"혼인을 하든, 말든 나랑 뭔 상관이람. 귀찮게시리."

매정하게 고개를 돌리는 산을 바라보던 단오의 눈빛이 거세게 흔들렸다. 지난 삼 년 내내 멀게만 느껴졌던 산이었다. 요즘 들어 조금이나마 가까워졌다고 느낀 건 저만의 착각이었을까. 그와 고작 몇 마디를 나누는 것마저 당치 않은 바람이었던 걸까.

단오는 제 마음을 알아 달라고 한 것이 아니었다. 그저 들어 주길 바랐을 뿐이다. 가시 돋친 산의 태도에 울컥 서러운 마음이 밀려들었다.

"오라버니는……. 왜 저한테 늘 화를 내요?"

"화낸 적 없어."

"지금 화내고 있잖아요. 그냥 말을 걸었을 뿐인데, 무작정 화부터 냈잖아요."

"화를 낸 게 아니고, 정말로 귀찮아서 하는 소리야."

"정말 내가 귀찮다고요?"

산이 갑자기 입을 다물었다. 여전히 시선은 돌린 채였다.

차마, 그녀를 마주 볼 수가 없다.

'왜 난 단오 너에게 늘 화를 내는 거지.'

그건 산이 스스로에게 던지고 싶은 질문이었다.

"말을 해 주면 되잖아요. 맘에 안 드는 게 있으면, 고치라고 얘기해 줄 수 있잖아요. 그렇게 항상 화내지 말고, 윽박지르지 말고……."

투둑, 눈물방울이 단오의 뺨을 타고 흘러내렸다. 그녀가 소맷부리로 눈물을 쓱 닦아 냈다.

"조금만, 따뜻하게 대해 줄 수 있잖아요."

"……."

산에게서는 아무 답도 돌아오지 않았다. 그런 산을 가만히 바라보던 단오가 몸을 돌렸다.

단오가 떠난다. 타박타박 발소리 뒤로, 그녀의 방문이 쿵 닫히는 소리가 들렸다.

휘잉, 바람이 불었다. 안뜰은 언제 소란스러웠냐는 듯 그새 다시 고요해졌다. 바람에 쓸린 꽃잎이 우수수 떨어졌다. 그러나 산은 그 자리에 그대로 서 있었다.

'맘에 안 드는 게 있으면, 고치라고 얘기해 줄 수 있잖아요.'

아니다. 단오에게는 아무런 잘못도, 고칠 점도 없었다. 그저 평생 모나게 살아온 제 날 선 마음 탓일 뿐. 단오는 무엇 하나 탓할 데 없는 사람이었다.

'조금만, 따뜻하게 대해 줄 수 있잖아요.'

따뜻하게……. 유하와 시열이 단오를 대하듯, 스스럼없이 그렇게.

산도 그러고 싶었다. 단오에게 쉽게 다가가는 사람, 그녀를 편하게 해 주는 사람이 되고 싶었다. 그러나 왜 제 입에서는 칼날 같은 말들만 튀어나오는지. 어찌 단오를 늘 상처 입히는 건지 스스로도 정녕 알 수가 없었다.

제 머리를 감싼 산이 털썩 평상 위에 주저앉았다. 깊은 상념에 잠긴 채 그는 한참 동안 바닥을 내려다보고 있었다.

산의 머릿속, 아득한 먼 과거의 일처럼 느껴지는 삼 년 전 어느 날의 기억이 떠올랐다.

이틀 내내 자박자박 내리던 봄비가 개고, 하늘이 쨍하니 파랗던 날. 삼 년 전 그날은 볕이 꽤나 좋았었다.

"얼마요?"

"닷 푼입니다요."

뜨끈한 국밥 한 그릇을 먹으러 들렀던 주막. 투박한 인상의 주모는 까닭 없이 내내 그의 얼굴을 흘깃거렸다. 값을 치른 그가 막 자리를 뜨려던 찰나였다.

"과거생이십니까요?"

"그렇소."

"한양 사람이시고요?"

"아니라오."

그의 대꾸에, 주모의 얼굴에 화색이 돌았다.

"아하, 그럼 객주는 구하셨습니까?"

"아직 못 구했소만……."

"마침 잘됐구먼요."

작정이라도 한 듯 주모가 그의 앞에 자리를 잡고 앉았다.

"쇤네가 좋은 객주 하나를 소개해 드립지요. 오래된 명문 객주인데, 마침 이번에 한꺼번에 빈방이 났지 뭡니까. 주인이 참 좋은 사람이라 돕고 싶어서 알려 드리는 겁니다."

그가 대답하지 않자 주모는 꽤 조바심이 난 모양이었다. 주모가 덧붙였다.

"다른 뜻이 있어 그러는 게 아니라니까요. 그 객주가 터가 좋거든요. 이번에도 우르르 과거 급제를 했잖겠어요? 세 명이나 한 번에 과거 급제하기가 어디 쉬운 줄 아시게요? 그러니 쇤네 말 믿고 가 보세요, 선비님."

어차피 그는 달리 지낼 곳이 없는 처지였다. 언제가 되었든 객주를 구하기는 해야 할 터였다.

"거기가 어딥니까?"

"저기 큰길 보이시죠? 저 길 끝에……. 눈이 밝으면 아마 여기서도 대충 보일 것인데. 저기서 모퉁이로 돌아가면 바로 있습죠. 높은 솟을대문 집이니 바로 알아볼수 있으실 겁니다요."

그의 시선이 주모가 손가락으로 가리키는 먼 곳을 향했다. 아담한 크기의 나무들이 드문드문 길벗인 양 서 있는 길. 저 멀리 보이는 모퉁이를 돌아가면…….

"이화원이 나옵니다요."

"이화원……."

주모가 일러 주는 길을 눈에 담던 그가 객주의 이름을 중얼거렸다. 일단 가 보자. 마음에 들지 않으면 다른 곳을 찾아가면 그만이었다.

〈有空房(빈방 있음).〉

그는 대문 위에 붙어 있는 방을 쳐다보는 중이었다. 많고 많은 객주 중 하필 이곳일 줄이야. 걸음을 돌릴까 말까 고민하던 차, 살짝 열린 대문 사이로 안뜰이 보였다.

대문 틈으로 바라본 이화원 마당에는 이미 선비 하나가 대기하고 있었다. 또한저만치 떨어진 곳에서 이화원을 기웃거리는 또 다른 선비가 보였으니, 그 역시 과거생임이 분명한 행색이었다.

주모가 뭐라고 했는지 되새겼으나, 흘려들은 탓에 기억이 선명하지 않았다. 방이 두 개가 있다던가, 혹은 세 개라고 했던가? 어물쩍대는 사이 방이 모두 찰지도모른다는 생각이 들었다.

결국 그의 걸음은 이화원 문지방을 넘어서고 말았다. 앞으로 몇 년간 지내게 될곳을 정하는 것치고는 지나치게 충동적인, 그답지 않은 결정이었다.

그렇게, 그는 낯선 선비들 사이에서 멀뚱멀뚱 객주의 주인장을 기다렸다. 얼마나 시간이 지났을까.

"제가 이화원의 주인이옵니다만."

닫힌 문을 열고 순식간에 안으로 들어온 소녀.

"처음 뵙겠습니다. 저는 이화원의 주인, 윤단오라고 하옵니다."

소녀는 의젓하고 새침했다. 사내의 입술을 훔치고 걸음아 날 살려라 도망치던 왈가닥이라고는 믿지 않을 만큼.

그날, 그를 바라보는 단오의 표정에서는 어떠한 동요도 느껴지지 않았다. 당연한 일이긴 했다. 캄캄한 어둠 속에서 보았던 사내의 모습을 기억할 리 없을 테니까.

단오의 큰 눈을 마주 보던 그의 입가에 옅은 쓴웃음이 솟았다.

'바람꽃……'

제 입술을 훔쳐 간 바람꽃 같은 소녀가 이화원의 주인일 줄이야. 한 자락 봄바람이 젊은 선비의 옷자락을 휘감으며 나부꼈다.

"선비님의 존함은 어찌 되십니까?"

"나는……"

제 이름을 말할 때, 자욱한 바람꽃 향기가 풍겨 왔던 건 그 순간의 착각이었을까.

소녀의 입술과 제 입술이 포개질 때 느껴지던 아찔한 전율이 잠깐이나마 되살아났던 것 역시, 그저 환각에 지나지 않았던 것일까.

"강산이라고 하오."

아련하게 떠오르는 그 밤. 그건 벌써 삼 년이 지난 일이다.

산은 단오에게 제가 그 밤 그 선비라 내색하지 않았다. 처음엔 사실을 밝히는 게 민망하여 말을 못 했을 뿐인데, 어느덧 삼 년이 훌쩍 지나 버렸다.

"어차피 이제 단오는 기억도 못 할 것을."

산이 낮게 중얼거렸다. 단오는 이미 잊었으리라. 단오는 별 볼 일 없는 기억 따위를 붙들고 살기에는 너무 바쁜 여인이었다.

"기억해 주기를 바라기라도 하는 건가."

산은 스스로에게 물었다. 그렇지만 이미 답을 알고 있는 그였다. 정녕 그것을 바랐다면, 좀 더 살갑게 대하는 것이 이치에 맞을 것이다. 그녀를 끝내 울리고야 만 제 성미에 진절머리가 났다.

아니, 그것보다 더욱 그를 괴롭히는 것은 스스로도 알 수 없는 제 마음 자체였다. 대체 무슨 생각으로, 어린아이처럼 단오에게 발칵발칵 화를 내는 것일까.

"단오야."

산이 단오의 방문 앞으로 다가갔다. 방 안에서는 노란 호롱 불빛이 흘러나오고 있었다.

"단오야."

잠들었다고 여기기엔 짧은 시간이었다. 혹시 이불을 뒤집어쓰고 눈물 바람이라도 하는 걸까.

묵묵히 서 있던 그가 단오의 방문을 톡톡 두드렸다. 그러나 여전히 단오는 묵묵부답이다. 고심하던 산이 조심스레 방문을 잡아당겼다.

"자냐."

산이 픽, 웃음을 흘렸다. 단오는 문갑 위에 한쪽 볼을 내리누른 채 곤히 잠들어 있었다. 그녀의 주변에 어지러이 놓인 펼쳐진 장부며 서책들이 보였다.

단오의 눈가에 반질대는 눈물 자국을 본 산은 자리를 뜨지 못하고 머뭇댔다. 순간 열린 문틈으로 따뜻한 봄바람 한 줄기가 휘잉 불어왔다. 그 바람에 단오의 곁에 놓여 있던 서책이 펄럭이며 넘어갔다.

바람꽃. 서책 사이에 끼워져 있던 바람꽃 한 송이를 본 순간, 그 밤의 기억이 아스라이 피어올랐다.

방 안에 스민 달콤한 체향, 글자들로 빽빽한 서책 안, 그리고 단잠을 자는 여인의 말간 얼굴 위……. 사소하게 스친 인연의 한 자락이었지만, 어떤 외로운 사내에게는 평생 유일한 떨림이었던 순간이 남아 있다.

기억하고 있었구나, 너도. 잊지 않았구나.

"으음……."

단오가 노곤한 눈꺼풀을 들어 올렸다. 문밖에 서 있는 산을 본 그녀가 이내 벌떡 몸을 일으켰다.

"어휴, 깜짝아. 왜 그리 보고 있어요?"

아까의 원망이 남은 듯, 단오의 어조는 꽤 퉁명스러웠다.

"그 꽃, 뭔지 아느냐?"

산이 손가락을 들어 마른 꽃을 가리키자, 단오는 후다닥 책을 덮었다. 그 와중에도 꽃이 상할까 봐 걱정이 됐는지 그녀의 손놀림은 아이를 어르듯 조심스러웠다.

"몰라요."

"무엇인지도 모르는 꽃을 그리 간직하고 있어?"

"그냥, 처음 보는 꽃이라……. 혹시, 오라버니는 아세요?"

알다마다……. 바람꽃. 좀처럼 한양 근방에는 피지 않는 꽃.

그렇지만 산은 모른다는 듯 고개를 휘 내저었다.

"그 꽃, 어디서 났어?"

단오가 산을 바라보며 눈을 깜빡였다. 저를 지그시 바라보는 그의 표정도, 태도도 평소 산 같지 않았다. 게다가 어울리지 않게 웬 꽃 얘기를 저리 물어보는지.

"누가 꺾어 줬어요."

"누가?"

"누구라고 말해 주면 아나."

배죽대는 단오를 보던 산의 입꼬리가 쓰윽 올라갔다.

"누군지는 몰라도 한가롭게 꽃이나 꺾고, 꽤나 할 일 없는 양반인 모양이다."

"오라버니가 뭘 안다고. 아무것도 모르면서."

문득 아까의 일을 되갚아 주고 싶다는 생각이 들어, 단오는 힘주어 덧붙였다.

"산 오라버니처럼 고집불통인 사람 아니에요. 정말 선하고 듬직한 어떤 선비님이 꺾어 주신 거라고요."

오래전의 기억. 단오의 머릿속에서도 저 이름 모를 꽃처럼 희미하게 바래져 가는 그 밤의 이야기.

얼굴도, 이름도, 나이도 모르는 선비였으나 그는 분명 따뜻한 이일 것이다. 죽기 직전인 소녀의 목숨을 구해 주고, 캄캄한 밤길의 길잡이가 되어 주고, 까무룩 정신을 잃었을 때도 깨어날 때까지 곁을 지켜 주었던 사람이니까.

피식- 산의 웃음소리가 들렸다.

"뭐가 웃겨요?"

"안 웃겨."

"그런데 왜 웃어요?"

"예뻐서."

"뭐요?"

"예쁘다고."

"저, 저요?"

대체 이게 무슨 소리인가 싶어 단오는 눈을 동그랗게 떴다.

"너 말고, 그 꽃."

빙글, 산이 몸을 돌렸다. 제 방으로 돌아가는 그의 발소리가 저벅저벅 멀어져 갔다. 산의 너른 등이 시야에서 완전히 사라진 후에도 단오는 그가 사라진 문밖을 바라보고 있었다.

"왜 이리 더워."

단오가 손을 들어 휘휘 부채질을 했다. 제 볼 언저리에 연분홍 꽃물이

든 줄도 모르는 채.

　넷의 걸음 소리가 경쾌하게 울려 퍼졌다. 온통 초록에 물든 길목. 저잣거리를 향해 나선 단오와 세 선비의 머리 위로 따사한 햇살이 일렁였다.

　내리쬐는 봄볕 사이를 노닐던 나비 한 마리가 산의 장검 위에 겁도 없이 앉았다. 그 모습을 본 시열이 킬킬 웃음을 터뜨렸다.

　"갑자기 왜 저래. 돌았냐?"

　"야, 진짜 안 어울린다."

　"뭐가?"

　"시퍼런 칼날 위에 나비라니. 너처럼 흉포한 놈 어깨 위에 이리 어여쁜 나비라니!"

　고개를 돌려, 제 장검 위에 앉아 있는 나비를 본 산이 어깨를 움찔 털었다. 나비는 이내 팔랑팔랑 날갯짓을 하며 멀어져 갔다.

　"잠시 지친 날개 좀 쉬어 가겠다는데, 그걸 굳이 또 그리 쫓아내요. 매정한 놈 같으니."

　"누가 들으면 부처님 납신 줄 알 지경이로군."

　"산, 자고로 무사란 말이다. 누구보다 생명을 중히 여기는 자들이어야 한다더라. 검을 쥔 자들이 생명을 어여삐 여기지 않는다고 생각해 봐. 이 세상은 지옥이나 다름없을 거 아니냐?"

　"생전 부엌칼도 안 쥐어 본 네가 할 소린 아닌 것 같은데."

　"흥. 서책에 다 쓰여 있거든. 똥을 찍어 먹어 봐야 똥인 줄 아냐?"

　시열이 입을 비죽거렸다. 그가 새삼스러운 눈길로 산의 검 자루를 살폈다. 산의 검 자루는 아무 장식이나 문양 없이 소박했다.

　"늘 애지중지 끼고 도는 검인데, 이상할 정도로 검 자루는 평범해. 제법 비싼 검 같은데 말이야. 검깨나 쓴다는 자들은 하나같이 자루며 검집을 요란하게 꾸미던데."

"너 따위가 비싼 검인지 아닌지 뭘 안다고. 시끄러."

"이거 혹시…… 저잣거리에서 개떡 두어 개랑 바꿔 온 검 아니야? 한 번 부딪치면 와그작 부서지는 싸구려 아니냐고."

"그래. 네 말이 다 맞다."

"언제 나랑 한번 붙어 보자. 내가 부엌칼로 상대해 줄 테다."

"아오……."

시열의 시비에 이골이 난 듯, 산이 한숨을 푹 내쉬었다.

"입 좀 다물어. 무슨 한여름 매미 귀신이 붙었나. 하루 종일 귀에다 대고 중얼중얼중얼중얼……."

산이 짜증 난 듯 걸음을 재촉했다. 산이 저만치 앞질러 가는 것을 본 시열이 껄껄 웃음을 터뜨렸다.

"단오야."

"……."

"단오야."

"예?"

제 이름을 연거푸 부르는 유하의 목소리에 정신을 차린 단오가 고개를 들었다. 그 순간 무엇인가가 간질간질 볼에 와 닿았다.

"매화네요."

유하가 내미는 매화꽃 가지를 받아 든 단오가 환한 웃음을 지었다.

손톱보다도 작은 꽃잎 하나하나에 누군가 공들여 붓질을 한 듯 분홍 물이 들었다. 꽃 가장자리는 흰색, 그 안으로 들어갈수록 번지듯 녹아드는 연분홍, 꽃술을 둘러싼 홍색…….

"이게 올 봄의 마지막 매화꽃일 거예요. 매화를 다시 보려면 일 년을 기다려야겠어요."

"때마침 남은 꽃이 있더구나. 지난번 생각이 나서 꺾었다."

"언제요?"

"얼마 전에 네가 매화꽃 올려다보던 것이 생각나서……."

"얼마 전? 아……."

그 밤, 툇마루 위에 가지런히 놓여 있던 매화꽃 가지. 시열이 단오의 방 앞을 서성이는 유하를 보았다고 말한 탓에, 단오는 그 꽃을 유하의 선물이라고 여겼었다.

한데 유하가 아니었나. 그렇다면 대체 누가…….

"어휴. 또 그놈의 꽃."

한심하다는 듯 중얼거리는 목소리. 산이 스윽, 단오와 유하의 곁을 스쳐 지나갔다.

"산 오라버니인가."

"뭐라고?"

"아, 아니에요."

저도 모르게 속마음을 입 밖으로 뱉어 버린 단오가 얼굴을 붉혔다. 하기야 제 생각에도 말도 안 되는 일이다. 아무리 생각해도 산은 아니지 싶었다. 저렇게 퉁명스러운 사람이 꽃을 꺾어다 줄 리가 없잖은가.

어쩌면, 시열의 장난질인 걸까? 단오가 곰곰 생각에 잠겨 있을 때였다.

"선비님들!"

갑자기 양갓집 규수 하나가 그들 앞으로 튀어나왔다.

"무슨 일이시오?"

"이, 이거……."

처녀가 떨리는 손으로 작은 꾸러미를 내밀었다. 유하가 난감한 표정으로 그 꾸러미를 내려다보았다.

"송구하오나 이런 걸 받을 수는……."

"감사히 받겠소이다!"

유하를 밀치며 앞으로 나선 시열이 냉큼 그것을 받아 들었다.

"마음을 담은 선물을 거절하는 것은 선비의 도리가 아니지요."

"받아 주셔서 고맙습니다, 선비님."

볼까지 발갛게 달아오른 처녀가 길 건너편에 있는 정자를 가리켰다. 유하와 산, 시열은 잘 몰랐지만, 그 정자는 연모하는 선비를 먼발치에서나마 보고픈 처녀들이 모여드는 장소였다.

"저기 쪽빛 저고리를 입은 아이 보이시지요? 저 아이가 전해 드리는 거예요."

"그렇습니까? 이리 고마울 데가."

시열이 통통한 처녀를 향해 손을 들어 보였다. 그러나…….

"아이참, 선비님 말고…… 여기 이 선비님께 드리는 거예요."

"나 말이오?"

유하가 민망한 듯 한숨을 쉬었다. 대체 시열은 덥석 저런 걸 왜 받아 가지고서…….

"그리고 이건…….."

처녀가 또 다른 꾸러미 하나를 꺼냈다.

"부디 받아 주세요. 이건 제 마음이에요…….."

이번에 손이 향한 방향은 다름 아닌 산의 쪽이었다.

"그 마음…….."

"에이취!"

갑자기 단오가 요란하게 재채기를 했다. 힐끔, 단오를 바라본 산이 말을 이었다.

"넣어 두시오."

"선비님…….."

"미안하오만 누군지도 모르는 이가 주는 물건을 받을 순 없소."

허공에 뜬 제 손을 바라보던 처녀는 금세 울상이 되었다.

"가자. 늦겠다."

산이 무심히 걸음을 떼었다. 처녀를 바라보던 시열이 입을 열었다.

"낭자가 이해하시오. 한여름에 쪄 죽은 귀신이 붙은 겐지, 저놈이 원래 차갑기 짝이 없다오. 내 쫓아가 요절을 내 드리리다."

"뭐라구요?"

"내 저놈을 요절을 내 드리겠다고……."

"선비님이 뭐라고 저분을 혼내요? 손끝 하나만 건드렸단 봐요!"

조금 전까지만 해도 그렁그렁, 애처롭던 처녀의 눈에 그새 쌍심지가 켜졌다.

"어이쿠, 앙칼진 처자 같으니."

시열이 질렸다는 듯 걸음을 재촉했다. 그사이, 처녀 곁에는 동무들이 우르르 몰려들었다.

"뭐야, 네가 준비한 선물은 받지도 않고 그냥 가 버린 거야?"

"저 망할 놈의 계집애!"

"왜? 저 계집애가 훼방이라도 놓디?"

"선비님이 분명히 이걸 받으려고 했단 말이야. 그런데 옆에서 재채기를 요란하게 해 대면서 눈치를 주잖겠어?"

몹시 분통이 터지는 듯, 처녀는 발까지 동동 굴렀다.

"얄미워 죽겠네, 저놈의 계집애. 객주 주인이면 부엌데기 노릇이나 할 것이지. 왜 선비님들 가는 데마다 따라오고 난리래?"

"생긴 것도 꼭 불여시 같은 게, 하는 짓도 똑같구나!"

"아아, 맞다! 얘기 들었어?"

곁에 서 있던 다른 처녀가 생각났다는 듯 목소리를 높였다. 씩씩대던 둘이 그녀를 돌아보았다.

"옹 대감네 막내아들 알지? 옹 생원 말이야. 그 집에서 저 계집애한테 혼담을 넣었다가 보기 좋게 퇴짜를 맞았대!"

"옹 대감이라면 한양 최고의 만석꾼 아니야? 그런데 그 아들은…… 흠, 천하에 둘도 없는 난봉꾼이라고 소문이 났던데."

"그래, 맞아. 돈이 썩어 빠져서 지랄병이 났다고 다들 그러더라."

이야기를 꺼낸 처녀가 고개를 주억거렸다.

"그뿐인 줄 아니? 혼인을 퇴짜 맞은 게 분하다며 이를 바득바득 갈고 있다 하더라고. 저 계집애, 보나 마나 곧 혼쭐이 날 거야."

"정말? 어휴, 진짜 그랬으면 좋겠다."

"그래! 그게 아니면, 옹가네 난봉꾼한테 시집이나 가 버리라지!"

"그래! 그러라지!"

그제야 분이 좀 풀린 듯, 처녀가 고개를 끄덕였다.

"배고프다. 주전부리나 먹으러 가자."

"그래, 그러자. 혹시 알아? 선비님이랑 또 마주칠지."

왁자하게 떠들던 처녀들이 이내 번잡한 저잣거리 안으로 모습을 감췄다.

그사이, 단오는 선비들과 헤어져 저자 한복판의 방물가게에 와 있었다. 방물전 주인은 홍주가 만든 노리개를 사 주는 주요 고객 중 하나였다.

"닷 냥."

"에이, 닷 냥은 너무하신다. 일곱 냥!"

단오와 주인장이 노리개값을 흥정하는 사이, 젊은 사내 하나가 방물가게로 들어섰다. 사내를 본 주인이 황급히 그를 향해 머리를 조아렸다.

아직 젊은 나이로 보이는 사내는 피둥피둥 잔뜩 살이 올라 있었다. 그는 사내치고는 드물게 장신구를 주렁주렁 걸쳤는데, 솔직히 말하자면 화려하다기보단 몹시 경박스러워 보이는 모습이었다.

"옹 생원님, 오셨습니까요. 명나라에서 들여온 물건이 있는데 보시겠습니까?"

"그거 좋지. 그런데⋯⋯."

사내가 단오의 모습을 쓱 훑었다.

"이 낭자가 들고 온 물건을 좀 보고 싶은데."

"아아, 노리개가 필요하십니까?"

주인장의 말은 듣는 둥 마는 둥, 사내가 퉁퉁한 얼굴을 단오의 코앞에 들이밀었다. 질겁한 그녀가 한 걸음 뒤로 주춤 물러났다.

"왜 이러세요?"

"왜 이러긴. 고운 낭자가 파는 노리개 좀 사고 싶어서 그런다니까."

"이봐요, 언제 봤다고 반말이에요?"

"흐음⋯⋯."

사내가 비식 웃음을 내뱉었다.

"역시 소문처럼 어마어마하게 기가 센 처자네. 쯧쯧. 여인네가 저리 드세서 어찌 시집이나 갈꼬⋯⋯."

"뭐라고요?"

"아아, 화내지 말고. 아무튼 그 노리개 내가 살게. 비싸게 살게. 나 돈 많아."

인상을 쓰고 있던 단오가 미심쩍은 눈으로 사내를 바라보았다. 꽤나 소름 끼치는 자이긴 했지만, 그래도 물건을 사 준다면⋯⋯.

"열 냥. 그 이하로는 안 팔아요."

"에이, 이렇게 고운 아씨가 파는 물건을 그리 싸게 살 수는 없지."

사내가 단오의 앞에 툭 엽전 뭉치를 내던졌다. 얼핏 보아도 한 손에 다 쥐어지지 않을 만큼 많은 양이었다.

"그 노리개, 내가 백 냥에 살게."

단오는 제 귀를 의심했다. 그녀가 황당한 표정으로 되물었다.

"열 냥짜리 물건을 백 냥에 사겠다고요?"

"에이, 순진하긴. 물건만 사겠다는 건 아니지."

사내가 혀를 내밀어 제 입술을 슥 핥았다.

"손 한번 잡아 보자. 그럼 내 이백 냥을 줄게."

"뭐요?"

단오가 기가 막힌 듯 쉰 소리를 냈다. 어디서 두꺼비처럼 징글맞게 생긴 사내가 감히…….

"혹시 다른 생각 있으면, 백 냥이 무어야. 내 천 냥도 줄 수 있다고. 다시 말하지만, 나 돈 진짜 많……. 커억!"

사내는 말을 채 끝마치지 못했다. 단오가 사내의 뺨을 사정없이 올려붙였기 때문이었다.

"이 발칙한 계집년이!"

"뭐? 발칙한 계집?"

"고작 객주에서 사내놈들 뒤치다꺼리나 하는 년이 어디서 고고한 척이야!"

사내가 우악스럽게 단오의 손목을 낚아챘다. 그와 거의 동시에 방물가게 안으로 시열이 구르듯 뛰어 들어왔다.

"어이쿠!"

촤악- 요란한 소리와 함께 온 사방에 물이 튀었다.

"으앗!"

사내가 제 얼굴을 감쌌다. 시열이 주인장이 꺼내 놓은 식혜를 단지째 사내의 얼굴에 들이 부어 버린 까닭이었다.

"어이쿠, 괜찮으시오, 미친 양반?"

"뭐?"

"아이쿠! 그쪽 말고요. 저기, 저 양반 말이오."

시열이 손에 들고 있던 부채로 사내의 이마 한가운데를 딱! 소리가 나게 내리쳤다.

"아야!"

"어이쿠, 미안해라. 용서하시오. 내 요즘 지랄병이 생겨서 미친놈처럼 자꾸 손이 제멋대로 움직인다오."

다시 한번 딱 소리가 요란하게 울렸다. 이내 사내의 이마 한가운데가 불룩하게 솟아올랐다.

"뭐 하는 놈이야!"

"뭐 하는 놈이긴요. 미친놈이래두요."

시열은 중얼중얼 떠드는 와중에도 부채로 사내의 몸 곳곳을 두드려 패고 있었다.

"어이쿠, 큰일 났네. 몸이 맘대로 움직이질 않아. 누가 나 좀 말려 봐요! 미친놈에겐 미친놈이 약이라던데, 어째 약발이 잘 들기는커녕 점점 더 몸이 말을 안 듣네, 떼잉!"

잔뜩 골이 오른 사내가 씩씩대며 시열을 붙잡기 위해 손을 휘저었다. 그러나 시열은 미꾸라지처럼 요리조리 빠져나가며 사내의 손길을 용케 피했다.

"이 개망나니 호래자식아, 아니 그쪽 말고요……. 아무튼, 어서 여기를 뜨시오! 조만간 나보다 더 미친놈 하나가 들이닥칠 것 같으니까. 그놈이 들어오면!"

시열이 사내를 보며 히죽 웃었다.

"네놈은 사지가 찢겨 나갈지도 모른다고. 아니, 딱히 댁 얘기를 한 건 아니라오."

시열의 말이 끝나자마자 산이 방물가게 안으로 걸어 들어왔다.

"무슨 일이냐"

얼굴이 시뻘게진 채 거친 숨을 몰아쉬고 있는 피둥피둥한 사내. 그 사내를 보며 이죽대는 시열. 마지막으로 구석에서 분한 표정으로 사내를 노려보고 있는 단오까지. 이를 본 산의 표정이 삽시간에 싸늘해졌다.

"단오에게 무슨 짓을 한 거냐?"

"아니야. 그럴 리가. 설마 저 기름이 좔좔 흐르는 나리께서 우리 단오에게 뭔 짓을 했을라고."

"단오, 네가 말해 봐."

단오가 한숨을 내쉬며 눈을 내리깔았다. 마음 같아선 저 사내가 했던 짓에 대해 죄 까발리고 싶었다. 그러나 차마 그럴 수 없는 이유가 있었으니, 이는 다름 아닌 산의 눈빛 때문이었다.

곧이곧대로 사실을 말했다간, 산이 진짜로 저자를 죽이고야 말 것 같은 느낌. 산의 눈에 어린 것은 분명 살기였다.

"아니에요, 아무 일도."

"정말 아니야?"

"예. 시열 오라버니랑 조금 시비가 붙었을 뿐이에요. 나랑은 관계없어요."

산이 의심스러운 눈빛으로 사내를 쏘아보았다.

"뭐 해요. 빨리 안 가고!"

단오가 사내에게 냅다 소리를 질렀다. 이내 사내는 믿어지지 않을 만큼 빠른 속도로 줄행랑을 쳤다.

"아이고, 아이고……. 이 일을 어쩌나……."

방물가게 주인장이 망연자실한 표정으로 손바닥을 마주 비볐다.

"이보시우, 선비님들. 대체 어쩌자고 저 양반을 저리 모욕 준다 말이오. 저 양반이 어떤 양반인데……."

"모욕 줄 만하니까 줬지. 아무튼, 뭘 하는 사람인데 그러시오?"

시열의 물음에 주인장은 땅이 꺼질 듯 깊은 한숨을 내쉬었다.

"옹 대감댁 막내아들이라고요! 이리 큰 수모를 당했으니, 절대 안 넘어갈 겁니다요. 반드시 앙갚음을 하려 들 것이라고요!"

"옹 대감댁이면, 그 만석꾼으로 유명한?"

"그렇지요. 이게 따지고 보면 다 단오 아씨 때문인 것을……."

"저 때문이라는 게 무슨 말이에요?"

단오가 눈을 동그랗게 떴다. 낯선 사내에게 희롱을 당한 것도 분하기 그지없는데, 별소리를 다 듣는 꼴이 아닌가.

"왜 아씨 때문이냐고요. 설마 정말 모르고 있었던 거유? 얼마 전에 옹 대감댁에서 아씨한테 혼담을 넣었다면서요. 그런데 아씨가 단칼에 거절 했다고……."

"저 사람이 그럼 그때……."

단오가 부르르 몸을 떨었다. 얼마 전 어머니가 어렵게 꺼냈던 이야기가 떠오른다. 지체 높은 집안에서 혼담이 들어왔다던 말. 그게 다름 아닌 저 런 망나니 같은 사람이었다고?

"그게 왜 저 때문이에요. 세상 어떤 처자가 저런 사내에게 시집을 가겠 냐고요."

"그거야 그렇지만……. 워낙 사고를 많이 치고 다니는 양반이라…… 어 떤 일을 벌일지 나도 잘 가늠이 안 돼서 그러지요."

"그러거나 말거나."

호기롭게 대꾸한 단오가 방물가게를 나섰다. 그러나 그녀의 마음은 편 치 않았다. 어찌 되었건 제가 원인이 되어 일어난 일. 괜히 저 때문에 골치 아픈 일이 생길까 걱정이 된 탓이었다.

한숨을 내쉬는 단오를 보던 산이 시열에게 말을 걸었다.

"아까 그놈, 정말 아무 일 없었던 거야?"

"없었을 리가."

"대체 무슨 일이 있었는데?"

"글쎄다. 뭐 몇 가지 중 하나겠지. 예를 들자면, 단오를 희롱했다든가, 아니면 단오를 희롱했다든가, 혹은 단오를 희롱했다든가."

"왜 그 자리에서 말을 안 한 게냐."

"단오나 나나 똑같은 생각을 한 거겠지. 네놈이 그놈을 죽일까 봐서."

"흠……."

산이 입을 다물었다. 그는 조용히 방물가게 주인장이 말해 주었던 사내의 정체를 곱씹었다. 주인장은 그가 옹 대감네 막내아들이라고 했다.

"어디 가?"

"살 게 있는데 잊어버렸어. 단오랑 유하랑 초입에서 기다려라."

"혹시 그자 모가지라도 치러 가는 거 아냐?"

"헛소리하지 마."

별거 아니라는 듯 대꾸한 산이 걸음을 옮겼다. 그러나 저자로 되돌아가는 그의 속은 열기로 부글부글 끓고 있었다.

방물가게에서 한창 소동이 벌어지던 시각, 세책점을 나서던 유하가 걸음을 멈췄다. 맞은편에서 걸어오는 중년의 사내를 발견했기 때문이었다. 이내 그와 유하의 눈이 마주쳤다.

"형님."

유하가 공손히 허리를 숙였다. 이내 중년 사내의 얼굴에 탐탁잖은 빛이 떠올랐다.

"유하로군. 오랜만이로구나."

"예, 오랜만에 뵙습니다, 형님."

남 보기엔 부자지간이라도 믿을 만큼 나이 차가 나는 그들이었지만, 사내는 유하의 형이었다. 물론 그들 사이에는 분명한 선이 존재했다. 사내는 정실의 자식, 유하는 첩의 자식이라는 사실이 그것이었다.

"뭐, 그래. 과거 준비는 잘되고 있고?"

"예, 꾸준히 하고 있습니다."

"어머니께서 건강이 영 좋지 않으시다. 곧 제사가 있으니 그때 한번 다녀가거라."

"예."

"그건 그렇고……."

사내가 번듯한 유하의 얼굴을 지그시 훑었다. 이복형제이기는 하나 분명 같은 아비의 자식이거늘. 그들은 조금도 닮지 않았다. 하기야 조선 팔도에 인물이 곱지 않은 서자가 없다던가.

"너도 이제 장가를 들어야지. 스물이니 나이가 꽉 차지 않았느냐."

"과거 급제를 한 후에……."

"쯧."

사내가 마땅찮은 표정으로 혀를 찼다.

"과거 급제가 어디 말처럼 쉬운 건 줄 알아? 나 역시 신동이라는 소리를 들었으나 십 년이 넘게 걸렸다. 내 조만간 혼처를 알아보겠다. 비록 서출이나 정씨 가문 명성이 있으니 혼처야 구할 수 있겠지."

"……."

"어찌 대답이 없어. 마음에 둔 여인이 있으면 말을 해. 당장 혼담을 넣어 주겠다. 단 천출은 절대 안 된다. 알고 있지?"

서자란 혼인으로 가정을 이룬 후에야 완전히 독립하는 법. 하여 여인이 있다면 당장이라도 유하를 혼인시켜 쫓아내고 싶은 것이 사내의 마음이었다.

"그저 지금은…… 혼인 생각이 없기에 그렇습니다."

"어느 앞이라고 고집을 피우느냐. 역시나, 이래서 첩 자식을 거둘 필요가 없다고 그리 어머니께 말씀드렸거늘. 고작 서출 하나에 쩔쩔매시는 까닭이 대체 뭔지, 원."

"저는 이만 가 보겠습니다."

사내가 잔뜩 찌푸린 얼굴로 유하를 노려보았다.

스무 살 가까이 나이 차가 나는 이복동생. 출생 자체만으로도 집안의 수치가 된 서출. 저런 놈이 뭐라고, 돌아가신 아버지께서는 한몫 재산까지 남겨 주었단 말인가. 그것은 당연히 정실 자식인 제 몫이거늘…….

"행동거지를 매사 조심하도록 해. 네놈 때문에 집안의 명예가 어긋날까 두렵구나."

"예…… 명심하겠습니다."

어험- 헛기침을 하며 자리를 뜨는 형님의 뒤통수를 보던 유하가 낮은 한숨을 뱉었다.

"빌어먹을."

마냥 반듯하기만 한 유하로서는 그 정도가 생각해 낼 수 있는 최대한도의 욕지거리였다. 그마저 형제들을 마주칠 때나 쓰는 말이었지만 말이다.

마음에 든 여인이 있다면 말을 하라……. 저를 집안에서 쫓아내고 싶어 혈안이 된 형님이었으니, 반드시 그 혼인을 성사시키고 말 것은 불 보듯 뻔한 일.

"난생처음으로 형님 덕 한번 볼까."

무심코 중얼거린 유하가 짜증이 난 듯 제 이마를 짚었다. 이 대체 무슨 말도 안 되는 소리란 말인가. 너무 저답지 않은 생각이라, 유하는 그만 헛웃음을 짓고 말았다.

"유하 오라버니!"

저만치서 들려오는 단오의 목소리. 열심히 손을 흔드는 단오를 보고서야 유하는 쓴 표정을 지웠다.

"산은 어디 갔고?"

"뭐 잊어버린 게 있대요. 금방 오겠지요."

"그렇군……. 으음? 손목이 어찌 이리 뻘겋게졌어?"

"아……."

유하가 단오의 손목을 붙잡아 살펴보았다. 붉게 부풀어 오른 흔적은 옹 생원이 우악스럽게 잡아끄는 바람에 생긴 것이었다.

"좀, 그럴 일이 있었어요."

"대체 누가 이런 것이냐?"

"괜찮아요. 시열 오라버니가 호되게 혼쭐을 내줬으니 신경 쓰지 마세요."

"단오 네 손목이 이리 퉁퉁 부었는데 어찌 신경을 안 써. 집에 가서 약을 발라야겠다."

이를 바라보던 시열이 빙긋 웃음을 지었다.

"유하. 정말로 신경 안 써도 돼. 옹 생원 그놈, 지금쯤 초주검이 됐을걸. 어쩌면 이미 황천 가서 염라대왕 앞에서 돈 자랑하고 있을 수도."

"시열 오라버니, 뭐라고요?"

"아니다, 아니야. 그냥 그럴 수도 있겠다는 말이지. 심보가 고약한 게 여기저기 척을 지고 다닐 관상이라."

"어, 산 오라버니 오신다!"

저만치서 걸어오는 산을 본 유하가 슬그머니 단오의 손목에서 손을 뗐다. 단오를 대하는 데 스스럼이 없던 유하는 요즘 들어 부쩍 산을 의식했다. 어쩌면, 저를 바라보는 산의 시선이 때로 평범치 않게 느껴졌기 때문일까.

"뭘 사느라 이리 오래 걸렸어?"

"날붙이를 하나 새로 사려고 했는데, 장사치가 벌써 집에 가 버렸더라고. 허탕이야. 가자."

물론 그것은 거짓이었다. 산은 옹 생원을 무릎 꿇리고 돌아오는 길이었다. 보기보다 심약한 옹 생원은 울며불며 애걸복걸했고, 산은 한 번만 더 단오 곁에 얼씬거렸다간 살려 두지 않으리라는 엄포를 남겼다.

산은 옹 생원에게 자비를 베풀었다. 목숨을 살려 주었으니 그보다 더 큰 자비가 어디 있겠는가.

산이 제 앞을 걸어가는 단오의 뒷모습을 물끄러미 쳐다보았다. 그녀의 곁에는 언제나처럼 유하가 있다. 그 뒷모습에서 눈을 떼지 못하며, 산 역시 걸음을 옮겼다.

유하와 도란도란 대화를 나누던 단오가 소리 죽여 웃는다. 웃음을 따라 분홍 댕기가 흔들린다. 까르르 웃다가 유하의 팔뚝을 툭 치는 손길이 자연스럽다.

'저게 내 자리였다면.'

산도 가끔, 아주 가끔 바랄 때가 있다.

따뜻하게 어루만져 주는 법, 솔직하게 마음을 드러내는 법 같은 것 산은 알지 못했다. 삼 년 전 어느 봄밤 씨앗을 뿌린 감정이 몰래몰래 자라난 것도 그는 미처 깨닫지 못했다. 제가 느끼는 감정의 정체를 알지 못했기에 불쑥 튀어나오는 마음이 스스로도 당황스러웠다. 그리하여 그는 늘 거칠었고 날이 서 있었다.

그러나 표현하는 방법이 다르다 하여 마음의 크기까지 다르지는 않을 것이다. 비록 부족하지만, 그것이 그의 마음이었다.

모두 함께 이화원으로 돌아가는 길. 단오가 깊이 숨을 들이마셨다.

달콤한 꽃 냄새, 풋풋한 봄나물 냄새, 그리고 해가 진 이후 밤이슬이 내리면 맡을 수 있는 축축한 비 냄새가 났다. 봄이 얼마 남지 않았다. 다시 돌아오지 않을, 열여덟 그녀의 봄날이.

쨍쨍한 봄볕이 넘실대던 주변에 푸른 어스름이 깔렸다. 그새 바람은 한결 서늘해졌다.

"대체 시열 너는 살 것도 없으면서 왜 따라 나온 게냐."

"대장간집 딸이 그리 곱다고 하더라고. 우리 단오보다 고운지 어떤지 확인하려고.”

“네가 그러면 그렇지…….”

슬슬 발동이 걸리기 시작한 산과 시열의 목소리가 조금씩 커지고 있었다. 엷은 웃음을 짓던 단오가 문득 걸음을 멈췄다. 그녀의 얼굴에서 순식간에 웃음기가 사라졌다.

“무슨 일이지?”

멀리 이화원의 솟을대문이 보이는 지점. 단오가 먼 곳을 보기 위해 눈을 가느다랗게 떴다.

“대문이 활짝 열려 있는데?”

“저 앞에, 뭔가 나동그라져 있는 것 같지 않아?”

유하와 산, 시열 역시 의문스러운 눈길로 이화원을 바라보았다. 매일같이 들락거리는 이화원의 풍경이 어딘지 부자연스러워 보이는 탓이었다.

갑자기 단오가 줄달음쳐 달리기 시작했다. 이상하다. 무엇인가 단단히 잘못되었다. 심장이 거세게 두방망이질을 쳤다.

“어머니!”

활짝 열린 대문 안으로 발을 내디딘 그녀가 숨을 급히 들이마시며 멈춰섰다.

“이, 이게…….”

이화원은 엉망이 되어 있었다. 문은 모조리 활짝 열려 있고, 문갑이며 반닫이는 박살이 난 채 마당에 내던져진 상태였다. 깨어진 쌀독에서 쏟아진 낟알들이 바닥에 수북했다.

“어머니, 어머니! 홍주 언니!”

신도 벗지 못하고 툇마루로 뛰어 올라간 단오가 안채 문을 왈칵 열었다.

“어머니!”

“단오야…….”

이불이며 옷가지가 죄다 끌어 내려진 방 안의 모습은 참혹했다. 어머니는 망연자실한 표정으로 바닥에 주저앉아 있었다. 고개를 숙인 채 흐느끼는 홍주의 어깨가 들썩거렸다. 게다가 방구석에 앉아 잔뜩 인상을 찌푸리고 있는 육호의 한쪽 눈에는 시퍼런 멍 자국이 선명했다.

"육호 아재!"

뒤따라온 유하가 육호를 불렀으나, 그는 괜찮다는 듯 그저 손을 휘휘 저을 뿐이었다.

"어머니, 무슨 일이 생긴 거예요. 이게 대체……."

"단오야, 이화원이 넘어간단다."

"넘어가요?"

"이화원이…… 이화원이 넘어간다고."

"넘어가다니, 그게 무슨 소리예요? 어머니, 알아듣게 말씀 좀 해 보세요!"

단오가 답답한 듯 가슴을 쿵쿵 치며 목소리를 높였다. 육호가 나지막한 목소리로 중얼거렸다.

"단오야, 우리가 모르는 빚이 있었던 모양이다. 아마도 원 형님 생전에 생긴 빚인 듯한데……."

원(元). 그건, 돌아가신 단오 아버지의 이름이었다.

"빚이요? 아버지가 편찮으실 때 졌던 빚이라면 이미 갚고 있는데……."

"그것이 아닌 다른 빚인 것 같더구나."

"다, 다른 빚이요? 그게 얼마기에 이화원을……."

참담한 표정으로 고개를 떨어뜨린 육호가 근처에 떨어져 있던 문서 하나를 가리켰다. 단오가 황급히 문서를 펼쳐 들었다. 그녀의 손은 덜덜 떨리고 있었다.

<사월 말일까지 은 이백 량(兩)[10]을 갚지 못할 시, 이화원의 소유권을 넘긴다.>

---

10) 1량은 10돈을 말함.

"은 이백 량……?"

단오의 입술이 조그맣게 달싹였다. 단오는 이내 문서 말미에 적힌 어머니의 이름을 보았다. 그러니까 이것은, 각서인 것이다.

은 이백 량. 그것은 생전 구경조차 하지 못한 돈이라, 얼마인지 가늠조차 되지 않았다. 그녀가 잘근 입술을 깨물었다. 입 안에서 비릿한 피 맛이 났다.

"어머니, 일단 진정하세요. 그만 우시구요. 언니, 홍주 언니도…… 정신 차리고. 응?"

그건 스스로에게 되뇌는 말이나 다름없었다. 단오의 가족은 모두 넋을 잃은 상태였다.

정신 차려. 울지 말자, 윤단오. 나만이라도 정신을 바짝 차려야 해.

"육호 아재, 많이 다치신 거예요?"

"아니다, 단오야. 나는 괜찮아."

가족을 지킬 사람은, 오직 그녀뿐이다.

"아재, 돈을 받으러 온 사람이 누구예요?"

"다녀간 건 만식이네 패거리였어. 왜, 그 고리대 받아 내는 일 하는 놈들 있잖여. 그 위에 누가 있는지는 모르겠다만……."

단오가 자리에서 벌떡 일어났다.

강해져야지. 나라도 흔들리지 말아야지.

"가 봐야겠어요."

"어딜 가느냐?"

"만식이한테요."

차마 끼어들지 못하고 문지방 너머에 서 있던 선비들의 표정에 경악의 빛이 떠올랐다.

"거기가 어디라고 가! 아니 된다."

유하가 단오의 팔을 붙들었다.

"놓아요, 오라버니."

"단오야, 일단 무슨 일인지 알아보고······."

"네, 무슨 일인지 알아보러 가려는 거예요."

당황한 표정으로 곁에 서 있던 시열 역시 거들었다.

"그래, 단오야. 여인 혼자서 어찌 그런 험한 곳을 가느냐."

그녀가 눈을 치켜떴다. 붉어진 눈가가 파르르 떨렸다.

"그럼 누가 가요? 어머니가요? 아니면 홍주 언니가요?"

턱을 바짝 쳐드는 단오의 눈에서 눈물이 툭 떨어졌다.

"내 가족 일이잖아요. 이화원의 주인은 저예요. 제 일이라고요. 놓아요, 오라버니."

유하의 손을 뿌리치며, 그녀는 걸음을 옮겼다. 이화원은 단오의 것이었다. 누구도 탐낼 수 없는, 누구도 대신 지켜 줄 수 없는.

계절을 잊은 소슬바람 한 줄기가 스산하게 분다. 소동에서 한 발짝 떨어진 채 난장판이 된 이화원을 바라보던 산의 시선이 천천히 단오에게로 향했다.

고집 센 아이. 기어이 꽃을 꺾겠다고 낭떠러지에 매달려 있을 때부터 알아봤어야 했다. 제가 갖고 싶은 것, 지키고 싶은 것을 위해서는 무슨 짓이든 벌이고야 마는 여인이라는 것을.

툇마루에 걸터앉아 있던 산이 자리에서 일어났다.

"내가 같이 간다."

산과 눈이 마주쳤을 때, 잠시 멈칫한 단오의 눈빛이 크게 흔들렸으나 그 역시 잠깐이었다.

단오가 결심한 듯 바삐 걸음을 옮기기 시작했다. 장검을 손에 쥔 산이 말없이 그녀의 뒤를 따랐다. 유하와 시열도 굳은 표정으로 이화원을 빠져나갔다.

사방을 뒤덮은 무거운 어둠 속에서 단오는 몇 번이나 발을 헛디뎠다.

이화원은 단오에게 집 이상의 의미를 갖는 곳이다. 이화원은 그녀가 태어나서 자라난 장소였고, 아버지와의 추억들로 가득 찬 공간이었다. 한양제일의 명문 객주라는 명예는 아버지가 평생을 바쳐 지켜 낸 것이다. 단오 역시 그것을 이어 나가고자 이리 아등바등 살아오지 않았는가.

"만식아!"

중촌 초입의 허름한 초가집. 그곳은 근방에서 악명 높은 만식이네 집이었다.

끼니를 잇기 힘들 정도로 빈곤한 중인, 그리고 몰락한 양반들. 허울뿐인 신분 외에 가진 게 없는 이들 중에는 남의 피를 빨며 기생하는 삶을 선택하는 자들이 있다.

어릴 적 단오와 사방치기를 하며 놀던 아이였던 만식이 역시 그러했다. 그는 주로 돈 많은 양반들의 수하가 되어, 상인들이나 농민들에게 고리대금을 뜯어내는 것을 업으로 삼고 있었다.

끼익- 하는 거슬리는 소리와 함께 방문이 열렸다. 문틈으로 비루한 인상의 젊은 사내, 만식이가 고개를 내밀었다. 마당에 서 있는 단오와 세 선비의 모습을 본 그가 인상을 찌푸렸다.

"빚 문서 때문에 왔어?"

"그래."

"뭐가 궁금해서? 갚아. 빌려 썼으면 당연히 갚아야지. 못 갚으면 이화원을 넘기면 돼."

무엇인가를 말하려던 단오가 입을 앙다물었다. 그럴 수 없다. 아버지, 어머니, 그리고 홍주, 그녀가 소중히 여기는 모든 이들이 이화원에 속해 있지 않은가.

"누가 널 이화원으로 보냈어?"

"알아서 무얼 하게."

"누구인지 알지도 못하는 사람에게 빌린 돈을 갚을 수는 없지 않겠어?"

"왜 이래. 똑똑한 이화원 단오 낭자께서? 은자 이백 량이야. 그만한 재물은 북촌 양반 나리님 댁에도 없다고."

만식이가 피식 비틀린 웃음을 내뱉었다.

"그분께서는 이화원이 갖고 싶은 거야. 그렇게 머리가 안 돌아가? 제 입에 풀칠하기도 버거운 객주꾼 주제에, 무슨 수로 그 돈을 갚는다고 와서 사람을 귀찮게 한담."

"'그분'이 대체 누구냐고!"

단오가 지지 않고 버럭 소리를 질렀다. 만식이의 얼굴에 짜증스러운 기색이 번졌다.

"어릴 적 동무였다고 고분고분 대해 주니까, 망할 계집년 따위가 어디서 바락바락 악을 써!"

만식이가 일어서는 순간, 산이 비호와 같이 빠른 몸놀림으로 단오의 앞을 막아섰다. 산은 순식간에 장검을 뽑아 들었다. 시퍼렇게 날 선 검이 바람을 가르는 소리가 공기 중에 울려 퍼졌다.

"그자가 누구냐."

산의 검은 정확히 만식이의 목을 겨누고 있었다.

"누구냐고 묻지 않느냐."

급작스럽게 맞닥뜨린 검 앞에 놀란 만식이의 표정이 싸늘하게 얼어붙었다. 날붙이에 비친 만식이의 온 얼굴이 벌벌 떨렸다.

결국, 그도 한낱 조무래기에 지나지 않는 것이다.

"장 판관, 판관 장태화가."

"장태화?"

만식이의 대답을 들은 단오의 낯빛이 삽시간에 파리해졌다. 한동안 그녀는 하얘진 머릿속을 더듬으며 망연히 서 있었다.

걸어온 길을 되밟아 이화원으로 돌아가는 길. 어깨를 늘어뜨린 채 걷던 단오의 눈에서 끝내 눈물이 뚝뚝 떨어졌다.

판관 장태화. 그녀는 그 이름을 알고 있었다. 그는 과거 이화원에서 수학하였던 자로, 한때 아버지의 벗이기도 했다. 그러나 아버지와 장태화는 다툼 끝에 의절하여 연을 끊었다. 물론 당시 단오는 아주 어린아이였기에 그 내막에 관해서는 아는 것이 없었다.

"단오야."

"예, 유하 오라버니."

"어찌…… 할 생각이야?"

단오가 낮게 한숨을 내쉬었다.

"날이 밝으면 찾아가 봐야지요."

"장태화라는 자를?"

"예, 찾아가서 사정해 봐야지요. 아버지께서 빌린 돈이 얼마였는지, 이자가 얼마나 붙었는지, 얼마나 시간을 줄 수 있는지……."

"찾아간다고 뭐 달라지나. 말이 통하는 자였다면, 다짜고짜 저런 무뢰배들을 보낼 생각 따위 안 했을 게다."

내내 침묵을 지키던 산이 툭 내뱉었다. 단오나 유하는 물론이거니와, 시열조차 아무런 대꾸를 하지 못했다. 산의 말이 진실이기 때문이었다.

"그래두요. 손 놓고 있을 수는 없으니까……."

단오는 차마 말을 잇지 못했다. 그녀는 그렇게 유령 같은 걸음으로 이화원에 당도했다.

이화원 주변을 비추는 희끄무레한 달빛. 산의 얼굴이 제 쪽을 향하고 있는 것을 본 단오가 걸음을 멈췄다. 제 앞을 막아서며 만식이에게 검을 겨누던 그의 모습이 떠올라, 그녀는 나지막이 말을 건넸다.

"아까 일…… 도와줘서 고마워요, 산 오라버니."

"됐어."

무심히 단오의 곁을 지나치던 산이 발걸음을 늦추었다.

"고마워할 필요…… 없어."

이내 산은 빠른 걸음으로 사라져 버렸다. 그 뒷모습을 보던 단오 역시 무거운 걸음으로 문지방을 넘었다.

제 방으로 들어가던 산이 단오를 흘깃 바라보았다. 고마워할 필요 없다던 그의 말은 정녕 진심이었다. 그건 애당초 단오를 위해 한 일이 아니기 때문이었다. 그저 그녀가 아닌, 자기 자신을 위해 한 일에 지나지 않는다.

비천하고도 비루한 인생……. 우연히 찾아든 이화원. 이곳에서 받은 과분한 호의에 감사를 표하고 싶었을 뿐이다.

단오에게, 이렇게나마 마음을 표현하고 싶었을 뿐이었다.

"언니, 나야."

홍주의 방문이 달칵 소리를 내며 열렸다. 방으로 들어선 단오가 홍주의 얼굴을 살폈다.

"많이 놀라진 않았어? 몸은 좀 괜찮아?"

"나는 괜찮아. 그보다 이화원이……."

홍주가 말끝을 흐리며 시선을 떨어뜨렸다. 단오도 차마 할 말을 찾지 못해, 좁디좁은 방 안에는 무거운 침묵만이 내리깔렸다.

단오가 방구석에 놓여 있는 나무함을 물끄러미 바라보았다. 저 안에는 홍주가 노리개며 장신구를 만들 때 쓰는 구슬이며 실타래들이 들어 있을 것이다. 홍주에게 세상으로 연결된 끈은 오직 저것과 단오, 둘뿐이었다.

"단오야, 우리는 이제 어떡하지?"

"어떡하긴 뭘 어떡해, 언니. 만식이가 누가 돈을 빌려준 사람인지 알려 줬어. 내일 아침에 찾아가 볼 거야."

"사람을 보내 이곳을 이리 발칵 뒤집을 정도면 지체가 있는 사람일 텐데……."

"지체가 있는 사람이면 어떻고, 없는 사람이면 또 어때? 가서 사정을 이야기하고 시간을 달라고 해야지."

"너 혼자 어찌 그런 일을 다 한다고……. 미안해……."

홍주의 눈에서 굵은 눈물방울이 툭, 떨어졌다. 푸른 치마폭 위로 떨어진 눈물이 새카맣게 번져 갔다.

"언니가 무어가 미안해. 그런 마음 갖지 말어."

단오가 홍주의 가녀린 손을 붙잡았다. 홍주의 손마저 어찌 이리 가냘픈지, 힘을 주었다간 파삭 바스라질 것만 같았다.

"걱정 같은 거 하지 마. 내가 누군데. 나, 열다섯부터 이화원 주인이었어. 어릴 때 아버지가 했던 말씀 기억나지? 단오는 계집애가 아니라 아들로 태어나야 했다고. 배포가 크고 겁이 없어서 웬만한 사내들보다 훨씬 낫다고."

큰소리를 쳐 보지만, 여전히 겁이 난다. 그렇지만…….

"그러니 언니는 나만 믿고 있어. 괜히 울거나 마음 쓰지 말라고. 알았지?"

"미안해, 단오야."

"그런 소리 하지 말라니까!"

홍주는 소리조차 못 내고 고개를 끄덕거렸다. 단오가 홍주의 손을 꾹 힘주어 잡았다. 정말로 괜찮다는 듯, 억지로 입가를 끌어 올리며 웃는 단오의 입꼬리가 경련이라도 난 듯 떨렸다.

"나 이만 가 볼게. 이화원 걱정은 안 해도 돼. 내가 내일 이야기 잘하고 올 테니까."

홍주의 방을 나서며, 등 뒤에서 들리는 문이 닫히는 소리를 듣던 단오가 후- 하고 심호흡을 했다.

'언니, 가끔은 나도.'

눈물이 날 것만 같다.

'언니처럼 어딘가 숨을 데가 있었으면 좋겠어.'

그렇지만 눈물 따위는 흘리지 않을 것이다. 이화원의 주인은, 그래서는 아니 되었다.

등잔불이 켜진 단오의 방. 매일 하루를 마감할 때면 어김없이 문갑 위에 늘어놓는 장부며 붓이며 먹 따위가 오늘은 보이지 않았다. 단오는 벽에 기대어 앉은 채, 잔물결처럼 흔들리는 불빛을 바라보고 있었다.

"단오야."

톡톡 문을 두드리는 소리가 들려와, 단오는 고개를 들었다.

"유하 오라버니."

"여태 안 자고 있었어?"

"잠이 안 와요."

단오가 배시시 웃었다. 그러나 힘이라고는 하나도 없는 웃음이었다.

"이화원 일 때문에 걱정이 많지?"

단오가 말없이 고개를 끄덕이자, 툇마루에 걸터앉아 있던 유하가 손을 뻗었다. 토닥토닥, 단오의 머리를 쓰다듬는 커다란 손.

"단오야, 은 이백 량은 무척 큰돈이지만…… 내일 이야기가 잘되어 기한을 좀 더 받으면, 조금이나마 내가 변통을 해 볼게."

"오라버니가 어찌……."

"이래 봬도 이 오라버니가 나름 명문가의 자손이거든. 서자 신세긴 하지만……. 아무튼 알았지? 다 잘될 터이니 너무 걱정 말고, 어서 자도록 해라."

"오라버니……."

유하의 따뜻한 마음에 왈칵 눈물이 솟아날 것 같아, 단오는 입술을 꼭 깨물었다.

"고맙습니다."

"단오야."

"예?"

"울지 마라."

"안 울어요."

주룩, 흘러내리는 눈물이 보이지 않도록 단오는 고개를 돌렸다. 그런 그녀를 바라보는 유하의 눈빛이 희미하게 흔들렸다.

"금방 지나간다. 내일이 지나면 아무것도 아닌 일이 될 것이야."

"네, 오라버니. 정말 그랬으면 좋겠어요."

다 지나갈 일. 무심히 흘러가고 있는 열여덟 단오의 봄날이 다시 돌아오지 않는 것처럼, 눈앞에 닥친 일들도 모두 그렇게 지나가게 될까.

"오늘 밤 여기서 잔치라도 열리나? 죄 여기 모여 있네."

불쑥 시열이 모습을 드러냈다.

"단오야 울든 말든, 산 이 매정한 놈은 이런 날에도 자빠져 잠이나 자고 있겠지."

"시열, 네가 할 소린 아닌 거 같은데."

유하가 인상을 찌푸렸다. 시열의 몸에서 풍기는 술 냄새를 맡은 까닭이었다.

"너야말로 이런 날 설마 기방에 다녀온 게냐?"

"인생이 무상하여, 오늘따라 술 생각이 간절하기에."

단오가 쓸쓸하게 웃었다. 당연히 모두가 제게 들러붙어 위로해 주길 바라지는 않았다. 하지만 하필 오늘 같은 날 기방을 다녀오다니.

"단오야, 미안하다. 오늘 같은 날 술이나 처먹고 들어오고. 이런 내가 힘이 될 수 있을지는 모르겠다만, 도움이 필요하면 언제든지 말해."

"말씀만이라도 고마워요, 시열 오라버니."

"빈말 아니다. 힘이 된다면 언제든지 도울게. 그 보답으로 시집을 오라든가, 그런 멍멍개 짖는 소리 같은 것도 아니할 것이고."

단오가 엷게 웃었다. 마주 보는 시열의 눈동자도, 유하의 눈동자도 따스한 진심을 담고 있었다.

괜히 서운해 말자고, 단오는 생각했다. 유하도, 시열도 나름의 방식으로 마음을 표현하는 것일 테니까. 좋은 이들이 곁에 있다는 생각에, 단오의 표정은 조금이나마 밝아졌다.

"밤이 깊었어요. 이만 주무세요. 저도 자야겠어요."

"단오야."

"예, 시열 오라버니."

"내 꿈 꾸시게."

들려오는 시열의 낮은 웃음소리를 들으며 단오는 방문을 닫았다.

멀어지는 발소리, 두런거리는 유하와 시열의 목소리, 그들의 방문이 열리고 다시 닫히는 작은 소리마저 어둠 속에 삼켜졌다. 그제야 단오는 등잔불을 껐다.

이불 안으로 파고들어 몸을 웅크린 그녀가 잠을 청하기 위해 눈을 감았다. 멀찍이서 밤벌레 우는 소리가 구슬프게 들려왔다.

내일 이맘때에는 어떤 마음으로 잠자리에 들게 될까. 유하 오라버니의 말처럼, 모든 일이 별것 아닌 게 되어 지나갈까. 고심한 끝에 내린 굳은 결심을 꺼내어 보이지 않아도 될 만큼, 그렇게 될까.

이윽고 벌레 우는 소리마저 뚝 끊긴 아득한 밤이 찾아왔다. 많은 생각들에 내내 뒤척이던 단오도 스르르 잠이 들었다.

유하가 다녀가고, 시열이 다녀가고, 마지막으로 단오 방에 켜져 있던 등잔불마저 꺼져 새까만 어둠만 남은 이화원. 그때까지 멀찍이서 서성대던 산 역시 제 방으로 돌아가 오지 않는 잠을 청했다.

3장. 방설단(訪雪團): 눈을 쫓는 자들

갓 조반상을 물린 시각. 장태화는 방에 틀어박혀 있었다.

'이설을 찾아라.'

좌상의 분부는 간결했다. 이제 스무 살이 되었을 사내 이설. 그를 찾아오라는 명령. 그러나 그 말에 담긴 뜻은 너무나 크고 무거웠다.

후궁과의 방사 중에 쓰러진 임금의 의식은 여전히 돌아오지 않았다. 이마저 올해 들어 두 번째 일. 조선의 왕좌는 공백이 됐다. 궁여지책으로 대비가 섭정을 시작했으나 본디 대비는 정치를 싫어하는 사람이었다. 권력 때문에 생때같은 자식들을 비참하게 잃은 대비로서는 당연한 일이었다.

이설을 찾는 것은 단순히 사내 하나를 찾아내는 일이 아니다. 그것은 사직(社稷)에 개입함을 뜻하고, 나아가 새로운 임금의 탄생을 의미하는 일이기도 했다. 한낱 종오품 훈련원 무관 나부랭이인 장태화가 공신이 되는 것이다.

그러나 어디서 찾을 것인가.

중촌과 남촌에 있는 객주의 수만도 수십 개였다. 또한 객주마다 적게는 몇에서 많게는 수십의 과거생들이 있을 것이었다.

장태화는 이설의 기지에 감탄했다. 그를 찾는 자들로 넘쳐 날 한양 한복판. 오히려 그 호랑이굴로 들어와 모습을 숨기다니. 역시나 대범하고 영민한 자였다.

"영감마님, 뵙고자 하는 이가 찾아왔습니다."

"누가?"

장태화가 미심쩍은 표정으로 물었다. 달리 방문할 객이 있을 리 없는 시각이었다.

"젊은 처자입니다. 이화원 윤단오라고 전하라 합니다."

"이화원……."

장태화가 눈썹을 까딱 움직였다. 가급적 제 존재가 드러나지 않도록 하라 그리 일렀거늘, 만식이 놈이 또 일을 그르친 모양이었다.

윤단오. 윤원의 딸. 마지막으로 보았을 때는 갓 걸음을 뗀 핏덩이였던 계집아이.

"잠시 기다리라 전해라."

"예, 영감마님."

조금 열려 있던 문틈으로 미적지근한 바람이 들어왔다. 고개를 들던 장태화의 눈빛이 순간 달라졌다.

"혼자 가겠어요, 오라버니들은 여기서 기다리세요."

계집은 혼자 온 게 아니었다. 툇마루 너머 안마당에 우르르 모여 있는 사내 셋이 보였던 것이다. 무인으로서 갖는 본능적인 긴장감이 장태화의 몸을 조였다.

원의 자식이라고는 오직 딸 둘뿐이었다. 그러니 오라버니라는 호칭으로 부를 뿐 실제 남매는 아닐 터였다. 불현듯 든 호기심에, 장태화는 문을 활짝 열었다.

"윤원의 딸이냐?"

몸을 돌리는 여인을 장태화는 위아래로 훑어보았다. 대충 열여덟이나 열아홉 정도. 댕기머리를 한 것을 보니 시집을 가지 않은 처녀일 터. 원과 그 아내가 그러했듯 그 여식 역시 인물이 반반했다. 윤원의 딸은 미인이었지만, 꾹 다문 입매 탓에 고집스러운 인상을 풍겼다.

닮았다. 원을 정말 많이 닮았다.

"예, 처음 뵙습니다, 장 판관 영감."

"기억하지 못할 것이나, 내 네가 어린애일 때 본 적이 있다. 아비를 많이 닮았구나."

"그렇습니까."

담담하게 대꾸하는 단오의 뒤, 호위라도 하듯 버티고 서 있는 선비들을 훑던 장태화의 눈이 가늘어졌다. 선비들의 시선은 하나같이 우호적이지 않았다.

"함께 온 자들은 누구냐?"

"이화원에 있는 선비님들이십니다."

"그렇군. 나도 거기서 수학을 하였지. 걱정이 되어 따라온 모양이구나. 무슨 이야기를 하러 온 것인지는 내 이미 알고 있다."

꼿꼿이 서 있는 단오를 지그시 바라보던 장태화의 입가에 엷은 미소가 떠올랐다.

"그러나 들어줄 수 없다."

장태화가 문갑 깊숙한 곳에서 오래된 문서 하나를 꺼내 펼쳤다. 대범한 필체로 쓰인 윤원이라는 이름. 그것은 단오가 너무나 잘 알고 있는, 아버지의 필체였다.

보고 있는가, 원. 자네의 딸이 이화원을 지키겠다고 나를 찾아왔네. 이 장태화를 말일세. 금지옥엽 딸내미가 장태화의 앞에서 애걸복걸하는 모습을 보는 자네의 표정이 어떨지, 궁금해서 미칠 것 같네.

"네 아비가 빚을 졌느니라. 네가 갓난애였던 시절이니, 까마득한 과거 일이지. 혼자 어린 자식들을 돌보고 있을 것을 알기에, 옛정을 생각하여 이자조차 독촉하지 않았다. 하나 이제 여식들도 장성했지 않은가. 나도 더 이상은 보아줄 수가 없어."

"어머니도, 저도 그런 빚이 있다는 것조차 몰랐습니다!"

"그걸 왜 내 탓을 하느냐? 오히려 그간 사정을 보아줬으니 고맙다고 절 이라도 올리는 것이 옳지 않은가."

제 말이 몹시 만족스럽다는 듯, 그가 느긋한 웃음을 지었다.

"기한을 주시면……."

"기한을 주면 은 이백 량을 가져올 수 있느냐?"

"은 이백 량은, 저 같은 평범한 백성으로서는 구경조차 하기 힘든 것 아 닙니까."

"그래, 큰돈이지. 그럼 대신 이화원을 넘기면 된다. 이 역시 고마워해야 하느니라. 이화원의 가치가 그리 클 리 없다는 것은 네가 더 잘 알고 있을 터이니."

단오와 장태화의 시선이 맞부딪쳤다. 이유를 알 수 없는 소름이 단오의 팔 언저리에 우두두 돋아났다.

장태화의 눈빛 안에 담긴 감정은, 아마도 즐거움일 것이었다. 무엇이 그를 저리 즐겁게 하는 걸까. 불쾌한 궁금증이 밀려들었다.

"이화원은 넘길 수 없습니다."

"빚을 잔뜩 져 놓고서, 돈도 갚을 수 없고 이화원도 넘길 수 없다. 그럼 대체 나는 무엇을 받아야 한단 말인가?"

돈은 없다. 그렇다고 이화원을 넘길 수도 없다. 가진 것은 오직 하나뿐 이었다. 단오가 한 발짝 앞으로 걸음을 내디뎠다.

"저를 드리겠습니다."

단오의 말과 동시에, 안뜰의 공기가 격렬하게 동요했다.

"단오!"

"무, 무슨 소리를 하는 게야!"

유하와 시열의 목소리가 동시에 터져 나왔다. 무슨 일이든 놀란 기색을 보이는 적 없던 산마저 급히 숨을 들이마셨다.

"하, 하하하!"

장태화의 날카로운 웃음소리가 안뜰 안에 울려 퍼졌다.

"당돌하구나. 설마 네가 은 이백 량의 가치가 있는 계집이라고 생각하는 게냐? 그 돈이면 천하절색이라는 기생 열을 들어앉힐 수 있거늘. 어디 보자, 너 정도의 계집이라면……."

"말이 지나치시오!"

격앙된 목소리를 들은 장태화의 시선이 천천히 유하에게로 향했다.

지체 있는 양반가의 자제임이 분명한 반듯한 얼굴. 그러나 아직 세상의 쓴맛을 모르는 순진한 반가 도령의 얼굴. 장태화가 코웃음을 쳤다.

"지나치다? 스스로 제 몸을 팔겠다고 청하는 계집에게, 그 값을 알려 주는 것이 어찌 지나치단 말인가."

"애당초 터무니없는 빚을 갑자기 갚으라고……."

유하는 말을 끝내지 못했다. 뒤에 서 있던 산이 불쑥 앞으로 걸어 나왔던 것이다. 장태화가 재미있다는 듯 제 턱을 쓰다듬었다. 무료한 아침, 예상치 못한 재미나는 구경을 하게 된 기분이랄까.

산이 단오의 손목을 낚아챘다.

"나가자."

"오라버니."

"무슨 정신 나간 소리를 하는 게야! 나가자고."

"산 오라버니."

"뭐 하고 있어. 가자니까!"

산의 손에 지그시 힘이 들어갔다. 그러나 이내 단오는 산의 손을 탁, 쳐 냈다.

"너. 그 말이 무슨 뜻인지 알고는 있는 게냐."

"……."

"이러지 마라."

산의 낮은 목소리. 그들의 시선이 허공에서 부딪쳤을 때, 단오가 산의 흔들리는 눈 안에서 발견한 것은 무엇이었을까. 허탈감, 실망감. 예상할 수 있었던 감정들 외에, 깊은 절망이 그에게서 느껴진 이유는…….

단오가 몸을 돌려 장태화를 마주 보았다. 장태화의 표정에는 숨길 수 없는 즐거움이 넘실댔다. 천천히 숨을 가다듬고, 단오는 다시 입을 열었다.

"저는 몸을 팔겠다 하는 것이 아닙니다. 제가 드릴 수 있는 건, 다른 것입니다."

"그럼 무엇을 준다는 말이냐?"

"판관 어르신의 수하가 되겠습니다."

"수하?"

"예, 수하가 되겠습니다. 지금도 만식이 같은 이들을 부리고 계시지 않습니까. 수하가 되어, 제 능력을 드리겠다는 것입니다."

단오가 또박또박 말을 이었다.

"여인이라고 무시하시지만, 저는 영민합니다. 객주에서 나고 자라 웬만한 사내들 못지않게 글을 알고 머리를 쓸 줄 압니다. 보시다시피 담이 크고, 수를 쓸 줄 알며, 누구의 환심이든 살 수 있습니다. 셈에 밝고 끈기도 있습니다."

장태화는 뚫어져라 단오의 얼굴을 보고 있었다. 그의 표정에서 조롱이 사라지고, 미간에 주름이 진다.

"하여, 저를 드리겠다 하는 것입니다. 은자 이백 량은 큰돈입니다만, 저는 제가 그만 못하다 생각지 않습니다. 제가 증명해 보이겠습니다. 제 가치를요."

놀라운 일이라고, 장태화는 생각했다. 몰락한 양반의 여식. 고작 객주 일이나 돌보는 계집에게 어찌 저런 기세가 뿜어져 나온단 말인가. 어쩌면, 배움의 공간인 객주에서 평생을 보냈기 때문일까.

'객주에서 평생을 보냈다…….'

불현듯 장태화의 표정이 오묘해졌다.

객주에 대해 저 아이보다 더 잘 알고 있는 자가 한양 천지에 또 있을 것인가?

"흥미롭구나. 방으로 들어오너라."

"안 되오. 무슨 짓을 하려는 것이오!"

장태화의 말에, 다급히 유하가 단오의 팔을 붙들었다.

'계집을 좋아하는군.'

장태화가 픽 웃었다.

"자네가 생각하는 불미스러운 일은 없을 것이니, 쓸데없는 걱정일랑 하지 말게."

장태화의 목소리는 한결 누그러져 있었다. 그가 단오에게 턱짓을 했다.

"다녀올게요, 오라버니들."

단오가 유하의 손을 뿌리쳤다. 부드럽지만 단호한 손길이었다. 뒤통수를 따끔거리게 하는 선비들의 시선을 느끼며, 단오는 장태화의 사랑채로 걸어 들어갔다.

유하. 산. 시열. 안뜰에 서 있는 셋은 도무지 열릴 생각을 하지 않는 방문을 바라보고 있었다. 그들의 얼굴에 짙은 초조함이 배어났다.

갑자기 산이 자리에서 벌떡 일어났다.

'저를 드리겠습니다.'

단오의 목소리가 귓가에 선명했다. 정녕 미친 게다. 대체 이화원이 뭐라고, 여인의 몸으로 그런 말도 안 되는 소리를 내뱉는단 말인가. 닫힌 문 안에서 어떤 일이 벌어지고 있는 것인지 알 길이 없어 속이 부글부글 끓어올랐다.

인내심의 한계에 도달한 산이 걸음을 떼던 순간, 문이 열리며 단오가 모습을 드러냈다.

"가요, 오라버니들."

"대체 무슨 이야기를 나눈 것이냐."

유하가 질문했지만, 단오는 고개를 살짝 저었다.

"돌아가서 이야기해 드릴게요. 가요."

그때였다.

"잠깐."

단오 뒤로 따라 나온 장태화가 그들을 불러 세웠다. 그의 시선이 유하와 산, 시열의 얼굴을 차례대로 훑었다. 빈틈없는 눈초리였다.

"외람된 질문일지 모르나, 선비들의 신분을 물어도 되겠소?"

"제 친오라비나 다름없는 분들입니다. 캐묻지 마십시오!"

발끈한 듯 외치는 단오였으나, 장태화는 물러서지 않았다.

"답하지 않을 이유가 있는가? 신분을 숨기고 있는 것이 아니라면⋯⋯."

장태화의 시선은 집요했다. 침묵 끝에, 유하가 먼저 입을 열었다.

"정유하라 하며, 대사헌을 지낸 정헌 대감의⋯⋯ 서자입니다."

장태화의 얼굴에 흥미롭다는 표정이 스쳤다.

지금은 세상을 떠났으나, 생전 청렴결백하기로 명성이 자자했던 정헌 대감. 그 대쪽 같던 위인이 서자를 두었다 했을 때 세간에서는 꽤나 입방아를 찧었더랬다. 그 소문의 주인공을 코앞에서 맞닥뜨릴 줄이야.

"자네는?"

"반드시 대답해야 하는 것입니까?"

산이 장태화를 뚫어져라 마주 보았다. 장태화의 마른 입술 사이로 낮은 웃음이 새어 나왔다.

애송이. 눈을 부릅뜨고 노려보고 있으나, 채 솜털이 가시지 않은 애송이.

"모습을 보아하니 반가의 자식은 아닌 듯하고, 검을 보니 무과를 준비하는 과거생일 것이군. 이만하면 되었다. 대답은 필요 없네."

산이 주먹을 꽉 쥐는 것이 보인다. 그러나 장태화는 무심히 시선을 돌렸다. 산을 지나쳐 시열에게로 눈을 돌리던 장태화가 미간을 살짝 찌푸렸다.

"신분을 말해 줄 수 있겠는가?"

"김홍익 대감의 서자 신분이올시다."

"김홍익 대감이라……."

시열의 얼굴을 찬찬히 뜯어보던 장태화의 입술 끝이 실룩였다.

김홍익 대감은, 유래가 없을 정도로 이름을 떨치고 있는 난봉꾼이었다. 그의 서자가 열댓, 아니 스물은 족히 되리라는 소문이 장안에 파다했다. 보나 마나 김시열이라는 서자도 기생이나 몸종에게서 얻은 자식일 것이다.

"알았네. 이만들 들어가시게나."

장태화가 제 방으로 들어갔다. 단오와 세 선비 역시 종종걸음으로 그의 거처를 빠져나갔다.

한동안 단오와 세 선비는 입을 다문 채 묵묵히 걷기만 했다. 그들의 걸음이 인적이 드문 북촌 어귀에 다다랐을 무렵이었다.

"무어라 말 좀 해 봐."

산의 목소리가 무거운 침묵을 깼다. 단오는 그제야 걸음을 멈췄다. 왠지 그의 얼굴을 마주 볼 수가 없었다.

'이러지 마라.'

산의 그 말은 이상하리만치 절박하게 들렸다. 당장에라도 저를 끌어내려는 듯 보였지만, 그 와중에도 제 손목을 이끄는 그의 손길은 거칠거나 우악스럽지 않았다. 아니, 거칠기는커녕 오히려 산의 손은 잘게 떨고 있었다. 그저 그의 떨리는 손을 모질게 쳐냈던 제 손길이 매정했을 뿐이다.

"오라버니들."

그녀가 산의 시선을 슬며시 피했다.

"오라버니들의 도움이 필요해요. 도와주세요."

"무슨 일인지 말을 해야 도울 것 아니냐."

"그래, 장태화랑 무슨 얘기를 한 겐지 어서 말을 해 봐."

유하와 시열이 기다렸다는 듯 물었다.

"누군가를 찾는 일입니다. 두 달 안에 그자를 찾아온다면, 빚을 탕감해 주겠다고 약조했어요."

"누구를?"

'최대한 은밀히 일을 진행해야 한다. 꼬리를 밟히면, 목숨이 날아갈 수 있는 중대한 일이다.'

장태화의 신신당부를 떠올린 단오가 마른침을 꿀꺽 삼켰다. 그러나 여인 혼자서는 해낼 수 없는 일. 단오가 이 일을 해내려면, 사내의 도움이 필요했다. 그것도, 마음 깊이 신뢰할 수 있는 사내의 도움이.

유하, 산, 시열. 그들 외에 달리 누구를 믿을 수 있을 것인가.

"이설. 사라진 왕손."

마침내 단오의 입을 통해, 오래도록 묵혀 있던 비밀 한 자락이 모습을 드러내기 시작했다.

"미쳤어? 누구, 누굴 찾는다고?"

쩌렁쩌렁한 시열의 목소리. 그 탓에 단오의 목소리가 뚝 끊겼다.

"이설. 왕자의 난 때 사라졌다고 알려진 임금의 조카……. 그를 찾아야 해요."

"뭐…… 뭐, 뭔 설? 누구의 조카? 야, 단오야. 너 어디 아프냐? 이 무슨 큰일 날 소리를!"

시열은 기가 막힌다는 표정이었다.

"그게 무슨 헛소리야? 그 무슨 무수리가 후궁 되는 소리냐고!"

"큰일인 줄은 알지만……. 오라버니."

"됐어. 됐어! 저를 드리겠다느니 어쩌니 망측한 소리를 할 때부터 알아봤다고. 단오 너, 지금 정신이 오락가락하는 모양이다."

"하지만……."

"시열이 말이 맞다. 너무 무모해. 그러지 말고 장태화를 다시 찾아가 설득해 보도록 하자. 시일을 달라고, 이자를 탕감해 달라고. 내 얼마간의 돈을 변통해 볼 테니."

단오가 잘근 아랫입술을 깨물었다. 이제 시열뿐 아니라 유하마저 저를 책망하는 것이다. 왈칵 뜨거운 감정이 치미는 것 같아, 단오는 입술을 꾹 물었다.

"잠깐만."

갑자기 산이 끼어들었다.

"웃기는 놈들. 조금 전까지는 말해 달라 난리 법석이더니, 이제는 말조차 들어 주지 않겠다는 건가."

눈물을 참으려 애쓰던 단오가 산의 얼굴을 쳐다보았다.

세상 한가운데 혼자만 남은 것 같은 순간, 그 누구도 제 말에 귀 기울이지 않는 순간에 제 편이 되어 주는 사람. 그것이 유하도, 시열도 아닌 산일 줄은 꿈에도 몰랐다. 지금 이 순간 산의 목소리는 단오의 유일한 희망이었다.

"야, 야, 들어 볼 필요도 없어. 말이 되는 소리를 하라고 해!"

"듣기 싫으면 너는 빠져. 시끄럽게 굴지 말고."

산의 싸늘한 말에, 시열은 불만스러운 표정으로 입을 다물었다.

"그리고 유하."

유하의 굳은 시선이 산에게로 향했다.

"이 정도였어?"

"뭐?"

"단오의 일이라면 만사 제쳐 두고 나설 줄 알았는데."

"애당초 말이 안 되는 일이다."

"말 안 되는 일이 세상에 어디 있어. 혹시……."

산의 입꼬리가 비죽 올라갔다.

"겁나? 아니면 애당초 마음이 거기까진 건가?"

"겁이 날 리가. 단지, 단오가 걱정될 뿐이다."

"그리 걱정돼 죽겠으면, 네가 단오를 도우면 되잖아."

산의 어투에 밴 묘한 조소가 유하의 심기를 툭 툭 건드렸다. 잠시 산을 노려보던 유하의 시선이 다시 단오에게로 돌아갔다.

"한양에 있는 과거생이 수백일 것이다. 얼굴도 모르는 자를 어찌 찾는다는 말이냐고. 이건 무모한 짓이야."

"하지만……. 이미 거래를, 약조를 했어요."

"임금의 조카라니……. 그것도 왕자의 난에 휩쓸려 사라진 자를 찾아 나선다니. 장태화가 무슨 꿍꿍이를 품고 있을 줄 알고 약조를 했단 말이냐."

큰일. 엄청난 일. 여인의 몸으로 감히 개입해서는 아니 되는, 나라의 일. 그러나 이것 하나뿐이다. 이게 단오가 할 수 있는 유일한 일이었다.

"저한테 중요한 건 이화원일 뿐이에요."

이화원이 단오에게 얼마나 소중한 것인지 그들은 이해하지 못한다.

문득 떠오르는 먼 과거의 기억. 아버지와의 기억이 모두 아름답기만 했던 것은 아니었다. 단오를 이화원에 매어 두는 것은 아름답기보단 고통스러운 기억이었다.

단오의 나이 열둘, 혹은 열세 살 무렵이던가. 아버지는 병석에 누워 끊임없이 피를 게워 냈다. 폐병 환자가 주인으로 있는 객주. 과거생들은 하나둘 봇짐을 싸 빠져나갔다.

마지막 과거생이 떠난 밤, 안뜰에 나와 대문을 바라보던 아버지의 뒷모습을 단오는 또렷이 기억하고 있었다.

아버지의 임종이 임박했던 날. 어머니와 홍주는 울음에 북받쳐 정신을 차리지 못했다. 조금이나마 의연했던 건 오직 단오 하나뿐이었다. 흐릿한 눈동자로 어린 딸을 바라보며 아버지는 부탁했었다. 이화원을 돌보아 달라고, 과거의 명문 객주로 되돌려 달라고.

아버지 앞에 단오는 울부짖었다. 어찌 계집애에게 그런 말씀을 하시냐며, 아버지가 병을 털고 일어나 직접 꾸려 가는 것이 옳다고. 제발 약한 소리 말고 일어나시라고.

그리고 그것은 단오와 아버지의 마지막 대화가 되었다.

한동안 기억하지 않으려 애쓰던 과거……. 유하와 산, 시열 사이에 우두커니 서 있던 단오가 퍼뜩 정신을 차렸다. 그녀가 등허리를 꼿꼿이 세웠다.

"오라버니들이 도와주지 않는다면, 저 혼자라도 할 거예요. 강요하지 않을게요. 단, 더 이상 저를 말릴 생각은 하지 마세요."

이화원을 지키는 것. 그것은 아버지가 그녀에게 남긴 유언이었다. 애당초 이화원은 단오의 것. 선비들은 지나치는 과거생일 뿐이다. 결국 혼자서

헤쳐 가야 하는 일이었다.

"내가 도울게."

그 순간, 산이 성큼 단오의 곁으로 다가왔다. 예상치 못한 산의 행동에, 단오의 눈이 휘둥그레졌다.

"도와…… 준다고요?"

단오의 물음에, 대수롭지 않다는 듯 산이 고개를 끄덕였다.

"도울게. 이설인지 뭔지 하는 그자를 찾으면 된다는 거잖아."

"산!"

시열이 갑자기 목소리를 높였다.

"제정신이야? 작정하고 모습을 감추고 있는 자를 무슨 수로 찾겠다는 거냐고!"

"찾을 수 있을지 없을지는 해 봐야 아는 일. 가만히 손 놓고 있느니 시도라도 해 보는 게 낫지 않겠나."

"뭐?"

"혹시 아냐고. 덜컥 그자를 찾게 될지. 이설인지…… 뭔지."

산의 입가에 비죽 웃음이 걸렸다.

"안 그래도 심심하던 차거든. 게다가 이화원이 남의 손에 넘어가면 나 역시 다른 객주를 찾아야 할 것 아냐. 그렇게 번거로운 일은 딱 질색이라고."

턱, 산이 단오의 어깨에 손을 올려놓았다. 단오가 산의 얼굴을 올려다보았다. 진지함이라고는 조금도 없는 태도. 무심하기 그지없는 눈빛. 하지만 산은 분명 단오 편이었다.

"나는 단오랑 함께한다. 너희들은?"

"하지만, 단오가 위험해질 수도 있어."

"내 누누이 말하지 않았나? 그리 걱정되면 유하 네가 직접 단오를 지키라고."

유하와 산의 시선이 부딪쳤다. 그 순간 유하의 눈빛은 평소답지 않았다. 그러나 그것도 잠시뿐. 유하의 거친 눈빛은 이내 흔적 없이 사라졌다.

"단오야. 정 그러하다면…… 약속 하나 해 다오."

"말씀하세요, 유하 오라버니."

"위험한 일에 직접 나서지 않겠다고 약속해. 그럼 함께한다."

유하의 목소리와 눈빛에는 단오에 대한 진심 어린 걱정이 담뿍 배어 있었다. 어찌 유하의 마음을 모르겠는가. 단오가 고개를 끄덕였다.

"그리할게요. 약속할게요."

"반드시 그 약속, 지켜야 한다."

"예, 지킬게요, 오라버니."

유하가 가만히 한숨을 내쉬었다.

"그리 말한다면야……. 알겠다."

"고마워요. 고마워요, 오라버니."

유하의 대답을 들은 단오의 입에서 안도의 한숨이 새어 나왔다.

"우리 셋이면 충분해. 일단 가자. 계획을 세워야 할 터이니."

산의 말에, 부루퉁하게 인상을 쓰고 있던 시열이 소리쳤다.

"나는? 나는 어쩌고?"

"너 따위는 없어도 돼."

"뭐?"

발끈한 시열의 얼굴이 붉게 달아올랐다.

"어차피 네 녀석은 있어 봤자 걸리적거리기만 할 게 뻔하거든."

"걸리적거리긴 뭐가 걸리적거린다는 거야?"

"너 같은 한량 따위가 무슨 도움이 될까. 그냥 평소처럼 기방에 가서 기생들이나 끼고 놀도록 해. 그게 도와주는 거야."

"산 너 이 자식!"

점점 시뻘게지는 시열의 얼굴을 본 단오가 저도 모르게 웃었다. 산의 속내를 눈치챘기 때문이다. 산은 시열을 자극하여 한패로 끌어들이려는 속셈임이 분명했다.

"에이, 더럽고 치사해! 한다고! 나도 같이하면 될 거 아니야!"

결국 시열이 백기를 들었다.

"이리 와요, 시열 오라버니."

유하, 산과 나란히 서 있던 단오가 건너편의 시열에게 손짓했다.

"산, 이 망할 놈. 망해 버려라, 이 자식."

욕지거리를 퍼부으면서도, 시열은 그녀 곁으로 다가왔다.

"고맙습니다, 오라버니들."

단오가 꾸벅, 허리를 숙였다. 종일 불안하기만 하던 마음이 그제야 가라앉는다. 비로소 웃을 기운이 났다. 이화원을 향해 걸음을 떼던 그녀가 문득 입을 열었다.

"오라버니들, 셋 다 나이가 스물이었죠?"

"응."

유하, 시열, 산이 동시에 대답했다.

"이설이라는 사람, 오라버니들이랑 나이가 같아요. 십오 년 전에 다섯 살이었다고 하니."

잠시 동안 선비들에게는 아무런 대답도 돌아오지 않았다. 모두가 얼굴도, 정체도 알 수 없는 이설을 떠올리고 있는 걸까.

"한양 과거생 중에 스무 살인 자가 기백 명은 있을 게다."

"하긴…… 그렇겠죠?"

유하의 대답을 들은 단오가 고개를 끄덕였다. 기백 중 하나의 확률. 그러나 등잔 밑이 어둡다는 말도 있지 않은가. 의외로 그가 가까운 곳에 있을지도 모르는 일이다.

멀리 이화원의 대문이 보일 즈음.

"산 오라버니."

성큼 걸음을 옮기던 산이 뒤를 돌아보았다.

"선뜻 나서 주신 건 정말 고마운 일이지만……. 궁금해서요."

"뭐가?"

"오라버니는 남의 일에 관심 같은 거, 없잖아요. 귀찮은 일이라면 늘 질색하는 오라버니답지 않아서."

산이 물끄러미 단오를 바라보았다.

나다운 건 무엇이고, 나답지 않은 것은 또 무엇일까.

"그럼, 돕지 마?"

"아, 아니요. 그런 건 아니고……."

"아니라면 이유 같은 거 묻지 마. 그거야말로 정말 귀찮으니까."

"예……."

산이 고개를 돌렸다. 멀어지는 그의 뒷모습을 바라보던 단오가 낮은 한숨을 쉬었다.

"이상하지……."

가끔, 저 뒷모습이 이상하게 낯익다는 생각이 드는 게.

"단오야."

유하의 목소리에, 생각에 잠겨 있던 단오가 고개를 들었다.

"나는…… 영 마음이 내키지가 않아. 네가 걱정이 되어 말이다."

"오라버니."

"그래, 말해 보아라."

"오라버니에게는 가장 소중한 것이 무엇이에요?"

"소중한 것이라……."

"예를 들면, 가족이라든가."

가족. 유하의 가족은 서출이라는 이유로 그에게 곁을 내주지 않았다. 하여 유하 역시 그들에게 정을 두지 않았다. 그렇기에 단오를 이해하지 못하는 것일지도 모른다.

"모르겠다."

아니, 모르지 않는 것 같기도 하지만. 무척 소중하게 여겨지는 이가 있기는 하지만…….

"오라버니도 정말 소중한 사람이 생긴다면 이해하실 거예요."

"그런 걸까……."

단오의 마음이 어떤 것인지 어렴풋이 알 것 같아서, 유하는 더 이상 말을 잇지 못했다.

같은 시각.

'어디서 보았더라.'

윤단오와의 거래에 관해 생각하던 장태화의 뇌리에 사내 얼굴 하나가 떠오른다. 안뜰에 서서 초조한 기색을 내비치던 그는, 단오를 따라왔던 과거생 중 하나였다.

키가 훤칠하고 얼굴이 유난히 하얀 선비는 인물이 빼어나 처음부터 눈에 띄었다. 정헌 대감 평생의 유일한 오점. 그러나 아무리 서출이라 하여도 귀한 핏줄은 속일 수 없는 법이다.

그 옆에 서 있던 무인 차림을 한 자는 유달리 눈빛이 날카로워 시선이 갔다. 그는 짐승 같은 거친 풍모를 애써 숨기고 있었다. 성미를 숨기지 못하는 것은 여전히 수련이 부족함을 방증한다. 그저 하급 벼슬이나 하려는 중인 나부랭이일 것이다.

그리고 마지막 사내……. 지금 장태화는 그 끝에 서 있던 선비의 모습을 떠올리고 있었다. 난봉꾼 김홍익의 서자라던 젊은 사내 말이다.

그는 눈에 띄는 구석이라고는 없는 자였다. 제 눈빛을 받아 내지 못하고 슬그머니 시선을 떨어뜨리는 것도, 눈치를 살피는 태도도. 그는 기개라고는 없는 소인배였다.

그러나 틀림없이 본 기억이 있는 얼굴. 아득한 기억의 심연 속 어딘가에 잠들어 있는…….

'과거생이 아닌가. 한양을 오가다 마주친 거겠지.'

그럴 것이다. 훈련원 판관인 그가 매일 마주치는 군졸의 수만도 수백이었다. 그들 중 비슷한 자와 헷갈렸을 따름일 것이다. 장태화는 이내 사내의 얼굴을 지워 버렸다. 그것 말고도 그에게는 생각할 문제들이 산더미처럼 쌓여 있었다.

* * *

풀벌레 소리마저 유난히 소슬하게 들리는 밤이었다.

이화원 뒤편에 나 있는 작은 샛길을 따라 걷다 보면 낡은 폐가가 하나 나온다. 마을 구석진 곳에 있어 눈에 잘 띄지도 않았지만, 원래부터 사람들은 폐가 근처에 걸음을 하지 않았다. 사람이 죽어 나갔다더라, 귀신이 나온다더라 하는 흉흉한 이야기가 떠도는 곳이었기 때문이었다.

단오와 세 선비는 바로 그 폐가 앞에 서 있었다. 그들에게는 밀담을 나눌 안전한 장소가 필요했다. 산이 그들을 인도했다.

"나, 나는 안 들어갈래."

반쯤 허물어진 담벼락, 뜯어져 덜컹거리는 문짝. 그 모습에 질린 듯 시열이 도리질을 쳤다.

"그럼 너 혼자 밖에 있든가."

산이 대문을 밀어 열었다. 음산한 안마당을 본 단오가 침을 꼴깍 삼켰다.

조금 두려운 마음이 들었으나, 그녀 역시 마음을 다잡고 문지방을 넘었다.

"문 닫는다."

"누, 누가 혼자 있겠대? 가! 간다고!"

마지막까지 문밖에 남아 있던 시열이 후다닥 폐가 안으로 뛰어들었다.

"무예 연습을 할 만한 좋은 장소를 찾아냈다 하더니, 여기가 그곳인 게로군."

"그래. 근방에 이만한 장소가 없으니까."

유하와 산의 대화를 듣던 단오가 눈을 깜빡였다. 마당 곳곳에 흩어진 나무토막과 짚단들. 이는 산이 무예 연습을 할 때 쓰는 것이리라. 부산스러운 방문객 탓에 곳곳의 먼지들이 폴폴 흩날린다. 달빛에 비친 먼지들이 허공에서 반짝거렸다.

밖에서 볼 때 으스스해 보였던 폐가의 본모습은 그리 무섭지 않았다. 아니, 오히려 고즈넉한 풍경이었다.

"이설, 그자에 대한 얘기를 시작해야겠지."

산이 나무 둥치 위에 걸터앉으며 말했다. 그를 멍하니 쳐다보고 있던 단오가 목소리를 가다듬었다.

"지금의 전하께서 일으켰던 왕자의 난……. 이설은 그 왕자의 난에서 유일하게 살아남은 왕손이에요. 난이 일어나기 직전에 유모와 함께 온천으로 요양을 떠났거든요. 그 덕에 그만이 목숨을 건졌대요."

나지막한 단오의 목소리. 그 따스한 음성을 타고, 까맣게 잊혔던 어떤 사내의 이야기가 되살아난다.

"이설을 데리고 있던 몸종과 유모가 그를 완벽하게 빼돌렸어요. 그렇게 사라진 이설은 거의 십 년 동안 모습을 드러내지 않았고……. 그가 어디서 무얼 하며 살았는지 아무도 모른대요."

권력에 눈이 먼 숙부에 의해, 부모와 형제를 모두 잃은 채 혼자 살아남은 아이. 당시 다섯 살이던 그는 이제 스무 살 청년으로 성장했을 것이다.

"이설은 사 년 전 한양에 모습을 드러냈어요. 장태화가 그를 찾기 위해 나섰지만, 결국 실패했고요."

"장 판관이 그를 찾는 이유가 뭔데?"

"장 판관은…… 이설이 조선의 다음 왕이 될 자라고……."

콰르릉, 뭔가가 무너지는 요란한 소리가 들렸다. 질겁한 단오가 외마디 소리를 내질렀고, 산이 장검을 쥐었다.

"미, 미안."

"아오, 이 미친놈아!"

시열이 민망한 표정으로 자리에서 일어섰다. 그가 걸터앉아 있던 장작 더미가 우르르 무너져 내린 것이 소동의 원인이었다.

"단오, 괜찮으냐?"

"네, 유하 오라버니."

단오가 고개를 끄덕였다.

"대체 이게 무슨 말도 안 되는 일이람. 다음 임금이라니……."

장작들을 주섬주섬 쌓아 올리던 시열이 떨리는 목소리로 중얼거렸다.

왕자의 난에 연루된 자를 찾는 것만으로도 이미 위험하기 짝이 없는 일이다. 비록 위독하다고는 해도 임금은 살아 있었다. 왕을 두고 새로운 임금을 운운하는 건 곧 역모였다.

"장태화의 말을 어떻게 믿지?"

산의 목소리가 들려왔다.

"무엇을요?"

"한낱 종오품 판관 따위가 개입하기에는 지나치게 큰일이잖나. 왕의 사주를 받아 이설마저 제거하려는 음모일 수도 있어."

"저는 그렇게 생각하지는 않아요. 임금이 개입된 일이라면, 굳이 저에게 일을 맡겼을 리 없으니까……. 누구보다 이설의 존재가 드러나는 걸 두려워할 사람이 임금이니까요."

갑자기 시열이 흠흠, 헛기침을 했다.

"장태화는 왕이랑은 아무 관계 없어. 그자 뒤에 있는 건 좌의정이야. 좌상 신운호."

예상치 못한 시열의 말에, 모두 동시에 그를 바라보았다.

"시열 오라버니가 그걸 어찌 아세요?"

"만식인지 천식인지를 찾아갔던 날 밤, 장태화가 뭐 하는 작자인지 알아보려고 기방에 찾아갔었거든."

"아……."

"장태화는 오래전부터 좌상의 수족 노릇을 하던 자야. 그 좌상이란 양반 역시 임금의 눈 밖에 난 지 좀 됐지. 임금마저도 함부로 쳐낼 수는 없는 인물이라지만……."

그런 줄도 모르고, 그날 밤 술 냄새를 풍기며 들어온 시열에게 서운한 마음을 품었다니. 미안한 마음에, 단오가 시열을 보았다. 그렇지만 그는 싱긋 웃을 뿐이었다.

"대체 누굴 만나고 다니기에 그런 이야기를 주워들은 게냐?"

"누구라고 말해 주면, 산 네가 알아?"

시열을 가만히 쳐다보던 산의 시선이 단오에게로 돌아왔다.

"임금에, 좌의정에……. 난리도 아니군."

그가 낮은 목소리로 중얼거렸다.

모두가 단오를 걱정한다. 그리고 의심한다. 여인인 단오가 과연 이 큰일을 해낼 수 있을지, 의구심을 품는 건 장태화만은 아니었다. 하지만 여인이라는 이유로, 남이 제 일을 해결해 주기를 바랄 수는 없다. 그런 요행을 바라서는 안 되었다.

단오는 마음을 다잡았다. 이건 이화원을 지킬 수 있는 유일한 기회였다.

"저는 이설을 찾아낼 거예요. 장 판관, 혹은 좌의정의 생각을 알 수는 없지만, 반드시 해낼 거예요. 그리고 이화원을 제 손으로 지킬 거고."

산, 유하, 시열은 단오를 보고 있었다. 그들 모두 같은 사실을 새삼 깨닫는 중이었다. 단오는 절대 물러서지 않을 것이다. 이설이라는 자를 찾아낼 때까지, 그녀는 결코 멈추지 않으리라.

"아오. 고집. 누가 너를 말리겠냐."

시열이 포기했다는 듯 중얼거렸다.

"기왕 이렇게 된 거, 우리 그럴싸한 이름이나 붙여 볼까?"

"이름이요?"

"그래. 우리는 이제 비밀 조직이 된 거잖아. 당연히 이름이 있어야 하지 않겠어? 그래야 더 멋있는 법이라고. 어디 보자……."

고심하던 시열이 이내 답을 내놓았다.

"이름이 이설이라고 했잖아. 무슨 한자를 쓰는지는 모르겠지만, 눈 설(雪) 자를 써서 방설단(訪雪團)이라고 하자. 찾을 방, 눈 설. 이설을 찾는 자들. 어때?"

"방설단……."

단오가 조용히 중얼거렸다.

눈을 찾는 자들. 그러나 새순이 움트는 따스한 봄날, 어디서 차디찬 눈을 찾을 것인가.

달빛을 지르밟으며 돌아가는 길, 단오의 뒤를 따르던 선비의 눈빛이 순간 아득해졌다.

단오의 머리끝에 매달린 분홍 댕기가 걸음을 따라 손짓하듯 움직인다. 이리 오라고, 나를 따라오라고. 그녀의 뒤를 쫓아 걷다 보면, 그 운명의 끝에서 그를 기다리는 것은 대체 무엇일까.

"문득 드는 생각인데."

어둠 속에서 들리는 나지막한 목소리.

"우리 중에 이설이 있다면, 정말 재미있을 것 같지 않아?"

피식- 누군가의 입에서 짧은 웃음소리가 흘러나왔다. 각각의 비밀을 담은 그들의 걸음 위로 은밀한 달빛이 내려앉았다.

단오와 선비들이 이화원으로 돌아온 시각은 깊디깊은 한밤중이었다. 혹여 소리라도 날까, 그들은 눈짓으로 밤 인사를 대신했다. 단오도, 유하와 산, 그리고 시열도 각자의 방으로 걸음을 옮겼다.

살금살금 소리 죽여 안채를 지나칠 무렵, 시열이 문득 걸음을 멈추었다. 조금 열려 있는 방문 틈으로 보이는 여인의 얼굴. 달빛에 드러난 홍주의 얼굴은 이 세상 사람이 아닌 듯 창백했다.

"……낭자."

홍주로서도 예상치 못한 마주침이었으리라. 잠시 머뭇대던 그녀는 이내 방문을 닫았다.

"유하."

시열이 몇 걸음 앞서 걷는 유하를 불러 세웠다.

"왜?"

"홍주 낭자는 어찌 저리 방 안에만 틀어박혀 있는 건지……. 혹시 아는 게 있나?"

"글쎄다. 나라고 알 리 있겠나."

"올해 스물이라고 했나. 아직 어린데……. 딱히 어디가 아픈 것도 아닌 듯한데 말일세."

시열이 다시 뒤를 돌아보지만, 홍주가 사라진 방문 앞에는 비출 이를 잃은 달빛만이 떠돌고 있었다.

"아……. 육호 아재에게 지나가듯 들은 말이 있긴 한데."

"무슨 말?"

"그저 몇 년 전에 큰일을 겪었다고만……. 그 일 이후로 이화원 밖으로 한 발짝도 나가지 않는다 들었다. 무슨 일이었는지는 말씀을 아니하셨고."

"그래, 정말 그렇구나……. 이곳에 온 이래 단 한 번도 바깥출입하는 걸 본 적이 없어."

시열이 안됐다는 듯 쯧, 가볍게 혀를 찼다. 유하가 제 방으로 모습을 감춘 후에도 시열은 잠시 마당에 머물러 있었다. 그다지 더운 날씨가 아니었음에도 시열은 괜스레 부채를 펼쳐 펄럭였다.

시열이 떠올리는 건 홍주의 눈이었다. 그저 사람을 마주쳤을 뿐임에도, 공포에 질린 듯 뒤흔들리던 눈. 홍주는 당장이라도 무너져 내릴 듯 위태로워 보였다.

"꽃 두 송이가 피어 있는 객주라더니……."

나무 아래에 쌓여 가는 스러진 꽃잎들이 보인다. 한때 봄을 노래했던 연분홍 조각들을 무심히 바라보던 시열이 중얼거렸다.

"하나는 저리 생기 넘치는 꽃이거늘, 다른 하나는 가엾게도 시들어 버린 꽃이로구나."

이른 새벽, 잠에서 깨어난 단오가 방문을 활짝 열어젖혔다. 이슬 내린 촉촉한 공기와 함께, 새벽빛에 잠긴 이화원 전경이 한눈에 들어왔다.

조그만 발로 아장아장 걸을 때부터 열여덟 처녀로 자라난 지금까지, 단오의 모든 기억이 이화원에 배어 있었다. 단오는 그것을 지키기 위해 무모하달 수 있는 거래를 했다. 그렇지만 그녀는 조금도 후회하지 않았다.

'아버지라도 나처럼 행동하셨을 거야.'

이화원의 주인이라면 당연히 해야 하는 일이다. 감상에 젖어 있던 단오가 벌떡 일어나 마당으로 나섰다.

제 키만큼 길쭉한 싸리비를 꺼내 든 그녀가 안마당을 쓸기 시작했다. 싹싹 경쾌한 비질 소리에 맞추어 밤새 떨어진 꽃잎들이 춤을 추듯 공중으로 떠올랐다.

"일찍 일어났구나."

"예, 육호 아재, 기침하셨습니까."

"어젯밤 늦게 들어온 것 같더니만, 꼭두새벽부터 집안일이냐. 어찌 이리 부지런한지."

단오가 생긋 웃음을 지었다.

"이게 제 할 일인 것을요."

단오의 대답을 들은 육호 역시 꾸밈없이 허허 웃었다. 그새 말끔해진 안뜰을 내려다보던 육호가 입을 열었다.

"그제 만식이에게 다녀왔지? 대체 원 형님께서 돈을 빌린 자가 누구냐? 만식이 놈이 순순히 말해 주더냐?"

"장 판관…… 이래요."

"장 판관이라면, 설마 장태화?"

장태화의 이름을 말하는 육호의 목소리가 순간 높은 음조를 띠었다.

"예. 그분에 대해 좀 아세요?"

"안면이 있거나 하는 사이는 아니다. 한데 장태화라니……."

육호의 말투는 왠지 미심쩍은 데가 있었다. 아는 게 있음에도 말을 꺼내지 않는 것 같아, 단오는 빤히 그의 얼굴을 쳐다보았다.

"말해 주세요. 장태화에 대해서."

"장태화는 네 아버님의 오랜 벗이었지. 하지만 내가 이화원에 온 건 장태화가 여길 떠난 후였다. 그러니, 나라고 뭘 알 턱이 있나."

그러면서도, 육호는 다시 말을 이었다.

"과거의 장태화가 어떤 자였는지는 모른다. 그저 근래의 평판만을 알 뿐이지. 물욕이 많고, 냉혈한 자라 불리더구나. 본디 그리 부유하지 않았던 그가 고래 등 같은 집에서 사는 것도 그 이유겠지."

육호가 나지막하게 한숨을 쉬었다.

"단오야, 미안한 말이다만……. 아니, 미안하달 것도 없는 얘기지. 너도 이제 나이가 그득 찼으니."

"무슨 말씀이기에……."

"유하와 혼인을 하거라."

"예?"

단오가 멍하니 되물었다. 이해가 가지 않았다. 이런 난리통에 혼인, 그것도 유하와의 혼인이라니.

"유하는 너에게 마음이 있어. 내 보아 오며 쭉 느낀 것이다. 심성이 곧고, 머리도 좋으니 서출이라도 금세 출세할 것이다. 또한 부친께서 물려주신 재산이 상당할 것으로 안다."

"육호 아재……."

"여인 혼자 몸으로 두 가족을 먹여 살리는 건 힘든 일이다. 유하와 혼인하여 어머니를 모시고 살아라. 유하는 서자 처지라 제 가족과 같이 살지 않아도 될 테니."

단오가 물끄러미 육호의 얼굴을 바라보았다. 그건 어찌 보면 가장 명료한 해결책이었다. 그러나 거기에는 중요한 것 하나가 빠져 있었으니…….

"그렇다면, 이화원은요?"

"이화원은, 장태화에게 넘기는 수밖에."

단오가 말없이 고개를 떨어뜨렸다. 대답 대신, 단오는 고개를 저었다.

"우는 게냐?"

"아니요, 안 울어요. 울기는요."

"천천히 생각해 보거라. 너무 서운케 여기지 말고."

"예. 저는 이만 물 길어 올게요."

물동이를 들고 우물로 향하던 단오의 어깨가 축 처졌다. 이화원에 십 년 넘게 기거한 육호 아재마저 저런 말을 하다니…….

단오는 육호에게 서운함을 느끼진 않았다. 육호는 단오가 세상에 태어나기 전부터 부모님과 인연을 맺어 온 사람이었다. 육호 역시 진심으로 이화원을 아끼기에 하는 말임을 그녀도 잘 알고 있었다. 단지 육호의 말자체가 아닌, 그런 말을 들어야만 하는 제 처지가 서글플 뿐이다.

생각에 잠긴 채 얼마나 걸었을까.

"엄마야!"

묵직하던 정수리가 가뿐해졌다. 머리에 이고 있던 물동이가 순식간에 사라진 탓이었다.

"산 오라버니!"

저를 지나쳐 저벅저벅 걸어가는 산의 뒤통수에 대고, 단오가 냅다 외쳤다. 잠시 걸음을 멈춘 산이 어깨를 으쓱 움직였다. 그러나 그뿐, 그는 단오를 돌아보지도 않았다. 보폭이 넓은 그를 따라잡기 위해, 단오는 뛰다시피 걸음을 놀려야만 했다.

"단오."

그제야 산이 단오를 쳐다봤다.

"네?"

"대체 너는 왜 내가 지나다니는 길목에 이런 걸 들고 나타나는 거야?"

"허……."

적반하장도 유분수였다. 너무 기가 막힌 나머지, 단오의 입이 헤벌어졌다.

"누가 들어 달래요?"

"네가 잘 모르는 모양인데, 무인들은 원래 아녀자들이 힘쓰는 걸 보아 넘기지 않는 습관이 있어."

"그럼 밥도 오라버니께서 하시면 되겠네요. 나물도 뜯어 오고, 세답도 하시고."

입이 댓 발 나온 단오의 얼굴을 본 산이 피식 웃었다.

"오라버니는 마음이 편한가 봐요. 나는 속이 타 죽겠는데."

"웃어."

"뭐가 좋다고 웃어요?"

"웃어. 아침부터 죽을상 짓지 말고. 복 달아난다."

"허이구, 누가 할 소릴. 매일같이 죽상으로 다니는 건 오라버니면서."

"내가?"

갑자기 산이 단오 앞으로 얼굴을 쓱 들이밀었다. 그녀의 눈이 동그래졌다. 그의 입꼬리가 한껏 끌어 올려져 있기 때문이었다. 항상 무표정하던 산과, 활짝 웃는 지금의 산. 두 얼굴은 마치 다른 사람의 것처럼 느껴졌다.

"봐. 이렇게 웃으라고."

"으응."

코앞에 들이닥친 그의 얼굴. 자꾸만 따라붙는 산의 눈동자를 피해, 단오는 슬그머니 시선을 떨어뜨렸다.

참 이상한 일이다. 유하와 시열은 늘 단오에게 친밀하게 굴었다. 그들이 베푸는 호의를 단오는 즐거운 마음으로 받아들였다. 하지만 산 앞에만 서면 왜 이렇게 안절부절못하겠는 걸까?

솔직히 말하자면, 단오는 요즘 산의 행동 하나하나가 신경 쓰였다. 무뚝뚝하면 무뚝뚝해서, 또 잘 대해 주면 잘 대해 줘서……, 그 어느 쪽도 이전처럼 자연스럽게 느껴지지 않았다.

"표정이 왜 그래?"

"그, 그냥요."

우물에 당도한 산이 두레박을 끌어 올렸다. 조심성 없는 손길 탓에 사방에 물이 튀었다.

"그건 그렇고, 이설이라는 자 말이다."

왔던 길을 되밟아 이화원으로 향하며, 산이 물었다.

"어디서부터 찾아볼 생각이야?"

"장태화가 관노비 몇의 행방을 알려 주었어요. 호성대군의 몸종 대부분이 죽임을 당했지만, 그중에 살아남은 자가 몇 있는 모양이에요."

"오늘 바로 갈 거지?"

"그래야죠. 시간이 넉넉지 않아요. 두 달…… 짧은 시간이니까."

"그래. 빨리 움직이도록 하자."

걸음을 떼던 산이 단오를 돌아보았다. 단오는 여전히 그에게서 시선을 떼지 않고 있었다.

"저, 오라버니가 귀찮아한다는 것 알고는 있지만…… 그래도 이 말은 꼭 하고 싶었어요. 고마워요, 정말로. 잊지 않을게요."

"고마우면 물동이 따위로 잔소리나 마."

그제야 단오의 얼굴에 웃음이 돌아왔다. 산은 대하기 까다로운 사람이었다. 단오는 늘 그가 언제 뾰족한 가시를 내보일지 모른다고 여겼다. 그러나 요즘 들어 산의 가시는 좀처럼 보이지 않는다.

얼마 전, 유하가 그리 말했던가.

'남들 앞에서 가시를 세우는 사람일수록, 그만큼 가시에 많이 찔려 왔다는 뜻이 아닐까.'

단오는 문득 궁금했다. 산은 어떤 삶을 살아왔을까. 그는 삼 년 동안 단 한 번도 자신에 관해 얘기한 적이 없었다.

"오라버니, 이화원에 오기 전에는 어디서 사셨어요?"

"그런 건 왜 물어?"

"그냥 궁금해서……."

"청주에 있다가 한양으로 올라왔어."

단오가 눈이 동그래졌다.

"청주요? 저는 당연히 한양 사람일 줄 알았는데……. 늘 한양 말씨만 써서."

"한양에서 태어났거든."

"한양에서 몇 살까지 살았는데요?"

산이 물동이를 고쳐 들었다. 서투른 손길 탓에 쏟아진 물이 철퍽 단오의 치마폭을 적셨다.

"앗, 차가!"

"차갑긴 뭐가 차가워. 날씨도 이리 따뜻한데. 시원하고 좋지."

"그럼 그 시원한 물벼락, 오라버니도 한번 맞아 볼 테예요?"

"아니, 나는 생각 없고."

"얄미워!"

주거니 받거니, 투덕거리던 둘은 이윽고 이화원에 도착했다. 때마침 대문 앞에는 유하가 서 있었다. 나란히 걸어오는 산과 단오를 본 그의 얼굴이 설핏 굳었다.

"둘이 어딜 다녀와?"

산이 몰라서 묻느냐는 표정으로 물동이를 들어 보였다.

"물 길러."

"얼른 아침 차려야겠다. 물동이 이리 내요, 오라버니."

유하를 향해 방긋 웃어 보인 단오가 대문 안으로 사라졌다. 산 역시 문지방을 넘으려던 찰나였다.

"산."

"왜?"

"요즘 들어 부쩍 단오와 가깝게 지내는 것 같다."

유하를 지나치던 산이 한 걸음 물러났다. 이내 둘은 마주 보는 상태가 되었다. 산은 유하의 눈을 또렷이 응시하고 있었다.

"왜, 그러면 안 되나?"

가시. 잘 숨겨 왔던 가시는 이렇게 예상치 못하게 뛰쳐나오곤 한다.

산의 날 선 반문에 유하가 쓴웃음을 지었다.

"안 되는 것은 아니지만……."

그리고 가시 따위 품어 본 적 없는 유하의 마음속, 자신도 몰랐던 가시가 불쑥 튀어나온 것 역시 그 순간이었다.

"네가 언제부터 그리 단오에게 관심을 가졌는지 궁금해서."

유하를 지그시 바라보던 산이 한쪽 입꼬리를 끌어 올렸다. 픽, 그의 잇새로 낮은 웃음이 흘러나왔다. 산이 몸을 돌렸다. 그가 방으로 돌아간 후에도, 유하는 여전히 그 불편한 공기 속에 서 있었다.

끝물에 이른 봄볕이 내리쬐는 오후. 산과 유하가 안뜰로 걸어 나왔다.

"채비는 다 한 거냐?"

다소 날이 서 있던 아침 풍경을 떠올리며 유하가 말을 건넸다. 산이 대답 대신 고개를 끄덕였다.

"단오가 걱정이 많은 것 같다."

"쟤가 언제는 안 그랬나. 정말 걱정이 많은 건 단오가 아니라 너 같은데."

"내가?"

"그래. 매일같이 단오 걱정하느라 바쁘잖아. 요새 글공부도 손에서 놓지 않았나?"

"그렇지 않아."

"애써 부정할 필요 없어. 뻔히 드러나 보이는 것을."

유하가 산의 얼굴을 새삼스럽게 바라봤다. 언제나 산의 태도에는 묘한 구석이 있다. 그는 변덕스러우면서도 거칠었다. 그런 까닭에 그 속내를 가늠하기란 좀처럼 쉽지 않았다.

예상치 못한 곳에서 불쑥 가시를 세우며 튀어나왔다가, 금세 언제 그랬냐는 듯 무심하게 구는…….

"산, 너는?"

"나?"

"너는 단오가 걱정되지 않아?"

"걱정이야 되지. 하지만, 그저 걱정이 될 뿐이다."

무슨 뜻이냐는 듯 유하가 산을 쳐다보았다.

"난 너처럼 단오의 인생 전체를 놓고 아등바등 걱정하진 않아. 내가 도울 수 있는 일이 있다면 돕고 싶어. 그러나 거기까지다."

거기까지다. 단오의 인생 자체를 책임져 줄 여력도 없으면서, 그 이상을 바라는 건 옳지 않은 일이다.

혹시 모르지……. 유하 네게, 단오의 평생을 지켜 줄 욕심이 있는 것이라면…….

"나한테는 그럴 권리가 없거든. 그건 단오의 인생이니까."

유하는 묵묵히 산의 말을 듣고 있었지만, 표정은 씁쓸했다.

산은 늘 말해 왔다. 결코 단오를 여인으로 여기지 않는다고, 그녀에게 아무런 사심도 품고 있지 않다고. 그러나 말뿐. 그 눈은 늘 단오를 좇고 있지 않은가.

"자자, 다들 준비됐지?"

유난히 음이 높은 시열의 목소리가 어색한 분위기를 깨뜨렸다. 평소와 다를 바 없는 유하나 산과 달리, 시열의 차림새는 눈에 띄게 화려했다.

"혼자 꽃놀이라도 가냐?"

"특별히 몸단장을 좀 했지. 단오한테 이야기를 들었거든. 오늘 기가 막힌 데 간다더군. 흐흐. 우리 샌님들, 오늘 좋은 구경 하시겠어."

"대체 어딜 가기에 그래?"

"어디긴, 뻔하지."

한심하다는 표정으로 시열을 보던 산이 내뱉었다.

"김시열이 이렇게 오두방정 떨 곳이라고는 한 군데밖에 없잖아. 기방이겠지."

"기방을 간다고? 단오가?"

"어허, 말은 바로 해야지. 단오가 가는 게 아니라 우리 모두 함께 가는 걸세."

"관노비를 만나러 간다고 하더니만…… 그게 기방이었다니."

때마침 쓰개치마를 두른 단오가 안뜰로 나왔다.

"관노비가 되었던 계집종 하나가 관기로 차출되었대요. 기방 문을 열기 전에 그 관기를 만나야 해요."

"그럼, 그럼. 지금이 기방을 방문하기에는 딱 좋은 시간일 거야. 아, 다들 분칠하고 몸단장을 하느라 바쁘겠군."

"시열 오라버니. 우리 놀러 가는 거 아니거든요."

"알아, 안다고. 그나저나 단오 빼고 다 눈이 돌아가겠네."

"그게 무슨 소리예요?"

"보통 기방이 아니라 일패기생들을 모아 놓은 곳 아니냐! 거기 가면 산이고 유하고 하나같이 여인들에게 넋이 나갈 게 분명하니까……."

"뭐라구요?"

단오가 샐쭉한 표정으로 시열을 노려보았다. 이내 그 시선은 산과 유하에게 향했다가, 다시 산에게로 돌아가 머물렀다.

"그럴 리가요."

짧게 마주친 시선은 금세 떨어졌다. 단오는 다시 한번 되뇌었다.

"절대로, 그럴 리가요."

한양의 동쪽, 종이촌에는 일류 기방들이 몰려 있다. 아직 기방 문을 열기엔 이른 한낮. 으리으리한 기와집 앞엔 불 꺼진 청사초롱들이 가지런히 걸려 있었다.

"무슨 일로 오셨습니까요?"

미심쩍은 표정의 문지기가 단오를 위아래로 훑어보았다.

"행수를 만나러 왔네."

"이제 갓 상투를 튼 도령 셋에 양갓집 처자가 하나. 묘한 조합이구먼요. 한데, 춘하관은 아무나 들락날락할 수 있는 기방이 아닌뎁쇼? 좋은 말로 할 때 물러가시지요."

존대를 하고 있으나 빈정대는 말투며 손을 휘휘 내젓는 거며, 문지기의 태도는 꽤 위압적이었다. 그러나 단오는 침착하게 말을 이었다.

"장 판관 영감께서 보내서 왔네. 행수에게 그리 전하시게."

"장태화 영감께서?"

대답 대신 단오는 고개를 끄덕거렸다. 여인의 맹랑한 눈을 본 문지기가 슬그머니 시선을 떨어뜨렸다.

"잠시 기다리십쇼."

돌아온 문지기의 태도는 확연히 달라져 있었다.

난생처음 들어서는 기방. 쓰개치마 속에 얼굴을 감추고 있던 단오가 조심스레 주변을 훑어보았다. 뒤뜰로 들어가자, 나란히 붙어 있는 방들이 보인다. 아마도 기생들이 기거하는 곳이리라.

열린 문틈으로 보이는 기생들은 아직 단장을 하기 전인 듯 화장기 없는 얼굴이었다. 그녀들 역시 낯선 방문객을 힐끔거렸다.

공기 중에는 짙은 분 냄새, 꽃향기가 떠돌았다. 봄이 한창인 문밖에서 맡을 수 있는 것과는 좀 다른 어딘가 인위적인 향기. 이는 화려한 치장에 감춰진 채 기방에 묶여 사는 기생의 운명을 방증하는 향이었다.

"양갓집 계집이 기방에는 무슨 일이래."

어디선가 앙칼진 목소리가 들렸다. 단오가 고개를 들어 소리가 난 쪽을 돌아보았다. 방문 틈으로 앳된 얼굴이 보였다. 그 기생은 단오를 뚫어져라 쳐다보고 있었다.

"계집이 수완이 좋네. 사내를 셋이나 데리고 다니고."

"뭐라는 게냐."

"산 오라버니, 그냥 가요."

단오가 산의 팔을 붙들었다. 불필요한 문제를 일으키고 싶지 않았기 때문이었다. 노비 처지인 기생이 불쑥 나타난 양갓집 여인을 반기지 않은 것은 당연할 터였다.

"사내 셋이랑 붙어먹다니. 거참 기생인 나보다 나은 계집일세."

그때, 쩌렁쩌렁한 여인 목소리가 뒤뜰에 울려 퍼졌다.

"반야, 네 이년! 손님에게 이 무슨 돼먹지 못한 행동이냐!"

나타난 기녀는 높다란 어여머리에 화사한 의복으로 단장한 차림새였다. 서른이 좀 넘었을까. 화려한 미색의 여인이 사납게 눈을 치켜떴다.

"당장 사죄하지 못해?"

"손님인 줄 몰랐다고요! 물건이라도 팔러 온 줄 알았지."

"어허, 방자하기가 그지없구나. 매를 맞아야 정신을 차릴 테냐?"

"알았어요! 사과하면 될 것 아네요."

반야라 불린 여인이 단오를 돌아보았다.

"송구하게 되었소이다."

말이 끝나기가 무섭게 반야의 방문이 덜컥 닫혔다.

"내 저년을……."

이마를 짚으며 한숨을 짓던 여인이 단오를 향해 몸을 돌렸다.

"제가 대신 정중히 사죄드리지요. 용서하시옵소서. 양갓집 아씨를 보니 샘이 나서 저러는 모양입니다."

여인이 공손하게 고개를 숙였다.

"제가 이곳 춘하관의 행수입니다. 화령이라고 불러 주십시오. 안으로 뫼실 테니, 따라오시지요."

화령은 단오 일행을 춘하관 사랑방으로 안내했다. 한양 제일의 일패 기방이라던가. 소문답게, 춘하관 사랑방은 눈이 휘둥그레질 정도로 호사스러웠다.

쓰개치마를 내린 단오가 화령을 마주 보았다. 거대한 어여머리와 화려한 의복으로 치장한 아름다운 여인. 그러나 복장과 달리, 화령의 눈빛은 차분하고 진중했다.

장태화에게 들은 말에 따르면, 화령은 꽤나 기구한 삶을 살아온 여인이다. 화령은 호성군의 집에 딸린 사노비로 태어났고, 주인집이 풍비박산 난 이후 관기로 차출되었다. 그리고 결국 기방의 우두머리인 행수의 자리까지 오른 인물이었다.

"장 판관께서 특별히 부탁하신 터라 시간을 내드리기는 합니다만, 반가의 자제분들께서 무슨 일로 기생을 찾으십니까? 저로서는 짐작조차 하지 못하겠습니다."

"저희는 이설을 찾고 있습니다."

단도직입적인 단오의 말에, 화령의 표정이 설핏 달라졌다.

"이설이라면……."

"호성군마마의 막내아들 말입니다. 왕자의 난 때 자취를 감추었던 분……. 그를 찾고자 합니다."

"호성군마마의 막내아들."

화령이 다시 한번 그 이름을 반복했다.

"호성대군마마의……."

무심코 중얼거린 화령이 입을 다물었다. 과거 임금의 적자로서 호성대군이라 불렸던 이평. 죽음 이후 그의 호칭은 호성군으로 격하되었다. 제 형님을 죽인 이창은 정당한 대군의 칭호조차 허락하지 않았다.

무엇인가를 떠올리는 듯, 화령의 눈빛이 아득해진다. 그러나 다음 순간 그녀의 입에서는 한숨 같은 웃음소리가 흘러나왔다.

"대체 언제 적 이야기를 하시는 건지 모르겠습니다."

"어려운 부탁임을 알고 있습니다. 하여 간청드리니, 도와주세요."

"도와 달라……."

화령이 입꼬리를 지그시 당겼다.

"제가 왜 아씨를 도와야 하는 겝니까?"

저를 쏘아보는 화령의 시선. 단오는 그 눈을 피하지 않았다. 어차피 그들은 일면식도 없는 관계였다. 화령이 제 청을 일언지하에 거절한다 해도 그녀를 탓할 수는 없었다. 단지, 제 간절한 마음을 알아주기를 바랄 뿐.

"제 가족과 집의 안위가 달려 있는 일입니다. 제 모든 것이 걸려 있는 일이기도 합니다."

화령이 눈앞의 여인을 찬찬히 훑었다.

기생으로서는 늦은 나이에 본인의 의지와는 관계없이 시작된 해어화(解語花)의 삶. 화령은 십오 년간 온갖 군상들을 상대했고, 별별 일들을 목도했다.

하지만 제 목적을 위해 기방 문턱을 넘나드는 양갓집 규수라니. 숱한 일을 겪은 화령도 그런 경우는 본 적이 없다. 단오라는 여인은 분명 보통내기가 아닐 터였다.

화령의 인생이 산산이 부서졌던 날. 그 시절의 화령 역시 앞의 여인과 비슷한 또래였다. 그때의 그녀에게도 지키고 싶은 가족과 집이라 부르던 곳이 있었다.

"어디 보자……. 그게 벌써 십오 년 전의 일인가요."

단오는 잠자코 화령의 말을 기다렸다. 이윽고, 붉은 연지를 칠한 화령의 입술 새로 먼 과거의 이야기가 흘러나오기 시작했다.

"이년의 어미는 노비였습니다. 솔거노비(率居奴婢)[11]였지요. 하여 저도 호성군마마의 댁에서 태어나 자랐습니다."

화령이 눈을 지그시 감았다. 아득한 과거. 기명이 아닌, 노비다운 소박한 이름으로 불리던 어린 시절.

"집 안에는 늘 불안함이 감돌았습니다. 집 주변에는 항상 사병이 배치되어 있었지요. 호성군께서는 진즉부터 위험한 상황이라는 걸 알고 계셨던 듯합니다. 어린 제가 그런 분위기를 느낄 정도였으니 말입니다."

비록 노비 신세였으나, 호성군의 집에서 그녀는 귀여움을 받으며 꽃다운 시절을 보냈다. 그것이 화령 인생의 유일한 봄날이었다.

"이설 도련님은 피부병을 앓았어요. 하여 유모와 함께 유성에 있는 온천으로 보내졌지요. 그 일이 일어난 건, 도련님이 집을 떠난 후 기껏 며칠이 되지 않았을 때였습니다."

화령이 반짝 눈을 떴을 때, 그 눈빛에는 피비린내가 난무하던 그날의 고통이 또렷이 배어 있었다.

"한밤중에 그들이 들이닥쳤지요."

"그들이요?"

"당시 익성대군(翊成大君)이라고 불리던……. 지금의 주상 전하 말입니다. 그의 사병들이 순식간에 집 안을 점령했습니다."

십오 년. 오랜 세월이 흘렀다. 그녀 역시 그날의 기억을 까맣게 잊고 살

---

11) 주인집에 머무는 사노비.

았다. 잊어야 했기에, 그래야만 살아갈 수 있기에.

"그는 형님인 호성군마마는 물론이고 마님과 조카들까지…… 직접 베었습니다."

화령의 목소리에는 감정이 배어 있지 않아 더욱 섬뜩했다.

손에 피 칠갑을 한 채 보위에 오른 왕, 이창. 그 말은 그의 잔혹한 성미를 표현하는 은유가 아니었다. 조금도 틀림이 없는 진실이었던 것이다.

제 피붙이인 형님뿐 아니라 형수, 그리고 나이 어린 조카들까지 손수 살육한 끝에 얻어 낸 임금의 자리. 왕좌를 손에 넣은 후, 그는 과연 만족했을까?

"워낙 어린 시절의 모습이라 달리 도움이 될까 싶습니다만, 설 도련님의 용모는 참 고귀하셨습니다. 살빛은 백옥같이 고왔고 귀태가 나셨지요. 걸음마도, 말도 누구보다 빨리 익혔습니다. 놀라우리만큼 영특하신 분이었습니다."

문득 화령의 눈빛이 쓸쓸해졌다.

"제게도 설 도련님 또래의 아들이 있었지요. 하여…… 도련님을 뵈올 때마다 제 아이 생각이 많이 났습니다."

"아들이 있었소? 행수치고 매우 젊어 보이는데……."

시열의 질문에 화령이 고개를 끄덕였다.

"있었지요. 낳자마자 멀리 보냈습니다. 보이는 것처럼 젊은 나이는 아닙니다. 그저 꾸미는 것이 업인지라 젊게 보일 뿐이지요."

"어찌 아이를……."

"종년에게 선택의 여지가 있었겠습니까. 그저……. 한때의 철없는 불장난으로 태어난 아이인 것을요."

담담하게 과거의 기억을 들춰내던 화령의 낯빛이 어두워졌다. 그러나 그 역시 잠시, 이내 그녀는 평온한 표정으로 되돌아왔다.

오랫동안 습득한 끝에 몸에 배고 만 표정. 그녀는 해어화. 말을 알아듣기는 하되 입 밖으로 내지 않는 꽃, 기생이었기에.

"마지막으로 설 도련님을 뵈었을 때 그분은 너무 어리셨기에……. 별것 아닌 단서나마 말씀을 드려야겠습니다. 설 도련님은 가마가 둘이었습니다."

"쌍가마라고요?"

"예. 호성대군마마께서도 그러하였지요. 호성대군마마의 자손 모두가 가마를 둘 갖고 태어났습니다. 아비의 자식 아니랄까 봐, 신기할 정도로 똑같았지요."

"그렇군요……."

"단서를 바라시니 말씀이야 하지만, 쌍가마는 흔합니다. 앞에 계신 선비 중에도 분명 계실 겝니다. 그렇지요?"

"내가 쌍가마라네."

"나 역시."

시열과 유하가 불쑥 말을 뱉었다. 그럴 줄 알았다는 듯, 화령이 고개를 끄덕였다.

"설 도련님에 대해 드릴 말씀은 이것뿐입니다."

"아닙니다. 도움이 많이 되었습니다. 혹시라도 또 생각나는 것이 있으면, 언제든지 중촌의 이화원으로 연통을 주세요."

"이화원이라. 그리하지요."

화령이 단오와 선비들의 모습을 찬찬히 훑었다. 그녀의 눈길이 특히 오래 머문 곳은 뒤에 앉아 있던 유하의 얼굴 위였다. 유하 역시 화령의 시선을 피하지 않았다.

"반가의 선비들처럼 보이는데, 어찌 아씨 하나를 호위처럼 따라오셨습니까? 혹시 남매지간이신지?"

화령이 유하를 보며 물었으나, 그에게서 대답은 돌아오지 않았다. 대신 산이 입을 열었다.

"남매는 아니오. 우리들은 과거생 신분이라오."

"하하……."

불현듯 화령이 재미있다는 듯 실소했다.

"사내 셋에 여인 하나라. 어서 빨리 설 도련님을 찾으셔야만 하겠습니다."

"무슨 뜻이오?"

"어서 빨리 일을 마치고 본분으로 돌아가셔야 한다는 뜻입니다. 사내가 셋, 여인이 하나. 남녀 간 사달이 나지 않으면 오히려 이상한 일 아닙니까? 그것도 여인 하나가 이리 젊고 아리따운 것을요."

화령의 말에 단오가 얼굴을 붉혔다. 그러나 화령은 개의치 않고 말을 이었다.

"붕우유신(朋友有信)이라는 문자가 있다는 얘기를 귀동냥으로 들었지요. 벗 사이에는 믿음이 있어야 한다는 말이라더군요. 한데, 사내들 간의 믿음이 깨지는 가장 큰 이유를 아십니까?"

"글쎄요."

"다름 아닌 여인 때문이지요. 하물며 기생 하나를 놓고서도 죽네 사네 하는 사내들이 수두룩하거늘, 이리 빼어난 아씨를 두고서야 두말할 나위 없는 일 아니겠습니까."

"너무 앞서 나가는 것 같군."

"과연 그렇겠습니까?"

산을 빤히 쳐다보던 화령의 입가에 느른한 웃음이 번졌다.

"하면 어떻습니까. 아씨는 가마를 태워 댁까지 모셔다드릴 터이니, 세 분은 오늘 여기서 회포를 푸시지요. 내 가장 미색이 좋은 일패들로 준비해 올리리다."

"우와……. 그리해 준다면 우리야 당연히……. 아!"

기다렸다는 듯 대꾸하던 시열이 제 허벅지를 부여잡았다. 산이 시열의 허벅지를 사정없이 내리쳤기 때문이었다.

"할 일이 많소. 기방에서 낭비할 시간 따위 없소."

산이 냉랭하게 대꾸했다. 화령은 그럴 줄 알았다는 표정이었다.

"그러시지요. 이설이라……. 지극히 귀한 분이시고, 또한 비밀스러운 분 아닙니까? 그런 분을 찾으셔야 하니, 당연히 바쁘시겠지요."

화령이 몸을 일으켰다. 그녀의 움직임을 따라 은근한 사향내가 풍겼다.

"조심히 들어가세요. 오늘은 신수가 훤한 분들 덕분에 눈호강을 했습니다. 나중에라도 찾아 주신다면 기껍게 모시겠나이다."

"도움을 주셔서 고맙습니다."

단오가 화령을 향해 인사했다. 이제 떠나야 할 시간이었다.

"화령이라는 이름은, 기명(妓名)이오?"

막 사랑방을 나서려던 차에 산이 던진 질문. 순간 화령의 눈빛이 미묘하게 달라졌다.

"그렇습니다. 천출 계집에게 이런 거창한 이름이 가당키나 하겠습니까?"

"하면, 본디 이름은 무엇이오?"

"거참, 잊고 산 것들을 자꾸 떠올리게 하십니다. 흠……. '간난이'라 불렸소이다. 어찌 물으십니까?"

산이 무심히 화령을 마주 보았다. 그러곤 별일 아니라는 듯 고개를 저었다.

"아무 뜻 없이 물은 것이오. 우리는 이만 가겠소."

단오와 일행은 사랑방을 나섰다.

화령과 대화하는 사이 시간이 꽤 흘러, 곧 어스름이 내릴 시간. 춘하관 역시 객을 맞을 준비에 한창이었다.

"춘하관에 꽃선비들이 납시었소."

"나리님들, 어디 가십니까? 눈이라도 한 번 맞춰 주시지요."

"눈만 맞춰서 무슨 재미가 있을라고. 기왕 더 좋은 걸 맞춰야지. 안 그렇습니까, 나리님들?"

선비들의 수려한 용모가 기생들의 장난기를 부추긴 모양이었다. 단장을 마치고 안뜰에 나와 있던 기생들이 짓궂은 농을 던졌다.

단오에게는 민망한 자리였다. 그녀는 쓰개치마로 얼굴을 감추고 걸음을 재촉했다. 산도, 유하도 역시 묵묵히 단오의 뒤를 따랐다. 오직 헤벌쭉신이 난 시열의 걸음만이 자꾸 뒤쳐질 뿐이었다.

"하……."

춘하관 밖으로 나온 단오가 갑갑한 쓰개치마를 벗었다. 그녀가 잠시 숨을 고르고 있을 때였다.

춘하관을 향해 걸어오는 두 사내. 하나는 단단한 체구의 중년 남자였고, 다른 하나는 키가 크고 꼿꼿한 백발노인이었다. 그중 아는 얼굴을 발견한 단오의 얼굴에 설핏 긴장이 스쳤다.

상대도 단오를 알아봤다. 그녀를 발견한 장태화가 그들을 쓱 훑었다.

"으흠."

장태화가 의도적인 헛기침을 했다. 흘낏 단오에게 시선을 던진 그의 입가에 흡족한 웃음이 걸렸다.

'부지런한 계집이로구나. 이리 바삐 돌아다니고 있다니.'

그러나 장태화는 여인에게 후한 평가를 주고 싶은 마음은 없었다. 그래봤자 한낱 여인. 계집은 계집에 지나지 않는다는 게 그의 지론이었다.

단오를 지나치던 장태화의 손이 그녀의 허리께를 스윽 스쳤다. 당황한 단오의 몸이 굳어졌다.

그 순간, 산이 장태화와 단오 사이로 대뜸 뛰어들었다. 다짜고짜 끼어든 산과 장태화의 몸이 세게 부딪쳤다. 장태화는 무예로 단련된 사람이었지만, 산의 행동은 완전히 돌발적이었다. 그런 까닭에 중심을 잃은 그의 몸은 크게 휘청거렸다.

"무슨 짓이냐!"

장태화가 버럭 소리를 질렀다.

"송구하오. 큰 벌레가 하나 있어서. 소인 역시 놀란 나머지……."

"뭣이라? 벌레?"

"예, 여기 있었는데 말입니다."

산은 태연한 표정으로 단오의 어깨를 툭툭 두드렸다. 실상 단오의 옷자락에는 큰 벌레는커녕 하루살이 한 마리도 없었지만 말이다.

"무엄하다. 감히……."

"장 판관, 이만 가지. 젊은 선비의 작은 실수에 어찌 그리 목소리를 높이는가. 체통을 지키게."

"예, 대감. 송구하옵니다."

노인의 핀잔을 들은 장태화가 재빨리 태도를 바꾸었다. 걸음을 재촉하던 장태화가 산에게 날카로운 눈길을 던졌다. 그러나 산은 본척만척 딴청을 피울 따름이었다.

"좌상 대감, 판관 영감 오셨나이까!"

그들의 등장에, 춘하관 문지기는 이마가 땅에 닿을 듯 과하게 굽실거렸다.

"반야는 자리에 있겠지?"

"그러믄입쇼. 어서 들어가시지요!"

곧 장태화와 백발노인은 춘하관 안으로 모습을 감추었다.

"괜찮으냐."

귓전에서 들리는 산의 목소리. 그제야 단오는 참고 있던 숨을 내쉬었다.

장태화의 손이 스치고 지나간 허리부터 등골을 타고 온몸에 소름이 돋는 기분이다. 우연일 거라고, 제가 과민한 탓이라고 생각하려 애썼지만 그 징그러운 느낌은 쉬이 사라지지 않았다.

"단오야. 무슨 일이 있었던 게야?"

"설마, 장태화 저자가 널 건드리기라도 한 것이냐?"

뒤늦게야 상황을 파악한 유하와 시열이 물었다. 그러나 단오는 고개를 저었다. 차마 제 입으로 꺼내고 싶지 않은 얘기였다.

"아니에요."

"벌레가 있었다고."

산이 불쑥 끼어들었다. 그가 단오의 주변을 휘휘 둘러보았다.

"손바닥만 한 큰 놈이었다고. 시커멓고, 큼지막한 날개가 달린 것이……. 벌레가 아니라 박쥐였나, 아니면 쥐새끼였나."

"말이 되는 소리를 해. 네 눈만 얼굴에 달렸고 나랑 유하 눈은 발바닥에 달린 줄 아냐?"

"어디 갔는지 안 보이네. 그놈의 벌레, 박쥐. 아니, 쥐새끼."

"헛소리 그만하고, 단오를 끌어안고 있는 그 손이나 좀 떼지?"

시열의 말에, 어리둥절해진 산과 단오가 서로의 얼굴을 쳐다보았다. 이렇게 가까이 붙어 있었나. 놀란 단오가 한 걸음 옆으로 물러섰다. 산 역시 당황한 듯 휙 팔을 걷어 내었다.

"끌어안다니 무슨 말을. 단오가 벌레 때문에 졸도할까 봐 잠시 붙들었을 뿐이야."

"지난번에도 똑같은 소리를 했지. 적어도 그때는 끌어안지는 않았지만 말이야. 엉큼한 놈."

꼬투리를 잡았다는 듯, 시열은 잔뜩 신이 났다. 그러나 유하는 한 발짝 떨어진 채 묵묵했다.

'사내가 셋. 여인이 하나. 남녀 간 사달이 나지 않으면 오히려 이상한 일 아닙니까? 그것도 여인 하나가 이리 젊고 아리따운 것을요.'

화령의 말이 옳은 걸까. 아니, 이미 저 역시 깨닫지 않았던가. 지금껏 아니길 바라면서 애써 회피했을 뿐…….

"늦었어요. 어서 가요, 오라버니."

그새 다가온 단오가 유하를 재촉했다. 점점 어둠이 짙어지고 있었다.

그 시각. 춘하관 안으로 들어선 장태화와 좌의정 신운호는 가장 은밀한 내실에 자리를 잡았다.

"일은 잘되어 가고 있는가?"

"노력하고 있으니, 곧 좋은 소식이 있지 않겠습니까."

"장담할 수 있겠나?"

신운호의 형형한 눈빛 앞에 장태화가 슬그머니 시선을 돌렸다.

"어려운 일이라는 것을 알고 계시지 않습니까."

"그러기에 자네에게 맡긴 것 아닌가."

"대감을 실망시키지 않기 위해 애쓰고 있습니다."

"그래, 자네도 언제까지나 종오품 판관 나부랭이로 살 수는 없겠지. 이번 일만 잘되면야……."

장태화는 굳이 대꾸하지 않았다.

그는 신운호를 오랫동안 모셨다. 신운호는 백발이 성성한 노인이었지만 세상 누구보다 노련한 여우 같은 인물이었다. 그의 앞에서 제 사사로운 욕망을 드러내는 것은 곧 약점을 보이는 것과 다르지 않았다.

"자네, 오늘을 기억하는가?"

"오늘이라시면……."

"사 년 전 오늘 말일세."

장태화의 꾹 다문 입 끝이 불편한 듯 움찔거렸다.

"잊을 리 있겠습니까, 대감."

"누군지는 모르나 참으로 대단한 자였어. 순식간에 장정 여섯을 베어 버렸으니."

"그 여섯은…… 제가 가장 아끼던 자들이었습니다."

대단한 자. 그 말을 하는 신운호의 표정에는 오직 경탄만이 가득했다. 이를 바라보던 장태화는 애써 분노를 삭였다.

사 년 전 오늘, 장태화는 어디에 내놓아도 빠지지 않을 사병 여섯을 한순간에 잃었다. 그가 훈련원 판관으로 살아온 긴 세월을 바쳐 키워 낸 정예 무사들이었다. 해묵은 상처가 욱신거리는 것 같은 기분이 들어, 장태화는 무의식적으로 제 배 근처를 쓰다듬었다.

"자네 역시 그자가 입힌 부상 때문에 하마터면 목숨을 잃을 뻔했지. 자네가 세상을 떠날까 어찌나 조마조마했는지……."

"대감의 걱정 덕분에 무사히 회복한 것이지요."

정말, 그랬습니까, 대감. 그저 충실한 개를 잃어버릴까 봐 걱정한 것은 아니었는지요.

"그자의 모습은 정녕 기억나지 않는가?"

"순식간에 습격을 받은 탓에 아무 기억도 나지 않습니다."

"참으로 애석한 일이군."

"좌상께서는 그자가 누군지 짐작이 가십니까?"

"모르네. 그저……."

좌의정이 쯧, 혀 차는 소리를 냈다.

"이설과 관련이 있는 자라는 것 하나밖에는. 이설을 지키기 위함인지, 혹은 그를 해하기 위함인지 알 수는 없지만 말일세."

"둘 중 무엇이든, 이설을 찾다 보면 그자 역시 결국 모습을 드러내겠군요."

장태화가 나지막하게 중얼거렸다. 그건 좌의정에게 하는 말이라기보단 스스로에게 하는 다짐에 가까웠다.

언제가 될지는 모른다. 그러나 그날의 복수는 반드시 하고야 말리라.

"말씀 중에 송구하옵니다."

문이 살짝 열리며, 그 틈으로 화령이 얼굴을 보였다.

"중요한 말씀이 끝나셨으면, 이만 반야를 들여보낼까요?"

화령의 조심스러운 질문에, 신운호가 흔쾌히 고개를 끄덕였다.

"그래, 들여보내라."

"예, 금방 데리고 오겠습니다."

화령의 발소리가 점점 멀어졌다. 신운호가 퍼뜩 생각났다는 듯 장태화에게 물었다.

"반야라는 기생, 꽤나 미색이 좋더군. 자네답지 않게 한 기생만 불러들이다니, 별일이야. 첩으로라도 들일 생각인가?"

"첩일 리가요. 차라리 개라고 함이 옳지요."

"개?"

"예. 언젠가, 일을 도모할 때 쓰임이 있을 것입니다."

장태화가 빙긋 웃음을 지었다.

* * *

<그리운 현에게.

봄이 왔으니, 당신이 있는 땅속도 조금쯤은 포근해졌을까요.

그대가 떠난 후 네 번 해가 바뀌었어요. 세상은 매일 조금씩 달라지는데, 저만이 여전히 방 안에 머물러 있어요.

참 이상한 일입니다. 그대가 그리움에도, 저는 도무지 밖으로 걸어 나갈 수 없어요. 당신의 무덤가에 꽃 한 송이 두지 못하는 저를 원망하고 계시겠죠…….

현. 저는 언제쯤 당신을 보러 세상 밖으로 걸어 나갈 수 있을까요?

저는 언제쯤 당신을 잊고 세상 밖으로 걸어 나갈 수 있을까요…….>

단오와 선비들이 자리를 비워 유난히 고요한 이화원의 안뜰. 실로 오랜만에 마당을 거니는 홍주의 얼굴 위로 창백한 달그림자가 어렸다.

대문 앞까지 걸어간 홍주가 가냘픈 팔을 뻗는다. 그녀의 손이 대문 위에 얹혔다.

지그시 문을 밀어 본다. 그저 나무판 하나로 경계를 지었을 뿐, 안이 세상이듯 바깥 역시 세상이다……. 홍주도 분명히 그 사실을 알았다. 알고 있지만…….

파르르 떨던 홍주의 손이 이내 문에서 떨어졌다.

오늘은 꼭 사 년째 되는 날이다. 열여섯, 수줍음 많은 소녀였던 홍주. 그녀가 온 마음을 다해 연모한 정인이 죽은 지 꼭 사 년째 되는 날.

그녀가 스스로를 가둔 채 쓸쓸히 시들어 버린 지 사 년째 되는 날.

4장. 열병

"네놈들은 제정신이 아니야."

시열은 이화원으로 돌아가는 길 내내 툴툴거렸다.

"저런 일패기방에서 술을 마실 기회가 아무 때나 오는 건 줄 알아? 그걸 단칼에 잘라 버리다니. 야, 이 미친놈들아."

"이 와중에 기생 타령이나 하는 네 정신 상태나 좀 돌아보는 게 어떻겠나."

"산 너는 정말이지 사내가 아닌 게 분명해. 그리 예쁜 기생들에게 눈길 한번 안 주다니. 과거 준비 집어치우고 산에 들어가서 머리 깎고 중이 되는 건 어때?"

그 말을 들은 단오가 힐끔 산을 보았다. 산이 그랬던가?

"두고 봐. 혼자서라도 가고 말 테니까. 나중에 후회하기만 해 봐."

투덜거리며 길모퉁이를 돌던 시열의 말이 뚝 그쳤다. 갑자기 그의 표정이 굳었다.

"오라버니, 왜 그러세요?"

"쉿."

시열이 목소리를 낮췄다.

"뒤에 누가 따라오고 있어."

"누가?"

뒤를 돌아보려는 유하의 팔을 시열이 휙 잡아끌었다.

"모, 몰라. 우락부락한 사내가 넷인데……."

"그저 길을 걷는 사람들 아닐까?"

"답답한 소리를."

시열이 유하를 흘겨보았다.

"넷 다 무기를 들었다고, 이 양반아."

"우, 우리도 넷이잖아요."

단오의 목소리가 떨렸다. 산이 헛웃음을 내지었다.

"머릿수가 같다고 똑같지는 않겠지. 유하나 시열이라고 단오 너와 다르지 않을 거다."

"달리 방법이 없어. 도망치는 수밖에."

유하의 말에 산이 동의를 표했다.

"앞으로 쭉 내달리면 궁궐이 나온다. 궁 주변에는 군졸들이 여럿 있을 것이니 저자들도 감히 다가오지는……. 젠장."

산이 욕지거리를 내뱉었다. 먼발치, 체구가 큰 사내 둘의 그림자가 보인다. 푸른 어둠 속에 드러난 사내들의 손에 들린 물건은 필시 몽둥이일 터였다.

"앞에 둘, 뒤에 넷. 총 여섯이군. 둘씩 도망쳐야겠다. 저자들을 따돌린 후에 궁궐 앞에서 만나자."

"산, 니는 그래도 질 싸우지? 나는 산이랑 같이 갈래. 유하가 단오를 데리고……."

"안 돼. 단오는 산이랑 함께 간다."

유하가 말했다. 위험한 상황이라도, 반드시 단오는 지키라는 무언의 부탁. 유하의 속내를 읽은 산이 고개를 끄덕였다.

"단오는 산이랑 꼭 붙어서 떨어지면 아니 된다. 알았지?"

"예……. 별일 없겠죠?"

"걱정할 것 없어. 산만 잘 따라가면 돼."

"이보게, 내가 산이랑 함께 가면 아니 되겠나?"

"시열, 우리는 빠른 걸음에 희망을 걸어 보자."

시열이 불안한 표정으로 입술을 깨물었다. 그런 시열을 보고 있던 산이 피식 웃었다.

"외상값 때문에 기생오라비들이 쫓아온다, 생각하고 뛰면 될 거다."

"이 와중에도 웃음이 나오냐?"

"응, 웃음이 나오네. 좋은 징조라고 생각해."

그사이, 무뢰배들과의 거리가 좁혀졌다. 사내들은 위압적으로 몽둥이를 흔들고 있었다.

"잘 살아남아서 궁궐 앞에서 보자."

산의 말에, 모두 고개를 끄덕였다.

다음 순간, 산은 곁에 붙어 있던 단오의 손을 꽉 움켜잡았다.

"뛰어."

신호가 떨어졌다. 동시에 둘씩 짝지은 그들이 어둠 속을 달려 나가기 시작했다.

"잡아라!"

거친 무뢰배들의 목소리, 우르르 움직이는 그들의 발소리가 밤의 적막을 깨부쉈다.

유하와 시열은 쉼 없이 달리고 있었다. 평생을 글이나 읽으며 살아온 선비들에게 밤길은 미로나 다름없었다. 그 탓에 민가를 벗어난 유하와 시열의 걸음은 엉뚱하게도 산길로 향했다.

그저 뒤에서 투덕대며 따라붙는 발소리를 피해 무작정 달리기만 할 뿐, 그들은 방향감각을 상실한 지 오래였다. 얼마나 뛰었는지, 발바닥에서 불이 날 것 같은 기분이다. 그러나 도망치는 것 외에는 방법이 없었다.

"하아, 유하……. 대체 여기가 어디야, 이런 육시랄!"

시열은 제법 잘 달리고 있었다. 가뿐한 몸집에 걸맞게 날랜 발이 쉬지 않고 움직였다.

"나도 모르네!"

반면 키와 체격이 큰 유하는 힘에 부치는 모습이었다.

어디쯤인지 생각할 여유조차 없던 유하가 그제야 주변을 둘러보았다. 그렇다고 걸음을 멈출 수는 없는 터, 어둠에 잠긴 주변은 휘휘 뒤로 물러나고 있었다.

"북촌인지…… 남촌인지…… 이 나무들은 대체 뭔지……."

"유하…… 족히…… 두 식경은 뛴 것 같다고!"

"쉿! 목소리가 커!"

"아이 망할 자식아. 네 목소리가 더 크다!"

구시렁대던 시열이 갑자기 걸음을 뚝 멈췄다. 다다닥 시열을 지나치던 유하가 그에게로 되돌아와 팔을 잡아끌었다.

"시열. 가자고. 여기서 포기하면 안 되네. 조금만 힘을 내……."

"발소리가 안 들려."

"뭐?"

시열이 풀썩 자리에 주저앉았다.

"발소리가 안 들린다고……. 들어 봐. 아무도 따라오지 않아."

그제야 유하는 어둠을 향해 귀를 기울였다. 시열의 말대로였다. 들리는 것은 그저 둘의 거친 숨소리뿐. 가까이서건 먼 곳에서건, 아무 소리도 들리지 않았다.

"아오, 염병할, 오라질, 육시랄!"

시열은 그대로 땅바닥에 드러누워 버렸다. 유하 역시 시열의 곁에 대자로 몸을 뉘었다. 긴장한 다리 근육이 움찔거린다. 심장은 당장이라도 튀어 나갈 듯 거세게 뛰고 있었다. 그들이 내뱉는 가쁜 숨이 어두운 공기를 채웠다.

본래 선비란 뜀박질과 아무 관련 없는 이들이었다. 난생처음, 그들은 폐부 깊숙이 맑은 밤공기를 채웠다가 토해 내기를 반복했다. 별이 쏟아지는 밤하늘 아래, 나란히 누운 두 선비의 가슴팍은 한참을 위아래로 오르내렸다.

"산은 무사한가."

한결 가라앉은 목소리로 시열이 중얼거렸다.

"단오는 괜찮은가."

이마에서 흘러내리는 땀을 닦으며 유하가 말했다.

"가자. 찾아봐야지."

끄응- 소리를 내며, 유하와 시열은 동시에 몸을 일으켰다.

"대체 우린 어쩌자고 이런 곳까지 온 거냐."

걷고 또 걷던 시열이 기가 막힌다는 표정으로 주위를 둘러보았다. 무뢰배를 마주친 그들이 뜀박질을 시작한 곳은 종이촌 한복판. 그러나 지금 눈에 보이는 건 가도 가도 끝없는 산길뿐이었다.

"북악산 한가운데로 잘못 왔나 보다."

"그러니까, 대체 왜 이런 데로 뛰어왔냐고. 한밤중에 산길을 걷다가 짐승이라도 마주치면……. 어휴."

시열이 몸서리를 쳤다.

"시열, 산이랑 단오한테 별일은 없겠지?"

"검을 가졌으니 괜찮겠지. 내가 검에 관해 아는 게 있겠냐마는……. 무예를 닦아 온 세월이 있는데. 무뢰배 몇쯤이야……."

"그래, 아무 일 없을 게다."

유하가 스스로를 안심시키듯 중얼거렸다. 산은 이화원에 온 내내 한시도 손에서 검을 뗀 적 없는 무사다. 걱정되는 건 단오의 안전이었다.

투둑. 갓 위로 빗방울이 떨어졌다.

"아오, 하필 또 이럴 때 비가 오고 난리래!"

시열이 짜증을 부렸다. 발에 밟히던 산길이 이내 가랑비에 젖어 노곤해졌다.

"불빛이다."

유하가 멀리 보이는 붉은 횃불을 가리켰다. 곧이어 일렬로 정렬한 가지런한 횃대가 보였다. 그 위로 시뻘건 불빛이 주변을 환히 밝히고 있었다.

"저기는 어디기에 저리 불을 환히 밝혔지?"

유하가 궁금하다는 표정으로 먼 앞을 바라보았다.

"어디긴 어디겠어."

시열이 돌멩이 하나를 휙, 걷어찼다.

"이 시간에 불을 활활 피워 올릴 만한 데가 궁궐 하나밖에 더 있겠나."

"아…… 저기가 궁궐이로구나."

"으이구, 샌님아. 너도 참 너다. 평생 골방에 처박혀서 맹자 왈, 공자 왈이나 하고 있으니……. 코앞에 궁궐을 두고서도 그게 궁궐인 줄을 몰라요."

유하가 민망한 표정으로 헛기침을 했다.

"아직 과거 급제도 하지 못했는데, 궁궐 따위가 무슨 의미가 있다고……. 그나저나 저 앞에서 산과 단오를 기다릴 텐가?"

"일단 가 보자고. 무사히 도착했는지 확인이 먼저다. 괜히 저 앞을 싸돌아다니다가 군졸에게 혼쭐이 날걸? 임금 목숨이 오늘내일하는지라, 더욱 경비가 삼엄할 거라고."

유하가 고개를 끄덕였다. 밤을 삼켜 버리기라도 할 듯 붉게 이글거리는 궁궐 담장을 바라보던 그가 입을 열었다.

"우리가 이설이라는 자를 찾는다는 가정하에, 정말로 전하께서 붕어하신다면……. 우리는 제법 큰일을 하는 셈이겠군. 시열. 그리되면 넌 무얼 할 텐가?"

"하긴 뭘 해. 나는 아무것도 안 할 거야."

"아무것도 안 한다고?"

"그래. 재물이나 잔뜩 내놓으라고 해서, 그걸로 평생 아무것도 안 하고 살 거다. 기생이나 끼고, 술이나 퍼마시다 죽어야지. 지금처럼 지긋지긋하게 살진 않을 테다."

"지긋지긋하다니. 넌 지금도 그리 살고 있지 않나."

시열이 푸훗 웃음을 내뱉었다.

"그렇지. 뭐, 지금보다 좀 더 거침없이 살고 싶을 뿐이야. 이래 봬도 나는 제법 배포가 큰 사내라고."

시열이 휘적휘적 걸음을 옮겼다. 내리는 빗줄기에 젖어 드는 도포 자락을 툭툭 털며, 유하 역시 궁궐을 향해 걷기 시작했다.

그리고 유하와 시열의 목적지인 그 높다란 담벼락 너머, 궁궐 안. 시열이 예상했듯 궁 안에는 팽팽한 긴장이 감돌고 있었다.

임금 이창은 여전히 의식을 되찾지 못했다. 뒤를 이을 왕손이 단 하나도 없는 상황. 왕의 부재는 곧 조선의 근간을 흔드는 일이었다. 하여 궁궐 안은, 대신들은 물론이거니와 한낱 궁인들에게조차 살얼음판이나 다름없었다.

그 음험한 궁궐의 한편. 멀리 고요한 연못 향원지가 보이는 전각에 터를 잡은 여인 하나가 있었으니, 그녀는 임금의 후궁인 귀인 박 씨였다.

"대체 어의는 무엇을 하고 있는 게냐. 어찌 이리 소식이 없어."

박 귀인의 앞에 앉아 있던 상궁이 머리를 조아렸다.

"백방으로 약재와 침술을 동원하고 있다고 하더이다. 그러나 아직까지 전하께서 차도를 보이지 않아……."

"반드시 일어나실 게다. 일어나셔야만 해!"

"그, 그러믄입쇼, 마마님. 반드시 쾌차하시어 마마님을 다시 찾으실 것입니다."

박 귀인이 초조한 표정으로 양손을 움켜잡았다. 임금께서 다시 찾고 말고가 중한 것이 아니었다. 그보다 더욱더 중한 것은, 그녀의 배 속에 들어 있는 아기씨의 존재였다.

박 귀인은 왕이 가장 총애하는 후궁이었다. 그 결과 그녀는 총 세 번이나 왕의 자식을 낳았다. 그러나 첫째도, 둘째도, 그리고 셋째마저도 옹주였다.

비단 박 귀인만의 이야기는 아니었다. 임금에게 아들은 허락되지 않았다. 궁에는 총 열 명이나 되는 비빈들이 있었지만 그들 중 누구도 세자의 생모가 될 영광을 얻지 못했다.

세월이 흐르는 사이, 궁인들은 왕이 저주받았다는 풍문을 곧이곧대로 믿기 시작했다. 그 이유로 박 귀인의 회임 역시 어떤 기대조차 불러오지 못했다. 오직 그녀 자신을 제외하고는 말이다.

"이번엔 아들일 것이네."

"당연한 말씀을요, 마마님. 반드시 아드님일 것입니다."

"그렇고말고. 내 꿈을 꾸었어. 이번에는 반드시 대를 이을 왕자께서 태어나실 것이다."

박 귀인이 조급한 표정으로 등잔불을 바라보았다.

기름을 먹인 심지가 슬금슬금 타들어 간다. 타닥타닥 작은 불티가 튀었다. 그러나 저 불빛만은 꺼져서는 아니 된다. 심지가 다 타 버려 재만 남는 한이 있어도 후 불년 흩어질 뿐언 가무만이 남는다 해도. 아직, 꺼져서는 아니 된다.

단오 역시 이를 악물고 달리고 있었다. 혹시라도 자빠져 구르거나 발을 헛디디기라도 하면 큰일이다. 산에게 붙들려 있는 손목이 시큰거렸지만, 그런 데에 신경을 쓸 처지가 못 되었다.

여전히 먼 뒤에서는 그들을 쫓는 발소리가 들렸다. 그 소리는 아주 가깝지는 않았지만, 절대 멈추지 않고 이어졌다. 멀리서나마 산과 단오의 자취를 따라오는 것이 분명했다.

거추장스러운 쓰개치마 따위 이미 내팽개쳐 버린 지 오래. 단오는 오직 발끝에만 집중하며 내달렸다. 숨이 차 폐부가 찌르는 듯 아팠다.

그때, 앞만 보며 내달리던 산이 방향을 급히 틀었다. 어떤 신호조차 없는 돌발적인 행동이었던 탓에, 중심을 잡지 못한 단오의 몸이 크게 휘청거렸다. 그대로 나동그라지리라고 생각한 순간, 산이 그녀를 번쩍 안아 들었다. 단오의 몸은 속절없이 그의 팔 안에 갇혔다.

도무지 정신을 차리기 힘들었다. 제게 무슨 일이 일어난 건지 가늠이 되지 않았다. 내달리던 걸음은 어느새 멈춰 있었고, 등 뒤에 단단한 벽 같은 것이 느껴졌다.

"하압."

단오가 가쁜 숨을 토해 내려던 때였다.

"쉿."

산의 손가락이 단오의 입술을 지그시 눌렀다. 너무나 놀란 나머지 단오는 숨소리조차 내지 못했다. 저도 모르게 몸이 떨려, 단오는 가까스로 고개를 끄덕였다. 그제야 산의 손가락이 그녀의 입술에서 떨어졌다.

대체 여기가 어딜까. 단오는 어둠 속에서 눈을 깜빡였다. 주변이 온통 새카맣다. 그 무엇도 보이지 않았다. 등 뒤의 단단하고 서늘한 감촉으로 미루어, 어느 담벼락 사이쯤 되지 않을까 짐작할 따름이었다.

확신할 수 있는 건 산의 존재뿐이다. 그가 단오 곁에 있었다. 자욱한 어둠이 산의 얼굴마저 삼켜 버렸지만, 보이지 않아도 알 수 있었다. 그와 그녀의 몸이 밀착되어 있었기 때문이었다.

단오가 마른침을 삼켰다. 쫓기고 있다는 데서 오는 두려움 외에도 산과 꼭 붙어 있다는 사실에 온몸의 신경이 곤두섰다. 벅차오르는 거친 숨을 애써 삼키며, 단오는 산을 의식했다.

몸을 움찔거릴 때마다 그의 굳센 팔다리가 몸을 눌렀다. 고개를 수그리기라도 했다간 산의 가슴팍에 얼굴을 묻는 것이나 다름없었다.

그때, 저벅저벅 들려오는 발소리.

"어디로 간 거야. 약삭빠른 놈들 같으니."

"분명히 이쪽으로 왔을 텐데 말이여. 계집이 껴 있어서 멀리 가진 못했을 것인데."

"사내놈들도 돈깨나 가지고 있을 법한 차림새더군. 한몫 단단히 잡을 수 있는 기회였는데, 염병할. 아쉬워서 잠이 안 올 것 같네그려."

"돈이야 옹 생원에게 받을 것으로도 충분치 않은가."

일전에 방물가게에서 단오를 추행했던 사내, 옹 생원의 이름이 나오는 순간 산은 주먹을 꽉 쥐었다.

"돈이고 나발이고, 그 계집년 봤나? 뛰어가는 뒷모습만 봐도 나긋나긋해 보이더구먼. 하, 고년 참 아까워 죽겠네."

"그럼, 보았지. 보았고말고. 그 계집을 데리고 놀 생각에 죽을 동 살 동 달렸는데…… 양반 계집은 살냄새부터 다른 법이거든. 고것이 밑에 깔려서 내는 요망한 소리를 들었어야 하는데, 흐흐."

근처에서 들려오는 음탕한 대화. 할 수 있다면 귀라도 막고 싶었지만, 단오는 움직일 수조차 없는 처지였다. 참다못한 단오가 눈을 질끈 감았다.

으드득, 산이 이를 꽉 깨부수는 소리가 들렸다. 당장에라도 뛰쳐나갈 듯, 산의 몸이 꿈틀거리는 것이 느껴졌다. 감정을 다스리려고 애쓰는 그의 뜨거운 숨결이 이마께에 느껴졌다.

'참아요, 오라버니.'

그렇게 말하고 싶었지만, 소리를 낼 수는 없는 상황. 단오의 손이 조심스럽게 움직였다.

살금살금 손을 내린 끝에, 단오는 지그시 그의 손을 잡았다. 산이 훅, 숨을 들이마셨다. 그녀의 손에 붙들린 그의 커다란 손이 움찔거렸다.

여전히 밖에서는 무뢰배들의 목소리가 들리는 중이었다. 그러나 그 목소리는 조금씩 멀어져 가고 있었다.

"참아요, 오라버니."

들릴락 말락 나지막한 소리로, 단오는 속삭였다.

"으음."

산이 고개를 끄덕였다. 참아야지. 그것이 무엇이든 간에, 반드시 참아야 할 것이다.

결국 산은 질끈 눈을 감았다. 잔뜩 긴장한 온몸의 근육이 뻐근했다. 바로 코앞에서 하늘거리는 단오의 머리카락이 얼굴을 간질인다. 희미한 체향이 코끝을 스쳤다.

위험은 밖에만 있는 것이 아니다. 적어도 산에게는 그랬다. 지금 산에게는 몸을 맞대고 있는 이 여인이야말로 위험한 존재였다.

시간은 느리게 흘렀다. 이윽고 주위를 맴돌던 무뢰배들의 소리가 완전히 사라졌다. 이제 들리는 것은 쌔근쌔근한 둘의 숨소리뿐. 단오가 빼꼼 고개를 내밀려던 순간이었다.

"잠깐."

산이 그녀의 어깨 위에 손을 얹었다.

"그자들, 아직 밖에 숨어 있을지도 몰라."

산이 단오의 몸을 제 쪽으로 끌어당겼다.

"여기 있자."

어쩐지 조급하게 느껴지는 손길이었다. 단오가 짧은 숨을 내뱉었다.

"조금만 더…… 있자."

두근두근- 밤의 적막 속, 누구의 것인지 알 수 없는 심장 소리가 그제야 들리기 시작했다.

산기슭 초입의 버려진 폐가 사이, 반쯤 내려앉은 돌담의 틈. 비라도 오려는지, 공기 중에는 축축한 물 냄새가 떠돌았다.

산의 얼굴을 스치는 바람은 차가웠다. 그러나 깊은 곳에서 올라오는 열기를 식혀 줄 만큼은 아니었다. 그의 심장은 거세게 고동치고 있었다. 온몸이 뜨거웠다.

믿기지 않는 순간. 단오를 안고 있는 이 순간이 이대로 멈췄으면 좋겠다. 손끝에 전해지는 가녀린 감촉이, 아무런 답도 이유도 필요치 않은 이 고요가 멈추지 않았으면 좋겠다.

"뜨겁다."

단오가 중얼거렸다.

"오라버니, 열이 나요."

"……너?"

"아니, 오라버니한테서."

속삭이듯 내려앉는 목소리. 단오의 숨결이 귓전에 닿는 순간, 산은 입 안이 바짝 마르는 것 같았다. 그러나 산의 마음을 아는지 모르는지, 단오는 말을 이었다.

"오라버니들은 괜찮을까요?"

"어차피 그자들이 쫓던 건 유하나 시열이 아닌 나야. 무사할 테니 걱정 마리."

"오라버니를 쫓았다고요? 왜요?"

"옹 생원 놈이랑 일이 좀 있었거든."

"설마……. 그때 제 일 때문요?"

"그럴 수도."

대수롭지 않게 대꾸하며, 산은 단오를 보았다. 단오의 눈빛이 평소와 조금 다르다고 느낀 건 그만의 착각이었을까.

물끄러미 그를 바라보던 단오가 입을 연 건, 잠깐의 시간이 흐른 뒤였다.

"밖에 아직 그자들이 있을까요?"

"글쎄다……."

"있다는 거예요, 없다는 거예요?"

"모른다는 거야."

"만약에 없다면……. 우리는 아무 이유도 없이 이렇게 찰싹 붙어 있는 게 되겠죠?"

단오의 머리 위 돌담에 시선을 두고 있던 산의 시선이 멈칫 흔들렸다. 산의 시선이 조금 아래로 내려갔다.

캄캄한 어둠 속에서도 빛을 잃지 않은 눈동자. 그 커다란 눈이 산을 올려다보고 있었다.

"……있을 게다."

그를 올려다보던 단오가 천천히 고개를 끄덕였다.

"그래요. 아직 밖에 있을 거예요."

밤에 길든 산의 눈에 단오의 표정이 담겼다. 희끄무레한 달빛이 단오의 얼굴을 비춘다. 낯빛이 오늘따라 더욱 말갛다.

너는 언제 이리 가까이 다가온 걸까. 감히 탐내서는 안 될 사람이라고 여겨 왔거늘, 바라보는 것만으로도 족하다 생각하며 살아왔거늘…….

"무섭지 않아?"

"뭐가요?"

"이리 밤이 깊었는데, 내내 쫓기다가 여기 숨어 있지 않느냐."

"오라버니가 옆에 있는데 무서울 리가요."

나를, 믿는 것이냐. 어찌 믿는 것이냐. 무엇을 보고 믿는 것이냐. 단 한 번도 진심을 꺼내 보인 적 없는 비겁한 사내를…….

"그리고 저런 무뢰배 따위 안 무서워요. 오라버니가 훨씬 무서운걸요."

"내가 무섭다고?"

"지금처럼 친절하게 대해 주다가, 갑자기 또 발칵 화를 낼까 봐."

툭. 빗방울이 산의 가지런한 콧날 위로 떨어졌다. 이내 우수수 잔비가 쏟아지기 시작했다.

"하지 말까, 그런 것……."

마음에 비죽비죽 날을 세우고 갑옷을 두르는 것. 일부러 마음을 숨기는 것.

"화내는 거요? 산 오라버니가 하지 말란다고 안 할 사람인가."

"네가 하지 말라고 하면, 정말 이제 안 할게."

정말 이제 그만둘게. 너를 밀어내는 것…….

그렇게 산은 빗장을 열어 줄 답을 기다리며, 그 답이 나올 단오의 입술을 바라보고 있었다.

길지 않은 시간. 그러나 산에게는 영겁 같은 시간이었다. 잔잔하게 나부끼던 빗방울이 조금씩 거세졌다. 부산하게 떨어지는 빗소리에 맞추어 산의 심장도 함께 뛰었다.

빗소리는 점점 커져만 간다. 이 비는 언제쯤 그칠까. 한순간 우르르 쏟아지고 말 소낙비일까. 아니면 오래도록 그치지 않고 온 밤을 적실 폭우일까…….

"에이, 됐어요. 오라버니답지 않게……."

단오가 답했다. 산의 마음을 두드리며 요란하게 쏟아지던 빗줄기가 거짓말처럼 잦아들었다. 먹구름 사이로 새어 나오는 희미한 달빛에 비친 밤하늘. 눈 깜짝할 사이 그친 비는 언제 퍼부었냐는 듯 시치미를 떼고 있었다.

"비가 그치려나 봐요."

"……가자."

산이 먼저 돌담 사이를 벗어났다. 위험이 있을까 싶어, 그는 주변을 주의 깊게 살펴보았다.

그러나 누군가 있을 리 없는 평온한 마을 어귀. 보이는 것은 그들이 몸을 숨겼던 돌담에 딸린 다 쓰러져 가는 폐가뿐이었다.

"이거."

산이 저고리 위에 입고 있던 쾌자를 벗어 내밀었다.

"일단 입어. 비까지 맞았으니, 고뿔이라도 들면 큰일이다."

"오라버니야말로 고뿔이 들겠어요."

"네 걱정이나 해. 나는 괜찮다."

비에 젖어 축축해진 겉옷이었지만 산의 온기가 남아 있었다.

"길을 찾을 수 있겠어요?"

"찾아야지. 그리 멀리 온 것은 아닐 게다."

그때, 툭툭- 다시금 머리 위로 떨어지기 시작한 굵은 빗방울. 걸음을 옮기던 산이 미간을 찌푸렸다.

"비가 또 쏟아지려나 봐요."

"하늘이 오늘 미쳤나 보다."

산이 걱정스러운 표정으로 단오를 바라보았다. 비를 맞은 그녀의 낯빛은 이미 창백했다. 오늘 밤하늘은 꽤 변덕스럽다. 쏟아지는 비를 맞으며 밤길을 헤매다가 열병이라도 들면 큰일이었다.

"잠깐 비를 피하고 가는 것이 낫겠어."

산이 단오를 이끌었다. 그들은 폐가로 걸음을 옮겼다. 벌써 오한이 드는지, 그의 손에 쥐어진 단오의 손목은 바르르 떨고 있었다.

폐가를 살펴본 산의 얼굴에 난감한 기색이 스쳤다. 폐가 내부 상태가 생각보다 더 나빴기 때문이었다. 그리하여 산은 안으로 들어가는 대신 처마 아래서 비를 피하는 것을 택했다.

조그만 툇마루에 나란히 앉은 채, 산과 단오는 그칠 줄 모르고 쏟아지는 야속한 빗줄기를 바라보고 있었다.

"많이 추우냐."

"아니요."

의젓한 대답이 돌아왔지만, 단오의 입술은 파리했다. 산의 몸에 닿은 그녀의 어깨가 잘게 떨렸다.

"단오야."

"예, 오라버니."

"……단오야."

다음 순간, 산이 한 팔을 뻗어 그녀의 어깨를 감싸 안았다.

"사내라고 여기지 마라."

"오라버니……."

그러지 마라……. 비록 내 마음은 그렇지 못하지만, 너만은 그리 여기지 마라.

"아프면 아니 되니까……. 잠깐 아는 이에게 온기를 빌린다고 여기면 된다."

단오를 끌어안은 산의 팔에 지그시 힘이 들어갔다.

열병을 앓는 건 어쩌면 그 자신이 아닐까. 그리하여 이렇게 심장이 터져 나갈 것처럼 열에 들뜬 것일까. 내보일 수도, 흘려보낼 수도 없는 뜨거운 마음 탓인지 몸이 절절 끓는 것만 같다. 빠져나갈 곳 없는 열기로, 떨고 있는 단오의 몸이나마 녹여 줄 수 있어 차라리 다행이었다.

차갑게 식었던 단오의 몸은 산의 뜨거운 품 안에서 금세 노곤해졌다. 이내 졸음이 몰려왔다. 스르르, 그녀의 머리가 산의 어깨 위에 놓였다.

비는 끊이지 않을 듯 쏟아지고 있었다. 혼자이되 혼자가 아닌 산의 마음을 적시면서.

"단오야."

"으음……."

"단오야."

볼 언저리를 조심스럽게 건드리는 손길. 단오가 눈꺼풀을 들어 올렸다. 비록 비에 젖어 축축했지만 따뜻하고 포근했다. 계속 단잠을 자고 싶었다.

"비가 그쳤어. 또 비가 내리기 전에 어서 돌아가야 해."

그제야 정신이 든 단오가 고개를 들었다. 제 몸을 감싸고 있는 온기, 혹은 열기가 느껴졌다. 그것이 다름 아닌 산의 손이라는 걸 깨달은 순간, 단오는 화들짝 놀라 몸을 꼿꼿이 세웠다.

"어어……."

"가자."

산은 아무 일도 없었다는 듯한 표정이었다. 그가 무심히 팔을 거둬들이곤 벌떡 자리에서 일어섰다.

"다들 걱정하고 있을 게다. 어서 가자."

"예, 예. 오라버니."

저 혼자 민망해한 것 같은 기분이 들어, 단오는 왠지 머쓱해졌다. 눈가를 쓱쓱 문질러 잠기운을 몰아낸 그녀가 급히 산을 따라나섰다.

길은 온통 진흙탕이었다. 산이 튼튼한 갖신을 신은데 반해, 꽃신을 신은 단오의 발은 자꾸만 미끄러졌다.

"걷기 힘드냐."

"길이 영 미끄러워서……."

"붙들어라."

산이 팔을 내밀었다. 망설이던 단오가 그의 팔에 손을 얹었다.

"오라버니."

"음?"

"왜 이번엔 아무 말도 안 해요?"

"뭘?"

"사내로 보지 말란 말, 왜 안 하냐고요."

"흠……."

답을 생각하는지, 산은 말끝을 늘이며 시간을 끌었다. 산의 입가에 희미한 웃음기가 스쳤다.

"그 말은 한 번이면 족하니까."

"그럼 지금은요?"

"지금은……. 음?"

별안간 산이 걸음을 멈췄다. 그의 손이 검 위에 얹혔다.

누군가의 발소리. 그리고 그 소리 틈으로 두런대는 목소리…….

"산!"

자욱한 물안개를 비집고 들려오는 건, 시열의 목소리였다. 이내 익숙한 두 선비의 그림자가 모습을 드러냈다.

"단오야!"

단오를 발견한 유하의 얼굴이 활짝 펴졌다. 그들이 성큼 그녀와 산의 곁으로 다가왔다.

"단오야, 무사한 게냐."

"예, 유하 오라버니. 오라버니들도 별일 없었던 거죠?"

"이리 멀쩡하게 있지 않느냐. 아무 일 없었다."

진심으로 안도한 유하의 목소리는 약간 벅차오르기까지 했다. 그가 단오의 어깨를 두드렸다.

"정유하 말하는 것 좀 보게. 아무 일이 없기는 뭐가 없어! 북악산까지 흘러갔다가 호랑이 밥이 될 뻔했는데."

시열이 생각만 해도 소름 끼친다는 듯 몸을 부르르 떨었다.

"그나저나 너희들, 대체 어디에 처박혀 있었던 거냐? 나랑 유하는 한양

일주라도 한 기분이라고."

"비가 하도 쏟아져서 비를 피하고 있었어요."

"허허벌판에서 어디서 비를 피해?"

"때마침 빈집이 하나 보여서요."

"뭐야, 단둘이 한 방에 들어가 있었다고?"

시열이 호들갑스럽게 음성을 높였다.

"바, 방이 아니고요……."

"뭐, 어쩌라는 거야. 그럼 쏟아지는 비를 쫄딱 맞기라도 해야 했다는 거냐?"

산의 면박에, 시열이 싱긋 웃었다.

"뭐, 그런 건 아니고. 산 네가 부러워서 그렇지."

"시끄러. 빨리 길이나 안내해."

"예, 산 도련님. 알겠습니다요. 미천한 소인이 길을 안내해 드립지요."

시열은 퍽이나 들뜬 표정이었다. 그가 앞장서 걸음을 옮겼다.

"단오야."

그녀가 흙탕길로 발을 내디딜 때였다.

"붙들고 가. 길이 미끄럽다. 넘어지기라도 하면 큰일이야."

단오는 유하가 내민 팔을 잠시 내려다봤다. 그녀가 흘낏 산을 돌아보았다. 더욱 짙어진 어둠 속, 그들의 시선이 스치듯 얽혔다. 그러나 그뿐, 산은 무심히 등을 보이며 앞서 나갔다.

"뭐 해, 어서 잡지 않고."

"고마워요, 오라버니."

단오가 유하의 팔 위에 손을 얹었다.

"어서 가자. 다들 걱정하겠다."

"예, 가요."

수련으로 단련된 산의 팔과는 조금 다른 유하의 팔. 유하 역시 비에 젖은 탓에, 그의 옷소매는 차갑고 축축했다.

문득 단오는 산의 온기를 떠올린다. 잠든 제 몸을 따듯하게 덥히던 그의 체온을. 산에게서 온 열기가 제 몸에 남기라도 한 걸까. 밤길을 걷는 내내, 이상하게 단오의 몸에서도 자꾸만 열이 났다.

콧노래까지 흥얼대며 제일 먼저 이화원에 당도한 시열이 힘차게 대문을 열었다.

"어이쿠!"

시열이 외마디 소리를 냈다. 급히 들어서다가, 안쪽에 서 있던 누군가와 부딪친 탓이었다.

"괘, 괜찮으시오?"

시열은 진심으로 당황했다. 그가 눈앞의 창백한 여인을 바라보았다.

시열과 부딪치는 바람에 몇 발짝 뒤로 물러선 여인. 그녀는 지난 삼 년간, 단 한 번도 시열과 말을 섞은 적이 없는 홍주였다.

"낭자. 미안하오. 거, 거기 서 있을 줄은 꿈에도 모르고……."

"언니!"

뒤따라 이화원으로 들어오던 단오가 홍주를 불렀다. 거의 동시에, 홍주의 눈에서 눈물이 뚝뚝 떨어지기 시작했다.

"어, 언니!"

"단오야……."

"왜 울어, 언니……. 무슨 일 있어? 응?"

"아니야. 울어서 미안……. 밤이 이렇게 깊었는데, 네가 돌아오지 않기에……."

홍주가 황급히 눈물을 닦았다.

"무슨 일이 난 줄 알았어. 큰일이 난 줄……."

"언니……."

단오의 목소리가 떨렸다. 금세 그녀의 눈에도 눈물이 고였다.

가여운 언니, 얼마나 걱정했을까. 사 년 전 그날과 같은 일이 반복될까 봐 얼마나 마음을 졸였을까. 또다시 사랑하는 이를 싸늘한 주검으로 맞이하게 될까 봐, 얼마나 두려움에 떨었을까.

"괜찮아, 언니. 아무 일 없었어. 일이 좀 늦어져서 지금 오는 것뿐이야. 어서 안으로 들어가자. 밤공기 오래 맞으면 안 돼."

홍주를 이끌고 방으로 향하던 단오가 뒤를 돌아봤다. 선비들은 갑작스러운 소요에 이러지도, 저러지도 못한 채 멀뚱멀뚱 서 있었다.

"오라버니들, 이만 들어가서 주무세요. 피곤하실 것이니."

어색하게 고개를 주억거린 선비들은 그제야 제 방으로 걸음을 옮겼다. 단오와 홍주 자매가 사라지고, 산과 유하 역시 제 방으로 들어가 텅 빈 안뜰. 마지막까지 남아 있던 시열이 물끄러미 홍주의 방을 바라보았다.

무심코 대문을 열고 들어섰을 때 맞닥뜨린 가냘픈 여인. 몇 발짝 떨어진 곳에서 저를 보던 그 눈빛…….

홍주의 눈에 담긴 것은 깊은 슬픔이었다. 너무나 애끓고 간절해서, 보는 이마저 같이 수장되어 버릴 것 같은 아득한 슬픔. 그는 평생 그런 눈을 한 사람을 본 적이 없었다.

"대체 무슨 일이 있었던 거지."

시열이 저도 모르게 중얼거렸다. 아무런 내막을 모르는 저마저도 같이 서글퍼지는 기분이 들었다.

앞으로 저곳을 그리 불러야겠다. '슬픔의 방'이라고.

굳게 닫힌 홍주의 방을 바라보고 있던 시열이 걸음을 돌렸다.

방으로 돌아간 산은 쉽게 잠들지 못했다. 온몸이 물먹은 솜처럼 무거웠다.

그러나 좀처럼 잠이 오지 않는다. 두 가지 지극히 원초적인 감정이 그를 괴롭히고 있었다.

하나는 분노였다. 그 분노는 다름 아닌 옹 생원을 향한 것이었다. 방물가게에서 단오를 희롱한 죄를 물으러 그를 찾아갔을 때, 비굴하게 애걸복걸하던 그의 모습이 떠오른다. 더 단단히 겁을 주었어야 했다. 아니, 애당초 명줄을 끊어 놓을 것을……

산에게는 타오르는 분노를 다스릴 틈이 없었다. 이내 밀어닥친 또 다른 감정 때문이었다.

그를 잠 못 들게 하는 두 번째 이유. 그것이 무엇인지 산은 너무나 잘 알고 있었다. 알고 있지만, 차마 그 마음에 이름을 붙일 수가 없을 뿐이다.

"하……"

산의 입에서 깊은 한숨이 흘러나왔다.

"미친 게지."

돌담 틈을 벗어나려는 단오의 몸을 끌어당겨 제 품 안에 가뒀던가.

"미친 게야……"

비에 젖은 그녀의 어깨를 안았을 때, 그 몸은 오들오들 떨고 있었다. 아니, 오히려 떨고 있던 건 그 자신이었는지도 모른다.

산이 스르르 눈을 감았다. 그 순간의 기억을 이대로 흘려보내고 싶지 않았다. 다시금 허물어져 가는 폐가의 툇마루 풍경이 떠오른다. 끊임없이 귓전에 울리던 빗소리가 들리는 것 같았다.

타닥타닥 처마 끝을 두드리던 빗방울의 음률이 되살아나고, 쌔근쌔근 고조곤한 단오의 숨소리가 들린다. 제 어깨에 머리를 떨어뜨린 채 곤히 잠든 단오의 말간 볼이 어른거렸다.

"차라리 꿈이었으면."

그랬다면 아무 걱정 없었을 것을.

그렇게, 결국 산은 노곤한 잠 속으로 빠져들었다. 빗소리를 그리며. 꿈같아서, 다디단 꿈과 같아서 도무지 믿기지 않는 비 오는 밤 풍경을 그리면서.

이튿날 아침. 간밤에 내린 비에 씻긴 하늘은 유난히도 화창했다. 구름한 점 없이 새파랗게 갠 하늘 아래, 통통하게 물오른 새순마다 초록 잎사귀가 비죽 솟아올랐다.

"단오는 어찌 내내 안 보이나……."

점심때가 지난 오후. 나른하게 내리쬐는 봄볕을 쏘이고 있던 유하가 중얼거렸다.

"아프대."

"뭐?"

시열의 대답을 들은 유하가 되물었다. 제 방 툇마루에 앉아 장검을 매만지던 산 역시 흘끔 시열을 돌아보았다.

"아침 내내 비실비실하더니 쉬어야겠다고 제 방으로 들어갔어. 고뿔이 온 모양이야."

"어제 비를 맞은 탓인가 보다."

"웬만해선 한겨울에도 고뿔 한 번 안 걸리고 넘어가던 애인데. 하긴, 그 난리를 겪었으니……. 병이 안 나는 게 더 신기한 일이긴 하겠네."

갑자기 유하가 자리에서 일어섰다.

"어디 가?"

"저잣거리에 좀 다녀와야겠다."

"난 온 삭신이 쑤셔 죽겠는데, 유하 넌 피곤하지도 않냐? 저잣거리 다녀온 지 얼마나 됐다고……. 뭣 땜에 가는데?"

"단오 약을 좀 지으러."

"허이고, 열녀도 아니고……. 열부 났네, 열부 났어. 나중에 너 죽으면

내가 이화원 앞에 열부비 꼭 세워 줄게."

생각만 해도 재밌다는 듯 시열이 킬킬거렸다.

"윤단오를 위해 몸과 마음을 바친 샌님 정유하, 여기 잠들다."

"그럼 네 열부비는 기생집 앞에 세워 주마."

"이리 고마울 데가. 너뿐이다, 친구여."

피식, 웃음을 지으며 유하는 대문 밖으로 걸음을 옮겼다. 유하가 떠나고 난 뒤, 산 역시 자리에서 일어섰다.

"넌 또 어디 가?"

"뒤뜰."

"뒤뜰은 왜?"

"씻고 나가게."

"어딜 나가는데?"

쉼 없이 이어지는 질문에 산이 미간을 찌푸렸다.

"수련."

"아오, 작작 좀 해라!"

갑자기 시열이 버럭 소리를 질렀다. 산이 어처구니없다는 표정으로 시열을 돌아보았다.

"왜 미친놈처럼 고함을 지르고 난리야?"

"미친놈은 왜 내가 미친놈이야. 네가 미친놈이지. 어제 그 난리를 겪고서 뭣 하러 또 칼질을 하러 나가냐고. 어제 밤새 뛰어 돌아다녔잖아. 좀 오늘 같은 날은 편안하게 집에서 쉬면 안 되냐?"

"그래, 너는 쉬어. 나는 나갈 테니."

산은 시열에게 눈길조차 주지 않았다. 산의 뒷모습을 바라보던 시열이 짜증 난 듯 평상 아래 벗어 놓은 갓신을 걷어찼다. 그러나 아뿔싸. 힘 조절이 되지 않은 까닭에, 허공으로 솟구쳐 오른 갓신은 엉뚱한 곳으로 날아갔다.

안채를 향해 날아간 갖신이 문짝을 향해 돌진했다. 펑! 문에 바른 창호지가 요란한 소리와 함께 뚫어졌다.

"어어……."

어젯밤 시열이 '슬픔의 방'이라 부르기로 마음먹었던 홍주의 방. 그 문이 열리며 홍주가 모습을 드러냈다.

그녀는 몹시 놀란 것 같은 표정이었다. 새하얀 얼굴에 떨리는 큰 눈이 시열을 보고 있었다.

안절부절못하던 시열이 그녀에게 다가섰다.

"미, 미안하오. 부러 던진 것이 아니고……."

"여기……."

홍주가 시열이 걷어찼던 갖신을 내밀었다. 시열이 황급히 그것을 받아 들었다.

평소 시열의 성격은 능글맞거나, 또는 호들갑스럽거나 둘 중 하나였다. 그러나 지금 그는 이화원에 들어온 이래 가장 당황해하는 중이었다. 그 이유는 시열 스스로도 알 수가 없었다. 홍주의 주변을 떠도는 짙은 음울함 때문일까.

"문이……. 아아, 이를 어쩌지. 내 직접 고쳐 드리겠소."

"제가 하면 됩니다."

"아니요! 나 때문에 문이 저리되었으니, 내 종이를 가져오리다."

시열이 허둥지둥 제 방을 향해 걸음을 옮겼다. 그러나 이내 그는 우뚝 멈춰 서고 말았다. 홍주의 간절한 목소리가 들려왔기 때문이었다.

"선비님, 그냥 두시어요."

시열이 고개를 돌리자, 홍주의 창백한 얼굴이 시야에 들어왔다. 이상하게도 그 얼굴을 보자 왠지 마음이 먹먹해졌다.

그건 슬픔과 비슷한 감정이었다. 또한 그것은, 시열로서는 거의 느껴 본 적 없는 대단히 낯선 감정이기도 했다.

"미안하오."

"……아닙니다."

홍주가 몸을 돌렸다. 조그만 소리를 내며 그녀의 방문이 다시 닫혔다. 그렇게 홍주는 다시금 슬픔의 방으로 돌아갔다.

"아아……."

방에 들어간 홍주가 가만히 한숨을 내쉬었다. 가족이 아닌 이와 대화를 나누는 게 얼마 만인지 모르겠다. 그런 사소한 일에도 덜컥 겁이 날 만큼, 홍주의 마음은 황폐해져 있었다.

저는 어쩌면 이리도 못난 것인지, 왜 쓸모없는 버러지처럼 이리도 구차하게 생을 이어 가고 있는 것인지.

갑자기 서늘한 바람 한 줄기가 들어왔다. 사방이 막힌 그녀만의 공간에 있을 리 없는 바람. 그것은 다름 아닌 문에 뚫린 구멍을 통해 들어오고 있었다.

잠시, 홍주는 멍하니 그 구멍을 바라보았다. 마치 넋을 잃은 사람 같은 표정으로.

"나는 선비님이 아니라…… 시열이라오."

순간 조금도 예상치 못했던 낮은 중얼거림이 들려왔다.

손가락 두 마디쯤이나 될까 싶은 작은 구멍. 그날, 홍주의 방에는 바깥 세상과 통하는 조그만 창이 생겨났다.

"환자의 증상이 어떻습니까?"

"간밤에 비를 맞았네. 고뿔이 든 것 같으이."

"기침에는 지각(枳殼)[12]도 괜찮습니다. 빠른 효과를 바라시면 갈근탕이 좋을 테지만, 값이 좀 나가고요."

"갈근탕으로 부탁하네."

---

12) 말린 탱자.

"예, 그럽지요."

약 꾸러미를 받아 든 유하가 약재상을 나섰다. 탕제를 달이려면 시간이 꽤 걸릴 터다. 단오에게 빨리 약을 먹이고픈 생각에 걸음이 빨라졌다.

유하가 멀리 이화원이 보이는 갈림길에 다다랐을 때였다.

"선비님."

여인의 목소리가 들렸으나 그는 신경 쓰지 않았다. 단오가 아닌 이상 저를 찾을 여인이 있을 리 없었으니까.

"선비님?"

연거푸 들리는 목소리. 비로소 고개를 돌린 유하는 조금 당황했다. 자신을 빤히 바라보고 있는 여인의 존재 탓이었다.

여염집 여인과 확실히 구분되는 화려한 의복과 머리 위에 얹힌 전모(氈帽). 어이하여 기생이 저를 부른단 말인가.

"무슨 일이오?"

연유를 묻던 유하가 눈을 가느다랗게 떴다. 기녀의 얼굴이 낯설지 않다. 분명 본 기억이 있는…….

"어제 춘하관에서 뵈었었는데, 혹시 기억하실지 모르겠습니다. 제 이름은 반야라고 하온데……."

유하가 여인이 누구인지 깨닫는 데는 오랜 시간이 필요치 않았다. 다짜고짜 단오를 모욕하던 못된 기생. 바로 그 여인이었다.

"기억하다마다. 초면인 여인에게 상스러운 소리를 하던 기생 아니오."

"그 일은……."

우물쭈물하던 반야가 고개를 떨어뜨렸다. 유하의 표정이 냉랭해졌다.

"무슨 일로 나를 부르셨소?"

"저……. 어제 오셨던 아씨께 사죄를 하고 싶어서요."

"사죄?"

"예, 욱하는 마음에 못되게 군 걸 밤새 후회하였습니다. 아씨를 뵙고 직접 사죄하고 싶습니다."

유하가 반야의 얼굴을 물끄러미 바라보았다. 아직 앳된 기색이 남아 있는 얼굴. 그녀는 단오와 비슷한 또래로 보였다.

"단오는 고뿔이 들어 몸져누워 있소."

"아……. 어쩌다가."

"게다가 이곳은 객주라오. 과거생들이 묵는 장소에, 기녀가 드나든다는 소문이 나면 어찌 되겠소?"

반야의 표정이 굳었다. 큰 모욕을 당한 사람처럼, 그녀는 입술을 잘근 깨물었다.

"알겠습니다. 내일, 얌전한 양갓집 규수의 차림을 하고 다시 오지요."

왠지 이를 악물고 내뱉는 것 같은 말이었다. 반야의 표정에는 독기가 있었다.

"나는 이만 가 보겠소."

긴말을 섞고 싶지 않아, 유하는 서둘러 인사를 건넸다. 그가 걸음을 옮기려던 때였다.

"저도 처음부터 천한 기생은 아니었어요."

반야의 목소리는 떨고 있었다. 유하가 다시 그녀에게로 시선을 돌렸다.

"저도 한때는 기생이 아니라 양반 아씨였다고요. 그래서 샘이 났던 겁니다."

빈야의 눈에 눈물이 가득 고이는가 싶더니, 눈물이 후드득 떨어졌다.

"그 아씨를 보니까, 나도 저렇게 조신하게 댕기를 달고 돌아다닐 때가 있었다는 생각이 들어서 그랬어요. 꼭 과거의 제 모습을 보는 것 같아서요."

원망스러운 눈초리로 유하를 보던 그녀가 쌩하니 몸을 돌렸다.

"대체 이게 무슨……."

유하가 한숨을 뱉었다. 본의는 아니었지만, 여인을 울린 셈이 돼 버렸다. 개운치 못한 마음에, 유하는 멀어지는 뒷모습을 몇 차례 힐끔거렸다.

"단오야. 자?"

뒤뜰에 간다던 산은 단오의 방문 앞에 서 있었다.

산은 어젯밤 일을 생각했다. 제 욕심 때문에 돌담 안에 오래도록 그녀를 잡아 두었던 밤. 단오가 아픈 게 모두 제 탓인 것 같아 후회가 됐다.

"단오."

그러나 방 안에서는 답이 돌아오지 않았다. 곤히 잠들었나 싶어 걸음을 돌리는데, 단오의 방문이 조용히 열렸다.

"고뿔이라더니 몸은……."

문틈으로 얼굴을 내민 단오를 마주한 산이 말끝을 흐렸다.

"좀 쉬었더니 한결 나아졌어요. 별거 아니에요."

"으응."

멍한 표정으로 저를 보는 산과 눈이 마주친 단오가 쑥스럽게 웃었다.

"아, 머리를 감았거든요. 아직 덜 말라서……."

산으로서는 처음 보는 모습이었다. 늘 종종 땋아 내린 댕기머리를 했던 단오는 머리를 풀어 늘어뜨리고 있었다.

"왜요, 오라버니. 처녀귀신 같아요?"

"……아니."

산은 단오에게서 좀체 시선을 떼지 못했다.

"그런데 왜 그렇게 봐요……."

단오가 물끄러미 산을 바라보았다. 그녀 역시 밤새 잠을 설쳤다. 간신히 새벽녘에야 잠이 들었지만, 그 얕은 잠 속에서 단오는 현실처럼 생생한 꿈을 꾸었다.

꿈속에선 또다시 간밤의 기억이 반복됐다. 자장가처럼 들려오던 나지막한 빗소리, 그리고 세상 무엇보다 든든하게 느껴지던 산의 어깨. 그 넓은 어깨에 얼굴을 묻고 잠이 들었던 단오는 어느 순간 깜빡 잠에서 깨었더랬다.

산의 손은 천천히 그녀의 어깨를 쓰다듬고 있었다. 검을 다루는 사내의 거친 손마디에 어울리지 않게, 그의 손에서 작은 떨림이 느껴졌다.

잠에서 깬 내색을 하는 게 옳았을까? 단오는 차마 그러지 못했다. 결국 그녀는 고개를 떨어뜨린 채 한참이나 자는 척을 하고 말았다.

그래서 단오는 기억하고 있었다. 제 귀에 닿아 있던 산의 너른 가슴팍, 그 안에 숨겨진 심장이 얼마나 거세게 뛰고 있었는지. 그리고 그의 입술 틈으로 흘러나오는 한숨이 얼마나 깊고 애절했는지.

그녀는 모두 기억하고 있었다.

"단오야, 그냥 방에 누워 있지 그래."

하늘빛이 발갛게 물들어 가는 초저녁. 저녁 준비를 돕기 위해 부엌으로 들어가는 단오를 본 시열이 말을 건넸다.

"어머니 혼자서는 힘들어서 안 돼요."

"그럼 우리가 도울게. 너 안색이 영 안 좋아."

"과거생에게 부엌일을 시키는 객주가 세상에 어디 있어요? 저는 괜찮으니 걱정 마세요."

사실 단오의 몸 상태는 몹시 좋지 않았다. 이마는 뜨거웠고, 자꾸 오한이 났다. 부엌으로 들어서는 단오의 등골에 식은땀이 솟았다.

"약은 다 됐나."

걱정스러운 표정으로 단오를 바라보던 시열이 중얼거렸다. 진즉 약을 달인다며 뒤뜰로 간 유하는 어쩐 일인지 함흥차사였다. 시열이 어슬렁어슬렁 뒤뜰로 향했다.

"······그래서, 그 무뢰배들을 사주한 자가 옹 생원이라고?"

모퉁이를 돌던 시열이 발걸음을 멈췄다. 유하의 목소리가 들렸기 때문이었다. 고개를 쭉 뺀 시열이 뒤뜰 풍경을 훑었다.

화로 앞에서 약을 달이고 있는 유하의 뒷모습이 보인다. 그 곁에는 산이 장검을 짚은 채 비딱하게 서 있었다.

"그래, 똑똑히 들었다. 옹 생원에게 돈을 두둑하게 받기로 했다는 말 말이다."

"천하의 몹쓸 놈이로구나, 진짜······. 하지만 산, 괜히 그자를 건드렸다 더 큰일이 생길지도 모른다."

"반대로 생각해야지. 가만히 두었다가는 다시 해코지를 하려 들지도 몰라."

시열이 성큼, 산과 유하의 곁으로 다가섰다.

"나만 쏙 빼놓고 둘이 여기서 무슨 밀담을 나누는 거야. 서운하게."

"시열, 산이 얘기해 줬는데, 어제 그 무뢰배들 말이다······."

"오다가 다 들었어. 옹 생원, 그 비곗덩어리같이 생긴 놈이 한 짓이라는 거지?"

산이 고개를 끄덕였다. 돌담 사이에 몸을 숨기고 있었을 때 무뢰배들이 내뱉던 단오를 향한 음탕한 말들. 그 기억을 떠올린 산의 미간이 파르르 떨렸다.

그는 절대로 가만두지 않을 작정이었다. 무슨 수를 써서라도.

"그렇다고 우리가 할 수 있는 게 뭐 있겠어?"

시열이 말을 이었다.

"괜히 더 건드렸다가 골 아픈 일만 생겨. 그 비곗덩어리, 가진 거라고는 돈밖에 없는 놈이라니까. 그런 놈을 들쑤셨다간 진짜 큰일이 난다고. 그냥 그자가 잠잠히 있기를 바라는 수밖에."

"그렇다면 뭐······."

산이 장검을 들어 검집 안에 휙 꽂아 넣었다.

"아예 다른 생각을 못 품도록 만들면 되잖아."

"뭐?"

시열이 갑자기 버럭 소리를 높였다.

"뭘 어쩌려고?"

"너희한테 도와 달라고 할 마음 없어. 그냥 내가 알아서 해결할 테니 신경 쓰지 마."

"그러니까, 대체 뭘 알아서 한다는 거냐고."

재차 묻던 시열이 훅 숨을 들이마셨다.

"산, 설마 너…… 옹 생원을 죽이기라도 하겠다는 거야?"

그 순간.

"누가 누굴 죽여요?"

단오의 목소리가 들려왔다. 산과 유하, 시열이 동시에 그녀를 돌아보았다. 새하얗게 질린 낯빛의 단오가 시열의 말을 되뇌었다.

"산 오라버니가……. 누구를 죽인다고요?"

산이 미간을 찌푸렸다. 하필 단오는 이럴 때 나타나서…….

"그런 소리 한 적 없어."

"다 들었어요!"

단오가 목소리를 높였다. 목 언저리가 턱 막히는 기분이 들어, 그녀는 숨을 깊이 들이마셨다.

옹 생원. 방물가게에서 맞닥뜨렸던 소름 끼치는 사내. 단오 역시 어젯밤 무뢰배들이 수런거리는 소리를 들었다. 그렇기에 방물가게에서의 일 이후, 산과 옹 생원 사이에 모종의 사건이 있었다는 것을 짐작할 수 있었다.

그러나 그것은 단오로부터 시작된 일이었다. 애당초 옹 생원이 앙심을 품었던 상대는 산이 아닌 단오였기 때문이었다.

"대체 그게 무슨 말이에요……?"

174

"아니야, 단오야. 저, 저, 정말로 그냥 우리끼리 농담한 거야."

시열이 떠듬떠듬 변명을 늘어놨다.

"왜, 그런 소리 있잖아. 돼지 멱을 따 버린다고. 그렇게 농친 거라고."

"그렇다면, 약속해요."

"뭘?"

"시열 오라버니 말고요. 산 오라버니."

눈을 내리깔고 있던 산이 시선을 들었다. 그를 뚫어져라 노려보고 있는 단오가 보인다. 오늘따라 유난히 창백한 얼굴. 잔뜩 화가 난 듯 보이지만, 이상하게도 간절하게 느껴지는 그녀의 눈빛…….

"약속하라고요."

"뭘?"

"옹 생원과 관련된 어떤 일도 하지 않는다고."

"하……."

산의 입에서 바람 빠지는 것 같은 소리가 새어 나왔다.

"다, 단오야. 일단 진정해 보지 않으련? 산에게 그렇게 말하지 말고……. 그냥 우리가 알아서 해결할게. 정말로 네가 생각하는 그런 이상한 일 아니라고."

"약속해요."

산과 단오는 물러서지 않고 서로를 바라보고 있었다. 일촉즉발의 싸움을 말리기 위해 시열이 둘 사이로 끼어들었으나, 단오는 개의치 않았다.

"약속 안 할 거예요?"

"아이구, 단오 얘가 왜 이래……."

안절부절못하던 시열이 깊은숨을 내쉬었다. 단오가 정녕 미쳤나 보다. 다른 이도 아닌 산의 심기를 거스르다가 무슨 봉변을 당하려고 저러는 것인지…….

산은 냉정했다. 아무리 오래된 사이라도, 선을 넘었다고 생각하면 용납하지 않았다. 또한 남이 이래라저래라 하는 것을 극도로 싫어했다.

"약속할게."

그러나 산의 입에서 나온 것은 너무나 순순한 대답이었다. 시열의 눈이 휘둥그레졌다.

"정말이죠?"

"들어야지, 네 말인데."

시열과 유하가 동시에 산을 바라보았다. 놀랍게도 산은 웃고 있었다. 시열과 유하가 느끼는 감정은 거의 비슷했다. 지난 삼 년간 알아 온 그 무과생이 아닌 것 같다는 생각이 들 만큼, 산의 모습이 낯설었다.

"너희 둘 다 미친 것 같아."

시열이 멍하니 중얼거렸다. 그리고 유하는 다시 단오를 바라보는 중이다.

산을 몰아붙이는 단오의 표정, 당장에라도 눈물을 쏟을 듯 일렁이던 그 눈빛. 단오의 눈에 담긴 무수한 감정들은 대체 무엇이었을까.

유하는 알고 싶었다. 또한 동시에 조금도 알고 싶지 않았다. 마음 깊은 데서 뜨거운 게 울컥 치밀어 오르는 것 같은 기분이었다. 그러나 정작 산은 아무렇지도 않다는 듯 태연했다.

"다들 왜 그런 표정을 짓고 있어? 밥이나……."

"아……."

그 순간, 갑자기 단오의 몸이 축 늘어졌다. 그녀의 무릎이 풀썩 꺾였다.

"단오!"

산과 유하, 시열이 동시에 단오의 이름을 외쳤다. 파리하게 질린 입술, 핏기가 완전히 사라진 얼굴. 단오의 이마와 목덜미는 식은땀으로 축축하게 젖어 있었다.

"단오 몸이 불덩이 같아."

시열이 당황한 목소리로 중얼거렸다.

"단오야."

산이 망연히 그녀의 이름을 부른다. 그 말에 반응하듯, 단오가 움찔 눈꺼풀을 움직였다. 눈빛이 흐렸다.

"열이 나요."

단오가 힘없이 중얼거렸다. 숨이 찼다. 눈을 뜨고 있었지만 이상하게 세상이 하얗게 보였다.

"나……. 자꾸만 열이 나요."

"어서 방으로 옮겨야겠다. 누가 좀 안아 올려 봐."

시열의 말에, 산과 유하가 동시에 단오에게로 손을 뻗었다. 둘의 시선이 허공에서 맞부딪쳤다.

"내가 해."

산의 손이 유하의 손을 밀어냈다.

이마에 닿는 차가운 감촉. 단오가 무거운 눈꺼풀을 들어 올렸다. 단오의 흐린 시야에 익숙한 얼굴이 비쳤다. 눈을 깜빡이자, 홍주의 얼굴이 또렷하게 보였다.

"언니……."

"정신이 들어, 단오야?"

"으응."

누워 있던 단오가 몸을 일으켰다. 이마에 올려 둔 물에 적신 면포가 툭하고 떨어졌다.

"좀 더 누워 있어. 열은 내렸다만, 그래도……."

"괜찮아, 언니. 이제 다 나았어."

"일단 좀 있어 봐. 탕약을 가져올 테니."

홍주가 바깥으로 나간 후, 한동안 단오는 눈을 감고 있었다. 피로감에 몸이 무거웠다.

그때, 불어오는 한 줄기 바람. 반쯤 열린 문밖에 서 있는 산의 모습이 보였다.

"오라버니."

"왜 일어나 있어. 아픈 애가."

"이제 괜찮아요."

"괜찮다는 애가 멀쩡히 서 있다가 픽 쓰러져?"

"아까는 갑자기 다리에 힘이 풀려서……. 정말로 이젠 괜찮아요. 일도 해야 하고."

사실 견딜 만할 뿐, 괜찮은 건 아니었다. 하지만 단오에게는 방도가 없었다. 오늘 일을 미루면, 내일은 곱절을 해야 한다. 이화원 주인인 단오에게는 그게 당연했다.

그 순간 산이 바로 문 앞까지 다가왔다. 이제 단오에게는 나갈 길이 없었다. 산이 수문장처럼 문 앞에 버티고 서 있었기 때문이었다.

"누워 있으라고. 제발 말 좀 들어라."

산의 말은 왠지 절박하게 들렸다.

"아프지 말라고."

가만히 산을 바라보던 단오가 포기한 듯 고개를 끄덕였다.

"알았어요."

단오가 물끄러미 산을 바라본다. 그녀는 산에게 묻고 싶었다.

함께 지내 온 삼 년의 시간, 산은 늘 선을 그은 채 저만치 떨어져 있었다. 하지만 지금, 산은 경계를 넘어 그녀 바로 앞에 서 있다.

무엇이 그로 하여금 경계를 넘게 한 걸까. 그리고 그가 경계를 넘어온 순간 제가 느낀 감정은 대체 무엇일까.

"그런데, 오라버니……."

단오가 막 입을 열려던 찰나, 산의 뒤에서 인기척이 났다. 그가 뒤로 몇 걸음 물러섰다. 탕약을 손에 든 홍주가 산에게 가볍게 고개를 숙여 보였다.

"단오야, 약 먹자."

"으응."

걸음을 옮기는 산의 뒷모습이 보인다. 방으로 들어온 홍주가 문을 닫았다. 쓴 약을 삼키며, 단오는 입 안에 맴돌았던 산을 향한 말들 역시 꿀꺽 삼켰다.

……그리고, 단오의 방 저편, 한때 소담스럽게 피었던 봄꽃이 저물어 앙상해진 나무 그늘 아래에는 유하가 서 있었다.

유하에게 이화원은 완전히 새로운 세상이었다.

명문가의 허울뿐인 자제. 서자의 신세란 녹록지 않았다. 유하의 친부인 정헌 대감의 가족들은 유하를 거두었을 뿐, 받아들이지는 않았다. 차라리 탕아처럼 살았다면 마음이 편했을까. 그러나 명문가의 서출이란 내놓은 자식처럼 자유롭게 행동할 수도 없는 처지였다. 가족들은 가문의 명예를 더럽혀선 안 된다는 이유로 그가 벗을 사귀는 것조차 허용치 않았다.

그렇기에 유하는 늘 외로웠다. 어린 시절부터 그를 돌봐 준 유모가 세상을 뜬 후, 유하는 완전히 외톨이가 되었다.

관례를 치른 후에야 집을 벗어난 그는 우연찮게 이화원에 찾아들었다. 이곳에서 그는 처음으로 벗이라는 것을 가졌다. 그리고 이화원에서 유하는 단오를 만났다. 싹싹하고 붙임성이 좋던 열다섯 소녀는 어느덧 열여덟 꽃다운 여인이 되어 있었다.

그녀를 귀여운 누이동생처럼 여겼던 유하의 마음이 변한 건 언제부터 였을까. 단오를 바라볼 때, 마냥 흐뭇하던 마음이 불안하고 초조해진 건 언제부터였을까.

단오의 방문이 다시 열린다. 빈 약그릇을 들고 방을 나서는 홍주가 보였다.

"언니, 문 조금만 열어 둬. 구들장이 뜨거워서 못 견디겠어."

"그래, 알았어."

이윽고 홍주가 모습을 감췄다. 유하는 단오의 방문 앞으로 성큼 걸어갔다.

"산 오라버니?"

발소리가 들렸기 때문일까. 단오가 빼꼼 고개를 내밀었다.

유하는 그저 단오가 괜찮은지 궁금했을 뿐이다. 그러나 그녀의 입에서 튀어나온 산의 이름을 들은 순간, 정체 모를 감정이 그의 마음을 뿌옇게 채웠다.

"아, 유하 오라버니."

"몸은 좀 괜찮고?"

"예. 다 나았어요. 왜 쓰러졌는지 잘 모르겠어요. 그렇게까지 아픈 건 아니었는데……."

"어제 일 때문에 놀랐나 보다."

"그랬나? 산 오라버니가 있어서 별로 걱정 같은 건 안 했는데……."

유하 역시 익숙하게 부르던 산의 이름. 그러나 이제 그의 이름은 귀를 긁어 대는 소음처럼 묘하게 거슬렸다.

"시간이 참 빠르다. 우리 만난 지도 벌써 삼 년……."

"그러게요. 예전 오라버니, 생각난다."

"나?"

"네. 신기할 정도로 반듯반듯하기만 해서, 뭐랄까, 도덕경(道德經)에서 튀어나온 사람 같았거든요. 요즘도 가끔 그렇지만."

유하가 쓴웃음을 지었다. 그건, 그때는 사람을 대하는 방법을 몰랐기 때문이었다. 서책에서 배운 대로 사는 것 말고는 아무것도 몰랐기에.

"지금은 완전히 가족 같아요. 꼭 친오라버니처럼 느껴지고……."

그러나 유하의 입에서는 다른 이야기가 흘러나왔다.

"난, 지나온 그 시간이 아깝다, 단오야."

"뭐가 아까워요? 한시도 허투루 쓰지 않았으면서. 늘 가장 부지런하게 공부하셨잖아요."

"그냥. 그게 아까워. 과거 공부한답시고 종종거린 시간들이."

나는 정말로 아깝다, 단오야.

"으음……. 오라버니, 과거 시험이 다가와서 그러세요?"

"과거 시험이라……. 글쎄다."

유하가 희미하게 웃었다. 천천히 팔을 뻗은 그가 단오의 머리를 차분히 쓰다듬었다.

"일찍 자. 그래야 어서 낫지."

단오가 의아스러운 눈빛으로 유하를 바라보았다. 그의 모습이 낯설다. 유하는 이상하도록 쓸쓸해 보였다.

"오라버니도 편히 주무세요."

"그래. 그럴게."

자리에서 일어서던 그가 문득 걸음을 멈췄다.

"단오야."

"예?"

"늘 친오라비처럼 따뜻하게 대해 주어 고맙다."

"새삼스럽게, 어찌 그런 말씀을 하세요."

유하가 빙긋 미소를 지었다. 그러나 어딘가 휑하니 구멍이 뚫려 버린 것 같은 서글픈 웃음이었다.

"어서 자. 늦었다."

유하가 걸음을 돌렸다. 껑충한 뒷모습 너머로 해묵은 감정 하나가 후두 둑 떨어졌다.

그는 이제 그 따뜻한 마음을 내치려 한다. 더 이상 단오를 귀여운 누이동생 으로 여기지 못했기에. 누이에게 품어서는 아니 될 마음을 가졌기 때문에.

그리고 유하는 결심했다. 이제 그 마음을 인정하기로, 받아들이기로.

산은 밤길을 걷고 있었다. 갑갑한 마음에 나선 밤 산책이었다. 안 그래도 복잡하던 머릿속은 단오가 쓰러진 이후 엉망이 되어 버렸다.

'모두 내 탓이다.'

단오가 아픈 것도, 간밤 무뢰배들에게 쫓겨 도망쳐야 했던 것도. 빗속에 여리디여린 여인을 잡아 두고 있던 것도 결국 제 욕심에서 비롯된 일이었다.

비겁한 마음. 당당히 내보이지 못할 것이면 꽁꽁 숨기기라도 해야 할 터였다. 그러나 그는 이러지도 저러지도 못했다. 늘 변덕을 부리는 어린애처럼 다가섰다 멀어지는 것만을 반복할 뿐이었다. 비겁할 뿐 아니라, 유치하기 짝이 없는 짓이었다.

생각에 잠긴 그가 중촌 초입을 지나치고 있을 때였다.

"우리끼리는 잔뜩 마셨으니, 이제부턴 계집을 끼고 마시세! 내 기방이라면 꽉 잡고 있으니!"

"어이, 그만 집에 가자고. 나는 이제 죽어도 더 못 마시네."

"이런, 이런! 아니 되네, 이 사람아!"

이미 만취한 듯한 사내들의 목소리가 들려왔다. 힐끔, 모퉁이에서 걸어오는 두 사내를 본 산의 눈에서 불꽃이 튀었다.

피둥피둥 살집 오른 몸뚱이, 몸에 걸친 온갖 장신구들이 쩔그렁대는 소리. 그자는 다름 아닌 옹 생원이었다.

'약속해요.'

'옹 생원과 관련된 어떤 일도 하지 않는다고.'

단오의 말이 떠올라, 산은 잠시 머뭇거렸다. 그러나 분노가 이성을 이겼다. 결국 그는 발소리를 죽인 채 옹 생원의 뒤를 밟기 시작했다.

"옹 생원, 나는 집에 가야겠어! 참말로 오늘은 목에 칼이 들어와도 더 못 마시네."

"뭐라? 이런 재미없는 놈 같으니……. 가게! 썩 꺼져 버리라고!"

술동무로 보이는 사내가 떠나고, 이제 남은 것은 옹 생원 하나뿐이었다. 그 뒤를 따라가던 산의 등줄기에 서늘한 긴장감이 머물렀다. 그가 검을 향해 천천히 손을 뻗는 순간이었다.

"헉!"

갑자기 산을 덮친, 예상하지 못했던 일격. 둔중한 충격이 산의 뒤통수를 강타했다. 옹 생원에게 온 신경을 집중하느라 무방비 상태이던 산의 무릎이 풀썩 꺾였다.

아득해지는 정신을 붙들기 위해 산은 안간힘을 써 눈을 깜빡였다. 그는 이를 악문 채 몸을 일으켰다. 빙빙 돌던 세상이 조금 잠잠해지자, 그는 필사적으로 허리춤을 더듬어 검을 뽑아 들었다.

"누구냐!"

여전히 흐릿한 눈앞으로 검은 그림자 하나가 스쳐 지나갔다. 어디선가 나타난 검은 복장의 사내가 산의 검을 쳐냈다. 챙! 칼날이 부딪치는 날카로운 소리가 들렸다.

비틀대던 산이 중심을 잡으려는 찰나였다. 순식간에 산에게로 다가온 사내. 그가 산의 얼굴에 무엇인가를 들이밀었다. 이윽고 서서히 모든 것이 검어지며 산은 정신을 잃었다.

"으음……."

산의 입술 틈으로 낮은 신음이 흘러나왔다.

"산! 정신이 좀 들어?"

시열을 알아본 산이 고개를 끄덕였다. 그러나 지독한 두통이 몰려와 그는 끄응 앓는 소리를 내뱉었다.

"어찌 된 게야! 어쩌다가 이런 꼴로 집 앞에 쓰러져 있었냐고!"

"집 앞?"

얼마나 시간이 지났는지 모를 일이었다. 분명 습격을 받은 것은 밤이었는데, 문밖은 빛이 훤했다.

"집 앞에 있었다고? 내가?"

"그래! 이화원 대문 앞에 시체처럼 쓰러져 있었어! 육호 아재께서 기절초풍을 했다고!"

시열은 숫제 울먹거릴 기색이었다.

"뭐야, 기억이 안 나는 거야? 너, 내가 누군지는 알아?"

"시끄러워, 미친놈아…… 좀 닥쳐라."

"아아, 산 맞네. 산 맞아. 정신 멀쩡하네. 다행이다!"

산이 벌떡 자리에서 일어나 앉았다. 갑자기 일어난 탓에 날카로운 두통이 엄습했으나, 그는 황급히 주변을 둘러보았다.

"검!"

"뭐?"

"내 검! 못 봤어?"

"못 보긴 뭘 못 봐."

시열이 산의 방 한편에 밀어 놓은 장검을 쓱 내밀었다.

"검이야 생명줄처럼 꽉 쥐고 있더만. 갑자기 웬 검 타령이야."

잠시 동안 검집을 바라보던 산이 휙, 검을 뽑아 들었다. 대경실색한 시열이 앉은 채 후다닥 뒤로 물러났다.

"야, 야, 방 안에서 왜 검을 뽑고 난리야!"

두통 탓에 인상을 잔뜩 찌푸린 채로, 산은 제 검을 내려다보았다. 그러나 이상한 점은 찾을 수 없었다. 결국 그는 다시 자리에 누워 버렸다.

검은 복장의 자객이 들이밀었던 천 조각. 거기서 나던 독한 향취가 기억의 마지막이었다. 분명히 옹 생원을 쫓느라 북촌 초입까지 갔었는데, 대체 어떻게 이화원 앞에 쓰러져 있을 수 있단 말인가…….

"산, 너 정말 괜찮은 거 맞아?"

"시열, 나 좀 혼자 있게 해 줘."

"대체 무슨 일이 있었던……."

"나가 줘. 부탁이다."

포기한 듯 시열이 입맛을 다셨다. 자리에서 일어선 시열이 방문을 조심스럽게 닫았다.

그제야 산은 깊은 신음을 토했다. 머리를 가격당한 탓인가. 아니면 그 천 조각 때문인지도 몰랐다. 여전히 머리는 심연으로 가라앉는 듯 무거웠다.

산이 지그시 눈을 감았다. 도저히 말로 표현할 수 없을 정도로 피로감이 몰려왔다. 깨어난 이후에 생각하자……. 지금은, 일단 잠이 필요한 시간이었다.

"산 오라버니."

약그릇을 들고 들어온 단오가 조용히 그를 불렀다. 그러나 산은 깊은 잠에 빠져 있었다.

"대체 무슨 일이 있었던 건지……."

단오가 걱정스러운 표정으로 산의 얼굴을 바라보았다.

과거생이 대문 앞에 쓰러져 있던 것은 큰 사건이었다. 유례를 찾아볼 수 없는 일이었기에 그녀 역시 큰 충격을 받았다. 하지만 놀랐다는 것만으로 그녀의 기분을 표현할 수는 없으리라. 온갖 불안한 감정들이 그녀의 마음을 종일 옥죄었다.

"땀 좀 봐……."

단오가 산의 이마를 향해 손을 뻗은 순간, 산이 스르르 눈을 떴다.

"오라버니……."

"으음……."

잠에 취한 나른한 눈빛 안에 담기는 해사한 여인의 얼굴……. 늘 생각했던, 단오의 얼굴.

꿈인가 보다. 열에 들뜬 꿈 한 자락에 네가 놀러 왔나 보다…….

"내가 미친 게지……."

산의 바싹 마른 입술 한쪽 끝이 호선을 그렸다. 그 입술에서 한숨 같은 웃음이 흘러나왔다. 단오는 영문을 모른 채 걱정스러운 눈으로 그를 바라보고 있었다.

산이 단오의 손을 본다. 백자처럼 말간 살빛. 자칫 바스라질까 걱정이 될 만큼 여린 손을 보던 산이 그 손을 잡았다. 꿈속에서도 이 느낌은 어찌 그리 생생한지 모르겠다. 커다란 눈을 동그랗게 뜨고 있는 네 얼굴. 단오. 너는 어찌 꿈속에서조차 토끼처럼 놀란 표정을 짓고 있느냐.

꿈을 꾼다. 고요한 봄날의 꿈을. 걱정할 것도, 고민할 것도, 두려워할 것도, 또한 애써 제 마음을 누르며 밀어낼 이유조차 없는. 그런, 행복한 꿈을 꾸자…….

산이 다시금 눈을 감았다. 영영 이 달콤한 잠에서 깨어나고 싶지 않았다.

"산! 산!"

어디선가 제 이름을 부르는 목소리가 들렸다. 잠, 혹은 약 기운에 취한 탓에 그 소리는 아득하게만 들렸다. 멀찍이서 메아리처럼 울리던 목소리가 점점 커지고, 또렷해진다.

"산!"

소란스런 시열의 목소리와 함께 왈칵, 방문이 열렸다. 화들짝 놀란 단오가 잡혀 있던 손을 거둠과 동시에 산이 번쩍 눈을 떴다.

뿌연 시야에 들어오는 단오의 얼굴. 그 뒤로 급히 뛰어 들어오는 시열의 모습. 산의 눈동자가 거세게 흔들렸다.

꿈이 아니었단 말인가. 그런 줄도 모르고…….

"산! 빨리 좀 일어나 봐."

시열은 거칠게 숨을 몰아쉬고 있었다. 잔뜩 흥분한 듯, 그의 가슴팍은 한참을 오르내렸다. 그런 까닭에 시열은 방 안의 미묘한 분위기 역시 감지하지 못했다.

"약 꼭 드세요, 오라버니."

단오가 약그릇을 놓고 방을 떠났다.

"시열, 무슨 일이야?"

"산…… 나…… 엄청난 이야기를 듣고 왔어."

"뭘 들었기에 이 난리냐고."

한참 숨을 고르던 시열이 목소리를 낮추었다.

"옹 생원 말이다."

"그놈이 왜?"

"간밤에 죽었대. 칼을 맞았단다."

"뭐?"

산이 자리에서 벌떡 일어났다. 그의 표정이 경악으로 물들었다.

"뭐야? 어제 옹 생원을 봤다고? 그럼 옹 생원이 살아 있는 걸 본 마지막 사람이 너일 수도 있단 얘기네?"

"그런 셈이다."

지난밤, 산이 겪은 일에 대해 듣던 시열이 몸을 부르르 떨었다.

"괜한 오해라도 사면 어쩐담. 사실, 나도 옹 생원이 죽었다는 얘기를 듣자마자 너를 의심했었는데……."

산이 시열을 노려보았다. 날카로운 눈초리에 시열이 손을 휘휘 내저었다.

"아니, 말이 그렇다는 거지……. 설마 정말로 살생을 했으리라 여기진 않았어. 게다가 너는 새벽부터 이화원 앞에 널브러져 있었으니까. 그놈이 죽은 건 그 이후 같더라고."

"옹 생원의 죽음 역시 나를 습격한 놈 짓이 아닐까?"

"그걸 내가 알 수가 있나……. 오히려 그자를 옹 생원이 고용한 게 아닐까 싶은데."

"옹 생원이?"

"너를 혼내 주려고 말이다. 너를 이화원 앞에 데려다 놓은 걸 보면, 너에 관해서 아는 자라는 소리가 아니겠어? 옹 생원에게 네 정보를 들었던 게지."

"흠."

어젯밤 일은 의문점투성이였다. 산의 기억은 흐릿했다. 자객에 대한 기억 역시 검은 옷차림이었다는 것 외에 모든 게 안개 속이었다.

"이렇게 가정할 수도 있지. 너를 손봐 주려고 고용한 자객과 값을 치르는 문제로 실랑이가 붙었을 수도. 그러다가 칼을 맞았다든가."

"만약 그렇다고 치면, 정말이지 허망한 개죽음이네."

"그렇긴 하다만……. 산, 옹 생원은 그래도 싼 놈이야. 그놈을 안다 하는 이들은 별로 놀라지도 않는 눈치더라고. 여기저기 하도 분탕질을 치고 다녔던지라."

산이 고개를 끄덕였다. 옹 생원의 죽음을 애도할 이유 따윈 조금도 없었다.

"옹 생원이랑은 별개로…… 나를 습격했던 자객이 영 께름칙해."

"검을 다루는 솜씨가 엄청나디? 네가 그리 꼼짝없이 당할 정도였으면."

"옹 생원에게 집중하고 있는 사이에 뒤에서 기습을 당했어."

산이 자존심이 상한 듯 미간을 찌푸렸다. 그러나 그는 본능적으로 깨닫고 있었다.

단편적인 기억뿐이었으나, 자객의 몸놀림은 놀라울 만큼 민첩했다. 필시 평생을 검과 함께 살아온 숙련된 검객일 것이었다.

"걱정할 게 뭐 있겠어."

시열이 산을 위로하려는 듯 쾌활한 목소리로 말했다.

"정말 그자가 너를 해칠 마음이 있었음, 지금쯤 너는 이미 염라대왕 앞에 가 있겠지. 살려 두었다는 건 죽일 마음까진 없었다는 거야. 나는 옹 생원의 짓이 분명하다는 확신이 든다."

"걱정 안 해."

산 역시 검과는 떼 놓을 수 없는 삶을 살았다. 빼어난 검객을 마주친다는 건, 두려움 이전에 승부욕을 자극하는 일이었다.

"그럼 됐지, 뭐. 잠이나 좀 더 자라. 그나저나, 좀 실망이다."

"뭐가?"

"뭐랄까……. 조선제일검인 줄 알았는데 알고 보니 동네제일검이었다고나 할까."

"뭐?"

"너 말이야. 일당백은 거뜬할 줄 알았는데……. 고작 자객 하나를 못 이기다니. 쯧."

"내 분명히 말하건데, 뒤에서 기습을……."

"그래. 그렇겠지. 물론 그랬던 것이었겠지!"

시열은 산의 말이 채 끝나기도 전에 부리나케 가 버렸다. 산이 허, 헛웃음을 내뱉었다.

"저놈이 진짜……."

인상을 찌푸리며 드러눕던 산의 시선이 머리맡에 놓인 약그릇에 닿았다. 잠시 잊었던 단오의 존재가 그제야 떠올랐다.

"단오……."

목숨이 경각에 이르고 나서야 얻은 깨달음 하나. 그것이 서서히 산의 마음을 물들인다.

제 마음을 속이며 살기엔, 어차피 한 치 앞도 모르는 불안한 인생. 그런 그의 삶에 처음으로 갖고 싶은 것이 생겼음을. 그리고 이제 정녕 그것을 인정할 때가 찾아왔음을.

"단오야, 어찌 그리 넋을 빼고 있어."

"아……. 어머니."

저녁 준비가 한창인 이화원의 부엌. 명하니 생각에 잠겨 있던 단오가 화들짝 놀라 고개를 들었다.

"밖에 누가 찾아왔다."

단오가 의아한 표정으로 되물었다. 자신을 찾아올 방문객이 있을 리 없었기 때문이었다.

"네 또래의 처녀던데, 너를 만나러 왔다더구나."

"처녀요?"

"그래. 손님을 기다리게 하면 쓰나. 어서 나가 보아라."

"예, 어머니."

고개를 갸웃하며, 단오는 대문으로 향했다.

'누구지?'

문지방 너머로 보이는 여인의 모습이 묘하게 낯이 익었다. 단오가 눈을 가느다랗게 떴다.

"아씨."

"누구……."

이내 단오는 그녀의 정체를 깨달았다. 행수기생 화령을 만나러 방문했을 때, 다짜고짜 욕설을 내뱉었던 기생, 반야가 밖에 서 있었다.

"무슨 일이에요?"

"저…… 갑작스런 방문이 당황스러우시겠지만……. 사죄를 드리러 왔습니다."

"사죄요?"

"아씨에게 그런 소리를 하고……. 계속 마음에 걸려서요. 저, 참 못된 년이지요?"

반야가 고개를 푹 수그렸다. 전날 유하에게 말했던 대로, 그녀는 평범한 여염집 처녀의 옷을 입고 있었다. 스스로 신분을 밝히기 전에는 그저 예쁘장한 동네 규수처럼 보일 모습이었다.

영문을 모르는 단오로서는 이 상황이 당황스러울 뿐이다. 그러나 단오는 굳이 이유를 묻고 싶지 않았다.

"알았어요."

단오의 대답에, 오히려 당황한 건 여인 쪽이었다. 그녀가 되물었다.

"용서해 주시는 것입니까?"

"용서고 뭐고 없어요. 난 벌써 잊었으니."

"아씨는 제가 밉지 않으세요?"

"잘 알지도 못하는 사람을 왜 미워하겠어요."

단오가 물끄러미 반야를 바라보았다. 가까이서 보는 여인은 어머니 말대로 단오와 비슷한 또래인 듯 보였다.

"그날 마음이 상했던 건 사실이지만, 마음에 담아 두지는 않았어요. 곱씹어 봤자 내 마음만 괴로워진다 배웠거든요. 그러니 그쪽도 잊으세요. 마음에 담아 두지 말고요."

반야가 멍하니 눈을 깜빡였다.

"저는…… 아씨가 정말 부러웠어요. 아버님이 죄를 지어, 온 가족이 관노가 되었거든요. 그래서 저도 춘하관으로 팔려 간 것이고요……. 그 이전에는 저도 평범한 양갓집 규수였답니다."

맞잡은 손가락을 만지작거리며 반야가 말을 이었다.

"그날, 아씨를 보니 예전 제 모습이 떠올랐어요. 저에게도 오라버니가 여럿 있었거든요. 어디든 저를 데리고 다니는……."

"아……."

단오가 저도 모르게 외마디 소리를 냈다. 단오에게 가족과 집이란 세상 무엇과도 바꿀 수 없는 귀한 것이었다. 반야가 느꼈던 고통이 얼마나 클지 짐작되어, 마음이 아팠다.

"오라버니들은 어찌 되었기에……."

단오의 조심스러운 물음에, 반야가 쓸쓸한 웃음을 지었다.

"몰라요. 어찌 살고 있는지……. 관노로 끌려갔으니 다들 어디서 종살이를 하고 있겠지요."

반야가 한숨을 내쉬었다. 단오의 눈동자에 측은한 빛이 어렸다. 그러나 동정을 내보이는 것 역시 반야에게는 모욕이 될 터, 그녀는 급히 표정을 지웠다.

"아씨 나이가 어찌 되는지는 모르지만, 제 또래인 것 같아서…… 그때는 못 견디게 샘이 났어요."

"나는 열여덟이에요."

반야가 황급히 옷고름을 들어 눈에 고인 눈물을 훔쳤다.

"저도 열여덟이에요, 아씨."

"그럼, 그냥 동무라고 여기면 되겠네."

"저, 정말이요?"

단오가 고개를 끄덕이며 웃었다.

"말도 동무처럼 편히 하고."

"에이, 어찌 저같이 천한 것이……."

"나 역시 이름만 양반일 뿐, 그저 평범한 중인이나 다름없어. 그러니 편하게 대해 주어도 돼."

"그래도…… 될까?"

"그럼."

내내 침울하던 반야의 얼굴이 환해졌다. 그녀가 단오를 보며 해맑게 웃었다. 그 말간 웃음 속에 무엇이 들어 있는지 모르는 채, 단오 역시 미소 지었다.

5장. 바람 별 바다

저물어 가는 사월의 밤.

제 방에 앉아 있는 단오의 무릎 위에는 서책 한 권이 놓여 있었다. 그녀가 손을 뻗어 서책 사이에 끼워진 빛바랜 꽃 한 송이를 가만히 어루만졌다.

"벌써 삼 년이 넘었어요."

작은 혼잣말. 들어 주는 이 없는 목소리였으나, 단오는 말을 이었다.

"누군지도 모르는 사내를 기다리는 건…… 정말 바보짓이겠죠?"

마른 꽃잎을 내려다보던 단오가 이내 고개를 저었다. 그건 그저 핑계일 뿐이다. 이름 모를 이에게 작별을 고하려는 건, 마음속에 다른 이를 품었기 때문이었다.

그때 밖에서 조그만 소리가 들려왔다. 누군가 소리 죽여 안뜰을 가로지르는 소리였다. 단오가 조용히 한숨을 쉬었다. 이리 늦은 시간에 도둑처럼 바깥출입을 하는 이는 오직 하나, 시열뿐이었으니까.

"시열 오라버니도 참."

아무리 들고 나는 게 자유로운 객주라지만, 과거생을 관리하는 것이 그녀의 업이었다. 서책을 탁 덮은 단오가 방문을 열어젖혔다.

"설마, 이 시간에 또 기방엘……."

"……내가? 그럴 리가."

대문 앞에 서 있는 산의 손에는 장검이 들려 있었다.

"내내 누워만 있었더니 영 찌뿌듯해서. 몸이나 풀까 하여."

"몸도 성치 않은 사람이 대체……."

"이제 아무렇지도 않아. 약을 먹었더니 다 나았다."

"낫기는 무엇이 나아요. 그런 꼴로 이화원 앞에 쓰러져 있었으면서!"

단오의 목소리가 설핏 떨렸다.

"나한테는, 아프지 말라고 했으면서……."

갑자기 눈시울이 뜨거워졌다. 툭, 떨어진 눈물이 그녀의 턱 끝에 맺혔다. 산이 원망스러웠다. 저와는 달리 너무나 멀쩡해 보이는, 무심해 보이는 그가 원망스러웠다.

"단오야."

"……."

"같이…… 걸을까?"

입을 꾹 다문 채 산을 바라보던 단오가 천천히 고개를 끄덕였다. 대문이 열리고, 그들은 달빛에 잠긴 밤길로 걸음을 내디뎠다.

산이 밤공기를 들이마셨다. 오늘따라 유난히 달게 느껴지는 바람이 폐부 깊숙이 차올랐다.

내내 닫혀 있던 그의 마음 틈새로 스며든 바람. 그 바람이 빗장마저 허물어뜨리기 시작한 건 언제부터였을까.

"왜 울고 그러냐."

"오라버니가 하도 말을 안 들어서요."

"그렇다고 울어?"

"다치지 않았으면 울기까지 했겠어요? 나한테는 아프지 말라 해 놓고, 정작 오라버니는……."

"내가 언제 너 아프다고 울디?"

농담이라도 하듯 받아치는 산의 목소리는 태연하기만 했다. 문득 단오가 걸음을 멈췄다.

이화원의 주인. 그리고 객주에 투숙하는 과거생. 가까울 필요도, 가까울 까닭도 없는 사이.

그 경계를 성큼 넘어온 건 그녀가 아닌 산이었다. 하지만 그로 인해 흔들리는 건 늘 저뿐이란 말인가. 그건 공평하지 않았다. 울컥 감정이 치밀었다.

"왜 매번 나만 그래야 해요?"

"뭐가?"

"왜 나만 울고, 나만 마음 졸여야 하냐고요. 나는 그저 가만히 있었을 뿐인데……."

늘 차갑기만 하던 그였다. 자꾸만 흔들지 않았다면, 그리 아득한 눈빛으로 저를 바라보지 않았다면 저도 아무렇지 않을 수 있었을 것을.

"그렇게 다가오지 않았다면, 나도 오라버니처럼 속 편히 무심하게 굴 수 있었을 텐데……."

꼭 지금처럼, 저런 간절한 표정을 짓지 않았다면 저 역시 태연할 수 있었을 텐데.

산에게서는 어떤 대답도 돌아오지 않았다. 그에게서 아득히 침잠하는 한숨 소리가 들렸다.

밤, 캄캄한 어둠 속에 얼굴을 숨기고 있었기에 뱉을 수 있었던 말들. 그러나 역시나 밤. 밤의 고요 탓에, 더욱 또렷하게 느껴지는 그의 소리 없는 대답.

"나쁜 사람."

단오가 몸을 돌렸다. 뼈아픈 후회가 밀려왔다. 산이 경계를 넘어왔다는 건 그녀의 심중에 지나지 않았다. 산은 단 한 번도 제 입으로 마음을 내보인 적 없는 사람이었다.

추적추적 비가 쏟아지던 그날, 쿵쿵대던 그의 심장이 달리 무엇을 말해 주던가. 열에 들떠 있던 그의 손길이, 애타던 탄식이 달리 무엇을 의미하던가……. 모두 단오만의 생각일 뿐이다. 오히려 경계를 넘어 제 마음을 내보이고 만 건 그녀 자신이었다.

한 자락 무심한 바람이 단오의 정신을 일깨웠다. 대체 무슨 소리를 늘어놓은 건가. 단오의 얼굴로 순식간에 열기가 몰려들었다. 그녀가 조급한 걸음을 뗴었다. 창피한 마음에 걸음은 자꾸만 빨라졌다.

산의 눈길은 멀어지는 단오의 뒤통수에 매인 듯 고정되어 있었다. 그녀가 밤 속으로 걸어 들어간다. 휘잉 흐느끼는 바람 소리가 산의 귓전을 울렸다. 조금씩 멀어져 가는 연초록 치맛자락이 바람에 나부꼈다.

바람. 이리저리 떠도는 바람처럼 살아온 삶. 마음 붙일 것이라고는 오직 검 하나뿐이었다.

그녀를 만나기 전까지는, 그랬다.

"단오야."

멈칫, 단오의 걸음이 조금 느려졌으나 잠시뿐이었다. 산이 성큼성큼 걸음을 옮겼다. 이내 그의 보폭은 껑충 길어지고, 걸음 역시 빨라졌다.

"단오야."

뒤따르며 이름을 불러도 그녀는 대답하지 않았다. 어찌하여 저라는 비겁한 사내는, 마지막 순간에서야 용기를 내는 것일까. 그리고 어찌 너는 이리 못난 사내에게 흔들린다 말하는 것인지…….

"단오야, 제발."

바람은 오래도록 불었다. 처음 너를 마주쳤던 그 밤에도 달큼한 미풍이 코끝을 간질였었다.

내 삶이 바람이었다면, 정처 없이 떠도는 외로운 바람이었다면. 이제 그 바람, 잠시 곱디고운 네 곁에 머물러도 될까. 네 마음 언저리에 몸을 누인 채 봄을 지나 여름을 넘어, 함께 가을과 겨울을 가로지르는 그런 소박한 꿈을 꾸어도 될까.

내게 그런 자격이 있을까…….

이윽고 손을 내밀면 닿을 만큼 그녀와의 거리는 좁혀졌다.

"……가지 마라."

사내는 끝끝내 팔을 뻗어 앞서가는 여인을 제 품 안에 가두었다.

"단오야."

"어찌 이러세요."

단오가 몸을 비틀어 산의 품에서 빠져나왔다. 그의 팔이 허망하게 아래로 떨어졌다. 등을 돌린 채로, 그녀가 입을 열었다.

"제발, 그만하세요. 괜히 곁에서 맴돌지 말고, 신경 쓰는 척하지 말라고요."

늘 제멋대로 굴던 그였다. 산은 그저 몹쓸 장난질을 치고 있을 뿐이다. 그 장난질에 제가 이리저리 휘둘리든 말든, 그는 조금도 개의치 않을 것이다. 그게 그녀가 알고 있는 진정 산다운 모습이었다.

"어차피 아무 관심 따위 없잖아요. 그것이 어떤 일이든, 혹은 사람이든 간에."

산의 눈동자가 일렁였다. 그러나 그 빛은 이내 초라하게 사그라졌다.

단오의 말이 맞다. 저는 정녕 그렇게 무심한 모습으로 살아왔기에. 비겁했기에…….

"미안하다."

단오가 원망이 담긴 눈으로 그를 노려보았다.

"함부로 여인을 끌어안은 것이 미안한 거겠죠."

"……"

"오라버니는 아무런 감정 따위 가진 적 없을 테니까. 그래서 그게 미안한 거잖아요.”

북받치는 감정에 흔들리는 단오의 눈동자. 그 눈을 지그시 바라보던 산의 눈빛이 먹먹하게 가라앉았다.

“그렇지 않아.”

“거짓말.”

“미안하다. 하지만, 미안한 건 그 이유가 아냐.”

“그럼 무엇이 미안하다는 건데요?”

산이 짙은 숨을 내쉬었다. 결국, 이렇게 되고 말 일이었던 것을…….

모두가 제 탓임을 부정하고 싶진 않았다. 그러나 그는 두려웠다. 고단한 삶 안에 그녀를 끌어들이는 것이. 그럴 바엔 차라리 비겁한 사내가 되는 것이 나으리라 여겼을 뿐이다.

“마음을 숨겨서 미안한 거야. 네게 표현하지 못하여, 내보이지 못하여…….”

제 마음 하나쯤, 감출 수 있으리라 믿었던 것뿐이었다.

“대체 그 마음에 있는 것이 무엇이기에요.”

단오가 물었다. 그녀는 산을 보고 있었다.

“내 마음에는……. 네가 있다.”

단오야. 오래전부터 그러했다면, 정녕코 믿어 주겠느냐.

그 캄캄한 밤 속에서, 단오는 멍하니 산을 보고 있었다. 정녕 제가 미친 것이 아닌가 싶었다. 산 앞에서 제 속내를 고스란히 드러내지 않았나. 나쁜 사내, 몹쓸 사내라고 그를 비난했었다. 그러나 그의 입에서 나온 말을 듣는 순간 주변의 어둠마저 하얗게 바래졌다.

네가 있다고. 그의 마음속에는 단오가 있다고. 그 말을 기다렸던 것일까. 아니면 갑작스러운 고백이 못 미더워 오히려 더 막막해진 걸까.

그런 단오를 묵묵히 바라보고 있던 산이 무겁게 입을 열었다.

“답을 바라고 한 말이 아니야. 굳이 대답하지 않아도 된다. 그저…… 네가 생각하는 것처럼 그런 몹쓸 장난질이 아니라는 걸 말하고 싶었어."

산이 단오의 어깨에 가볍게 손을 얹었다.

"내 마음, 진심이야. 그 사실을 말하고 싶었을 뿐이다."

따뜻한 손길. 그러나 단오는 흠칫 몸을 떨었다.

"가자. 이러다 날이 밝겠다."

부드럽게 단오의 몸을 당기는 그의 손. 마지못해 걷기 시작했으나, 그 걸음을 따라 흔들리는 몸뚱이처럼 그녀의 마음 역시 요동치고 있었다.

고개를 수그린 채 땅을 보며 걷던 단오의 눈에 산의 발이 들어왔다. 키가 껑충한 사내는 단오의 보폭에 맞추어 애써 천천히 걷는 중이었다. 그는 서둘러 앞서가지도, 그녀보다 뒤처지지도 않았다.

그녀와 같은 길을 밟고, 같은 지점의 공기를 마시며 묵묵히 걷는 산. 산은 언제부터 제 곁에서 걷고 있었을까. 삼 년은 긴 시간이었다. 그 길었던 시간의 어느 날부터, 그들의 발걸음이 이렇게 나란해지기 시작한 걸까…….

"단오야."

"예?"

"하지 못한 얘기가 있어."

마침내 이화원에 당도했을 때, 산이 입을 열었다. 사뭇 달라진 그의 말투에, 단오는 고개를 들어 그를 마주 보았다. 눈이 마주치는 것이 조금 부끄러웠다. 그러나 정작 할 말이 있다던 산은 묵묵부답이었다.

산은 잠시 머뭇거렸다. 그는 삼 년 전 그 밤의 기억을 떠올리고 있었다. 운명 같았던 그 밤, 벼랑 아래 오도카니 매달린 채 간절하게 저를 올려다 보던 눈빛이 생각났다.

그때 그는 예감했던가? 그 만남이 모든 이야기의 시작이었음을.

"삼 년 전, 아마도 늦은 이월쯤이었을 게다……."

산에게 그 기억은, 다디단 잠 속에 찾아든 꿈과 같았다.

평생 여인은커녕 누구 하나 담아 본 적 없는 가난한 마음에 찾아들었던 소녀. 어떤 호의도 받아 본 적 없었기에 무엇 하나 내줄 것 없던 헐벗은 마음은 그로 인해 조금이나마 풍요로워졌다.

그렇기에 그 밤, 단오가 훔친 것은 입술이 아닌 그의 마음이었을 것이다.

"삼월이었어요, 오라버니."

"응?"

"오라버니가 이화원에 처음 온 것. 유하 오라버니랑 시열 오라버니까지 한날한시에 오셨던 날, 한참 매화가 피던 삼월이었다고요."

하하- 산이 허탈한 듯 웃었다.

"……어찌 웃으세요?"

"아니야."

맞물리지 못하고 엇갈리는 대화. 그러나 산은 조급하게 생각하지 않기로 했다. 앞으로 또 기회가 있겠지. 엇갈리는 것이 마음이 아니기에 다행이었다.

"하려던 말씀, 무엇이었는데요?"

"별 얘기 아니었어. 이만 들어가자."

소리가 나지 않도록 조심조심 대문을 연 산이 단오가 들어가도록 한 발짝 물러섰다.

"산 오라버니."

"응?"

"오라버니 마음……. 진심이라고 하셨나요?"

대답 대신 산은 천천히 고개를 끄덕였다. 그런 그의 눈을 물끄러미 바라보던 단오가 슬며시 시선을 떨어뜨렸다.

"거짓이라면, 절대 용서하지 않을 거예요."

그 말을 남긴 단오가 사뿐히 이화원의 문지방을 넘어 들었다. 그러나 산은 대문 위에 올려놓은 손을 여전히 거두지 못한 채 그 자리에 서 있었다.

"하……."

갑자기, 산이 웃음을 터뜨렸다. 무르익어 가는 따스한 봄밤. 북악산 자락을 타 넘어온 포근한 바람이 불어온다. 그 바람 소리 덕에 그의 웃음소리는 바깥으로 새어 나가지 않고 주변을 맴돌았다.

이내 평정을 되찾은 산이 이화원 안으로 걸음을 옮겼다. 그러나 그것도 잠시. 그의 입술 새로 또다시 웃음이 샌다.

따사로운 밤공기마저 그의 웃음소리를 따라 속살대는 밤. 그 밤, 산 역시 잠을 이루지 못할 것이 분명한 밤.

* * *

푸른 새벽이 밝아 오는 시각. 잠에서 깨어난 홍주가 이부자리를 정돈했다. 홍주는 이화원에서 가장 일찍 일어나는 사람이었다. 그녀가 누구와도 마주치지 않으려 애쓰고 있었기 때문이었다.

방에 틀어박혀 있다고 하여, 홍주가 아무 일도 하지 않는 건 아니었다. 홍주는 모두가 잠들어 있는 새벽을 틈타 이화원의 자잘한 일들을 돌보곤 했다.

시열의 갖신 때문에 난 작은 구멍을 통해 시원한 새벽 공기가 들어온다. 그곳을 빤히 바라보던 홍주가 가만히 손가락으로 그 주위를 어루만졌다.

종이 한 장을 바르면 간단히 막을 수 있는 구멍. 그러나 웬일인지 그녀는 그것을 그대로 놓아 두고 있었다.

자리에서 일어나 문을 열려던 홍주가 멈칫 멈춰 섰다. 밖에서 들려오는 가벼운 발소리. 안뜰을 거니는 소리. 그리고 이내 들려오는 나지막한 콧노래 소리.

누군가 흥얼거리는 구슬픈 노랫가락을 듣던 홍주가 갑자기 손을 들어 제 입을 막았다. 그녀의 큰 눈동자가 거칠게 요동쳤다. 생각할 틈도 없이, 그녀는 다급한 손길로 방문을 밀어 열었다.

"홍주 낭자."

처연하게 흘러나오던 노래가 뚝 끊긴 자리엔, 그녀를 바라보고 있는 시열이 서 있었다.

"편히 주무셨소?"

"그 노래…….”

대뜸 입을 여는 홍주의 태도는 평소와 완연히 달랐다. 그녀의 입술이 바르르 떤다. 초조한 손가락은 치맛자락을 꽉 움켜쥔 채였다. 몹시도 낯선 모습에 시열의 눈이 둥그레졌다.

"그 노래 말입니다."

"내가 흥얼거린 노래 말이오?"

"예, 그 노래…… 어디서 배우셨습니까?"

"글쎄요? 흠…….”

시열이 기억 속을 헤집듯 인상을 살짝 찌푸렸다.

"기억이 안 납니다. 술자리에서 얻어 들은 게 아닐는지요."

"아…….”

홍주가 잘근 입술을 깨물었다.

"무슨 노래기에 그리 다급히 묻는 것이오?"

"…….”

"아는 곡조이기에 물은 것이 아닙니까?"

가민히 시열을 바라보고 있던 홍주가 고개를 끄덕였다. 그저 아는 것뿐이랴. 그 구슬픈 곡조는 그녀가 지난 사 년간 매일같이 그리워한 것이었다.

사 년 전 세상을 떠난 그녀의 정인, 현. 둘이 함께 저녁 길을 걸을 때마다 현이 나지막하게 흥얼거리던 노래. 사무치도록 듣고 싶었으나, 그이와 함께 영영 사라지고 말았다 여겼던 음률…….

202

"늘 불러 주시던 분이 계셨었지요. 예전에……."

그것은 방 안에 갇힌 무기력한 여인이 아닌 미소를 곧잘 짓던 아리따운 소녀의 이야기였다. 도란도란 말이 많던 사내와 혼인을 약조한 시절, 영원히 행복하자는 말을 속삭이던 때의 빛바랜 이야기.

홍주의 정인, 최현은 훈련원 봉사(奉事) 품계를 가진 젊은 무관이었다. 혼인을 앞두고 있던 사 년 전 어느 날, 그는 큰일을 맡았다며 홍주를 찾아왔었다. 일을 마치면 두둑한 사례를 받게 될 것이라고. 그것으로 고운 비단이며 장신구며, 무엇이든 다 사 주겠노라고.

그러나 혼례식 전날, 그는 선혈이 낭자한 참혹한 시신이 되어 돌아왔다.

"누가 불러 주던 노래인지 여쭤도 되겠소?"

저만치에서 고개를 들기 시작한 햇살 한 움큼이 홍주의 발치에 아롱아롱 비쳤다. 그러나 그녀가 사랑했던 그이는, 다시는 따사로운 햇빛 따위 보지 못하리라.

"이제는…… 세상에 아니 계신 분입니다."

그 말을 남긴 홍주가 다시 제 방 안으로 돌아갔다.

뒤통수 너머로 서서히 밝아오는 봄볕 속에, 시열은 홍주의 방을 바라보며 한참을 서 있었다.

"시열. 이 시각에 네가 웬일로 나와 있어?"

그로부터 반 시진 후, 해가 뜬 이른 아침. 평상에 앉아 상념에 잠긴 시열에게 유하가 말을 건넸다.

"어, 유하."

퍼뜩 정신이 돌아온 듯, 시열이 자리에서 벌떡 일어섰다.

"너답지 않게, 무슨 생각을 그리 깊이 하고 있어."

"그냥. 마음이 그렇네. 오늘따라 속이 갑갑하여……."

"무슨 일이라도 있는 게냐?"

"일은 무슨……."

그리 말하면서도, 시열의 입에선 땅이 꺼질 듯 깊은 한숨이 새 나왔다. 좀체 볼 수 없는 모습이었기에, 유하는 걱정스러운 눈으로 시열을 보았다.

시열은 늘 태평하고 여유로운 사람이었다. 생각이 지나치게 많았던 유하는 그런 시열의 모습이 부러울 때도 있었다. 그런 시열도 나름의 생의 무게를 짊어진 것일까.

동질감 때문인지, 유하는 문득 털어놓고 싶어졌다. 유하 제가 근래 마음에 지고 있던 묵직한 짐을, 잠깐이나마 내려놓고 이해받고 싶어서.

"시열. 사실 나도 요즘 마음이 영 싱숭생숭해."

"오직 과거 급제 하나만 보고 달려온 유하 도령 아니야? 싱숭생숭해할 틈도 없는 사람인 줄 알았구먼."

"그래서 더욱 그렇다는 것이다. 하여 나는 말이다……."

유하의 시선은 닫혀 있는 단오의 방문 언저리에 머물렀다.

"앞으로는 시간을 허비하지 않을 생각이다."

"시간을 허비하지 않는다고? 너처럼 시간을 꼼꼼히 아껴 쓰는 샌님이 또 어디 있다고."

"글공부하느라, 언제가 될지 모르는 먼 미래를 준비하느라……. 지금 중요한 모든 것들을 놓치게 될까 봐서. 이젠 종종거리며 사는 데 연연하지 않으려고."

"이게 뭐 개풀 뜯어 먹는 소리래. 네게 과거 급제 말고 달리 중요한 게 또 있간?"

"있지."

있고말고.

물 흐르듯 유하게 살아가는 것이 선비의 미덕이라 했던가. 그러나 그렇게 흘러 흘러, 끝끝내 강이 되고 드넓은 바다가 되면 무엇하랴. 먼 바다를 향해 흐르느라 소중한 것을 지나쳐 버린다면, 그것이 무슨 의미가 있겠는가.

"눈앞에 보이는 것을 흘려보내지 않으려고."

이미 조금 늦은 것 같지만, 적어도 훗날 먼 과거를 곱씹으며 후회하는 바보 천치는 되지 않으려고.

"멀거니 착한 선비 노릇을 하며 사는 것, 참 재미없다는 생각이 들어서 그래."

"너무 유하 도령 같지 않아서 황당할 지경인데. 뭐 괴상한 걸 처먹기라도 했나."

그새 평소의 모습을 되찾은 시열이 별일이라는 듯 중얼거렸다.

그때 문소리와 함께 단오의 방문이 열렸다. 신을 발에 꿰어 신은 그녀가 안뜰로 걸어 나왔다. 정수리 위로 쏟아지는 아침 햇살에 단오가 눈을 가느다랗게 찌푸렸다.

그 모습을 바라보고 있던 유하의 눈동자 역시 빛을 담고 일렁인다. 봄볕. 청아한 빛 한 줄기에 비친 여인의 모습이 늘 담담하던 그의 눈을 어지럽혔다.

"일찍들 기침하시었네요, 오라버니들."

"마침 잘 나왔다, 단오야. 오늘 노비라는 자에게 가는 게야?"

"예, 시열 오라버니. 오후에 출발할 생각이에요."

장태화는 과거 호성군의 노비였던 두 인물의 거처를 알려 주었다. 그중 화령은 이미 만났으니, 이제는 먹쇠라는 늙은 노비를 만나러 갈 차례였다.

"그런데 단오야, 어찌 그리 피로해 보이느냐."

걱정스럽게 묻는 유하를 보며, 단오는 어색한 미소를 지었다.

"아⋯⋯. 잠을 좀 설쳤어요."

"남촌까지는 제법 먼 길인데. 잠이라도 푹 자야 덜 피곤할 것을."

"다녀와서 쉬면 되지요. 이만 아침 준비하러 가 볼게요."

단오가 얼른 부엌을 향해 걸음을 떼었다. 간밤, 산과의 일을 떠올린 그녀가 잘근 아랫입술을 깨물었다.

잘 잤을 리가 있겠는가. 단오는 내내 밤잠을 설쳤다. 늦잠을 자는 것인지, 산의 방문 역시 여전히 닫혀 있었다.

단오처럼 산도 똑같았을 것이다. 날이 파르라니 밝도록 설레어 잠을 이루지 못했을 것이고, 간밤의 기억을 되새기고 또 되새기느라 밤을 하얗게 지새웠으리라.

날이 밝도록 끝내 잠은 찾아오지 않았다. 하지만 그래도 좋았다. 그들의 백야(白夜)는 그 어떤 잠보다 달콤하고 포근했기에.

* * *

먹쇠 할아범. 그것이 그 관노비를 부르는 이름이었다.

노인은 장님이었다. 그는 호성군과 식솔들이 몰살당하던 밤 눈을 잃었다. 여전히 얼굴 위에 선명한 붉은 흉터는, 그 밤이 얼마나 참혹했는지를 말해 주고 있었다.

"오 년쯤 전에 황구가 저를 찾아왔었습니다."

"황구가 누군가?"

노인의 곁에 몸을 당겨 앉은 단오가 물었다. 비록 눈을 잃었지만, 노인은 큰 체구에 기력이 정정했고 자세도 꼿꼿했다.

"설 도련님을 키운 유모의 서방 되는 도망노비입니다."

"서방이라 하면, 그 황구라는 자도 설 도련님과 함께 있었다는 뜻인가?"

"예, 설 도련님이 열넷이 되실 때까지 그놈이 곁에서 지켜봤다 했습니다."

그동안 이설의 자취는 다섯 살 어린아이 시절에 머물러 있었다. 단오와 선비들의 머릿속 이설은 흰 살결에 고귀한 생김새를 가진 어린아이의 모습이었다.

그러나 차근차근 발자취를 좇는 동안 이설은 나이를 먹었다. 이제 그는 다섯 살 어린애가 아닌 열네 살 소년으로 자라났다. 이 여정의 끝에서, 그들은 스무 살 청년이 된 이설을 마주치게 될 것이었다.

"할아범. 무엇이든 말해 주게. 내 하나도 놓치지 않고 잘 들을 것이야."

"예. 그럼 처음부터 말씀을 드리도록 하겠습니다요."

먹쇠 할아범의 초점 없는 희뿌연 눈동자가 먼 곳을 향했다. 그의 아득한 기억 속에 숨어 있는 이설. 그는 대체 어떤 모습으로 살아가고 있는 것일까……

"황구의 말에 의하면, 유성에 있던 그들은 도련님을 모시고 청주로 도망쳤다고 합니다."

"청주……"

단오가 되뇌었다. 청주. 요 근래 그곳에 대한 이야기를 어디에선가 들었던 것 같다.

"예. 하지만 청주에는 정말 잠깐 머물렀다고 했습니다. 이곳저곳 떠돌던 그들은 결국 설 도련님을 양자로 들여보냈다 했지요. 물론 신분을 숨긴 채 말입니다. 제 딴에는 그게 더 안전한 길이라고 믿었던 모양입니다."

"양자라면, 누구의 집에?"

"그것까지는 듣지 못했습니다. 그러나 양자로 도련님을 보낸 이후에도 근처에 살며 지켜보았다 했습니다. 도련님이 열네 살이 되실 때까지요."

"그 이후에는?"

"그 해에 유모가 병으로 죽었답디다. 황구 그 쳐 죽일 놈이 글쎄…… 마누라가 죽은 후 도련님마저 내팽개치고 패물을 들고 도망쳤다고 하지 뭡니까."

"아……"

기구한 운명. 다섯 살 어린아이이던 이설은 운명의 소용돌이에 휘말려 가족을 모두 잃었다. 이후 신분을 지운 채 누군가의 양자로 들어갔고, 그것도 모자라 그의 몫이 될 재산마저 도둑맞았다는 것인가.

"그렇다면 이후 이설은……."

"예, 황구 놈도 모른다고 했습니다."

"그 황구라는 사람은 어디 있는가?"

"모릅니다. 황구 놈이 찾아온 건 그날이 처음이자 마지막이었습니다."

입술을 깨물며 생각에 잠겨 있던 단오가 입을 열었다.

"그러하면, 그분의 생김새나 특징에 대해서 들은 것이 없는가?"

"어린 나이에도 키가 훌쩍 크셨다 했습니다. 아마도 그것은 집안 내력일 것입니다. 호성대군께서도 키가 훤칠하셨으니까요."

"그리고?"

"일찍부터 서책을 파고들었다 하였습니다. 어린 나이부터 글을 아주 잘지었다 하셨지요."

다섯 살에서 열네 살로 세월을 훌쩍 건너뛴 이설. 그러나 그 존재는 아직도 여전히 희미하기만 할 뿐이었다.

먹쇠 할아범의 이야기에, 화령이 들려준 단서들을 더해 본다. 키가 크고, 흰 살빛을 가졌고, 글솜씨가 뛰어나며 가마가 두 개 있는 선비. 그런 자는 한양 객주 어디에나 있을 것이었다.

멀리 갈 필요 없이 유하만 봐도 그랬다. 그 역시 모든 조건을 갖추고 있지 않은가.

"아아, 가장 중요한 것을 잊고 있었습니다."

"무엇인가?"

"설 도련님의 몸에 점이 있습니다요."

"점?"

단오가 되물었다. 노인이 고개를 주억거렸다.

"예. 그분의 허벅지에 붉은 점이 있다 했습니다. 그 점은 아버님께 물려

208

받은 것입니다. 호성대군께서도 같은 붉은 점을 가지고 계셨거든요.”

“그러하구나……”

그나마 이설에게로 반 발짝 가까이 다가간 기분.

“먹쇠 할아범.”

갑자기 시열의 목소리가 들렸다.

“예, 나리.”

“이야기를 듣고 있자니, 궁금한 것이 있어서 말일세……”

“예, 말씀하시지요.”

“이설 그자는, 본인이 호성군의 아들이자 왕가의 자손인 것을 알고는 있나?”

생각지 못한 질문이었다. 예기치 못한 가정에, 단오는 급히 숨을 급히 들이마셨다.

만일 그가 본인이 이설이라는 사실조차 모르고 있다면? 제 신분을 숨기려고 과거생으로 위장한 것이 아니라, 양갓집 도령의 평범한 삶을 좇아 과거생 신분으로 한양에 올라와 있는 것이라면…… 그를 찾는 여정은 더욱더 미궁 속으로 빠져드는 것이다.

“그것은……”

먹쇠 할아범이 텅 빈 눈동자를 끔벅였다.

“쇤네도 모릅니다요. 황구 놈이 설 도련님의 패물을 훔쳐 달아났다는 말을 하자마자 욕을 퍼부어 쫓아냈거든요.”

그렇게, 보일 듯 말 듯 모습을 드러냈던 이설의 그림자는 또 저만치 풀쩍 뛰어 멀어져 갔다.

“소득이 아주 없지는 않았어요.”

중촌으로 돌아가던 단오가 입을 열었다.

"그렇다 해도 여전히 뜬구름을 잡는 것이나 다름이 없어. 앞이 막막하구료."

시열의 말에, 단오가 고개를 끄덕였다.

"하긴. 어려서부터 키가 유난히 크고, 얼굴이 하얗고, 머리는 쌍가마에……. 이것들은 어차피 춘하관에서 들었던 이야기인데."

"할아범이 말해 준 게 하나 더 있긴 하잖아."

"아, 그랬죠. 하지만…… 허벅지에 있는 붉은 점이라니. 과거생을 찾아가서 덜컥 '바지를 벗어 보시오.' 할 수는 없잖아요."

단오의 말이 제법 우스웠던 듯 시열이 킬킬대며 웃음을 터뜨렸다. 산마저 입가에 옅은 웃음이 스친다. 그러나 유하만은 싸늘하게 굳은 표정으로 일행과 동떨어진 모양새였다.

"쌍가마라는 것도, 나도 쌍가마인 데다 유하 역시 그렇다고. 셋 중에 벌써 둘이 쌍가마를 가졌으니, 쌍가마 아닌 사람을 찾는 게 더 쉬울지도 모르겠네."

"나도 쌍가마야."

내내 그들의 말을 듣고 있던 산이 툭 내뱉었다. 시열의 한쪽 눈썹이 재미있다는 듯 움찔거렸다.

"어허, 우리 산 도령께서 장가를 두 번 가시겠구먼."

"왜 장가를 두 번 가요?"

"원래 다들 그리 말해. 쌍가마를 가진 사내는 혼인을 두 번 한다고 말이지."

"에이, 설마."

"왜 단오, 산이 혼인 두 번 하는 게 싫으냐?"

단오가 샐쭉해진 표정으로 맞받아쳤다.

"산 오라버니뿐 아니라 유하 오라버니도, 시열 오라버니도 좋은 사람이랑 딱 한 번만 혼인하셨으면 좋겠거든요."

"그러지 마. 나는 두 번, 아니 세 번은 혼인하고 싶으니. 본래 모든 일엔

연습이 필요한 법이라고.”

“그러시든가요.”

“그나저나 유하, 너는 어찌 그리 심각한 표정이냐. 누가 보면 초상이라
도 난 줄 알겠다.”

시열의 말에도 유하는 아무런 반응을 보이지 않았다. 그는 잔뜩 인상을
찌푸린 채 걸음을 옮길 뿐, 내내 말이 없었다.

“이봐, 유하!”

시열이 그의 어깨에 손을 얹는 순간, 유하가 거칠게 그의 손을 뿌리쳤다.

“치워라.”

“뭐야. 왜 이래?”

평소와는 확연히 다른 유하의 태도. 게다가 시열을 바라보는 유하의 눈
빛은 무슨 이유인지 잔뜩 날이 서 있었다.

“날 좀 내버려 두라고!”

“뭐?”

유하가 시열을 쌩하니 지나쳤다. 시열은 얼빠진 표정으로 그의 뒤통수
를 보고 있었다.

“쟤, 왜 저래?”

“글쎄요……. 먹쇠 할아범네서 나온 이후부터 내내 아무 말이 없긴 했
는데…….”

“허, 참.”

잔뜩 무안을 당한 기분이라, 시열은 부채를 펼쳐 달아오른 얼굴을 식혀
야만 했다.

“미치광이의 법칙이 이뤄진 거야.”

“그게 뭐예요?”

“본래 어느 집단이든 미치광이 하나쯤은 있기 마련이라는 법칙이지. 이

화원 미치광이였던 강산이 고분고분해지니까, 이제 유하가 새로운 미치광이로 등극한 거라고."

"무슨 소리야. 여기서 제일 미치광이는 당연히 넌데."

산의 면박에, 시열이 고개를 절레절레 내저었다.

"아아, 제발 부탁이니까 산 너만이라도 지금은 얌전히 있어 줘. 유하까지 저러니, 나처럼 소심한 이는 어디 무서워서 살 수가 있나."

처량한 표정으로 중얼거리는 시열을 보던 산이 피식 웃었다. 이내 시열은 휘휘 걸음을 재촉해 저만치 앞서가기 시작했다.

산과 나란히 걷게 된 단오가 어색하게 시선을 돌렸다. 깊은 밤, 허물어진 마음 틈새로 흘러나왔던 말들이 다시 기억났다. 그러나 훤한 대낮에 그것을 다시 떠올리는 건 조금쯤 부끄러운 일이었다.

"평소답지 않게……. 유하 오라버니께서 대체 왜 저럴까요?"

조용히 걸음을 옮기던 단오가 무겁게 입을 떼었다.

"글쎄다. 뭐, 지겨워졌나 보지. 저 녀석이라고 평생 반듯하기만 하란 법 있을까."

"영 딴사람 같아서요. 꼭 산 오라버니 같네."

"내가? 내가 저런다고?"

"그럼 아닐 것 같아요?"

단오가 배시시 웃음을 지었다. 그 웃음 덕일까. 다소 어색하게 느껴지던 그들 사이의 공기는 훨씬 가벼워졌다. 그러나 이내 단오는 낮은 한숨을 내쉬었다.

"막막해요. 어디서부터 손을 대야 할지……. 찾아다니고는 있는데, 딱히 진짜다 싶은 단서는 보이지 않는 거 같고."

"아무 걱정 하지 마라."

"어찌 걱정을 아니해요?"

제 일이 아니라고 혹여 대수롭지 않게 여기는 것일까. 정신없는 며칠을 보내느라 잠시 밀어 두었을 뿐, 단오에게 이화원은 반드시 지켜야만 하는 소중한 곳이었다.

"내 반드시 찾아 줄 것이니."

"오라버니가 무슨 수로……."

"단오야."

"예?"

"나를 믿어."

어쩐지 든든하게 느껴지는 확고한 말. 그에 홀리기라도 한 듯 그녀가 고개를 끄덕였다.

"말만이라도 고마워요, 오라버니."

그들의 시선이 마주쳤다. 저물어 가는 주홍색 노을이 그녀의 눈 안에 담겨 있었다. 그 안에 들어찬 산의 얼굴이 엷은 미소를 지었다.

"원래부터 이렇게 잘 웃는 사람이었어요?"

"그럴 리가."

네 앞에서만. 오직 네 앞에서만 보이는 웃음일 것이다.

보잘것없는 마음 안에 찾아든 그녀가 씨앗이 되어 파릇한 싹을 틔웠을 것이다. 그리하여 끝끝내 꽃으로 피어났을 것이다…….

"어허! 요것들 봐라."

앞서가던 시열이 뒤를 돌아보며 냅다 소리를 질렀다.

"어찌 그리 둘이 딱 붙어 걷고 있는 게야?"

"신경 끄시지."

"안 되겠다."

이내 걸음을 돌려 다가온 시열이 산과 단오 사이로 우악스레 끼어들었다.

"좌측에 산, 우측에 단오! 이렇게 걸으니 마음이 정말이지 평화롭구나."

퍽이나 재밌다는 듯, 시열이 껄껄 웃음을 터뜨렸다.

타박타박 셋의 발걸음이 경쾌한 남촌. 시열을 가운데 두고 떨어져 걷는 산과 단오의 머리 위로 해가 기울고 어스름이 내렸다. 홍매색 노을 위로 스며드는 푸른 저녁. 두 색이 섞여, 미처 깨닫지도 못한 새 하늘은 보랏빛으로 물들었다.

그 속을, 산과 단오는 따로 또 같이 걷고 있었다.

저녁을 맞아 부산해진 춘하관. 화령이 반야의 방문을 열었다. 반야는 몸단장 중이었다. 뽀얀 백분 가루가 문틈으로 들어온 바람을 타고 자욱하게 흩날렸다.

"반야, 장태화 영감께서 오실 때가 되었다. 얼른 마치고 나오너라."

"알았어요, 행수."

"그나저나, 대체 무슨 일이기에 낮 시간마다 쏘다니는 것이냐?"

"행수는 몰라도 돼요."

"말버릇하고는……."

반야는 춘하관 안에서도 가장 다루기 까다로운 기생이었다. 반야는 양반 출신인지라 쓸데없이 콧대가 높았고, 같은 이유로 동료 기생들과도 어울리지 않았다. 거기다 장태화의 눈에 든 이후 그녀의 태도는 점점 더 방자해지고 있었다.

"판관 영감께서 부탁하신 일이라 가만두고 있기는 하다만……. 그래, 영감께서는 뭐라고 하시더냐? 널 첩으로라도 들어앉혀 주신다고 약조하시더냐?"

"첩이요?"

반야가 배죽 입술을 내밀었다.

"누가 나이 든 영감 첩 따위 되고 싶대요?"

"기생에게 그 이상 좋은 것이 어디 있다고. 그리 콧대를 세우다가 영감에게 내쳐질 것을."

"행수 좋을 대로 생각하시어요."

화령이 한숨을 내쉬며 자리를 떠난 후. 입술에 연지를 문질러 바르던

214

반야가 나지막하게 중얼거렸다.

"내가 언제까지 이런 기생년일 줄 아나."

묘한 미소를 지으며, 반야는 장태화의 약조를 떠올렸다.

'판관 영감. 절더러 뭘 하라고요?'

'이화원에 단오라는 여인이 있다. 그 여인의 마음을 얻어라. 벗처럼 가까이 지내라는 뜻이다.'

'영감도 참……. 양갓집 여인이 미쳤다고 기생이랑 벗이 됩니까?'

'내 두둑한 보상을 걸겠다. 그래도 하기 싫으냐?'

'어떤 보상을 하실 건데요?'

'너를 기적(妓籍)¹³⁾에서 빼내 주겠다. 네 신분을 되찾게 해 주겠다는 말이다.'

기생이 된 이래, 반야가 단 한 번도 버리지 않았던 꿈. 그건 자유인이 되고야 말겠다는 욕망이었다.

그러니 무슨 일이 있다 해도 반야는 장태화의 뜻에 따를 것이다. 그게 당연했다. 단장을 마친 반야의 입가에 흡족한 미소가 감돌았다.

"대비마마의 의중이 어떠신지 궁금합니다."

춘하관의 내실. 마주 앉은 장태화와 좌의정 신운호 사이에 밀담이 오가고 있었다. 연거푸 술잔이 비었다. 술병을 든 반야의 손이 분주히 움직였다.

"대비께서는 여전히 아무 말씀이 없으십니까?"

"어허, 어찌 함부로 입을 놀리는 게냐."

반야의 존재가 거슬린 듯, 신운호가 불편한 내색을 했다.

"이 아이는 괜찮습니다, 좌상 대감."

"말조심을 해야 할 것이야."

"함부로 입을 놀리는 그런 들병이나 창기와는 출신부터 다른 아이입니

---

13) 기생의 명부.

다. 제 사람이니, 믿으셔도 됩니다. 반야. 말해 봐라. 그렇지 않느냐?"

장태화의 물음에, 반야는 살며시 눈을 내리깔았다.

"기생을 일컬어 해어화라지 않습니까. 소녀 역시 말을 알아들을 뿐, 입 밖으로 낼 줄은 모르옵니다."

다소곳이 손을 모은 반야가 좌의정의 빈 술잔을 채웠다. 맑은 금빛 액체가 찰랑거렸다.

"흐음……."

반야를 지그시 바라보던 좌의정이 시선을 거뒀다.

"통 무슨 생각을 하고 계시는지 모르겠네. 결단이 필요한 시기이거늘……. 그러나 대비께 함부로 종용을 할 수도 없으니, 그저 우리는 그자를 찾는 데 집중하는 수밖에."

"하여, 대감. 소인 잠시 휴직을 할 생각입니다."

"그리하게. 중요한 일 먼저 처리하는 것이 우선일 테니."

"예, 화령을 시작으로 하여 처음부터 되짚어가려 합니다."

춘하관의 행수, 화령의 이름이 나오는 순간 반야의 눈빛이 설핏 반짝였다. 그러나 이내 그 빛은 다시금 순진한 여인의 모습으로 꼬리를 내렸다.

"자네, 호성군 생전에 화령이 아이를 낳았던 것을 알고 있나?"

"알고 있지요. 화령도 굳이 감추려 들지 않는 이야기인 듯합니다만……."

"한때 은밀히 돌던 소문이 있었네."

"무엇입니까?"

탁- 좌의정이 술잔을 내려놓았다. 잔을 채우기 위해 반야가 무릎을 세웠다.

"잠깐 나가 있거라, 반야."

호리병에서 쪼르르 흘러내리던 금빛 줄기가 뚝 그쳤다.

"예, 알겠사옵니다, 대감."

반야가 조용히 뒷걸음질로 방을 벗어났다. 문이 가만히 닫히자 좌의정이 말을 이었다.

"대사헌을 지냈던 정헌 대감을 기억할 것이다."

"당연히 기억하다마다요."

"그 대쪽 같은 양반이 늘그막에 바깥에서 서자를 낳아 왔지. 그 당시 정헌 대감이 매일 들락거리던 곳이 어딘지, 감이 오는가?"

"그분은……. 호성군과 친분이 아주 두터웠었지요."

"그래."

좌의정이 허허 너털웃음을 지었다. 그러나 그 눈만은 노련한 늙은 매의 그것처럼 날카로운 빛을 띤다.

"내 조만간 대비마마를 뵈올 참이야. 그사이 자네는 화령을 구슬려 보게. 분명 더 나올 것이 있을 터이니."

장태화는 깊은 상념에 잠겨 대답하지 않았다.

"장 판관, 알겠는가?"

"예예, 대감."

장태화가 다급히 머리를 주억거렸다. 그러나 그의 머릿속에는 오직 한 사내의 얼굴만이 아른거릴 뿐이었다.

그는 이미 정헌 대감의 서자를 만난 적이 있지 않은가. 말간 얼굴, 껑충한 키. 단오를 따라왔던 그는, 정유하라는 이름을 가지고 있었다.

"반야, 들어와도 되느니라."

좌의정의 우렁찬 목소리가 들려왔다. 가만히 문에 귀를 대고 있던 반야가 화들짝 놀라 한 걸음 뒤로 물러났다. 그녀가 급히 표정을 가다듬었다.

다시금 말을 알아듣되, 입 밖으로 내지 않는 해어화가 된 그녀가 내실로 걸어 들어갔다.

"자네들, 나한테 뭐 숨기는 거 있지?"

저녁 식사가 한창인 이화원. 육호가 던진 한마디에 일순간 좌중이 조용해졌다.

"숨기다니요? 저희가 뭘 숨겼다!"

썹던 음식을 꿀꺽 삼킨 시열이 다급히 대답했다. 하지만 입에서 나온 말의 아귀가 영 맞지 않고 이상했던 터.

"제 말은, 저희가 숨기긴 뭘 숨기냐는 말입니다, 아재."

"흐음……."

육호가 미심쩍은 표정으로 선비들을 훑어보았다. 요즘 들어 단오와 선비들의 외출이 부쩍 늘었다. 성실하기 그지없던 유하마저, 육호가 내준 과제를 차일피일 미루는 중이었다.

"혹시 이화원과 관련이 있는 일인가?"

육호가 넌지시 물었다. 그러나 시열은 꿀 먹은 벙어리가 된 듯 고개만 흔들 뿐이었다.

"돈을 변통하러 다니고 있습니다, 아재."

그 광경을 바라보고 있던 산이 마지못한 듯 끼어들었다.

"돈?"

"예. 저희가 이화원에 도움이 될까 해서요."

"그것도 원…… 한두 푼이어야 도울 엄두가 나지 않겠나."

"미리 돈을 좀 쥐여 주고 시일을 늘려 달라 하거나, 이자를 탕감해 달라고 부탁해 볼 생각입니다."

"아, 그런 방법이 있었군."

육호가 고개를 끄덕거렸다. 이내 그가 입을 열었다.

"내 가진 것은 얼마 없으나 조금이나마 힘을 보태도록 해 봄세. 변통이 되면 즉시 말을 해 주게나."

"예, 그리하겠습니다, 아재."

육호가 어깨를 으쓱하며 자리에서 일어났다. 때마침 다가오는 단오를 육호는 안쓰러운 눈으로 바라보았다.

"아재, 어찌 그런 눈으로 보세요?"

"으응. 아니다, 아니야."

짐짓 헛기침을 하며 육호는 방으로 쓱 들어가 버렸다. 고개를 갸우뚱하던 단오가 분주히 상을 치우기 시작했다.

"너, 산 맞아?"

"뭐?"

"너, 정유하지?"

"미친놈."

"아니야, 정말로 수상해. 너희들 구미호한테 홀렸다거나, 도깨비랑 내기를 했다거나 해서 넋이 뒤바뀐 거 아냐?"

"뭔 또 말 같잖은 소리냐."

그러나 시열은 여전히 의심스러운 눈초리를 거두지 않았다.

과거생들은 돈을 내고 묵는 손님이었기에, 당연히 밥상을 치우는 건 단오의 몫이었다. 그렇지만 유하는 거의 매번 단오의 일을 도왔다.

하지만 유하는 밥술을 뜨는 둥 마는 둥, 식사를 마치자마자 제 방으로 사라져 버렸다. 그리고 늘 불퉁대던 산이 그 자리에서 밥공기며 찬기를 덜그럭대는 중이고…….

"불쌍한 강산……. 아니, 유하가 백배 더 불쌍해! 저런 자식이랑 혼이 뒤바뀌다니. 백골이 진토 되어 넋이라도 있고 없고……."

주절거리는 시열의 어깨를 툭 밀친 산이 제 방으로 모습을 감췄다.

그 뒤에 남아 평상 위를 정리하던 단오가 굳게 닫힌 유하의 방문을 바라보았다. 대체 무슨 일인지 유하는 종일 잔뜩 심각한 표정이었다. 결심한 듯, 단오는 그의 방을 향해 걸어갔다.

유하는 단오에게 큰 나무 같은 사람이었다. 힘든 일이 있을 때마다 그늘을 내어 주고, 의지할 기둥이 되어 준 그였다. 내내 받기만 했던 마음, 한 번은 돌려줘야 하지 않겠는가.

"유하 오라버니."

단오가 그의 이름을 불렀다. 인기척과 함께 찾아온 잠깐의 기다림. 이내 방문이 한 뼘만큼 열리며, 그 사이로 유하의 하얀 얼굴이 보였다.

"무슨 일이야?"

"오라버니야말로…… 무슨 일 있어요?"

대답 대신, 유하는 단오를 물끄러미 쳐다보기만 했다.

"오늘 하루 종일 말도 없고, 꼭 큰일이라도 난 사람처럼……."

단오가 말꼬리를 늘였다. 저를 쳐다보는 유하의 눈빛이 오늘따라 낯설게 느껴졌다.

"이상하게……."

그가 쓴웃음을 지었다.

"마음이 영 오르내리는 것이."

"불안하게…… 왜 그래요, 오라버니."

"오늘은 그냥 내버려 둬, 단오야."

단오가 고개를 끄덕였다. 아무래도 오늘 유하에게는 혼자만의 시간이 필요한 모양이었다.

"주무세요, 오라버니."

"단오야."

"예?"

"고마워."

단오가 엷은 미소를 지었다. 그녀가 손을 뻗어 유하의 팔 언저리를 두어 번 토닥였다.

"고맙기는요. 힘이 못 되어서 미안해요, 오라버니."

"그렇지 않아."

닫히는 방문 틈새에 그녀의 뒷모습이 담긴다. 그 길쭉한 사각의 틀. 점점 멀어져 가는 단오의 모습을 유하는 바라보고 있었다.

이화원에 찾아든 이래, 단오는 늘 그에게 위로가 되어 주는 존재였다. 그녀가 있기에 그의 마음에는 빛이 꺼지지 않았다.

그러나 이 순간만큼은, 단오는 그 어떤 위로도 되어 주지 못한다. 그를 짓누르는 상념의 끝에 위치한 것이 단오 그녀이기 때문이었다.

밤이 깊어지자마자 이화원은 곧 고요해졌다.

육호는 일찍 잠자리에 드는 사람이었다. 선비들도 평소보다 이른 시각 각자의 방으로 모습을 감췄다. 남촌까지 제법 먼 길을 걸어와 모두 고단한 탓이었다.

그리하여, 적막한 이화원 안에 깨어 있는 이는 오직 둘뿐.

산은 제 방 툇마루에 앉은 채, 단오의 방을 보고 있었다. 여전히 불이 꺼지지 않은 그녀의 방. 그 따스한 노란 불빛은 마치 신호처럼 보였다. 그가 그렇듯 단오도 잠들지 못하고 있노라고. 마음 한편에 남아 있는 지난 밤의 감정들을 털어내야 잠이 올 것 같다고.

이윽고 단오의 방문이 살그머니 열렸다. 그녀가 가만가만 툇마루로 나왔다. 잔잔한 달빛 물결이 감도는 이화원의 안뜰을 사이에 두고, 열 발짝 남짓 떨어진 그들이 서로를 바라보았다.

"안 자?"

"그러는 오라버니는요?"

"영 잠이 오지 않아서."

어찌 잠이 올까. 이토록 아리따운 꽃 한 송이가 종일 눈앞을 어지럽히거늘.

"별이 참 많다."

산이 밤하늘을 올려다보며 중얼거렸다.

"별, 하나도 안 보이는데."

"으음?"

오늘따라 하늘에 먹장구름이라도 깔린 걸까. 밤마다 으레 쏟아지던 별들이 죄다 어디로 숨어 버렸는지 모를 노릇이다.

머쓱해진 산이 단오의 발치로 시선을 떨어뜨렸다. 한가로이 흔들리는 새하얀 버선발. 풍경도, 공기도, 단오의 모습마저도 평화로운 밤, 평화롭지 못한 건 오직 사내의 마음뿐이다.

"내가 나오길 기다렸으면서, 별 핑계를 대는 건 아니시고요?"

"으음……."

정곡을 찔렸다. 산의 입에서 대답 대신 작은 웃음이 터졌다.

"오라버니."

"응?"

"할 말 없어요?"

"할 말……."

"없으면, 들어가서 자려고요. 시간이 늦었어요."

사내의 마음에 불을 지펴 놓고서, 저리 순진한 표정을 짓고 있다니. 산은 속절없이 또 웃었다. 단오의 입에서 나오는 말을 들을 때마다 웃음이 나는 걸 어찌하겠는가.

"약조할게."

"무엇을요?"

갑자기 튀어나온 그의 말. 단오가 무슨 의미냐는 듯 눈을 동그랗게 떴다.

"어제 네가 그리 말했지 않으냐. 네게 진심이라는 내 말이 거짓이라면, 용서치 아니한다고."

산이 슬그머니 먼 하늘을 바라본다.

"맹세한다. 내 말, 절대 거짓이 아니라고."

산의 마음을 들었다 났다 하는 것도 잠시. 단오는 대답을 하지 못했다.

저고리 옷섶 깊숙이 두근두근 심장이 박동한다. 산에게 그 소리가 들릴까 봐서, 단오 역시 처마 위로 눈을 돌렸다. 오늘따라 유난히도 달이 밝았다.

보름달 주변으로 퍼져 나가는 달무리가 켜켜이 빛의 계단을 만드는 밤. 그 따뜻한 금물결 속, 흩뿌려진 조각구름들이 어룽더룽 수놓아진 밤. 이윽고 그 달빛에 가려 내내 숨어 있던 별들이 하나둘 솟아났다.

"참 이상해요."

"뭐가?"

"얼마 전까지만 해도 산 오라버니는, 그저 산 오라버니일 뿐이었는데."

늘 퉁명스럽고, 좀처럼 곁을 내주지 않고, 주변에 높다란 담장을 치고 있는 사람. 분명 산은 그런 사내였다.

"지금 여기 있는 산 오라버니도 그때랑 똑같은 산 오라버니일 뿐인데……. 그저, 제 마음이 변한 걸까요?"

산이 단오를 바라본다. 그의 심장이 고동쳤다.

"내 마음이 달라졌기에, 오라버니가 이리 달리 보이는 걸까요?"

한 줄기 따뜻한 바람이 불었다. 불어오는 바람 겹겹이 달빛이 스며들어, 밤공기마저 반짝반짝 빛이 났다.

"달라졌느냐, 네 마음?"

밤하늘을 올려다보던 단오가 고개를 끄덕였다. 왜 이제야 깨달았을까. 산이 변한 것이 아니다. 달라진 건, 산이 아닌 그녀의 마음이었다.

"달라졌나 봐요."

"언제부터?"

단오가 말간 눈으로 산을 바라보았다. 수줍었다. 이미 볼은 발갛게 달아올라 열이 오르는 듯 화끈했다.

그러나 긴 시간 동안 다가올 듯 말 듯 제 곁을 무심히 맴돌기만 한 산이 아닌가. 조금쯤은 그를 놀려 줘도 좋지 않을까.

"지금부터."

산이 무거운 입을 열어, 마음속에 제가 있다고 말해 준 순간부터.

산의 입가에 미소가 번졌다. 그는 문득 단오의 질문을 떠올렸다. 언제부터 이리 잘 웃는 사내였냐고 그녀는 물었었지. 그것은 아마 지금부터, 마음속의 빗장을 걷어 낸 이 순간부터일 것이다.

"단오야. 네 마음에는 누가 있어?"

"내 마음에는……."

단오는 쉽게 답을 주지 않고 뜸을 들였다. 눈을 깜빡이던 그녀가 저를 물끄러미 바라보는 산과 지그시 시선을 맞추었다. 산이 쑥스러운 듯 옅게 웃었다.

"……나를 홀리려고 해도 소용없다."

굳이 그러지 않아도, 이미 그녀에게 잔뜩 홀려 버려서 정신을 차리지 못하는 그였다. 배시시 웃는 단오의 얼굴이 쿵쿵 마음에 낙인을 찍는 것 같았다.

"내 마음엔, 오라버니가 있어요."

"그래, 그럴 줄 알았어."

"에이, 거짓말."

"그래. 거짓이야. 나는 지금에서야…… 비로소 알았다."

그래서 거짓 같은 이 순간은 더욱 믿기지 않는다. 산은 문득 궁금해졌다. 이것이 정녕 현실일까. 손끝에 닿으면 스르르 스러지고 말, 봄날 아지랑이 같은 꿈이 아닐까.

툇마루에서 가볍게 뛰어내린 산이 성큼성큼 단오를 향해 걸음을 옮겼다. 몇 걸음 되지 않던 둘 사이의 거리는 금세 좁아졌다.

산은 팔을 뻗어, 내내 검을 벗 삼던 거친 손안에 단오의 얼굴을 가두었다. 행여나 여린 볼 위에 생채기가 날까 싶어, 그는 긴장으로 움찔대는 손끝을 가만히 억눌렀다. 산의 심장은 당장이라도 가슴팍을 뚫고 나갈 듯 요동치고 있었다.

저를 올려다보는 단오의 까만 눈동자에 밤빛이 비쳤다. 밤하늘을 흐드러지게 물들인 달빛이 담기고, 파르라니 솟아난 별빛이 담긴다.

"잊지 마라."

"무엇을요?"

"내 마음. 네게 주었다."

그러니 잊지 마라. 내 마음의 주인이 너라는 것을.

"잊지 않을게요, 오라버니."

산은 그것이면 족했다. 지금 이 순간이 꿈이 아니라 현실임을 깨닫는 것만으로 충분했다. 산이 천천히 단오의 얼굴에서 손을 떼었다.

"이만 자. 밤이 늦었다."

"예, 오라버니."

툇마루에 앉아 있던 단오가 몸을 일으켰다. 방을 향해 돌아서려던 그녀가 잠시 멈칫했다.

"산 오라버니."

"할 말이라도 남았어?"

"으응."

단오가 고개를 끄덕였다.

"무슨 말?"

산을 물끄러미 보던 단오가 눈을 내렸다. 유난히 긴 속눈썹 위에 달빛이 내려앉았다.

"말해 보아라. 무슨 말이기에 그르느냐."

시선을 떨군 채 머뭇거리던 단오가 천천히 고개를 들었다. 둘의 시선이 부드럽게 얽혀 들었다.

"오라버니⋯⋯."

이대로 그냥 보내기엔 달빛이 너무 산들거려서. 이대로 돌아가 잠을 청하기엔, 쏟아지는 별빛이 너무나 푸르러서⋯⋯.

"되바라진 애라고 야단칠 거예요?"

"대체 무슨 말을 하려고⋯⋯."

산이 말을 채 끝내기도 전에, 단오의 입술이 그의 입술 위에 살며시 포개졌다. 밤이 내리고, 별빛이 내렸다. 아직은 서툰 연모의 마음을 담은 입술이 지그시 맞닿았다. 바르르 떨리는 입가를 서로의 입술로 가만가만 쓰다듬었다.

따뜻한 숨이 오고 간다. 오직 둘만이 존재하는 듯한 세상 속에서 서로의 마음을 삼키고, 다독이고, 어루만졌다.

하여 그들이 입 안에 머금은 것은, 입술이 아니라 마음일 것이었다.

"하⋯⋯."

거칠어진 숨을 고르던 산이 단오의 볼을 쓰다듬었다. 이런 것이던가. 단오와의 입맞춤은 산의 예상과는 완전히 달랐다.

지금껏 단 한 번도 상상해 본 적 없는 감촉이었다. 오래전 봄밤, 단오가 그에게 남긴 기억과는 또 다른 세상. 입 안에 녹아든 달콤한 맛이 선명하게 남아, 영영 사라지지 않을 것만 같았다.

산은 팔을 뻗어 단오를 품에 꼭 끌어안았다. 심장이 터질 것만 같다.

"단오야."

단오야, 단오야. 조급함이 담긴 산의 목소리는 낮게 잠겨 있었다. 욕심 부리지 않기 위해, 그는 마음을 다스렸나. 이러다 정녕 큰일이 날지 모르겠다는 생각이 들었다.

"밤이 늦었어."

끄덕. 단오가 대답 대신 고개를 위아래로 움직였다. 발갛게 물든 그녀의 뺨을 아쉬운 듯 어루만지던 산은, 끝내 참았던 말을 꺼내고야 말았다.

"내, 너를⋯⋯."

이미 오래전부터.

"연모해 왔어."

네가 생각하는 것보다 훨씬 긴 시간 동안, 내 너를 정히 연모해 왔다⋯⋯.

"사실⋯⋯."

단오가 조그맣게 속삭였다.

"알고 있었어요."

그렇게, 사내는 봄을 살게 되었다.

그리하여, 소녀는 여인이 되었다.

산은 새벽 일찍 잠에서 깨었다. 문밖에서 이름 모를 새소리가 들려왔다. 얕은 잠을 잔 탓인지 나른한 졸음이 쏟아졌다.

다시 눈을 감을 때, 까맣게 차오른 어둠 속에 떠오르는 해사한 얼굴 하나.

"단오."

그가 작은 소리로 되뇌었다.

꿈이었나. 정녕, 꿈이 아니었나. 산이 쓱- 제 아랫입술을 문질렀다. 아무것도 하지 않았음에도 목덜미에 찌릿하게 소름이 돋았다.

산이 고개를 들어 문밖을 바라보았다. 동이 트기 시작한 창밖에는 서서히 푸른빛이 밀려들지만 그는 여전히 꿈속을 헤매는 것 같다. 살갗에 닿은 평범한 솜이불의 거칠한 감촉마저 구름 위를 노니는 듯 폭신했다.

그는 지금껏 누구도 연모해 본 적 없었다. 누구에게도 정을 준 적 없었다. 그렇기에 지금의 감정 역시 어찌 다스려야 하는지 잘 알지 못했다. 고즈넉한 아침과는 조금도 어울리지 않게, 그의 심장은 주먹으로 쿵쿵 두드리기라도 하듯이 뛰고 있었다.

몸에 감겨드는 이불을 휙 걷어 낸 산이 자리에서 일어났다. 꿈과 현실의 경계를 모호하게 만들던 잠 역시 함께 달아났다. 머리맡에 개켜져 있는 옷을 꿰어 입은 산이 장검을 들고 방을 나섰다.

이내 눈에 들어오는 단오의 방. 애써 시선을 거두며 이화원을 벗어나던 그가 손으로 이마를 짚었다. 이마는 뜨겁기는커녕 서늘하기만 한데, 어찌 이리 열이 오르는지 모를 일이었다. 들끓어 오르는 열기를 가라앉혀야만 했다. 그렇지 않았다간, 종일 미친놈처럼 실실거리다가 다른 이들에게 마음을 들키고야 말 것이다.

산은 조급하게 이화원을 벗어났다. 간밤, 그와 단오의 포개진 입술 위로 쏟아지던 별빛을 그리면서.

"일어났냐."

안뜰로 들어서는 유하를 본 시열이 심드렁하게 인사를 건넸다. 어제 일로 인한 앙금이 남은 탓이었다.

산에게 면박을 당하는 건 시열에게 일상이나 다름없었다. 오히려 산과 투덕거리는 것을 굉장히 재미난 일이라고 생각하는 그였다. 그러나 상대가 유하라면 이야기가 달라지는지, 시열은 그답지 않게 데면데면하게 굴었다.

"시열."

걸음을 멈춘 유하가 차분히 입을 열었다.

"어제 일, 사과할게. 미안하다."

"아니 대체 왜 그랬던 거야? 이유나 좀 들어 보자."

시열이 기다렸다는 듯 목소리를 높였다. 유하가 민망한 웃음을 지었다.

"나도 잘 모르겠어."

"허, 그게 대답이 돼? 바락바락 성질을 잔뜩 부려 놓고서는……."

"그냥 요새 마음이 영 편치 않아서 그랬어. 용서해라."

"너, 정말 무슨 일 있는 거 아냐?"

"일은 무슨……."

"유하, 너 혹시……."

유하를 가만히 노려보던 시열이 물었다.

"단오 때문에 그러냐?"

"뭐……."

"망설이는 걸 보니, 정녕 그런가 보구나?"

"아니야. 단오 때문에 내가 마음 쓰일 일이 뭐 있다고."

그러나 제가 느끼기에도 영 어색한 말투라, 유하는 부러 말을 돌리려는 듯이 산의 방문을 바라보았다.

"산은 여태 자나?"

"산이야 자든 말든, 그게 중요한 게 아니고……."

시열이 부루퉁하게 내뱉은 순간이었다.

"산이는 일찌감치 나갔네."

뒷짐을 진 육호가 어슬렁어슬렁 안뜰로 들어섰다.

"무슨 일이 있는 겐지, 내내 뭐 마려운 강아지처럼 안뜰을 오락가락하다가 일찍 나갔네."

"어디를요?"

시열의 반문에 육호가 귀찮다는 듯 콧방귀를 뀌었다.

"산이 내게 어디 간다, 온다 보고하는 위인인가. 일찍 나갔으니 수련이나 하러 간 거겠지."

육호가 말을 마치자마자 대문이 슬쩍 열렸다.

"이제 돌아오는가 보구먼."

혼잣말을 하던 육호가 눈을 가느다랗게 찌푸렸다. 대문간에 서 있는 이가 산이 아닌 낯선 소년이었기 때문이었다. 순간 유하가 자리에서 벌떡 일어났다.

"유하 도련님, 안녕하시어요."

소년은 유하의 본가에 딸린 몸종이었다. 안뜰에 싸늘한 긴장감이 맴돌았다.

"무슨 일이냐?"

"도련님. 어서 본가로 가셔야겠습니다요. 마님께서 위독하십니다. 어서 채비를 하시어요."

"하아……."

산이 거친 숨을 몰아쉬었다. 폐가의 툇마루에 털썩 주저앉으며, 그는 이마에 흐르는 땀을 닦아 냈다.

산은 새벽같이 폐가를 찾아왔고, 쉴 새 없이 검을 휘둘렀다. 몸을 혹사한 덕에 몸 안에서 들끓던 열기는 한결 식은 상태였다. 땀에 젖은 그의 상체에서 김이 솟아올랐다. 하지만 여전히 충분치 않았다.

다시 한번 검을 들던 산이 멈칫했다. 멀찍이서 들려오는 발소리, 그리고 이내 반쯤 떨어져 나간 폐가의 문이 열렸다.

"아침부터 기운이 아주 남아도네, 남아돌아."

한가롭게 부채질을 하며 나타난 것은, 다름 아닌 시열이었다.

"여긴 뭣 하러 왔어?"

"새벽부터 나무토막 패대치는 소리가 이화원까지 들려서 한번 와 봤다."

"가라. 방해된다."

땀을 닦으며, 산은 시열로부터 몸을 돌렸다. 그 모습을 보던 시열이 장난기가 동한 듯 이죽거렸다.

"하여간에 그놈의 유세. 대체 그깟 검 좀 다루는 게 무슨 벼슬이라고 그리 불퉁거린담."

"뭐?"

"제대로 검 다루는 건 맞냐? 오밤중에 자객에게 후려 맞고 초주검이 되질 않나……. 나무토막 두드리는 게 무사라면, 나도 무사라고 해도 되겠구먼."

"그럼 해 보든가."

갑자기 산이 시열의 손에 턱, 검을 쥐여 주었다. 시열의 얼굴에 멍한 표정이 떠올랐다. 그가 제 손에 어설프게 쥐어진 장검을 내려다보았다. 산이 매일같이 애지중지 갈고 닦은 검날이 햇빛을 받아 번쩍거렸다.

그러나 다음 순간, 쨍그랑! 하는 요란한 소리와 함께 시열은 장검을 바닥에 내동댕이쳤다.

"이, 이런 걸 나한테 왜 주는 거야. 무, 무, 무섭게!"

정말로 큰일 날 물건을 만지기라도 한 것처럼 시열이 요란스럽게 손을 털어 냈다.

"너도 무사라며?"

"말이 그렇다는 거지! 아우, 저 꽉 막힌 놈."

시열을 흘겨본 산이 바닥에 떨어진 장검을 주워 들었다. 그가 흙먼지가 묻은 검 자루를 조심조심 닦아 냈다.

"그나저나…… 유하에게 일이 좀 생겼어."

"일?"

"조금 전에 집으로 본가에 있는 몸종이 찾아왔어. 어머님이 위독하신 모양이더라고."

"흠……."

"어제 그렇게 날카롭게 군 것도 그래서였나 봐. 괜히 미안하더라. 그런 일이 있는 줄도 모르고……."

시열이 산의 어깨를 툭 쳤다.

"이만 돌아가자. 명색이 삼 년간을 함께 지낸 사인데, 무슨 일이라도 생기면 곁에 있어 줘야지 않겠어?"

“알겠어. 그런데, 유하 말이다.”

“응?”

“서자 아니냐. 오히려 본가 이야기를 꺼내면 몹시 불편해하는 눈치였거든.”

“으이구, 이 매정한 놈아.”

시열이 쯧쯧, 혀를 찼다.

“서자라고 해도 키워 주신 어머님이 오늘내일하는데 아무렇지 않을 리가 있겠냐?”

“그럼 너는? 넌 단 한 번도 본가에 안 가잖아. 삼 년 내내.”

“그, 그거야, 뭐…….”

시열이 무안한 표정으로 시선을 돌렸다.

“어디 유하가 나랑 같나. 걔는 하나뿐인 서자고, 나는 열셋째인지 열다섯째인지 알 수도 없는 서자라고. 너 그거 알아? 내 형제들이 다 모이면, 명나라도 쳐들어갈 수 있다더라.”

제 치부라 할 수 있는 이야기를 꺼내 놓는 시열의 태도는 태평스럽기만 했다. 그를 바라보던 산이 쓴웃음을 내뱉었다.

“가자. 열셋째인지 열다섯째인지 모르는 녀석아.”

“정말 몰라. 알고 보면 스무째일지도.”

걸음을 옮기던 시열이 문득 궁금한 표정을 지었다.

“산. 너는 형제가 없어?”

“형제?”

“너에 관해 얘기한 적이 아예 없잖아. 가족이 어디 있는지, 몇이나 있는지.”

“그런 거 없어.”

“형제가 하나도 없다고?”

시열의 반문에, 산의 얼굴이 묘하게 일그러졌다.

“아니. 가족 같은 거, 없다고.”

단오의 눈에 보이는 자리마다 온통 초록빛이다. 그리하여 사람들은 사월을 잎새달이라고 부른다던가. 단오는 그 잎새들로 가득 찬 녹음 한가운데 있었다.

아침부터 종일 딴생각을 하는 통에 그녀는 내내 실수 연발이었다. 귀한 소금을 죄다 쏟지 않나, 이미 빨아 놓은 옷가지들을 다시 들고 나가질 않나. 결국 머리를 식힐 겸, 단오는 나물을 뜯는다는 핑계로 뒷산을 찾은 참이었다.

'되바라진 애라고 야단칠 거예요?'

간밤, 그녀가 산에게 했던 말. 대체 어디서 그런 용기가 났는지, 아무리 생각해 봐도 오리무중이었다.

저를 지그시 바라보는 산의 어깨에 손을 얹었었다. 그리고 그의 서늘한 입술에 제 입술을 포개었었지. 그 순간엔 모든 것이 멈춘 것만 같았다. 폭포수처럼 처마를 타고 미끄러져 내리던 달빛도, 파르라니 눈을 깜빡이며 그녀와 산을 훔쳐보던 별빛도.

밤에 취했었나. 아니면……. 산에게?

"정녕 내가 먼저 그랬어?"

단오가 혼잣말을 중얼거렸다. 하지만 아무리 곱씹어 봐도 제가 했다마다. 그 순간을 떠올린 그녀의 목덜미가 발갛게 달아올랐다. 정녕 부끄러워서일까, 혹은 여전히 소름 끼치도록 입술에 선명한 그 감촉 때문일까.

열여덟 살. 청춘을 맞은 여인이라기보단 객주 주인으로 살아온 삶. 어디에도 한눈팔 틈 없이 고이 지켜 온 마음이었다.

삼 년 전 밤 마주쳤던 묘령의 선비가 문득 떠오른다. 그는 단오에게 잊을 수 없는 기억을 남긴 사람이었다. 그러나 그에 관한 기억은 정말이지 꿈과 같아, 현실이라기보단 환영 같은 것이었다.

단오는 그 선비를 잊기로 한다. 바람처럼, 그저 흘러간 봄밤의 꿈으로. 이제 그녀가 바라볼 사람은 이름도, 얼굴도 알 수 없는 누군가가 아닌 산이기 때문이었다.

그때, 들려오는 인기척. 생각에 잠겨 있던 단오가 고개를 들었다.

"오라버니."

다가온 이는, 단오가 마음을 준 사내. 그의 마음을 단오에게 오롯이 내준 사내……. 단오를 내려다보는 산의 눈빛은, 주변을 물들인 잎새들처럼 푸르고 또 푸르렀다.

성큼 다가온 그가 털썩 그녀 곁에 주저앉았다.

"아까부터 보고 있었는데, 어찌 그리 넋을 놓고 있어?"

"그냥……. 이런저런 생각 좀 하느라."

몸을 숨겨 줄 어둠이 없기 때문일까. 간밤 서로를 쓰다듬던 눈빛에는 부끄러운 기색이 떠올라 있었다. 허공에서 맞닿았던 시선이 어색하게 비껴갔다.

"어찌 여기까지 오셨어요?"

"그냥, 걷다 보니 여기네."

딴청을 피우는 산의 대답에, 단오가 픽 웃었다.

"왜 웃어?"

"그냥, 오라버니는 참 안 변한다는 생각이 들어서요."

"뭐가 안 변한다는 것이냐?"

"조금 달라질 줄 알았거든요. 조금은 다정해지지 않을까, 하고……. 어젯밤…… 일도 있고 해서."

애먼 들풀을 툭툭 꺾어 내던 산이 고개를 들었다.

어젯밤 일. 간밤엔 달이 제법 밝았던 것 같다. 희미하게 풀벌레 우는 소리도 들렸던 것도 같다. 그러나 단오의 향기에 파묻혀 모두 지워진 것일까. 꿈이라도 꾼 듯 기억은 선명치 않았다.

"어젯밤에……."

떠오르는 건, 오직 하나뿐이었다. 살며시 와 닿은 단오의 입술이 얼마나 부드러웠는지, 뺨을 내리누르던 그녀의 볼이 얼마나 뜨거웠는지…….

234

말끝을 흐리던 산이 제 손바닥을 뒤집었다. 그새 손끝에는 파란 풀물이 들어 있었다.

"약속할게, 불퉁거리지 않으려고 노력할게. 제 버릇 개 주겠느냐만……. 네 마음, 다치지 않도록 하겠다."

마치 제 마음처럼, 저도 모르는 새 선명한 초록빛으로 물든 손끝. 산은 그 손을 단오의 손등 위에 포갰다.

"그러니, 너도 나 외에 다른 사내는 마음에 두지 마라."

단오가 살며시 눈을 들었다. 산이 그녀 바로 곁에 있었다. 손을 뻗으면 그의 너른 가슴팍에 손끝이 가 닿을 것이다.

이름은 강산, 나이는 스물. 그는 환영도 그림자도 아닌, 선명하게 살아 숨 쉬는 사내였다.

"대답, 안 할 거야?"

재촉이라도 하듯 산이 단오의 손을 그러잡았다.

그 온기를 느끼며 단오는 깊이 숨을 들이마셨다. 초록 풀냄새. 신선한 바람, 따사로운 햇살, 일렁이는 꽃가루가 마음을 채웠다. 그리고 그 외에 는, 마음속에 사내라고는 오직 하나뿐. 오직 산뿐이었다.

"나 속상하지 않게, 잘 대해 줄 거죠?"

"그래. 그렇게."

"오라버니도 나 외에 다른 여인은 마음에 두지 않을 거고요?"

단오의 답을 기다리던 산이 씩 웃음을 지었다.

"나는 진즉부터 그리해 왔어."

"언제부터?"

"삼 년 전부터."

"자꾸 거짓말할 거예요?"

"거짓말이라니, 그 무슨."

"처음 이화원에 왔을 때 나랑은 눈도 잘 안 마주쳤잖아요. 매번 차갑게 굴기나 하고."

그래. 그랬었다. 그러나 그 이유는…….

"어찌 대해야 할지 알 수 없어서 그랬어. 내게는…… 처음이었거든."

입술을 훔쳐 간 이도, 마음을 가져간 이도 모두 처음이었으므로.

"여인을 연모하게 된 것, 처음이었으니까."

평생 누구에게도 그런 감정을 가져 본 적이 없었기 때문이었다. 정이 무엇인지, 사랑의 감정이 무엇인지 몰랐기에.

"그러니 나를 믿어. 네 마음, 다치게 하지 않을 것이다."

물끄러미 산의 얼굴을 바라보던 단오가 고개를 끄덕였다.

"약속."

그의 손에 잡혀 있던 단오의 손이 꼼지락거렸다. 비죽 솟아 나온 앙증맞은 새끼손가락을 본 산이 환하게 웃었다. 두 개의 손가락이 동그랗게 얽힌다. 매듭을 짓듯, 손가락 마디에 꾸욱 힘이 들어갔다.

"내 심장……. 네 곁에만 가면 이렇게 뛰어."

산은 새끼손가락을 이은 그대로 단오의 손을 잡아끌었다. 가만히 그 손을 제 가슴팍에 가져다 댄다. 그녀에게도 느껴질 것이다. 튀어 오를 듯 거세게 뛰고 있는 심장 박동이.

평생 어떤 이에게도 반응한 적 없던 무심한 마음이었다. 그 무미건조한 시간들은, 오직 단오만을 위해 기다려 온 것 같았다.

"산 오라버니, 저는요……."

손을 쿵쿵 울리는 울림. 그것을 오롯이 느끼고 있던 단오가 산의 이름을 불렀다.

"제 마음, 귀하게 여겨요. 바쁘게 살아서, 사내를 마음에 둘 여유 같은 거 없기도 했지만요. 설령, 만약 제가 누군가를 연모하게 되었다고 해도 그게 저 혼자만의 짝사랑이었다면……. 저는 주지 않을 생각이었어요. 제 마음이요. 오래도록 간직해 온 소중한 마음도 몰라주는 사람에게, 내 마음 내주지 않을 거라고."

여전히 산의 심장은 쿵쿵대며 뛰고 있었다. 그의 마음은 단오의 손에 잡힐 듯 격렬히 두근거렸다.

산은 그렇게 말했었지. 연모하노라고, 저를 오래전부터 연모해 왔노라고.

"그러니 오라버니도 내 마음, 귀하게 여겨 주세요. 상처 입히지 말고, 아프게 하지 말고요."

"약속할게."

단오는 아름다운 여인이었다. 그러나 그녀의 얼굴보다 더 매혹적인 것은 그녀의 태도일 것이다.

스스로를 귀한 존재라 여기는 그녀의 마음은 단오를 더욱 아름다운 꽃으로 피어나게 했다. 산이 얻은 것은 그토록 귀하고 소중한 마음이었다.

"그리고 오라버니, 하나 더요."

단오의 눈동자 속에 산이 비쳤다. 푸른 잎새 바닷속, 오직 한 여인만을 바라보고 있는 그가.

"변하지 말아요."

우리 약속을 헛된 것으로 만들지 말아요.

"변치 않는다."

산이 제 가슴팍에 놓인 단오의 손을 쥐었다. 그가 반대편 팔로 그녀의 어깨를 부드럽게 감쌌다. 산이 그녀를 감싼 팔에 지그시 힘을 주었다.

"엄마야!"

단오의 상체가 기우뚱 기울어지며 산의 가슴팍에 폭 안겨 왔다.

"내 부탁은, 딱 하나뿐이야."

"무, 무엇인데요?"

"이렇게 나와 함께 있는 것."

일어나려고 버둥거리던 단오의 움직임이 이내 잠잠해졌다.

"나를 두고 가지 않는 것……."

눈을 지그시 감으며, 산은 단오를 양팔로 감싸 안았다.

하늘은 파랗다. 들판은 시리도록 쨍한 초록빛이다. 바람에서는 새콤달콤한 향기가 난다. 따사로운 봄볕이 살갗 위에 녹아들었다.

그러나 그런 것들을 산과 단오는 조금도 느끼지 못했다. 너른 세상, 오직 둘뿐이었기에. 그리고 오직 둘로 가득 찬 비좁은 세상에 속해 있었기에.

"오늘따라 이화원이 휑하네요."

적막한 이화원의 안뜰을 휘 훑어본 시열이 중얼거렸다. 평상에 앉아 서책을 읽던 육호가 고개를 들었다.

"그럴 수밖에. 유하는 본가엘 갔고, 단오는 나물 캐러 나갔고, 산은 수련장에 있을 것이고, 형수님은 원래 기척이 없는 분이고, 홍주는……."

줄줄이 사람들의 거취를 읊어 대던 육호가 목소리를 낮췄다.

"뭐…… 워낙 방 안에만 틀어박혀 있는지라 조용할 수밖에."

"육호 아재, 홍주 낭자에게 대체 무슨 일이 있었습니까?"

시열 역시 덩달아 속삭이듯 물었다. 육호가 힐끔 시열을 바라보았다.

"알아서 무얼 하려고. 게다가 유하도, 산도 아닌 시열 자네에게는 말 못해 주네."

"뭐라고요? 왜요?"

"그렇지 않은가. 유하야 워낙 진중하니 굳이 묻는다면야 생각해 볼 것이네. 산이야 애당초 남의 일에 관심이 없으니 묻지도 않을 것이고. 하지만 시열 자네는, 입이 싸잖아."

시열이 발끈한 표정으로 육호를 돌아보았다.

"제, 제가 입이 싸다니요!"

"그럼 비싼가? 지난번에 내가 쑥개떡을 혼자 처먹었다며 동네방네 떠들고 다닌 것도 자네였잖나."

"그거, 제가 먹으려고 사다 놓은 거였잖아요!"

"흠흠."

육호가 헛기침을 했다. 서책을 탁 덮은 그가 자리에서 일어섰다.

"나는 내기 장기가 있어서 이만."

"육호 아재!"

사라지는 육호의 뒷모습을 바라보던 시열이 한숨을 뱉었다.

"어휴, 저 망할 영감탱……."

인상을 찌푸리며 고개를 돌리던 그가 잠시 멈칫했다.

지난번 제 발길질 때문에 구멍이 났던 홍주의 방문이 보인다. 그 조그만 틈에서 반짝 빛나는 것은 필시 여인의 눈동자일 것이다. 그러나 눈이 마주친 순간 눈동자는 금세 모습을 감췄다. 다시 작은 구멍은 까만 동그라미로 채워졌다.

저도 모르게 시열은 홍주의 방 앞으로 다가가 대청마루 위에 걸터앉았다.

"그……. 시끄럽게 해서 미안하오, 홍주 낭자."

대답은 돌아오지 않았다. 그저 바스락 옷자락 스치는 소리가 조그맣게 들렸을 뿐이었다.

"저……. 달리 소란을 피우려고 했던 것은 아니고……."

"날이 정말 푸릇푸릇하다오. 이제 봄이 가고 여름이 다 되었소."

"홍주 낭자, 바다 본 적 있소? 내 어릴 적에 잠시 바닷가에 산 적이 있었소. 지금 하늘빛이 그때 그 바다처럼 새파랗다오. 낭자도 나와서 보면 좋으련만……."

갑자기 시열이 말을 뚝 멈췄다. 마치 이제야 정신이 든다는 듯, 그의 입에서 허탈한 소리가 흘러나왔다.

대체 무슨 미친 소리를 지껄이는 것인가. 산이 이 꼴을 보았다면 지랄병이 났다며 꽤나 우스워할 것이다. 괜히 민망한 기분이 들어 그가 자리에서 벌떡 일어난 순간이었다.

"……바다, 저는 가 본 적 없어요."

딱 반 뼘만큼, 홍주의 방문이 열렸다. 그 비좁은 틈새로 보이는 짙은 눈동자 안에 바다가 일렁인다.

"시열 선비님."

깊이를 알 수 없는, 슬픔의 바다가.

6장. 비밀과 진실

'형님, 어머님께서는⋯⋯.'

'어머님이라니, 감히 지금 누구보고 어머님이라 칭하는 것이냐?'

'송구하옵니다. 마님께서는 좀 어떠신지⋯⋯.'

'어찌 자꾸 묻는 것이야! 가만히 처박혀 있으라 하지 않았느냐?'

'마님께 꼭 여쭐 것이 있어 그렇습니다.'

'아직 우리 아들들도 인사를 다 마치지 못했다. 기다리거라.'

'기다릴 테니, 꼭 불러 주십시오. 긴히 드릴 말씀이 있습니다.'

'아, 알았다고 하지 않아!'

가시방석이란 말의 의미를 유하는 새삼 깨닫는 중이었다. 마님의 임종이 임박하여 부름을 받았으나, 그건 그저 책을 잡히지 않기 위함일 뿐인 듯싶었다. 이 집에 유하를 반기는 이는 단 하나도 없었다. 행랑채에 딸린 비좁은 쪽방. 그게 유하에게 허락된 유일한 공간이었다.

벽에 등을 기대고 한참을 앉아 있던 유하가 몸을 움찔거렸다. 노비들이 쓰는 방 안에서는 퀴퀴한 곰팡내가 났다.

"이게 이 집에서의 내 신세일 테지."

당장 비좁은 방을 박차고 나가 이화원으로 돌아간대도, 누구도 그에게 신경 따위 쓰지 않을 것이다. 그러나 그럴 수는 없었다. 유하는 반드시 마님을 만나야만 했다. 그리하여, 지난 며칠간 그를 괴롭혔던 질문의 답을 얻어야만 했다.

깊은 생각에 잠겨 있던 유하가 제 허벅지를 쓰다듬었다. 그 순간, 방문이 덜컥 열렸다.

"유하, 나와 보거라."

"예, 형님."

급히 자리에서 일어나 신을 꿰어 신던 유하가 의아한 눈초리로 주변을 둘러보았다. 마님의 임종을 지켜야 할 형제들이 죄다 안뜰에 나와 있었기 때문이었다. 적의로 가득한 눈빛들 사이에 유하는 홀로 서 있었다.

"어머님께 들어가라."

"저 혼자서 말입니까?"

"그래. 혼자 들어오라고 말씀하신다. 어서."

애써 시선을 피하며, 유하는 안방으로 걸음을 옮겼다.

"어머님께서 임종이 닥치니 정신이 혼미하신가 보다. 서출 따위에게 무슨 유언을 남기겠다고……."

"그러게나 말입니다, 형님. 정작 당신의 자식들은 죄 밖으로 나가라 하시다니, 세상천지 이런 법이 어디 있답디까?"

"집안 대사(大事)에 서출 놈이 끼어들어 난장을 피우는구먼."

"어머님께서 임종을 맞으시면 저놈과의 인연도 이대로 끝이겠지요. 참으로 남부끄러운 세월이었습니다."

날카로운 바늘처럼 후두둑 날아와 귀에 꽂히는 말들. 그것을 뒤로한 채, 안방으로 걸어 들어간 유하가 조용히 문을 닫았다.

방 안에는 실로 형용할 수 없는 음습한 냄새가 떠돌고 있었다. 코를 찌르는 독한 냄새가 아니었음에도 욕지기가 치밀었다. 그 냄새는 사람의 체취를 닮았다. 그리고 그 냄새의 가장 참기 힘든 부분 역시 그것이었다.

사람의 냄새. 그러나 완전히 생명력을 잃은 냄새. 그건 다름 아닌 죽음의 냄새였다.

"마님."

유하가 비단금침 위에 누워 있는 앙상한 백발 여인을 불렀다.

"마님, 유하입니다."

끄응- 희미하게 앓는 소리가 돌아왔다. 유하는 마님의 곁에 무릎을 꿇고 앉았다.

"유…….."

"예, 저 유하입니다."

백발의 여인이 말라비틀어진 입술을 달싹였다. 그러나 그녀는 생보다 죽음 가까이에 있었다. 들려오는 건 마지막 숨을 뱉는 거친 소리뿐이었다.

"유…….."

알아들을 수 있는 유일한 말. 그것은 유하의 이름을 부르는 소리였을까. 여인이 앙상한 팔을 들어 올렸다. 유하로서는 좀처럼 의미를 알 수 없는 행동이었다. 그러나 그 손끝은 반닫이 옆에 놓인 나무함을 가리키고 있었다.

"저것을 가져올까요, 마님?"

여인이 가까스로 고개를 끄덕였다. 묵직한 나무함을 가져온 유하가 그 뚜껑을 열었다.

"비어…… 있는데요, 마님."

갑자기, 여인이 손바닥을 힘겹게 뒤집어 보였다. 손이 바닥을 치는 탁탁- 하는 소리는 어쩐지 음산하게 들렸다.

"함을 뒤집으라고요?"

"……어서."

마지막 힘을 쥐어 짜낸 듯한 한마디. 유하가 나무함을 뒤집자, 눈속임으로 놓여 있던 바닥이 툭 떨어져 내렸다. 그제야 드러난 밑바닥에 감춰져 있던 무엇인가가 데굴데굴 굴러 나왔다.

그것은 붉은 비단에 감싸인 조그마한 물건이었다.

"마님, 이것이 무엇이기에……."

비단을 펼치는 유하의 손은 가느다랗게 떨리고 있었다. 이내 작지만 묵직한 물건이 정체를 드러냈다.

"이것은……."

"유…… 품이다."

"유품…… 이요?"

그녀는 대답하지 않았다. 모든 기운을 소진한 듯, 눈을 감은 채 쌕쌕 숨소리를 내고 있을 뿐이었다.

"누구의 유품입니까? 누구의 유품이기에, 제게 주시는 겁니까?"

갑자기 여인이 숨을 몰아쉬었다. 그새 방 안을 채우던 기묘한 악취는 더욱 짙어져 있었다. 유하는 본능적으로 깨달았다. 여인에게 죽음이 닥쳤다는 것을.

"마님, 마님!"

유하의 다급한 목소리마저 그 지독한 악취에 덮여 버렸다. 여인의 목에서는 가래가 끓는 것 같은 쇳소리가 났다.

"어머니!"

그 순간 문이 더럭 열리며 형제들이 뛰어 들어왔다.

"어머님, 어머님!"

"아니 됩니다! 서출을 앞에 두고 임종하시다니요!"

끝이었다. 비밀에 대한 답을 야윈 몸에 가둔 채, 또 하나의 비밀을 유하의 손에 남긴 채. 정헌 대감의 조강지처이자, 유하가 감히 어머니라 부르지 못했던 여인은 죽음을 맞았다. 그리고 유하의 손에는 조그만 금붙이

하나가 남았다.

유하의 지난 며칠을 뿌리부터 뒤흔들었던 질문. 마님에게 반드시 물었어야 하는…….

'정헌 대감께서, 정녕 제 친부가 맞으십니까?'

그렇게, 유하는 진실을 확인할 마지막 기회를 놓치고 말았다.

"둘이서 어딜 다녀와?"

멀리 이화원이 보이는 길목. 맞은편에서 걸어오는 시열을 본 산과 단오가 한 발짝 서로에게서 떨어졌다.

"나, 나물 캐러 다녀와요."

그러나 소쿠리는 텅 빈 채였다. 단오가 소쿠리를 슬쩍 등 뒤로 숨겼다. 그런 단오를 보고 있던 시열의 표정이 미심쩍어졌다.

"단오는 그렇다 치고, 산 년 뭔데? 나물 캐는 데 왜 따라갔다 오는 거냐고."

"갑자기 나물무침이 먹고 싶어서."

"웃기고 있어. 이제는 칼로 나무토막 말고 나물 캐냐?"

"응. 손으로 캐는 것보다 훨씬 잘 캐지더라."

시열이 별소리를 다 듣겠다는 듯 산을 바라보았다.

"그건 그렇고, 시열 오라버니, 손에 든 건 뭐예요?"

"으응? 별거 아냐."

이번에는 시열이 들고 있던 무엇인가를 옷소매 안으로 감췄다. 그것은 길목 어디에서나 볼 수 있는 나뭇잎이었다. 어찌 흔해 빠진 물건을 굳이 숨기는 것인지. 고개를 갸웃하던 단오가 그의 등 뒤로 시선을 돌렸다.

"어, 유하 오라버니다!"

저만치서 걸어오는 키 큰 선비는 분명 유하일 터. 그러나 터벅터벅 걷는 그의 걸음에는 힘이 없었다. 노을에 붉게 물든 하늘 아래, 역광을 받은 유하의 그림자는 어깨가 축 처져 있었다.

"유하!"

시열의 목소리에 유하가 고개를 들었다.

"어찌 된 일이야? 설마⋯⋯."

"돌아가셨어."

"아⋯⋯. 결국⋯⋯."

시열이 안됐다는 표정으로 유하를 바라보았다. 단오와 산도 유하를 보았다.

"상심이 크시겠어요, 오라버니⋯⋯."

"뭐⋯⋯."

무슨 말인가를 하려던 유하가 입을 다물었다.

"미안하다, 다들. 정신이 좀 없어서⋯⋯. 나중에 얘기하자."

"그래요, 오라버니."

지친 표정의 유하가 이화원 안으로 모습을 감춘 후, 뒤에 남은 시열이 쯧쯧 혀를 찼다.

"결국 쫓겨 왔나 보다⋯⋯. 저 집안도 참 대단하네."

"쫓겨 왔다고요?"

"마님께서 임종하시자마자 이화원으로 돌아왔잖아. 보나 마나 형님이란 작자들 짓이겠지. 그들한테는 유하가 늘 눈엣가시였으니."

"아무리 그래도 너무해요. 상도 못 치르고 이리 돌아오시다니요."

"서자 신세도 각자 천차만별이지만, 가끔은 유하보단 차라리 내 신세가 나은 것 같네."

유하의 처지가 안쓰러워, 그들의 표정은 하나같이 어두워졌다.

"우리, 유하한테 마음을 좀 써 주자. 티를 내지 않아서 그렇지 속이 말이 아닐 게야."

"네. 그렇게 해요. 저도 좀 더 신경을 쓰도록 할게요."

"그나저나 이제 유하에게 집이라고는 이화원뿐이네."

시열의 말에, 단오가 잠자코 고개를 끄덕였다.

그녀에게 유하는 그런 사람이었다. 친오라비나 다름없이 편안한 사람. 힘든 일이 있을 때마다 가장 먼저 위로해 주고, 마음을 알아주고, 따뜻하게 대해 주던 그였다. 그러니 이제는 단오가 유하에게 힘이 되어 줄 차례였다.

"오라버니."

유하의 방문 앞에 선 단오의 손에는 작은 상이 들려 있었다. 상 위에 올려진 죽 그릇에서 모락모락 김이 솟았다.

본가에 가 있던 내내 천덕꾸러기 취급을 받았을 유하였다. 분명 그는 끼니조차 챙기지 못했으리라. 이내 방문이 열렸다.

"오라버니, 요기 좀 하세요."

"생각이 없어, 단오야."

"아무것도 드시지도 못했을 거잖아요. 그러지 마시고요……."

바득바득 단오는 유하의 방 안으로 들어섰다.

"제 얼굴 봐서라도, 조금이라도 드세요. 오라버니 드리려고 끼니때도 아닌데 공들여 준비한 거예요."

"……."

"어서요, 네?"

"고마워, 단오야."

마지못한 듯 한 술을 뜨던 유하가 제 맞은편에 앉은 단오를 보았다. 눈을 동그랗게 뜬 그녀의 얼굴. 정녕 그것을 먹지 않으면 방을 나서지 않겠다는 듯한 고집스러운 표정.

"뭐라고 위로를 드려야 될지 모르겠어요…… 오라버니."

"위로······."

유하가 건조한 어조로 단오의 말을 따라 했다. 위로. 그러나 무엇에 대한 위로란 말인가?

그를 천대한 건 형제들만은 아니었다. 마님 역시 평생 그에게 정을 주지 않았다. 마님은 남이나 다름없었을 뿐 아니라, 때로는 남보다도 못했던 냉정한 여인이었다. 그 마님의 임종 앞에 유하는 조금도 상심하지 않았다. 그에게 위로는 필요 없었다.

유하의 표정을 어둡게, 머릿속을 복잡하게 만드는 원인은 마님의 죽음이 아니었다. 그건 마님의 임종 직전에 전해 받은 기묘한 물건 때문이었다.

유하가 제 옷섶을 어루만졌다. 손끝에 걸리는 딱딱한 금붙이의 감촉. 바로 그 물건이 그를 혼란스럽게 만드는 원인이었다.

"어서 드시지 않고, 무슨 생각을 그리하세요."

단오의 목소리가 생각에 잠겨 있던 유하를 현실로 불러들였다.

"그래, 먹을게."

"오라버니."

"응?"

"잠시 머물다 가는 과거생이지만······. 저는 오라버니에 대해 그리 생각한 적 없어요. 설령 오라버니께서 과거에 급제해서 여기를 떠나게 되어도요. 혼인을 하고, 나이를 더 먹게 되어도······."

진심이 통하길 바라며, 단오는 말을 이었다.

"저도, 제 식구들도 모두 오라버니를 가족처럼 여겨요. 지금도 그렇고, 훗날에도 그럴 거예요. 이화원이 오라버니에게 마음 붙일 진짜 집이었으면 좋겠어요."

"집이라······."

담담한 단오의 눈동자. 그 까만 심연을 유하는 가만히 들여다보았다.

감히 예상조차 하지 못했던 이상한 소용돌이에 빠져든 것 같은 며칠이었다. 그는 혼란스러웠고, 괴로웠다. 그러나 단오의 따스한 위로를 들으며 그녀의 진심이 담긴 눈을 마주하고 있는 사이, 유하는 반듯하고 너그러우며 강직한 평소의 그로 되돌아왔다.

"고마워, 단오야."

"오라버니, 잊으셨어요? 제가 속상하고 힘들 때마다 오라버니께서 제일 먼저 위로해 주었던 것을요. 그러니 고작 이런 걸로 고맙다고 하시면, 제가 민망해져요."

유하는 그제야 엷은 웃음을 지었다. 단오는 유하로 인해 위로받았다고 말했다. 그러나 그녀는 알고 있을까. 지난 삼 년의 시간 동안 항상 위로받고, 생의 힘을 얻어 온 것은 그녀가 아닌 유하 저였음을.

"단오야, 나, 너를 많이 아껴."

유하가 팔을 내밀어 단오의 머리를 쓱 쓰다듬었다. 그 손끝은 평소와는 다르게 떨고 있었다. 그의 마음이 그렇듯이. 하지만 단오는 눈치채지 못했다.

"오라버니께서 아껴 주셔서 기뻐요. 그러니 너무 상심하지 마세요."

그녀가 해맑게 웃었다.

"오라버니에겐 이화원이 있잖아요. 여기가 오라버니 집이니까. 그리고 이화원 식구들도 있잖아요."

그랬다. 언제까지일지는 알 수 없지만, 유하에게 이화원은 잠시 머무는 객주가 아닌 집이었다.

이화원엔 단오가 있다. 그렇기에 그에게 이화원은, 곧 집이다.

"신경 써 줘서 고맙다."

"별말씀을요. 이만 나가 볼게요."

"그래, 단오야."

단오가 몸을 돌려 떠난 자리. 방 안엔 아련한 그녀의 향기가 남았다. 정처 없이 미궁을 헤매던 유하의 마음은 그 향기 속에서 잠시나마 편안해졌다.

유하의 방을 나선 단오가 안뜰에 발을 디뎠다.

"엄마야!"

갑자기 그녀가 낮은 소리를 내질렀다. 곁으로 스륵 다가온 산 때문이었다.

"오늘 어머님을 어찌 이리 자주 찾아?"

"그거야, 오라버니가 자꾸 놀라게 하니까!"

"흐음."

산의 미간이 불만스러운 듯 꿈틀거리고 있었다.

"안에서 무슨 얘기 했어?"

"달리 할 얘기가 뭐 있어요. 걱정이 되어 들어가 본 건데……."

"아무리 친하다지만, 처녀가 사내 방에 들어가는 건 좀 그렇지 않나."

단오의 표정이 샐쭉해졌다. 그러나 그녀의 입꼬리는 웃음을 참는 듯 움찔거린다.

"오라버니. 정말 이럴 거예요?"

"뭘 이래?"

"지금 투기하는 거잖아요."

"내가? 그럴 리가."

산이 한 발짝 뒤로 물러섰다. 영 마음에 들지 않는다는 듯, 그의 얼굴엔 탐탁지 않은 표정이 떠올라 있었다.

"샘 부릴 사람이 없어서, 다른 이도 아닌 유하 오라버니한테 샘을 부려요?"

"그런 적 없다고 하지 않았느냐."

단오가 사뿐 마당에 내려섰다. 그의 곁을 지나쳐 부엌으로 향하며, 그녀가 나지막하게 덧붙였다.

"내 마음, 이미 말해 줬잖아요. 그런데도 그리 걱정이 돼요?"

나풀나풀 멀어지는 푸른 치맛자락. 저도 모르게 앞으로 뻗어 나가려던 팔을 산은 움찔 끌어당겼다. 피식 헛웃음이 나왔다.

"못 이겨."

호선을 그린 입술 틈에서 혼잣말이 흘러나왔다.

"내 너한테는 도저히 못 이기겠다."

졌다. 그러나 여인에게 완전히 패배했음을 깨닫는 기분이 어찌 이다지도 즐거운 것인지.

마음이 따듯해진다. 평생 몸이 아닌 마음을 덥히는 온기가 있으리라고는 단 한 번도 생각해 보지 못한 그였다.

지금 산의 마음에는 말 그대로 봄바람이 불고 있었다. 그 바람은 생각보다 훨씬 거세고 또 변화무쌍하다. 살랑살랑 애를 태우다가, 심장을 간질간질 어르다가, 입꼬리를 움찔거리게 만들고…… 그리하여 그를, 미친놈처럼 자꾸만 웃게 만드는 것이다.

"허이고, 저 미- 친- 놈."

멀거니 서서 피식대는 산의 곁으로 시열이 성큼 다가왔다.

"왜 정신 나간 놈처럼 하늘을 보고 낄낄대고 있어? 새똥이라도 받아 처먹으려고?"

"남이야 그러거나 말거나."

시열의 등장 덕에, 산은 가까스로 평정을 되찾았다.

"산, 나가자."

"어딜 가?"

"술이나 한잔."

"기방이라면 나는 생각 없어."

시열이 눈썹을 쓱 추켜세웠다.

"나, 기방 끊었네."

"하, 개가 똥을 끊지."

"아오, 정말이래도! 그냥 주막집에나 가서 한잔하자는 거야. 기방은 무슨. 내가 예전의 김시열로 보이나?"

"아니. 예전보다 좀 더 덜떨어져 보여."

불퉁거리면서도 산은 걸음을 옮겼다. 시열의 제안이 썩 나쁘지 않았던 까닭이었다.

그의 모든 것이 단오를 향하고 있었다. 이화원 전체에 그녀의 향기가 진동했다. 그는 단오의 포근한 살내음에, 고즈넉한 목소리에, 별빛처럼 새초롬한 눈동자에 이미 잔뜩 취해 버렸다.

산은 단오에게 취한 정신을 부여잡느라 매 순간 애써야만 했다. 그러니, 술 한두 잔 들어간다고 해서 달라질 것은 아무것도 없을 터다.

"가자."

산이 먼저 대문을 나섰다. 오랜 수련으로 단련된 발걸음은 여전히 절도를 지켰다. 그러나 그 마음은 내려앉는 어둠을 타고 쉴 틈 없이 오르내렸다.

"주모! 여기 술 한 병 더 주시오."

손을 번쩍 들어 올린 시열이 호기롭게 외쳤다.

"예! 갑니다, 가요. 이리 고운 선비님들께서 술을 달라시는데, 냉큼 가져다 드려야지요."

술병을 턱 내려놓던 주모가 산과 시열을 번갈아 보았다. 주모는 둘의 얼굴을 보는 것만으로도 흐뭇한 모양이었다. 뒤돌아서면서도 여인은 끊임없이 웃음을 흘리고 있었다.

"수련하러 나간다더니, 술이라도 퍼마시고 다닌 거 아냐?"

"뭔 소리야?"

"생전 술 마시는 걸 본 적이 없어서 술이 약한가, 했거든. 한데 어찌 이리 잘 마셔?"

"타고난 거겠지. 그리고 술 따위, 원래 별로 좋아하지 않아,"

"손에 들고 있는 사발이나 내려놓고 그리 말해라."

"정말이다. 그저 오늘은⋯⋯. 술맛이 달아서 그래."

산이 탁주를 단숨에 들이켰다. 이상할 정도로 유난히 술맛이 좋은 날이었다.

"유하 일 때문에 잠깐 잊고 있었다만⋯⋯."

시열이 입을 열었다.

"이설이라는 자, 어떻게 찾을 셈이야? 단오가 똑똑하고 야무진 건 사실이지만, 아무래도 여인 혼자 나서기엔 위험한 일이라는 생각이 자꾸 들어. 아직 스물도 안 된 처녀라고. 단오 혼자서는 절대 못 찾아."

"그래서 우리가 돕기로 한 거 아니냐."

"아오, 말은 바른대로 해."

시열이 인상을 팍 찌푸리며 눈을 흘겼다.

"우리가 돕기로 하다니. 제발 나는 좀 빼 줘. 네가 충동질해서 끌어들인 거잖아. 나는 네놈의 수작에 넘어가서 어쩔 수 없이 끼게 된 거라고."

"그때도 이미 말하지 않았나. 하기 싫으면 빠지라고."

"염병할 자식."

그 밤의 기억을 떠올리자, 시열은 또다시 분통이 터지는 모양이었다. 술을 꿀꺽꿀꺽 들이켠 그가 마뜩잖은 표정으로 주변을 둘러보았다.

객주가 많은 마을. 중촌의 한가운데 위치한 주막인지라, 곳곳에 두셋씩 모여 앉은 선비들의 모습이 보였다. 그들은 대부분 스물 언저리 즈음의 나이였다.

필시 저와 같은 과거생임이 분명한 그들을 바라보던 시열이 중얼거렸다.

"저 중에 있을지도 모른다고⋯⋯."

"뭐가?"

"이설이라는 자 말이야. 이 주막 안에서, 저를 찾느라 발을 동동 구르는 사람이 있는지도 모르는 채 부어라 마셔라 하고 있을지도 몰라. 냅다 옷을 벗겨서 허벅지에 있다는 점이라도 좀 확인했음 좋겠는데."

시열은 제법 진지한 표정이었다.

"그런데, 시열."

"왜?"

산은 의문스러운 눈빛이었다.

"이상하지."

"뭐가 이상하다는 건데?"

"너 말이다. 단오가 도와 달라고 부탁했을 때, 끝까지 안 하겠다 난리를 피우지 않았어? 그러던 네가 어찌 이리 관심을 보이는 게냐."

"그거야 뭐……."

시열이 마지막 남은 술을 입으로 가져갔다. 무엇인가 생각하는 표정으로 산을 바라보던 그가 말을 이었다.

"이화원, 너희들한테만 중요한 거 아니야. 아무 생각 없이 한량처럼 지내고 있다고 해도, 내게도 나름 의미가 있는 곳이라고."

"무슨 의미?"

"다 좋은 사람들이잖아. 이화원에 사는 이들……. 아, 물론 너 빼고."

산이 픽 웃었다. 시열에게도 이런 면이 있었나. 산도, 유하도, 그리고 진지한 구석이라고는 없는 시열마저도 이화원에 나름의 의미를 부여하고 있는 것이다. 이화원을 지키고자 하는 이는 오직 단오 하나만이 아니었다.

주모가 탁주 한 병을 상 위에 턱 올려놓았다.

"주모. 우리가 시킨 것이 아니오. 이만 들어가려던 참인데……."

이 정도면 충분하다. 겉으로는 내색하지 않았지만, 산은 제법 술기운이 올라 있었다.

"선비님들께만 특별히 한 병 더 드리는 겁니다, 바라만 봐도 눈이 호강이라, 오늘 이 주모 기분이 째질 것 같아서요!"

호호, 웃음을 흘린 주모는 산과 시열의 어깨를 슬쩍 치곤 돌아가 버렸다.

"마지막 한 병이다."

"시열, 늦었다. 그만 마시자."

"뭐야. 취한 모습이라도 보일까 봐 겁내는 거야? 애당초 취하려고 마시는 게 술이라고. 그러지 말고 딱 한 잔만 더!"

시열이 산의 사발 안에 술을 콸콸 들이부었다.

"끝까지 안 마시면, 술 취해서 흙 퍼먹었다고 소문낼 거야."

"유치한 놈……."

산이 단숨에 사발을 비웠다. 목구멍을 타고 내려간 들척지근한 술기운이 확 퍼졌다.

"좋았어! 돌아가자. 우리의 집, 이화원으로 가자."

남아 있던 술을 호리병째로 입에 털어 넣은 시열이 자리에서 벌떡 일어섰다.

"어여쁜 두 송이 꽃이 피어 있는 곳으로 가자!"

시열이 잔뜩 들뜬 걸음을 옮겼다. 산 역시 이화원을 향해 걷기 시작했다. 취기가 산의 정신을 어지럽혔다. 달빛이 그의 시야 안에서 이리저리 흔들렸다.

달밤이었다. 달마저 취한 듯 이지러지는 밤이었다. 둥실 떠오른 저 달 안에 어쩐지 단오의 얼굴이 비치는 것 같아, 나른한 산의 손길은 빈 허공을 휘익 움켜쥐었다.

술에 취한 것이 이 얼마 만인가. 이화원으로 돌아와, 제 방에 누워 있던 산이 옷고름을 느슨하게 풀었다.

열이 난다. 역시나, 마지막 한 잔을 마시는 게 아니었다. 몸이 붕 떠오르는 것만 같았다. 천장이 파도치는 것처럼 꿀렁거렸다. 그러나 기분은 나쁘지 않았다. 술 때문인지, 술 때문에 고조된 기분 탓인지 심장은 두근두근 고동쳤다.

문득 지독한 충동이 일어났다. 이대로 캄캄한 밤을 가로지르고 싶다는 생각이 그의 마음을 사로잡았다.

달빛이 내리쬐는 이화원의 안뜰을 단숨에 뛰어넘어, 작은 툇마루가 딸린 방의 문을 두드리고 싶다. 그 방 안에서 쌔근쌔근 단잠에 취해 있을 여인의 볼을 쓰다듬고 싶었다.

산이 자리에서 벌떡 일어났다.

"누구세요?"

문을 두드리는 소리에, 선잠이 들었던 단오는 이불 속에서 고개를 빼꼼 내밀었다.

"나."

눈을 비비며 일어나 앉은 단오가 문을 열었다. 희끄무레한 달빛이 산의 머리 위를 비추고 있었으나, 역광인 탓에 그의 표정은 잘 보이지 않았다.

"……술 냄새."

잠에서 갓 깨어난 단오가 중얼거렸다. 그 순간, 산이 단오의 손을 잡았다. 열기. 불덩이 같은 손의 열기가 훅 끼쳤다.

"오라버니. 이 시간에……. 술을 이리 잔뜩 마시고."

"단오야."

산이 손을 쭉 뻗어 단오의 손을 감쌌다. 그녀의 손가락 틈새로 파고들어 손깍지를 쥔 그가 그 손등을 가만가만 어루만졌다.

"단오야, 나…… 궁금한 게 생겼어."

그녀의 이름을 입에 담는 것만으로도 심장이 터져 버릴 것 같다.

"나, 너무너무 궁금한 것이 있어 왔어."

단오가 잠자코 산을 바라본다. 산의 얼굴이 천천히 다가왔다. 그들 사이의 거리가 좁아지자 까만 그림자가 져 있던 그의 눈동자 역시 또렷해졌다.

간절한 눈빛. 너무나 간절하여, 밀어내기라도 했다간 당장이라도 무너져 내릴 것 같은 그 눈빛. 그건, 누구보다 강한 사내라 여겼던 산에게는 좀처럼 어울리지 않는 표정이었다.

"오라버니……."

"나만 혼자 이리 잠들지 못하는 것인지, 나만 이렇게 그립고, 애타고, 너를 보지 못해 힘든 것인지……."

그리고 약한 모습을 보인 적 없는 산을 철저한 약자로 만든 것은 다름 아닌 단오 자신이었다. 마음을 주고받았으나, 그중 더욱 연모하는 이가 약자일 수밖에 없는 것이 사랑이었으므로.

"단오야. 너도 나 같았으면 좋겠다……."

새카만 밤을 틈타서, 취기에 기대어서만 할 수 있는 내밀한 고백.

"너도 내가 그립고, 내가 보고 싶어서, 너무 보고 싶어서 미칠 것 같았으면 좋겠다고……."

밤은 달마저 삼켜, 세상은 고즈넉한 어둠 속에 깊이 파묻혔다. 그러나 빛은 필치 않다. 그녀에게는, 산이 곧 빛이 되어 줄 것이기에.

문지방으로 다가선 단오가 천천히 손을 뻗었다. 이내 산의 옷자락이, 단단한 팔이 만져졌다. 그 굳센 팔 위로 가만히 손끝을 움직인다. 위로, 위로. 손끝이 닿는 자리마다 그의 억센 힘줄이 파르르 떨었다.

그 위에는, 긴 시간 동안 두터운 갑옷을 두른 채 그 마음을 숨기고 또 숨겨 온 그가 있다. 누구에게도 사랑받지 못했던 삶. 그렇기에 어떤 식으로 마음을 내보여야 하는지조차 모르는, 터져 나온 마음을 감당치 못하고 허덕이는 산이 있다…….

"저도 그리웠어요."

그제야 단오 역시 깨달았다. 어찌 내내 뒤척이며 선잠을 잤는지. 문밖에서 들리는 조그만 소리에도 반짝 눈을 뜨곤 했는지.

그리웠던 것이다. 단오 역시, 산이 자신을 그리워했듯 그가 보고 싶었던 것이다.

"저도 오라버니 마음이랑 똑같이, 보고 싶었어요."

단오의 나지막한 고백이 그의 외로운 마음을 보듬고, 달래고, 쓰다듬었다. 외로움을 채우는 밤. 그리움을 채우는 밤이 고요하게 깊어 갔다.

* * *

"무슨 일로 영감께서 독대를 청하십니까?"

춘하관. 화령은 장태화를 마주하고 있었다. 높다란 어여머리 아래 화려한 홍색 비단으로 치장한 채, 화령은 제 앞에 버티고 앉은 사내를 지그시 바라보았다.

"젊은것들을 두고, 늙은 행수에게 술을 따르라 하시지는 않겠지요?"

"늙다니, 그 무슨 말인가. 자네는 조금도 늙지 않았어."

"한두 해 뒤면 퇴기로 전락할 몸입니다. 사실 그대로를 말씀드렸을 뿐이옵니다."

"여인의 가치를 나이만으로 판가름하는 건 우매한 일이지."

화령의 입가에 농밀한 미소가 스쳤다.

"대체 무슨 말씀을 하시려고 천한 것을 이리 띄워 주시나이까?"

장태화가 헛기침을 했다. 그의 눈이 가늘어졌다.

"화령. 내 다른 뜻으로 묻는 것은 아니니, 불쾌히 여기지 말게."

"말씀하시옵소서."

"자네, 호성군의 사노비로 있을 때 아들을 낳았었지."

"그렇습니다만……."

"딱 한 가지만 묻겠네. 그 아이, 누구의 자식인가?"

화령이 천천히 눈을 깜빡였다. 그러나 그것은 표정을 짓는다기보다 오히려 지우는 행동처럼 보였다. 감았다 뜬 눈 안엔 별다른 기색이 보이지 않았다.

"알고 계시지 않습니까? 같은 몸종의 자식이었습니다."

"그 아비가 지체 높은 자라 생각하는 사람들이 제법 많더군."

화령이 무심히 눈을 내리깔았다.

"그렇습니까?"

"내 묻겠네. 그 사내아이 말일세. 혹시, 정헌 대감의 자식이 아니던가?"

"정헌 대감이요?"

붉은 입술 사이로 헛웃음이 새어 나왔다.

"그럴 리가요. 영감, 그런 천박한 뒷소문을 믿으시는 건 아니겠지요? 천하의 장 판관께서?"

장태화가 쓴웃음을 지었다. 담담하게 되받아치나, 분명 천박하게 군다는 질책이기 때문이었다.

"그럼 그 몸종은 누구였나?"

"한낱 노비 따위, 이름을 말하면 아십니까? 석이라고 불리던 마당쇠였습니다."

"그 석이라는 자는 어떻게 되었는가?"

무릎께에 얌전히 놓여 있던 화령의 손이 치맛자락을 바르쥐었다.

"아시지 않습니까. 죽었습니다. 전하께서 난을 일으켰던 밤, 칼에 찔려 죽었어요. 설마 모르셔서 물으시는 겝니까?"

화령의 목소리가 파르르 떨렸다. 애써 감정을 억누르고 있는 것이리라. 그러나 아무리 누르고 눌러도, 차마 모두 숨길 수는 없는 모양이었다.

"불쾌한 질문이었다면 미안하네."

"이미 십오 년이나 지난 일 아닙니까. 지난번에는 젊은 아씨와 선비들이, 이번에는 영감마저……. 왜 어찌 묻어 둔 일을 자꾸만 끄집어내시는 겁니까."

"대의를 위한 일이다. 너그러이 이해하시게나."

"그런 큰일에 어찌 기생 따위를 끼우려고 그러십니까. 반야를 밖으로 돌게 하는 것 역시 그 대의 때문입니까?"

"반야는 그저 자질구레한 내 일을 돕고 있을 뿐이야. 그에 대한 사례는 내 톡톡히 치를 것이다."

장태화를 지그시 바라보던 화령이 시선을 거두었다.

"제가 어찌 감히 영감의 뜻을 거절하오리까. 단지 거기까지입니다. 반야의 일에는 개입하지 않겠습니다. 그러나 저까지 그 일에 끌어들이려 하지는 마십시오."

"그렇게 말하지만, 결론은 거절한다는 게로구먼."

"거절이 아니옵니다. 제가 할 수 있는 일이 없다는 뜻입니다."

"그래. 자네 뜻은 내 잘 알겠네."

장태화가 자리에서 일어섰다. 아무리 관기 신세인 천출, 기생이라 해도 춘하관은 화령의 것이었다. 제 기방 안에서 저 정도 배포야 부릴 수 있는 것이리라. 또한 저런 담대함이 기생 화령의 매력이지 않은가.

"그건 그렇고……."

문 앞까지 따라 나온 화령에게 시선을 던지며 장태화가 말을 이었다.

"그때 다녀갔다는 계집 하나와 세 선비 말이다. 그 선비들 중 키가 큰 자가 하나 있었을 것이다."

"셋 다 키가 크고 체격이 좋았습니다. 한데 그건 왜요?"

"자네, 알고 있는가?"

"무엇을 말입니까?"

"그들 중에 정헌 대감의 서자가 있었네. 정유하라는 이름이었지."

장태화는 지그시 화령을 바라보고 있었다. 삼백안에 가까운 그의 눈동자 속에 묘한 기류가 춤을 춘다. 그 눈빛을 뜻으로 풀이하자면 아마도.

'옳거니. 그럼 그렇지.'

정도가 될 것이었다.

"……그랬습니까."

화령의 어조는 담담했다. 그러나 너무 늦은 대답이었다.

장태화가 도포 자락을 휙 펼쳤다. 옷자락이 크게 펄럭였다. 춘하관을 떠나는 그는 웃고 있었다.

"판관 영감! 그자의 자취를 찾았다는 연통이 왔습니다!"

"미끼를 물었느냐?"

"예! 호성군의 유품이 있다는 소문을 뿌린 게 먹힌 모양입니다. 현재 육인회(六人會)가 그 뒤를 쫓고 있습니다!"

"육인회가 붙었으니, 이번에야말로 도망가지는 못하겠지."

장태화의 입가에 흡족한 웃음이 솟았다.

"이설. 드디어. 만나게 되었구나."

……깊은 상념에 잠겨 있던 장태화가 거칠게 고개를 흔들었다.

사 년 전 밤의 기억. 시작은 순조로운 듯 보였다. 좌의정 신운호의 계략에 따라, 장태화는 호성군의 유품을 보관한 자가 있다는 소문을 장안에 퍼뜨렸다.

그리하여 얼굴을 가린 채 은밀히 접촉해 왔던 소년. 그를 좇아 장태화는 최고의 무사들로 이루어진 육인회를 파견했다. 그러나 이설을 찾게 되리란 기대를 안고 찾아간 곳에서 장태화가 마주친 것은, 피비린내가 낭자한 살육의 현장이었다.

육인회의 여섯은 조선 팔도, 어느 전장에 내놓아도 빠짐이 없을 내로라하는 정예무사들이었다. 마침내 육인회는 이설이 투숙한 주막을 포위했다. 마지막 기습만이 남았을 때, 검은 복장의 자객이 나타났다. 자객은 순식간에 주변을 피의 강으로 만들었다. 가히 신묘하다고 표현할 수밖에 없는 검술이었다.

육인회는 단 한 명도 목숨을 부지하지 못했다. 뒤늦게 부랴부랴 달려간 장태화 역시 옆구리에 깊은 자상을 입었다.

"제길……."

먼 과거의 기억을 곱씹는 장태화의 잇새로 억눌린 신음이 새어 나왔다.

육인회는 그가 십수 년간 온 힘을 쏟아 키워 낸 정예사병들이었다. 그들 중에는 아이 여럿이 딸린 아비도 있었고, 이튿날 혼례를 올릴 예정이던 젊은 무사도 있었다.

이설을 찾으라는 좌의정의 명. 장태화는 이번에도 기꺼이 그 일에 뛰어들었다. 이설을 찾아내면, 신운호는 그에게 합당한 보상을 할 것이다.

그러나 자객을 찾는 것은 이설과는 조금도 관계없는 일이다. 중년에 접어들어 젊은 시절만 못했으나, 장태화 역시 한창 시절엔 조선제일이라는 평을 받던 무사였다. 자객은 그런 그마저 단 한 번의 손놀림으로 무릎 꿇게 했던 것이다.

"이설……."

그를 찾는 것이 우선이었다. 단오라는 계집 하나에게 일을 전적으로 맡겨 둘 생각은 애당초 없었다. 이제 그 스스로 나설 차례였다. 등줄기에 소슬하게 올라오는 날 선 전율이 장태화의 심장을 뛰게 했다.

이설의 그림자를 좇다 보면, 분명히 어느 길목에서 검은 복면을 두른 자객을 마주치게 되리라.

이설을 찾는 것은 좌의정의 희망일 뿐, 장태화와는 별 관계 없는 일이었다. 그가 원하는 것은 오직 한 가지, 복수였다.

발걸음이 춤추듯 가볍다. 걸음을 옮길 때마다 발놀림 사이로 분홍 치맛자락이 감겨든다.

흥얼흥얼, 단오는 얼마 전 포목점 주인장에게 배운 시조를 중얼거리며 저자를 향해 걷고 있었다. 봄은 이미 저만치 꼬리를 내빼고, 주변은 짙푸른 오월에 물들었다. 하지만 단오는 봄이다. 따사로운 봄, 다디단 봄, 꽃향기가 가득한 봄…….

저잣거리로 향하는 길엔 초록이 곳곳마다 너울거렸다. 그녀는 잎새들 사이로 풍겨 오는 신선한 향기를 깊이 들이마셨다. 몸속까지 말갛게 청량해지는 느낌이 상쾌했다.

저 멀리 보이는 정자를 지나 모퉁이를 돌면 저자가 보일 것이다. 단오가 그 길목에서 방향을 틀었을 때였다.

"오라버니!"

마치 기다리고 있었다는 듯, 정자 끄트머리에 다리를 쭉 펴고 앉아 있는 산의 모습.

"저 기다린 거예요?"

"그럴 리가."

무심하게 대꾸하던 산은,

"……가 아니고. 그래, 기다렸어."

라고 내뱉은 말을 급히 주워 담았다. 단오의 얼굴에 숨길 수 없는 웃음이 번졌다.

"오라버니, 정말 많이 달라졌네."

"뭐가 달라졌다고 그러느냐?"

"이제 불퉁거리지도 않고. 솔직하게 고분고분 대답할 줄도 알고."

"약속하지 않았느냐."

산이 싱긋 웃으며 자리에서 일어섰다.

"네가 싫어하는 일은 하지 않을 거라고."

그런 그를 올려다보던 단오의 눈동자가 장난기로 반짝였다.

"그런데 참 이상하죠. 여인의 마음은 갈대라고 하더니, 이런 걸 보고 그리 말한 건가."

"뭐가 이상한데?"

"오라버니가 이렇게 살갑게 구는 걸 보니, 가끔 예전 오라버니가 그리워요."

"뭐?"

"툭툭 내뱉고, 말꼬리 자르고, 써늘한 표정만 짓고 있던 때도 사실, 제법 멋있었는데."

단오가 새초롬하게 웃었다. 얄미운 표정이었으나, 그마저도 산의 눈에는 그저 곱기만 할 뿐.

"그럼 지금은, 싫다는 거냐?"

"에이, 누가 싫다고 했어요?"

"그럼 좋다는 거네?"

"뭐…… 그렇다고 쳐요."

"어느 장단에 맞춰 춤을 춰야 할지 하나도 모르겠다."

단오가 혀를 쏙 내밀었다. 산이 무심하게 손을 내밀어 그런 단오의 정수리를 어루만졌다.

그의 눈동자 안에도 웃음이 넘실거린다. 그 역시 봄이다. 사랑을 하는, 봄.

"뭐 사러 나왔어요?"

"검을 벼르려고. 대장간에 들르려던 참이야."

"같이 갈까요?"

"아니 된다."

"왜 아니 되어요?"

"흠……."

산이 미간을 찌푸렸다.

"대장간엔…… 사내들이 너무 많다."

"오라버니가 있는데 무서울 게 뭐 있다고."

"누가 무서워서 안 된다고 하디."

입 밖으로 내뱉기엔 영 남세스러운 말이라, 산은 잠시 뜸을 들인 후에야 말을 이었다.

"소도적 같은 사내들이 득시글거리는 데에 네가 드나드는 게 싫다. 나 혼자 다녀올 거야."

"풋!"

단오가 웃음을 터뜨렸다. 그러나 단오 곁에 있는 산의 표정은 어딘지 떨떠름한 것이, 목덜미마저 벌겋게 달아오르는 중이었다.

"왜 웃고 그래."

"이제 다른 사내들이 쳐다보는 것만으로도 샘이 나나 봐요, 오라버니?"

"누, 누가 샘 같은 걸 낸다고."

"지난번엔 유하 오라버니한테 투기를 하시더니, 이젠 저잣거리에 드글 드글한 낯모르는 사내들한테까지……. 큰일 났네. 아무래도 난 오라버니 때문에 이회원에만 콕 박혀 있어야 하려나 봐요."

"자꾸 이렇게 나를 놀리려고 쓰면……."

갑자기 산의 팔이 단오의 허리에 감겨들었다. 속절없이 산의 품으로 끌려온 단오가 외마디 소리를 내뱉었다.

"도무지 말로는 너를 이길 수가 없으니, 이렇게라도 나도 너를 놀려 먹을 수밖에."

"누, 누가 봐요!"

소리를 높이던 단오가 애써 목소리를 눌렀다. 주변에 인적이 보이지 않는 곳이었으나 환한 대낮, 그것도 저잣거리 코앞에 위치한 길목이었다. 그러나 산은 씩 웃음을 흘릴 뿐이다.

"자꾸 그렇게 놀려 댈 거야?"

"안 해요!"

"정말?"

"네, 네! 그러니까 빨리 이 손 놓아요."

"싫은데."

"오라버니!"

그제야 산은 그녀의 허리를 감싸고 있던 팔을 풀었다. 볼이 온통 발갛게 달아오른 단오가 그의 곁에서 한 걸음 떨어지며, 씩씩 숨을 몰아쉬었다.

"그러다가 누가 보면 어쩌려고!"

"볼 테면 보라지. 우리가 죄지었나?"

"큰일 날 소리! 객주 주인이랑 과거생이랑 눈 맞았다고, 이화원이 몹쓸 소리를 듣는다고요!"

"사실이잖아. 눈 맞은 거."

"아이참."

팔짱을 낀 채 잔뜩 심각한 표정을 지은 단오가 산을 흘겨보았다. 그러나 이마저도 산에게는 귀엽게 보일 뿐이라, 그의 입꼬리는 절로 쓰윽 위로 올라갔다.

"반 시진이면 충분하겠지. 대장간은 나 혼자 다녀올 테니, 볼일 마치면 여기로 돌아와 있어."

"놔두고 먼저 가 버릴 거예요."

"그리하면 탐라까지라도 따라갈 것이니 그리 알아."

지체 없이 몸을 돌린 산이 저잣거리를 향해 걸음을 옮겼다.

"제멋대로야, 진짜……."

멀어지는 너른 등을 바라보고 있던 단오가 중얼거렸다.

"그치만…… 좋은걸."

매 순간 산은 그녀를 놀라게 한다. 지난 삼 년간은 퉁명스럽고 무심한 사내인 줄로만 알았다. 그러나 서로의 마음을 확인한 후에 속속 드러나는 산은, 그녀가 알고 있던 그와는 딴판이었다.

늘 얼음장 같은 줄 알았더니, 얼음장은커녕 다정하기 짝이 없는…….

봄 같은 사람.

분주한 저잣거리 풍경 속, 이내 산의 껑충한 키마저 보이지 않게 되었다. 인파 너머 어드메에서 산은 바삐 걸음을 옮기고 있을 것이다. 제 목숨처럼 소중히 여기는 장검을 들고, 평소처럼 냉랭한 표정을 띤 채로. 단오를 보는 산의 표정이 얼마나 다정한지, 그의 눈빛이 얼마나 따뜻한지 이들은 절대 모를 것이다.

절로 웃음이 새 나왔다. 단오 역시 저자를 향해 걸음을 옮길 때였다.

"야. 이화원 부엌데기!"

어디선가 들리는 앙칼진 목소리에, 단오가 무심코 고개를 돌렸다. 그리고 이내 무엇인가가 발치로 떨어지며 퍽, 하는 소리가 났다. 순식간에 코를 찌르는 지독한 악취가 몰려왔다.

"헉!"

단오가 제 발치에 산산이 부서진 것을 내려다보았다. 그것은 다름 아닌 달걀. 그러나 멀쩡한 달걀이 아닌 썩은 달걀이었다. 속을 울렁거리게 하는 역겨운 냄새가 사방에 진동했다.

"불여우 같은 계집애."

고개를 빳빳이 쳐든 채 단오를 노려보고 있는 건, 뺨에 주근깨가 있는 단오 또래의 처녀였다. 단오는 금세 그녀를 기억해 냈다. 지난번에 산과 유하, 시열과 함께 저잣거리를 찾았던 날, 산에게 선물을 건네려다 거절당했던 처녀가 아닌가.

"뭐라고 했습니까? 이게 무슨 짓이에요?"

"무슨 짓이긴. 남부끄러운 줄도 모르는 너 같은 계집애에게 썩은 달걀만큼 잘 어울리는 게 있겠어?"

"뭐라고?"

예상치 못한 적의에, 단오가 당황한 듯 되물었다.

"여우 같은 년. 객주랍시고 과거생들을 끌어모아서 시시덕대며 재미를 본다지? 요사스럽게 교태를 부려서 선비님들 혼을 빼놓는다며?"

"어디서 말도 안 되는 소리를!"

"말대꾸하지 마, 이 천한 계집애야. 양반집 딸이면 무얼 할까. 하는 짓은 천민들 못지않은 게……. 네 부모가 그리 가르치디?"

단오가 이를 꾹 물었다. 다른 이도 아닌 돌아가신 아버지의 이름을 들먹이는 건, 절대 참을 수 없는 일이다. 꼭 쥔 단오의 주먹이 바들바들 떨렸다. 그녀가 앞으로 달려들려던 때였다.

"아악!"

갑자기 단오의 뒤편에서 나타난 여인이 종알대는 처녀의 머리채를 휘어잡았다. 다름 아닌 반야였다.

"다시 한번 말해 보아."

"넌 또 뭐야, 아, 아, 아파!"

"다시 한번 말해 보래두, 이 흉하게 생긴 계집애야. 어디서 뚫린 입이라고 당치 않은 소리를 나불거리고 있어?"

"아프다고! 일단 이거라도 좀 놓고……."

"놓으라고? 싫은데?"

반야가 손아귀에 더욱 힘을 주었다. 투두둑. 머리카락이 뭉텅 뽑혀 나가는 소리가 났다.

"머리가 다 뽑히겠어! 제발 놓아줘. 놓아 달라고……."

그러나 반야는 꿈쩍도 하지 않았다. 날카롭게 주변을 살피던 반야의 눈이 악취를 내뿜는 썩은 달걀에게로 향했다.

"너같이 못생긴 계집애에게 딱 좋은 게 있네."

반야가 맨손으로 썩은 달걀을 그러쥐었다.

"아악!"

그리고 반야는, 처녀의 얼굴에 그것을 문대 버렸다.

"어허헝……. 난 몰라……."

처녀는 결국 울음을 터뜨리고 말았다. 반야가 대뜸 그녀 앞에 얼굴을 들이밀었다.

"너, 경고할 테니 잘 들어. 단오에 관해서 나쁜 소문이 돌기라도 하면, 무조건 네년 때문인 걸로 알 테니 그리 알아. 그때는 썩은 달걀 따위로 끝내지 않을 거야. 아주 그 주둥아리를 꿰매 버릴 테다. 명심해라."

반야의 눈이 희번덕 빛을 낸다. 잔뜩 겁에 질린 처녀가 고개를 주억거렸다.

"내 말, 농 아니야. 난 어차피 무서울 거라고는 아무것도 없는 년이거든. 알았어?"

"아, 알았어……."

"알았으면 빨리 꺼져."

훌쩍거리는 울음소리와 함께 걸음아 날 살려라 도망치는 처녀의 뒤, 달걀 썩은 내가 진동했다.

"단오야, 괜찮아?"

질린 듯한 표정을 짓고 있는 단오에게, 금세 살가운 표정으로 돌아온 반야가 물었다. 반야가 길가에 난 풀 잎사귀에 손을 쓱 닦았다.

"나는 괜찮아. 반야 너는……."

"저 망할 계집애. 얼굴이 아니라 주둥이에 달걀을 처넣었어야 하는데."

"반야. 도와줘서 고마워. 고마운데……."

"뭐, 저렇게까지 할 필요가 있었냐는 말이 하고 싶은 거지?"

"으응."

제 속을 꿰뚫어 보는 듯한 반야의 말에 단오가 떨떠름하게 입을 다물었다.

처녀가 뱉은 말은, 단오에게 참을 수 없는 모욕이었다. 그러나 지난 일로 미루어 보건대 처녀는 산을 흠모하는 이였다. 결국 질투 때문에 일어난 일이라, 단오의 마음은 개운치 않았다.

"저런 것들이 제일 악질이야. 저런 계집들은 미리부터 싹을 잘라 놔야 하는 법이라고."

"으응……."

"아까부터 가만히 보고 있었어. 그냥 쫓아 버리기만 할 생각이었는데…… 단오 네 부모님 얘기를 들먹이는 걸 보고 어디 참을 수가 있어야지."

손에 남은 끈적한 찌꺼기를 치맛단에 닦으며, 반야가 말을 이었다.

"우리 집이 망해서 노비 신세가 되었을 때, 동네 애들도 그랬어. 내 부모 님 이야기를 들먹이며 욕을 해 댔지. 그때 일을 생각하면 한이 맺혀서……."

"아…… 그런 일이 있었구나."

단오는 비로소 반야의 마음을 이해했다. 다소 지나친 듯 느껴졌던 그녀 의 과격한 행동에는 나름의 사연이 있었던 것이다.

"고마워, 진심으로."

단오가 반야의 손을 잡았다.

"아서. 네 손에서도 썩은 내 날라."

"괜찮아. 손이야 씻으면 그만이지."

반야가 손을 비틀었다. 그러나 단오는 가만히 그 손을 붙들었다.

"반야. 나 찬거리 사러 가는 길인데, 같이 갈래?"

"정말? 나도 같이 가도 돼?"

"그럼. 반야 너랑 나는 이제 친구잖아. 당연히 가도 되지."

단오와 반야의 눈이 마주쳤다. 동시에 생긋, 여인들은 미소를 지었다. 저자를 향해 함께 걷는 사이, 반야가 질문을 던졌다.

"단오야. 너 그 검 들고 다니는 선비님이랑 좋아지내는 사이지?"

"으음. 좋아지내라는 사이라기보단……."

말끝을 흐리는 단오를 바라보던 반야가 입을 열었다.

"보려고 본 건 아닌데…… 네가 보이기에 반가워서 인사나 하려던 참에, 그만 봐 버렸어. 그 선비님, 너한테 홀딱 빠진 것 같더라. 훤칠하고 얼굴도 아주 잘생겼던걸?"

"으응."

"에이, 걱정 말어."

반야가 배시시 순하게 미소 지었다.

"아무한테도 말 안 해. 그냥, 네가 부럽더라고. 좋은 이를 만나서 그렇게 사랑도 받고……."

문득 쓸쓸함이 어리는 반야의 얼굴. 그 얼굴을 바라보던 단오의 표정도 함께 어두워졌다.

기생의 삶이 어떠한지 단오는 알지 못했다. 그러나 기생이 달리 천하다 불리겠는가. 비록 고운 비단옷을 입고 있으나, 반야는 관에 속한 노비였다. 첩살이가 아닌 이상 혼인을 할 수도 없고, 마음에 품은 이가 있어도 내보일 수 없는 처지. 그게 기생의 삶이었다.

"사람 팔자 모르는 거라고 했어. 반야 너도 언젠가 좋은 이를 만나게 될 거야."

"기생 주제에 무슨 좋은 팔자가 있겠어. 매일같이 영감쟁이들 술 시중이나 드는 것을."

침울하게 중얼거리던 반야의 표정이 이내 밝아졌다.

"그래도 역시 동무가 있으니 좋다. 이리 위로도 해 주고. 네 말을 들으니, 정말 좋은 일이 있을 것만 같아."

단오가 고개를 끄덕였다.

"나도 어릴 적 친구들은 죄다 시집을 가 버렸어. 이제 나도 친구라고는 반야 너 하나뿐이야."

"에이, 그런 말 말아. 참한 규수가 기생이랑 친하게 지내다가 무슨 흉한 소리를 들으려고."

271

"그게 무슨 상관이야? 난 괜찮아, 정말로."

"내 말 들어. 사람들 많은 데선 그냥 모른 체해. 가끔 몰래몰래 놀러 올게. 그것만으로도 난 기분이 너무 좋아."

"그래. 난 정말로 네가 매일 와도 상관없어."

단오가 환하게 웃었다. 처음 마주쳤을 때 못된 소리를 내뱉었을지언정, 반야는 마음을 끄는 데가 있는 아이였다. 비록 거친 구석이 있긴 했으나, 그건 험한 기방 생활 속에서 어쩔 수 없이 몸에 밴 것이리라.

"단오야, 그건 그렇고……. 너희 객주에 정유하라는 선비님이 계시지?"

"정유하? 어찌 네가 유하 오라버니 이름을 알아?"

"우리 행수가 알려 줬어. 화령 말이야. 유하 선비님께 전하길, 언제 시간이 날 때 한번 춘하관에 들르시래."

"행수가?"

"응. 긴히 드릴 말씀이 있어서이니, 이상한 생각은 하지 마시라고 신신당부를 하더라."

춘하관의 행수, 화령을 떠올린 단오가 고개를 갸웃했다. 무슨 일이 있기에 기방 행수가 유하를 찾는단 말인가. 이화원 선비 중에서 기방과 연관이 있을 법한 사람은 오직 시열뿐이었다.

"나도 이유는 몰라. 아, 얼핏 들은 이야기가 있긴 한데. 행수가 젊었을 적에 유하 선비님의 아버님을 알고 지냈던 모양이더라고."

"아……. 오라버니의 아버님을?"

"나도 흘려들은 이야기라서 정확한 건 모르겠어. 아무튼, 나는 말 전했다? 꼭 유하 선비님께 전해 줘야 해."

"알았어. 꼭 전할게."

반야가 하늘을 올려다보았다. 그새 해는 이미 중천을 넘어섰다.

"시간이 벌써 이리되었네. 늦었다간 회초리를 맞아. 단오야, 나 간다!"

"그래, 어서 가. 다음에 또 보자."

냅다 뛰어가던 반야가 손을 머리 위로 치켜들었다. 힘껏 손을 흔드는 반야의 모습이 시푸른 하늘 아래 잠겼다.

단오 역시 걸음을 재촉했다. 산과 약속한 시간이 다가오고 있었다.

성큼, 단오에게로 다가온 산이 인상을 찡그렸다.

"이게 무슨 냄새야?"

"으음, 그럴 일이 좀 있어서……."

"단오 너한테서 달걀 썩은 내가 난다."

"저도 알아요!"

샐쭉해진 단오가 바삐 걸음을 놀리기 시작했다. 그 처녀가 썩은 달걀을 집어 던진 건 산 때문이니, 단오로서는 억울할 수밖에. 내막도 모르고 냄새가 난다며 인상을 찌푸리고 있는 산이 영 얄미웠다.

"천천히 좀 가."

"썩은 냄새 난다면서요."

"대체 무슨 일이 있었기에 이리 예쁜 아씨께서 그런 냄새를 풍기고 다니느냐?"

'예쁜 아씨'라는 말에, 단오의 표정이 조금 누그러졌다.

"누가 달걀을 집어 던졌어요."

"뭐? 실수가 아니라 일부러 던졌다고?"

"으응."

"어떤 미친놈이 그런 짓을 해?"

미친 '놈'이 아니라고 말하면, 다름 아닌 산을 연모한 양갓집 규수가 벌인 일이라고 말한다면 그의 표정은 어떻게 변할까. 자못 궁금해진 단오였으나, 이미 험상궂어진 산의 눈초리를 본 그녀는 그 말을 꿀꺽 삼켰다.

"그냥, 사고였어요."

"설마, 또 사내놈이 그런 것이냐?"

"그런 거 아니래도요."

"옹 생원 놈이 집적거렸을 때도 그리 말했었잖아."

"사내가 아니고, 어떤 처자가 그랬어요."

"어떤 정신 나간 처자가 감히 단오 너를……"

'산 오라버니 때문에 정신이 나간 처자라고요.'라고 말해 주고 싶은 마음이 굴뚝같았다. 그러나 굳이 말해 봤자 그의 화만 돋울 게 뻔했다.

"비밀이에요."

단오가 입을 꾹 다물었다.

"하, 참……"

산이 손부채질을 했다. 그는 몹시나 불만스러운 표정이었다.

"말하기 싫은 것 같으니, 이번 일은 넘어갈게. 하지만…… 약속 하나만 하자."

"무슨 약속이요?"

"나에게 비밀 같은 거, 만들지 마라."

단오가 산을 올려다보았다.

"난 오라버니한테 숨긴 거 없어요."

아니, 정말 없던가. 굳이 끄집어내지 않으려 애를 쓰고 있을 뿐, 단오 역시 산에게 비밀을 가지고 있었다. 삼 년 전 밤, 그녀를 구했던 선비. 그리고 그 선비와의 짧은 입맞춤 말이다.

물론 단오가 의도한 입맞춤은 아니었다. 그렇다고 산 앞에서 그 일을 입 밖에 내어 말할 수는 없었다. 의도였든 아니든, 알 수 없는 선비를 잠시나마 마음에 담았음은 틀림없는 사실이었으므로.

"설령……. 무언가 말하지 않은 것이 있다고 해도 말이에요. 오라버니가 못 미더워서 그런 게 아닌걸요."

그가 까마득하게 지나간 일로 트집을 잡을 못난 사내가 아님을 믿는다. 그러나 그로 인해 산이 신경을 쓰거나, 마음을 다치는 건 싫었다. 그녀가 작은 비밀을 간직하고 있는 이유는 그것 때문이었다.

"그럼 됐어."

제가 단오를 얼마나 고민스럽게 했는지, 산은 꿈에도 모르는 표정이었다. 단오를 바라보던 그의 표정이 차차 평온해졌다.

길가에 보이는 야트막한 둔덕. 그곳에 흰 꽃망울을 늘어뜨린 작은 꽃나무 하나를 발견한 산이 팔을 뻗었다.

"치자나무가 있었네. 벌써 치자꽃 필 때가 됐나."

"이 꽃 이름이 치자꽃이에요?"

하얀 꽃을 받아 든 단오의 표정이 아련해졌다. 산과 들을 누비며 보았던 어떤 꽃보다 진하고 달콤한 향기가 확 밀려들었다.

"신기하다."

"뭐가 신기해?"

"오라버니가 꽃을 다 꺾어 주다니. 얼마 전까진 상상도 못 한 일이었는데."

"꼭 내가 꽃 같은 거 한 번도 안 꺾어 줬다는 것처럼 말하네?"

"응? 오라버니가요?"

"생각 안 나?"

그윽하게 퍼져 가는 치자꽃 향기 속, 단오는 알쏭달쏭한 표정으로 산을 보고 있었다. 그녀가 손에 쥔 치자꽃을 내려다보았다. 유백색의 도톰한 꽃잎은 삼 년 전 밤의 그 꽃을 닮았다.

"오라버니가…… 꽃을 꺾어 준 적이 있다고요?"

"하나도 기억 못 하는 모양이구나."

"무슨 꽃……"

툭, 단오의 손에 쥐어져 있던 치자꽃이 바닥에 떨어졌다.

정녕 산이 그 사람인 것일까? 이름도, 얼굴도 기억할 수 없는 캄캄한 밤의 선비. 그가 산이란 말인가…….

"매화꽃, 생각 안 나느냐? 종일 매화나무만 올려다보고 있기에, 내 밤에 꺾어다 주었던 것을."

"아…….."

단오의 입에서 가쁜 숨소리가 흘러나왔다. 엉뚱한 생각을 하고 있었던 것이다. 산이 말하는 것은 지난 봄밤의 이야기였다. 늦은 밤 그녀의 방문을 툭 두드렸던 매화꽃. 그걸 놓고 간 이가 다름 아닌 산이었다니.

여러 감정이 한꺼번에 밀려들었다. 아쉬운 마음과 함께, 묘한 작은 안도감도 함께 느껴졌다.

"꽃을 얼마나 많이 받았기에, 기억조차 못 하누."

"그런 이상한 질투 같은 거 하지 말고, 차라리 자랑스럽게 여겨요. 이렇게 어여쁘고 귀한 여인을 얻었구나, 하고."

"흐음."

도무지 말로는 단오를 당할 재간이 없다는 생각이 든 산이 헛웃음을 내질렀다. 그러나 따지고 보면 구구절절 옳은 말이었다.

"단오야."

"으응?"

갑자기 산이 단오의 귓가로 얼굴을 들이밀었다. 고작 이름을 부른 게 전부인데도, 그의 목소리는 간질간질 그녀의 마음을 건드렸다.

"네 말이…… 맞는 것 같아."

"뭐가요?"

알 수 없는 일이었다. 그저 이야기를 나누며 걷고 있을 뿐인데, 그의 숨결이 닿자마자 훅 열기가 끼쳐 드는 건…….

"나, 질투하나 보다."

"으응."

"누군지 알 수도 없는 사람에게 질투가 나네."

"어떤 사람이요?"

고개를 돌렸다간, 당장에라도 산의 입술이 볼에 와 닿을 것 같다. 하여 단오는 곁눈질로 힐끔 그를 보며 물었다.

"글쎄다."

"그런 말이 어디 있어요. 말을 꺼냈으면 해 줘야지……."

대답 대신 산은 싱긋 웃을 뿐이었다.

"대체 무슨 소리를 하는 건지 알 수가 없어."

단오가 뾰로통한 표정으로 중얼거렸다. 그러나 산은 절대 말할 수 없다. 질투가 난다는 말은 거짓이 아니었다. 하지만 질투의 대상이, 다름 아닌 먼 과거의 산 자신이라는 말을 어찌 꺼낼 수 있겠는가.

"비밀이다."

"나한테는 비밀 만들지 말라면서요. 그런 법이 어디 있어요?"

무심코 고개를 돌린 순간, 산의 입술이 단오의 볼에 와 닿았다. 폭신한 감촉이 순식간에 볼에 와 닿았다가 떨어졌다.

"일부러 그런 것 아니다."

"……몰라요."

산의 입꼬리가 올라갔다. 그가 주변을 휘휘 둘러본다. 저 멀리 살펴봐도 오가는 사람 없는 평온한 풍경이 눈에 들어왔다. 이내 산은 단오의 이마에 지그시 입을 맞추었다.

"누가 오면 어쩌려고요……."

"아무도 안 와."

"그걸 어찌 안다고."

"다 아는 방법이 있다."

"그게 뭔데요?"

산의 눈동자 속, 장난기 어린 웃음이 넘실거렸다.

"비밀이다. 그러니 쉿."

산이 가지런히 모은 검지와 중지를 단오의 입술에 가져다 댔다. 단오가 마른침을 삼키는 작은 소리가 들렸다. 그리고 오후의 길목은, 둘을 위해 준비라도 된 것처럼 고요하다.

"아무도 없는 거 확실해요?"

"확실해. 내가 잘 살펴봤어."

"정말로?"

"제발 그 입 좀 다물어라."

단오의 이마 위에 놓여 있던 산의 입술이 가만가만 움직였다. 손가락 한 마디만큼 떨어졌던 입술은 다시 그녀의 미간에 놓였다.

단오가 흑 숨을 들이마셨다. 이러면 아니 된다. 아직 저녁도 되지 않은 훤한 대낮에, 길 한복판에서 어찌 이런 남부끄러운 짓을……. 그러나 그녀의 생각과는 달리 심장은 점점 더 두근거렸고, 볼은 불이라도 난 듯 뜨거워졌다.

숨이 자꾸만 가빠졌다. 결국 단오는 스르르 눈을 감고 말았다. 이내 여린 눈꺼풀 위에 산의 입술이 와 닿았다. 제 눈 위로 움직이는 입술의 감촉이 너무 달콤해서 몸에 힘이 빠졌다. 조심조심 움직이는 그의 입술 틈으로 비어져 나오는 뜨거운 숨결이 그녀의 얼굴을 간질였다.

누가 오면 어떡하지. 어서 한 걸음 떨어졌으면……. 아니, 떨어지지 않았으면. 이대로 시간이 멈춰 버렸으면.

마침내 단오의 콧대를 따라 차근차근 내려온 산의 입술은 가장 원하던 대상을 발견하고 말았다. 그의 입술이 단오의 도톰한 입술에 포개졌다.

치자꽃 향기가 그윽한들, 연인의 입술 사이로 오가는 숨결만 할까. 누

278

가 불쑥 나타날지 모르는 길목에서 아슬아슬하게 시작된 입맞춤은, 입 안이 얼얼할 정도로 다디달았다.

"못됐어……."

촉, 하는 소리와 함께 산의 입술이 떨어진 후, 단오가 중얼거렸다.

"……내가 또 뭔가를 잘못했느냐?"

"비밀, 만들지 말라고 해 놓고선."

산이 단오의 입술께를 손으로 스윽 어루만졌다.

"단오 너한테 홀려서, 내가 무슨 소리를 한 것인지조차 기억이 안 난다."

분홍빛으로 물든 단오의 얼굴 위에 옅은 웃음이 스쳤다. 까만 눈동자에 담긴 산의 모습이 그 웃음의 파동을 따라 일렁거렸다.

"내가 뭘 어쨌기에요?"

"아무것도 안 하고 가만히 있어도……."

단오는, 정말로 어여쁘다. 범접할 수 없으리라 생각했던 여인은 그의 것이 된 순간 더욱더 아름다워졌다. 믿어지지 않았기에, 절대 소유치 못할 것이라고 여겼었기에 더 그랬다.

단오는 산의 심장을 고동치게 한다. 오직 단오만이 그를 행복하게 했다. 오직 단오만이 그를 웃게 만들고, 미칠 듯 설레게 한다. 단오는 그를 살아 있게, 살아 있고 싶게 만든다.

"가만히 있어도, 다음엔 뭔데요?"

그러나 산은 대답하지 않았다. 대답 대신 단오의 손을 꾹 붙잡았을 뿐.

"가자, 단오야. 너무 지체한 듯싶으니."

"미꾸라지처럼 요리조리 빠져나가기만 하고."

단오가 투덜거렸다. 산의 입술 사이로 낮은 웃음소리가 흘러나왔다.

단오에게 비밀을 만들지 말라고 요구했던 건, 연정에 취했기에 가능한 뻔뻔한 말이었다. 산 역시 누구에게도 밝히지 않은 비밀을 가지고 있지 않은

가. 설령 그 대상이 단오라고 해도, 그는 비밀을 발설하지 않을 작정이었다.

'말할 수 있는 날이 오기는 할까.'

산이 흙길을 밟는 여인의 조그만 발을 눈에 담았다. 그녀에게 결코 말할 수 없는 비밀. 그것을 알면 단오는 어떤 표정을 지을까. 저를 원망할까. 혹은 두려워할까? 이도 저도 아니라면, 지금과 똑같이 사랑스러운 눈빛으로 대해 줄까……

"무슨 생각 해요?"

"네 생각."

"거짓말."

"난 너한테 거짓말 안 해."

산의 말은 속속들이 진심이었다. 비밀을 밝힐 수 없을 뿐, 거짓으로 그녀를 기만할 생각은 없었다.

그는 오직 한 가지 비밀을 마음 깊이 숨길 뿐이다. 단오가 그에게 삼 년 전 밤의 비밀을 발설치 않는 것처럼. 비록 그 비밀의 크기만은 다르다고 하여도.

동쪽에서 떠오르는 태양이 밤을 몰아내는 시각. 푸르스름한 새벽빛에 잠긴 이화원 안뜰, 대청마루 끄트머리에는 사내 하나가 고요히 앉아 있었다.

그는 잠자코 귀를 기울였다. 그녀가 깨어나기를 시열은 기다리고 있었다.

이윽고 햇살 한 줄기가 장독대 위에 비쳤다. 이른 잠에서 깬 새들이 종알종알 지저귀기 시작했다. 마침내 시열의 귀에 조용조용 소리 죽인 인기척이 들렸다.

달칵, 홍주의 방문이 열렸다.

"기침하셨소?"

시열을 본 홍주의 얼굴이 해쓱해졌다.

"아, 놀라게 했나 보오. 미안하오."

"……어찌 마주칠 때마다 늘 미안하다고 하시는지."

"그게……"

시열이 머쓱한 듯 머리를 긁적였다.

"하도 여린 처자라, 내 얼굴만 봐도 깜짝깜짝 놀라는 것이 눈에 보여서 그렇지요. 나는 말이오, 홍주 낭자 때문에 처음 알았다오."

"무엇을요?"

"내가 사람을 놀라게 할 만큼 잘생겼다는 걸 말이오."

홍주가 고개를 돌리며 수줍게 웃었다. 뻣뻣하게 등을 편 채 앉아 있던 시열이 그제야 어깨를 늘어뜨렸다.

"평생 어디 가서 빠질 인물은 아니라고 여겨 왔는데, 이화원에 들어온 이후로 기가 좀 죽어 있었다오. 그런데 홍주 낭자께서 그리 나를 잘생겼다고 여겨 주시니……."

"저는 그렇게 말한 적이 없는데요……."

"그런 말 하지 마시오. 눈빛만 봐도 알 수 있다오. 너무 잘생긴 사내를 보아서 매번 화들짝 놀라는 것을."

무슨 말을 하려던 홍주가 이내 입을 다물었다. 홍주의 낮은 한숨 끝에는 옅은 웃음기가 배어 있었다.

"처음 봅니다."

"무엇을요?"

"웃는 것 말이오. 웃으니까 참……."

등을 보이던 시열이 흘낏, 홍주를 돌아보았다. 잠시 그들의 눈이 마주쳤다.

"어여쁘오."

홍주는 대답하지 않았다. 차마 시열을 마주 볼 용기가 나지 않아, 그녀의 시선은 연옥색 도포 자락 언저리에 떠돌았다.

"지난번에 바깥 풀빛이 곱다고 말했던 것, 기억하시오? 그래서 내 꺾어 왔소."

시열이 옷소매 안에 넣어 두었던 것을 꺼내 들었다. 그건, 눈이 시리도록 쨍한 초록빛의 풀꽃 다발이었다.

초록 잎사귀, 어디에나 흔히 피어 있는 소박한 들꽃들. 풀꽃들은 봄을 넘어 여름으로 이어지는 생동하는 계절을 고이 품고 있었다. 시열은 그 작은 풀꽃 다발을 홍주의 방문 앞으로 쓱 밀어 보냈다.

"시열 선비님."

홍주는 가만히 그 초록 다발을 바라보고 있었다.

"어찌…… 이런 걸 주십니까?"

"선물이라오. 이걸 주고, 다른 선물을 받고 싶어서요."

"제게 선물을 받고 싶으시다고요?"

"그렇소. 홍주 낭자가 나에게 줄 수 있는 선물이 있다오."

꼬박 사 년 만에 보는 푸르른 녹음이 참 곱다. 풀꽃 다발을 만져 보고 싶고, 향기를 맡고 싶었다. 그렇지만 시열의 말이 마음에 걸려, 홍주는 차마 손을 내밀지 못했다.

"무슨…… 선물을요?"

시열이 그녀를 돌아보았다.

"그냥 이 마루 위에 나란히 앉아서 얘기를 나누고 싶소. 지금 말고 나중에라도요. 그게 내가 바라는 선물이라오."

싱긋 웃는 시열과 눈이 마주친 홍주가 급히 시선을 내렸다. 시열이 자리에서 일어섰다. 옥색 도포 자락이 나부꼈다.

"좋은 날 되시오, 홍주 낭자."

시열은 성큼성큼 안뜰을 가로질러 사라졌다. 그 뒷모습을 바라보던 홍주가 조심스레 손을 뻗었다. 손바닥에 와 닿는 물오른 초록 잎사귀의 감촉이 생경했다.

누군가에게는 하찮은 풀 쪼가리일 뿐일 터다. 그러나 바깥세상과 담을 쌓은 지 벌써 사 년. 홍주에게는 그 어떤 보석이나 비단보다 더 귀하게 느껴지는 풀꽃 다발.

그 이파리에 가만히 코를 대 보는 홍주는, 내내 시열을 떠올리고 있었다.

톡톡. 창호를 두드리는 소리에, 의관을 차리고 있던 유하가 문을 열었다.

"유하 오라버니."

"이리 이른 시간에, 어쩐 일이냐?"

"바쁘세요?"

"꼭두새벽부터 바쁠 리가……."

"그럼 잠깐 같이 걸어요, 오라버니. 대문간에서 기다릴게요."

의아한 표정으로 유하는 방을 나섰다. 물을 길러 가려던 참인지, 단오는 손에 물동이를 든 채였다.

"무슨 일이기에 그러느냐?"

타박타박 보폭을 맞추어 걷는 발소리. 선선한 바람이 한들한들 불어왔다.

"춘하관의 행수기생, 기억하시죠?"

"기억이야 한다만……. 왜?"

"오라버니께 드릴 말씀이 있다고, 잠시 다녀가시래요."

유하의 얼굴에 마뜩잖은 표정이 떠올랐다.

"대체 무슨 일로……. 기생이 내게 무슨 볼일이 있다고."

"그 행수 말이에요, 화령……. 오라버니의 아버님과 아는 사이였다고 들었어요."

유하가 문득 걸음을 멈췄다.

"아버님과?"

"예. 다른 이에게는 말하지 말고, 오라버니께만 긴히 전하라고 했어요."

유하의 반듯한 미간에 얕은 주름이 잡혔다.

"유하 오라버니?"

"으응, 그래."

상념에서 깨어난 유하는 다시 걸음을 옮겼다. 이상한 날들의 연속이었다. 평온하게 글월이나 읽으며 과거 급제를 꿈꾸던 소탈한 일상. 평범한 유하의 나날들은, 요즘 들어 자꾸만 어그러지고 있었다.

"오라버니 요새…… 영 다른 사람 같은 거, 알아요?"

"내가 그래?"

"예. 마음이 힘드실 테니까…… 이해하고 있어요. 빨리 훌훌 털어 버리시고 평소의 유하 오라버니로 돌아왔으면 좋겠지만요."

"그래. 곧 그렇게 될 거야."

"약속."

단오가 불쑥 조그만 주먹을 들어 올렸다. 빼꼼 솟아오른 새끼손가락을 바라보던 유하가 피식 웃음을 지었다.

"그래. 약속할게."

유하 역시 손가락을 내밀었다. 두 손가락이 엮였다.

"손이 왜 이리 차."

단오의 손이 유난히 차가웠다. 유하가 무심코 단오의 손을 감쌌다. 그러나 다음 순간, 단오는 어색한 표정으로 잡힌 손을 빼냈다.

"나오기 전에 물일을 해서 그래요."

단오의 말투는 태연했지만, 유하의 얼굴엔 쓴웃음이 맴돌았다. 갈 곳을 잃은 손만이 무안한 건 아니었다. 다른 사람 같은 건, 유하뿐 아니라 단오 역시 마찬가지였다.

"너도 이제 정말 다 큰 여인이 되었나 봐."

"그럼 제가 언제는 애였어요?"

"이상하게…… 멀어진 것 같은 기분이 들어."

유하의 음성이 어쩐지 쓸쓸해, 단오는 그를 올려다보았다.

"저랑 오라버니가요? 왜…….."

"내외하는 기분이 든달까. 얼마 전까지만 해도 그런 거, 못 느꼈거든."

"조심하려고요. 오라버니들도 이제 혼기가 그득 찼고, 저 역시 그러니까…….
행여 이상한 소문이라도 돌았다간, 오라버니들 장가가는 데 지장 생겨요."

"그럼 이제, 이런 것도 아니 돼?"

유하가 단오의 머리를 스윽 쓰다듬었다. 어깨를 으쓱, 하며 단오는 꾸
밈없이 웃었다.

"안 그래도, 본가의 형님들도 나를 장가보내지 못해 아주 난리더라."

"점찍어 놓은 색싯감이라도 있대요?"

"그런 게 있을 리가. 서출이니 빨리 출가시키고 싶은 거겠지."

"얼굴도 모르는 사람이랑 혼인을 한다는 거, 아무리 생각해도 좀 이상
한 것 같아요. 안 그런가요?"

"그래. 나도 그렇게 생각해."

그런 대화를 나누며, 유하는 두레박을 끌어 올리는 단오를 바라보고 있었다.

아니 될까? 아니, 왜 아니 된다 생각하는 것일까.

"단오야."

"예?"

"너, 오라버니한테 시집올래?"

빈 두레박을 들고 있던 단오의 행동이 그대로 정지했다.

단오는 눈을 말똥말똥 뜬 채 유하를 멀거니 바라봤다. 잠시간 불어오는
바람마저 멈춘 것 같은 고요가 흘렀다. 눈을 두어 번 깜빡이던 단오가 하
하, 헛웃음을 지었다.

"이 무슨 시열 오라버니나 할 법한 소리래. 오라버니답지 않게."

단오가 눈을 돌렸다. 두레박을 끌어 올리는 그녀의 행동은 어딘가 모르

게 부자연스러웠다.

"빨리 가야겠어요. 아침 식사 준비해야지요."

단오가 총총대며 걸음을 옮겼다. 그러나 그녀는 열 걸음을 채 가지 못하고 멈춰 섰다.

"둘이서 어딜 다녀와?"

이화원과 우물가 사이의 길목. 산은 그 한가운데 버티고 서 있었다.

유하가 찬찬히 그의 얼굴을 바라보았다. 수련장에 다녀오는 듯, 산은 땀에 젖은 모습이었다. 왠지 묘한 이질감이 들었다. 아마도 그건, 낯설어 보일 만큼 들떠 보이는 산의 표정 때문이었을 것이다.

"물 길러요!"

"저런. 물을 길러 갔다 왔구나. 유하랑 둘이서. 그렇구나."

"네에, 그래요."

산을 지나쳐 바삐 이화원을 향해 걷는 단오. 단오가 제 곁을 지날 때 팔을 쭉 뻗어 그녀의 정수리에 올려진 물동이를 빼앗아 드는 산. 산을 향해 눈을 흘기던 단오가 꽥 소리를 쳤다. 그러나 정말로 화를 내려는 건 아닌지, 단오의 입꼬리는 잔뜩 위로 올라갔다. 그런 그녀를 바라보는 산 역시 내내 웃고 있다……

산과 유하는 단오를 사이에 두고 나란히 걷고 있었다. 그녀의 오른쪽에는 유하가, 왼쪽에는 산이.

"우리 셋이 이렇게 어디 다녀오는 것도 무척 오랜만인 것 같아요."

단오의 목소리가 들렸다. 그러나 문득, 유하는 외로워졌다. 그녀가 말하는 '우리'에 제 자리란 없는 것 같아서.

단오 곁에서 발걸음을 맞추려 애쓰며 걷고 있었으나, 그녀가 바라보는 곳은 달리 있는 것만 같아서.

7장. 두 마음

"소문? 그 방법이 통할까?"

"이대로 손 놓고 있을 수는 없잖아요, 무엇이라도 해 봐야지요."

푸른 어둠이 한양을 뒤덮은 시각. 단오와 세 선비는 처음 그들이 이야기를 나눴던 폐가에 모여 있었다.

"방설단(訪雪團)이라고 그럴싸한 이름까지 붙였는데, 이 정도 노력으로는 부족하다는 생각이 들어요. 화령이나 먹쇠 할아범이 알려 준 사실들로 간단히 찾을 수 있는 인물이었다면 애당초 저에게 일을 맡기지도 않았을 텐데……."

"괜히 긁어 부스럼을 만드는 게 아닐까 싶어서 그렇지."

"가만히 앉아 있는다고 그자가 우리를 찾아올 리는 없으니까요."

"차라리 다른 방법을 좀 강구해 보는 게……. 아무리 생각해도 그건 위험한 방법이야."

시열은 영 떨떠름한 표정이었다. 넷은 한참 동안이나 말이 없었다. 산이 장검으로 흙바닥을 쿡쿡 찍는 소리만이 규칙적으로 들려올 뿐이었다.

"그렇게 하자."

모두가 동시에 유하를 돌아보았다.

"그렇게 해. 무슨 일이라도 해 봐야지. 장태화가 준 기한이 얼마 남지 않았어."

"나는 내키지 않아."

내내 침묵을 지키던 산이 입을 열었다. 순간 유하의 입에서 나지막한 웃음이 흘러나왔다.

"이상하지 않아?"

"뭐가?"

"처음에 단오가 이설을 찾겠다고 했을 때, 산 네가 어떻게 행동했는지 벌써 잊은 건 아니겠지."

이설을 찾는 여정. 오직 산만이 단오를 위해 나섰을 뿐이다. 모두가 이 일을 반대했다.

그러나 이제 상황은 완전히 바뀌어 있었다. 산과 시열은 몸을 사리고, 제일 떨떠름한 반응이던 유하는 몹시 적극적이었다.

"반대로 생각해 보면 말이다."

산이 유하를 마주 보았다.

"그때는 단오가 걱정되어 안 된다며 끝까지 고집을 부리더니, 이제 와서 선뜻 나서는 너 역시 이상한 건 매한가지 아닌가."

"이설을 찾아야만 하니까."

유하의 대답은 즉각적으로 돌아왔다. 산의 미간이 꿈틀거렸다. 산을 불편하게 만드는 건, 유하의 눈빛이었다. 산은 그의 눈 안에서 기묘한 간절함을 읽었다.

"단오가 다치지 않도록, 책임은 내가 져."

유하의 말에, 산은 어처구니없다는 듯 실소했다.

"책임을 진다? 네가 왜, 단오를 책임진다는 거지?"

폐가 안뜰의 분위기가 점점 싸늘해지고 있었다.

"오라버니!"

단오가 산과 유하 사이로 끼어들었다.

"우리끼리 다투는 게 무슨 의미가 있어요? 저는 오라버니들한테 강요할 마음 없어요. 저를 돕든, 돕지 않든 오라버니들 자유예요. 저는 원망하지 않을 거라고요."

단오는 천천히 산에게로 시선을 돌렸다. 유난히 번뜩이는 산의 눈을 마주 본 그녀가 간절한 눈빛을 보냈다. 제발 그러지 말라는 무언의 부탁이었다. 휙, 몸을 돌린 산이 툇마루 위에 털썩 앉았다.

"이설에 대한 이야기가 나올 때마다 오라버니들이 이리 으르렁대면, 저혼자서 해결해 보는 수밖에 없어요. 아시잖아요."

"그런데 단오야. 그렇게 말하는 게 더 협박처럼 들린다고 나는 생각한다만……."

눈치를 살피던 시열이 쭈뼛쭈뼛 말을 얹었다.

"그런 의미 아니에요."

그 순간.

"해."

산이 내뱉었다.

"하자고. 그렇게 해서 우리를 찾아오는 게 이설이든, 혹은 모가지를 뎅겅 자르러 오는 망나니든. 뭐든 찾아오긴 하겠지."

유하를 쏘아보던 산이 시선을 거뒀다. 냉랭한 분위기는 더욱 짙어졌다.

"산, 유하 이 망할 놈들. 너희 두 고래 사이에 껴 있다가 내 가련한 새우등이 터질 것 같다……."

시열이 땅이 꺼져라 한숨을 쉬었다.

"유하 저건 샌님인 줄 알았더니, 요즘 진짜 미친놈처럼 군다니까. 산이야 원래부터 미친놈이었고, 가끔 보면 산이랑 유하 둘, 꼭 미친 쌍둥이 같다고!"

시열이 울상을 지었다. 그의 애타는 하소연에도 불구하고 산과 유하 사이의 날 선 기류는 좀처럼 풀리지 않았다.

유하와 시열이 앞으로 걸어가고, 그 뒤에는 산과 단오가 남았다. 입을 꾹 다문 채 걷는 산을 단오가 힐끔 쳐다보았다.

"걱정하게 해서 미안해요."

"그래."

오랜만에 보는 산의 모습이 낯설었다. 무신경한 표정, 짧고 거친 말투, 무심한 눈초리.

"위험한 일일 수도 있어서 걱정하리란 거, 알고는 있었는데……."

차가운 말투에 조금 서운해진 단오가 중얼중얼 말을 이었다. 그러나 산은 단오의 말에 귀 기울이지 않는 듯 보였다.

"휴우."

무안해진 단오가 한숨을 내쉬었다.

"단오야."

"네?"

산이 저만치 앞을 바라보았다. 점처럼 작아져 보이지 않는 유하와 시열을 확인한 그가 단오에게로 팔을 뻗었다. 그건 조금쯤 거친 행동이었다. 그가 단오를 감싸고, 끌어당기고, 너른 품 안에 가두었다.

"그런 생각 할 필요 없어."

산의 팔에 갑자기 힘이 들어갔다. 놀란 단오가 숨을 들이마셨다.

"네가 위험해진다면, 설령 유하나 시열이라도 난 용서치 않을 거다. 너는 내가 지킬 거야. 그러니 아무 걱정하지 마라."

그러나 산이 느끼는 감정은 유하나 시열과는 관계없는 일이었다. 다른 이가 아닌 산 자신 때문에 그녀가 위험해질지도 모른다는 걱정. 그것이 그의 마음을 어지럽히는 진짜 이유였다.

"황 아저씨."

"오, 단오 아씨 오셨습니까. 에엥?"

포목점 주인장 황 씨가 두둑한 배를 두드리며 걸어 나왔다. 웃음을 흘리던 그가 단오의 표정을 보곤 의아한 듯 물었다.

"아씨, 무슨 일이 있으시우?"

"아저씨."

늘 환한 웃음을 짓던 단오의 표정은 잔뜩 굳어 있었다. 그녀가 주인장의 귓가로 얼굴을 가져갔다.

"저 정말 큰 고민이 생겼는데……. 달리 상의할 이도 없고 해서."

"무슨 일이시기에? 편하게 말씀해 보시지요."

"저기요……. 제가 며칠 전에 이화원 대청소를 했거든요."

"그랬는데요?"

"아버지의 유품들을 정리하다가 말이에요."

"그래서요? 어서 말씀해 보시래두요."

"이상한 서찰 수십 통이 나왔어요."

"수십 통이나요? 누구랑 주고받은 서찰이기에 그러십니까요?"

선뜻 말하기가 걱정스러운 듯, 단오는 잘근 입술을 깨물었다. 그녀의 말에 귀 기울이던 황 씨 역시 맞잡은 손을 비벼 댔다.

"호성군 이평(李平)이라는 사람과 주고받은 서찰인데……."

저잣거리 초입에 모여 있는 산과 유하, 시열을 본 단오가 걸음을 재촉했다. 유하와 시열이 단오에게 어서 오라며 손을 흔들었다.

"오라버니들, 일은 잘 마치고 오신 거죠?"

"그렇다마다."

시열이 재밌다는 듯 입 끝을 실룩였다.

"호밀각 행수기생에게 이야기를 흘렸거든. 호성군이라는 이름이 나오자마자 귀를 쫑긋 세우고 눈이 반짝거리더라고. 아마 며칠 내내 기방에서 꽤나 입방아를 찧어 댈 것이다. 참, 유하랑 산은?"

"나는 세책점 영감에게 이야기를 했지."

유하의 단골 세책점 주인장은, 저자에 떠도는 소문을 전하는 것을 낙으로 아는 인물이었다.

"나는 대장간에 다녀왔다. 대장간 주인장은 벌써부터 입이 근지러워 보이더군."

"대장간은 무인들이 들락거리는 곳이니, 소문이 금방 퍼져 나가겠어요."

단오가 고개를 끄덕였다.

"호성군의 마지막 서찰이라……. 이 소문을 듣고, 정녕 이설이 찾아올까?"

"그럼요, 시열 오라버니."

단오의 어조는 확신에 차 있었다.

"물론 그자가 본인이 이설이라는 사실을 알고 있다는 가정하에 확신하는 것이지만요. 어떤 식으로든, 반드시 이화원 동정을 살피려고 들 거예요. 틀림없어요."

"만약 아무도 나타나지 않는다면?"

산의 날카로운 질문에 단오가 흐음, 소리를 냈다.

"그렇다면, 두 가지 경우를 생각해야겠죠. 그자가 본인이 이설이라는 걸 모르고 있다든가, 아니면 이미 한양을 떴다든가."

"귀찮은 일이 생기지나 않을까 걱정이다."

퉁명스러운 목소리였으나, 단오와 마주친 산의 눈빛은 지극히 여유로웠다.

"걱정 안 해요."

단오는 어젯밤의 기억을 떠올리고 있었다. 그녀를 끌어안은 산의 입에서 흘러나왔던 내밀한 고백을.

"저는 아무런 것도 걱정 안 해요. 제 곁엔 오라버니들이 계시니까."

또한 그녀는 분명히 알고 있었다. 어떤 일이 생겨도, 산이 그녀를 지켜주리란 것을.

〈해시(亥時) 정각.〉

방으로 향하던 단오의 손에 무언가가 슥 쥐어졌다. 산이 주고 간 종이 안에 적힌 건 오직 시간뿐. 그럼에도 그걸 바라보는 단오의 심장은 자꾸만 뛰었더랬다.

"가자."

마침내 해시. 조용히 방문을 열고 안뜰로 내려서자, 그새 산이 그녀 곁으로 다가왔다.

산에게 가까이 몸을 붙이면, 그만의 향취가 난다. 수련을 마친 그에게서는 옅은 땀내에 섞인 송진 냄새가 났다. 등목이라도 하고 온 날이면 우물물에 밴 비릿한 비 냄새가 그의 곁을 떠돌았다.

이화원 대문을 벗어난 산이 단오의 손을 잡아끌었다.

"어디로 가요?"

"그냥 걷는 거야."

"왜요?"

왜냐는 물음이 떨어지자마자 답이 돌아왔다.

"같이 있고 싶어서."

그리고 산은 단오의 몸을 제 쪽으로 끌어당겼다.

"그냥, 너랑 걷고 싶어서."

단오의 손을 꼭 붙잡은 채 산은 걸음을 옮겼다. 행선지는 그들이 회동을 가지는 장소이자, 산의 수련장인 폐가였다.

"생각해 보면 우리가 무슨 죄를 지은 것도 아닌데. 우리는 왜 항상 몰래 몰래 숨어 만나는 거죠?"

몇 발짝 앞에 보이는 폐가의 문을 바라보던 단오가 중얼거렸다.

"그런 게 싫어?"

"싫지는 않아요. 어머니랑 오라버니들이 무어라 하실지 솔직히 걱정도 되고요……. 하지만 다른 이들을 속이는 것 같아서, 그게 마음에 걸리긴 해요."

삐걱대는 소리를 내며 대문이 열렸다. 안으로 걸어 들어간 산이 먼지가 앉은 툇마루를 손으로 툭툭 털어내 단오가 앉을 자리를 만들었다.

"단오야."

"으응?"

"조금만……. 기다려."

"기다려요?"

그녀의 눈동자에 물음이 담겼다.

"내게는 중요한 일이 있다. 난 오래도록 그것을 따라 살아왔어."

"무슨 일이요?"

"지금은 말해 줄 수가 없어. 지금 당장은 말 못하지만, 나중에, 시간이 흐르면……. 내 그때는 꼭 말해 줄게."

산은 차마 '약속'이란 말은 입에 담지 못했다. 시간이 흐른다면, 그녀에게 제 비밀을 털어놓을 수 있을까. 그에게는 확신이 없다.

단오가 가만히 눈을 깜빡였다. 산이 오래도록 준비해 온 것, 중요하게 여기는 것이라면……. 아마도 과거 급제가 아닐까? 단오는 어림짐작할 뿐이었다.

"시간이 흐르면 말씀해 주실 거예요?"

"그래. 나중에, 일이 잘 마무리되면 꼭 그렇게."

단오가 산의 어깨에 머리를 기대었다. 그 기분 좋은 무게감에 산의 어깨가, 얼굴이, 그의 마음이 따뜻해졌다.

"그렇다면 지금은 더 묻지 않을게요. 하지만 나중에는 꼭 알려 줘야 해요."

속살거리는 단오의 목소리, 고개를 돌리면 보이는 제 어깨 위 말간 얼굴. 내리쬐는 달빛이 단오의 뺨 위 보송보송한 솜털 위에 반짝였다. 그 볼 너머 입술이 눈에 담기자, 도무지 시선을 돌릴 수가 없었다.

산은 본능처럼 단오의 이마에 입술을 가져다 댔다. 그의 성급한 입술이 되똑한 콧날을 따라 미끄러졌다. 마침내 그는 제 혼을 쏙 빼놓았던 그 입술에 제 입술을 포갰다.

들숨과 날숨 사이로 달빛이 스며든다. 두 입술의 떨림이 고스란히 서로에게 전해졌다. 몇 번째 입맞춤이던가. 그의 입술은 매 순간이 처음인 것처럼 떨렸다. 남의 눈을 피해 가며 몰래몰래 탐하는 입술은 그래서 더 달콤하고 더 애달팠다.

단오는 여전히 수줍어했다. 그녀의 작은 혀는 자꾸만 뒤로 물러나 도망쳤다. 그 탓에 산은 더욱 간절하고, 갈급해졌다.

말캉거리는 입술의 감촉, 촉촉한 물기, 꿈결 같은 감각. 마음을 하나로 잇는 숨결……. 산이 거친 숨을 몰아쉬었다. 이제는 멈춰야 할 때였다.

가만히 입술을 떼어 낸 그가 단오를 꽉 끌어안았다. 채 다스리지 못한 억센 숨결이 한숨과 함께 흩어졌다. 그러나 산은 이내 입을 꾹 다물었다. 입 안에 오롯이 남은 그녀의 향기. 그걸 밤공기에 흘려보내기엔 너무나 아까워서.

숨을 고르며, 산은 단오를 바라보았다. 확신은 없다. 그렇다고 자신이 없지는 않았다. 산은 단오를 연모했다. 그리하여 그는 새로운 꿈을 꾸게 되었다.

"단오야. 모든 일이 끝난 다음에 말이다. 그때는……."

무슨 말인가를 꺼내던 산이 갑자기 입을 다물었다. 느른하게 풀어졌던 신경이 순간 예리하게 곤두섰다. 대문 근처, 담벼락 어딘가에서 들려오는…….

"오라버니……."

"쉿."

산이 자리에서 벌떡 일어섰다. 이 폐가는 산에게 이화원 이상으로 익숙한 장소였다. 매일 이곳에 드나드는 동안, 저런 기척은 단 한 번도 들린 적이 없었다. 그렇다면 답은 하나뿐.

"누군가가 있어."

말이 채 끝나기도 전에, 산은 검을 뽑아 들었다. 그와 동시에 투다닥 고요함을 깨는 소리가 들렸다. 두말할 필요 없는 사람의 발소리였다.

"걱정하지 마라."

제 등에 와 닿는 단오의 몸. 그녀는 감히 숨조차 크게 쉬지 못한 채 뻣뻣하게 얼어 있었다. 굳이 뒤돌아보지 않아도 겁에 질린 단오의 표정이 보이는 것만 같았다.

"내가 있다. 걱정하지 마."

산이 다시 단오를 안심시켰다.

"으응."

"잠깐만, 여기 이대로 있어."

산은 곧장 폐가의 대문을 향해 치달았다. 그러나 들려왔던 발소리는 진즉 사라졌다.

누군지 알 수 없는 자가 근처에서 산을 주시하고 있었을 것이다. 기척을 들킨 그자는, 산이 검을 빼 드는 것을 보고선 걸음아 날 살려라 줄행랑을 친 것이 분명했다.

단오가 있는 지금, 정체 모를 침입자를 뒤쫓는 건 무모한 일이었다. 몸을 돌리던 산이 멈칫했다.

"이건……."

산이 바닥에 떨어진 무언가를 들어 올렸다.

"오라버니……."

겁에 질린 단오의 목소리를 듣고서야, 산은 그것을 옷섶 안에 쑤셔 넣었다.

"뭐가 있어요? 괜찮은 거예요?"

"아무것도 아니야. 괜찮다."

긴장을 늦추지 않은 채, 산은 성큼성큼 단오에게 돌아갔다. 그녀의 손을 꼭 쥔 그는 망설임 없이 다시 걸음을 옮겼다.

"돌아가자, 단오야."

스스로를 걱정하진 않았다. 그러나 이 야심한 시각의 폐가는 단오에게 안전치 못했다. 늦은 밤의 밀회를 위해 찾아든 곳. 단오에게 제 마음을 고백하기 위해 찾은 장소에서 이게 무슨 날벼락인지.

이화원 대문을 지난 후에야, 산은 내내 붙잡고 있던 단오의 손을 놓았다.

이화원이라고 해서 결코 안전한 장소는 아니었다. 하지만 이곳은 단오의 집이었다. 그녀의 마음이나마 달래 줄 수 있는 유일한 곳. 산은 그녀의 집을 지킬 것이다.

"오라버니."

단오가 소리 죽여 산을 불렀다.

"나는 걱정 같은 거 안 했어요. 조금 겁이 나긴 했지만……."

"네가 용감한 거 알아. 하지만 너무 겁이 없는 것도 좋지 않다."

"난 오라버니를 믿으니까."

그 말에, 산은 더 이상 대답하지 못했다. 단오의 얼굴 위엔 늘 달빛이 따라다니는 것만 같다. 산의 가슴은 빛을 얻은 것처럼 벅차올랐다.

"잘 자요, 오라버니."

그리고 산의 경탄을 자아내는 사랑스러운 여인은, 발꿈치를 바짝 들어 올려 그의 입술에 후다닥 밤 인사를 남겼다.

제 방으로 돌아간 산이 폐가 앞에 떨어져 있던 물건을 꺼내 들었다.

딱히 특징이라고는 없는, 검은 물을 들인 무명천. 그러나 무인만이 알아볼 수 있는 모양새를 본 산의 등골은 찬 서리가 내린 듯 서늘해졌다. 그것은 자객들이 착용하는 복면이었다.

'우연일까.'

검은 복면을 한 사내. 산에게는 그에 관한 강렬한 기억이 있다.

'그 밤의 자객이 다시 나타난 건가?'

정체를 알 수 없는 불청객. 그리고 그가 남기고 간 천 조각. 산은 한참이나 그것을 바라보고 있었다.

그는 누구일까. 그의 의도는 무엇이고, 목적은 과연 무엇일까.

산이 방문을 열어젖혔다. 저만치 보이는 단오의 방엔 그새 불이 꺼졌다. 불 꺼진 방을 보며, 산은 불청객의 등장으로 채 하지 못했던 단오를 향한 말을 떠올렸다.

'모든 일이 끝난 다음에 말이다. 너에게 혼인을 청하고 싶어.'

단오를 마음에 품음으로써, 끝끝내 가지게 된 꿈. 산은 단오의 곁에 머무르고 싶다. 그녀와 함께 삶을 일구고 싶었다.

산으로 하여금 감히 그런 꿈을 꾸게 만든 여인, 단오는 지금쯤 곤히 잠들어 있을 것이다. 그러나 산에겐 잠 못 드는 밤이 될 터였다. 산은 그녀의 단잠을 지켜야만 했다.

산이 검을 손에 쥐었다. 꼿꼿한 자세로, 그는 밤새 단오의 방을 지켰다.

* * *

자경전(慈慶殿)[14]은 오늘따라 고요하기 그지없었다.

_____

14) 대비의 침전.

단 한 명도 남김없이 자리를 물리라는 대비의 명. 그 적막한 공간에 좌의정 신운호가 모습을 드러내었다.

"마음의 준비를 하셔야 할 듯하옵니다, 대비마마."

"더 이상 준비할 것이 무엇 있겠는가, 좌상. 이미 피 같은 자식들을 앞세운 어미인 것을."

제 배로 낳은 자식이 모든 형제들을 살육하고 왕위에 오르는 것을 지켜보아야 했던 기구한 여인. 대비의 어조는 담담해서 오히려 더 슬프게 느껴졌다.

"찾았는가?"

모든 궁인들을 내보낸 상태였으나, 대비의 목소리는 한없이 은밀했다.

"아직이옵니다."

"비밀리에 조선 팔도를 다 뒤졌네. 하나 어디에도 왕가의 자손은 남아 있지 않아. 이대로 주상이 일어나지 못한다면……."

대비가 말끝을 흐렸다. 왕의 모후라고 해도, 입에 쉬이 담을 수 없는 말이기 때문이다.

"왕가의 대가 끊기는 것이겠지요. 소신 명심하고 있사옵니다."

"하여, 내 자네에게만 긴히 털어놓을 것이 있어 불렀네."

"예. 말씀하시지요, 마마."

"선왕께서 생존해 계실 때 들은 이야기라네. 지금도 실재하고 있을지, 확신할 수는 없지만……."

"말씀하시지오. 듣겠습니다."

좌의정이 자세를 고쳤다. 음험한 비밀을 털어놓듯, 늙은 여인의 눈이 흐릿하게 빛났다.

"파수꾼."

"그것이 무엇이옵니까?"

"작금과 같은 상황을 대비하기 위해 준비된 자들. 왕위를 이어받게 될 자들을 비밀리에 수호하며 지키는 자들이 있다네."

그것은, 평생을 궐과 편전 안에서 보낸 좌의정조차도 처음으로 듣는 이름이었다.

"파수꾼이라 하면……."

"그들은 무인들일세. 검을 다루는 자들이지. 그 솜씨가 신기에 가까워, 가히 조선제일이라고 했어. 그들은 평생 오직 왕손을 보호하기 위해서 살아가네. 신분을 숨긴 채, 그림자가 되어……."

신분을 숨기고, 평생을 이설의 뒤를 좇는 그림자가 되어, 오직 이설을 지키고 수호하는 목적을 가진 자.

그 말을 듣는 순간, 신운호는 파수꾼이 이미 모습을 드러낸 적이 있음을 직감했다.

"호성군이라면!"

"쉿! 목소리가 큽니다, 대감."

"어이쿠, 내 너무 놀라서 그러네. 호성군의 서찰이라니……."

"이화원에 계신 선비님에게 들은 이야기니 틀림없을 것입니다."

깊은 밤, 여흥이 무르익은 기방 안에서도.

"이 서책은 다음 주까지 읽고 돌려주도록 하겠네."

"그건 그렇고 말입니다, 생원님. 제가 엄청난 이야기를 들었는뎁쇼……."

"엄청난 이야기? 무엇이기에 그러나?"

"아무한테도 말씀하시면 아니 됩니다. 아셨지요? 호성군이라는 이름, 기억하실지 모르겠습니다만……."

책 먼지가 풀풀 피어나는 세책점 구석에서도.

"자네, 이야기 들었나?"

"혹시 이화원과 호성군 이야기를 말하는 겐가?"

"발 없는 말이 천 리 간다더니, 그 짝이 났구먼. 묻는 자마다 죄다 소문을 알고 있으니 말일세."

"호성군의 서찰이라니······. 대체 거기 무슨 내용이 적혀 있을 것 같나? 아주 궁금해서 죽겠구먼."

무인들이 오고 가는 대장간 앞 길목에서도. 소문은 날개를 달고 한양 곳곳으로 퍼져 나갔다.

"이화원의 원래 주인이 아마, 전하께서 보위에 오르는 것을 한탄하며 사직을 했었지?"

"까마득한 과거의 일이 아닌가. 게다가 이미 둘 다 죽은 사람일세. 문제될 게 있겠는가?"

"문제가 될 게 없을 리가! 호성군에게는 실종된 아들이 있지 않은가. 다들 쉬쉬하지만, 전하의 상태가 위중하다는 소문이 파다한데······."

"아들? 왕자의 난 때 다 죽었지 않나?"

"하도 오래된 일이라 자네도 잊어버렸구먼. 딱 하나가 살아남았다고 하지 않았는가."

"아아, 그랬지! 그랬어. 그자의 이름이 아마······."

"이설이던가."

그렇게, 단오의 계책으로 시작된 헛소문은 제 주인을 찾아 한양 도처를 떠돌고 있었다.

"어찌 단오 네가 기방에 따라나선다는 게냐."

그리 말하면서도, 유하는 싫지 않은 표정이었다.

"그냥요. 거기에 아는 사람도 하나 있고 해서."

"어떻게 네가 기방 사람을 알아?"

"오며 가며 인연이 닿은 아이가 있어요. 얼굴이나 보고 오려고요."

단오와 나란히 걷는 발걸음이 가볍다. 유하의 입가에 옅은 미소가 감돌았다. 제법 쨍쨍한 오월 햇살에 비친 단오의 가리마가 유난히도 하얬다.

한참을 걸어, 그들은 춘하관 앞에 다다랐다. 문지기가 유하와 단오의 얼굴을 번갈아 쳐다보았다. 유하가 입을 열기도 전에, 문지기가 먼저 꾸벅 절을 했다.

"지난번에 오셨던 분들이지요? 행수께서 잘 모시라고 말씀하셨습니다. 안으로 드시지요."

문지기는 정중하게 유하와 단오를 맞이했다. 기방 문을 열기에는 아직 이른 낮 시간. 춘하관은 오가는 이 없이 고요했다.

"오라버니. 말씀 나누고 오세요. 저는 밖에 있을게요."

"오래 걸리진 않을 것이다."

"예, 여기서 기다릴게요."

유하가 내실로 모습을 감춘 후, 단오는 문지기를 불러 세웠다.

"이보시게. 반야를 좀 불러 줄 수 있는가?"

"반야요?"

반가 여인이 기생을 찾는 것이 신기한 듯, 문지기가 되물었다. 그러나 유하와 일행을 깍듯이 모시라는 분부를 받은 그는 이내 고개를 숙였다.

"그럽지요. 잠시만 기다리십시오, 아씨."

"무슨 일로 보자셨습니까?"

화령은 한결 수수한 모습으로 유하를 맞았다. 그러나 이전부터 범상치 않던 눈빛은 더욱 깊어져 있었다.

"그때는 미처 못 알아 뵈었습니다. 정헌 대감의 자제분이신 것을요."

"대감마님과 어떤 인연이시기에 그 서출까지 챙기는 것이오?"

"한낱 천출이 그런 고매하신 분과 무슨 인연을 맺겠습니까. 그저……."

화령이 보자기에 곱게 싸인 물건을 유하 쪽으로 밀어 보냈다.

"부탁을 받았습니다. 마님이 돌아가신 후에 이것을 서자에게 전하라고요."

유하가 미간을 좁힌 채, 그 앞에 놓인 무언가를 바라보았다.

또 하나의 물건. 그는 마님의 임종 때 건네받은 '유품'이라는 금붙이에 관한 수수께끼도 아직 풀지 못했다.

"대체 이것이 무엇입니까?"

"아버님의 유품이지요."

유품. 정체불명의 단어가 또다시 튀어나왔다. 유하는 무거운 표정으로 금빛 보자기를 끌렀다.

달칵, 뚜껑이 열리고 마침내 정체를 드러낸 내용물을 본 유하의 입에서 당황한 신음이 흘러나왔다.

"이게……."

"선비님의 아버님께서 물려주시는 유산입니다."

"이것은…… 은이 아닙니까."

"그렇습니다. 한양 천지에 이만한 은을 가진 사람은 오직 유하 선비님 밖에 없으실 겁니다."

금속성의 차가운 빛. 밤하늘의 달빛 같기도, 혹은 얼어붙은 한겨울의 수면 같기도 한 그 은은한 빛. 유하는 평생 처음 보는 많은 양의 은을 내려다보고 있었다. 이윽고 그가 입을 열었다.

"이 은의 양이 총 얼만큼입니까?"

이것이 정녕 내 것이라면. 기왕 가진 것, 내가 원하는 만큼이 되어 줄까.

"이백 량입니다. 더도 덜도 없이 꼭 이백 량이요."

"가만히 좀 있어 봐."

"안 지워지면 어떻게 해?"

"에이, 걱정도 팔자다. 그냥 소매로 쓱 닦으면 금세 지워져."

톡톡- 반야의 손끝이 단오의 아랫입술에 닿았다.

"히야. 곱다, 고와. 내 웬만하면 다른 계집애들에게 이쁘다는 소리 안 하는데, 단오 너는 참 예쁘게도 생겼다."

"아이참, 낯간지러운 소리 하지 마……. 그나저나 잘 어울려?"

잇꽃을 빻아서 만든 연지를 바른 단오의 입술이 붉었다. 칭찬을 늘어놓는 반야 덕에 단오의 어깨마저 으쓱해졌다.

"그 선비님 있지? 검 들고 다니는 네 정인. 가서 보여줘 봐. 네 입술을 보자마자 당장 혼인하자며 덤벼들걸?"

"반야 넌 어쩜 이리 남부끄러운 소리를 하니!"

"그만큼 예쁘다는 소리야. 빈말 아니야! 나 정말로 다른 사람한테 이런 칭찬 해 본 적 없다니까."

단오와 반야, 둘이 다리를 뻗고 앉은 것만으로 꽉 차는 좁은 방. 도란도란 이야기를 나누던 그녀들이 까르륵 웃음을 터뜨렸다.

오래지 않아 살짝 열어 놓은 문틈으로 화령의 목소리가 들려왔다. 필시 유하에게 인사를 고하는 것일 터다.

"난 이만 가 봐야겠다. 반야야. 연지 발라 줘서 고마워. 다음에 또 봐."

"그래. 나중엔 내가 놀러 갈게."

분 냄새가 풍기는 방을 빠져나오던 단오가 못내 아쉬운 듯 뒤를 돌아보았다. 반야가 손을 흔들었다.

"번거롭게……."

단오와 유하가 떠난 후. 이윽고 반야가 중얼거렸다.

"멍청한 건지, 순한 건지 모르겠네. 이상한 계집애……."

하지만 멍청하다는 말로 치부하기에 단오에겐 지나치도록 똑 부러진 구석이 있었다. 그래서 반야는 더 단오를 이해하기 힘들었다. 멀쩡한 반가 여인이, 왜 제게 이리 살갑게 구는 걸까?

"넌 좋겠다……. 그렇게 살 수 있어서."

곧 나도 그렇게 되겠지……. 저 아이를 제물 삼아서.

방바닥에 어지러이 늘어놓은 면경이며 백분통을 바라보던 반야가 쓴 한숨을 내쉬었다.

이화원으로 돌아가는 길. 단오는 들뜬 표정으로 제 입술을 만지작거리고 있었다. 태어나서 처음으로 발라 본 연지였다. 어서 돌아가서 산에게 내보이고 싶은 생각에 마음이 설레었다.

"단오."

그러나 이화원에 도착한 단오가 안뜰을 지나치자마자 마주친 건, 잔뜩 화가 난 표정의 산이었다.

"어딜 다녀오는 게냐."

"유하 오라버니랑 바깥예요. 잠시 볼일이 있어서……."

"말을 하고 가야 할 거 아냐!"

갑자기 언성을 높이는 산의 모습이 낯설어, 단오는 멍하니 그의 얼굴을 올려다보았다.

"주무시는 것 같아서 굳이 말 안 했어요."

"그랬으면 깨웠어야지. 깨워서 말을 해 줬어야지."

산의 눈빛이 거칠었다. 그의 눈에 담긴 건 분노가 아닌 불안이었지만, 단오에겐 그저 화를 내는 모습으로 보일 뿐이었다.

산의 과격한 반응은 간밤의 사건 때문이었다. 단오의 방을 바라보며 꼬박 밤을 새운 그였다. 한낮에 깜빡 잠이 들었다가 깨어나니, 단오가 흔적도 없이 사라졌던 것이다. 하지만 그녀가 그의 사정을 알 리 없었다.

"제가 언제부터 오라버니한테 간다, 만다 알리고 다녔다고 화를 내요?"

야속한 마음에, 단오의 말끝은 야무지지 못하게 떨렸다. 이럴 줄 모르고, 입술연지를 자랑하겠다며 들뜬 마음으로 돌아왔던가. 서운한 마음이 치밀어 올랐다.

"하……."

산이 깊은 한숨을 내쉬었다. 흔들리는 단오의 눈을 보자마자 그는 즉시 후회했다. 제 버릇 개 못 준다 했던가. 어젯밤, 불청객의 자취를 발견한 이후 불안해하는 단오에게 걱정할 것 없다며 큰소리를 친 건 산 자신이었다.

단오의 말이 맞다. 그녀는 이화원의 주인이었다. 주인인 그녀가, 제게 허락을 구하고 나다닐 이유가 어디 있단 말인가.

"단오야."

"유하 오라버니랑 둘이 나갔다 온 것 때문이에요?"

산이 기가 막힌 듯 헛웃음을 지었다.

"말도 안 되는 소리 하지 마라."

"그럼 왜요? 제가 무얼 잘못했다고……."

"미안해."

산이 다시 한번 말했다.

"정말로, 미안하다."

그러나 단오의 화는 쉽게 풀리지 않을 모양이었다.

"약속했잖아요. 내 마음 다치지 않게 해 준다더니……. 고작 며칠이나 지났다고……."

원망 어린 눈으로 산을 보던 단오는 부엌으로 쑥 들어가 버렸다.

덩그러니 남은 산의 입에서 짙은 한숨이 흘러나왔다. 그가 지그시 눈을 감았다. 대체 어찌 이리 꼬이고 또 꼬이는 건지. 제 자신이 원망스러웠다.

"뭐 해?"

시열의 목소리가 바로 귓전에서 들려오는 통에, 깜짝 놀란 산이 눈을 떴다.

"산. 대체 왜 그리 죽을상을 하고 있는 거야?"

"언제부터 와 있었어?"

"언제부터는. 지금 방금부터 와 있었다, 이놈아."

"됐어, 그럼."

산이 무심히 시열을 지나쳤다. 간밤을 꼬박 새운 후 반 시진 남짓 눈을 붙였던가. 산은 몹시 피로했을 뿐 아니라 단오와의 일 때문에 마음이 편치 않았다.

잠깐 선잠이라도 잘 생각으로 방으로 걸음을 옮기는데, 시열은 휘적휘적 자꾸만 산을 따라왔다.

"산. 너 또 단오한테 이상한 소리 했지?"

"무슨 소리?"

"오다가 단오를 마주쳤는데, 당장이라도 울 것 같은 표정으로 부엌으로 들어가던데? 누가 우리 단오를 괴롭히나 하고 와 봤더니 아니나 달라. 네 놈이 딱 있는 거 아니겠냐."

산이 걸음을 멈췄다.

"그래. 그랬지."

"어이구, 이 망할 놈아."

"그래……."

산의 표정은 쓰디썼다.

"난, 진짜 천하의 망할 놈이다……."

"뭐야. 왜 이래?"

미심쩍은 표정으로, 시열이 한 걸음 물러섰다.

"너 돌았냐?"

"그래. 돌았는갑다."

"왜, 왜 이래. 무서워……."

"시열아, 난 진짜 구제불능인가 봐."

"대체 왜 헛소리야. 이 미친놈이!"

시열의 말은 안중에도 없는 듯, 산이 땅이 꺼질 듯 한숨을 내쉬었다. 고개를 푹 수그린 채 방으로 쓱 사라지는 산의 뒷모습을 멀거니 보던 시열이 기가 막힌다는 듯 외마디 소리를 냈다.

"단오야."

멍하니 아궁이를 보고 있던 단오가 고개를 들었다. 유하의 얼굴을 발견한 그녀가 민망한 듯 눈가를 닦았다.

"울었어?"

"아니요."

"무슨 일이 있는 것이냐?"

"아니에요, 그런 거. 왜요, 오라버니?"

유하는 단오의 표정이 어두운 이유를 알지 못했다. 아마도 이화원 문제로 마음 상한 일이 있었던 게 아닐까. 그는 그렇게 지레짐작해 버렸다.

"왜냐니. 언제부터 우리가 이유 있어야 찾는 사이였나."

유하의 말에, 단오가 민망한 미소를 띠었다.

"그러게요. 언제부터 그랬지……. 제가 요즘 좀, 이상하죠?"

"정신이 딴 데 팔린 것 같긴 하다만, 워낙 이화원 때문에 바쁜 처지이니……. 그러려니 생각하고 있어. 이해해, 네 마음."

"미안해요, 오라버니……."

"무얼 미안해. 그런 소리 마라."

모든 걸 보듬어 주는 듯한 유하의 따뜻한 목소리. 단오는 문득 생각했다. 왜 저는 유하에게 데면데면하게 구는 걸까. 그는 늘 한결같은 사람이었다.

"많이 힘들지?"

"에이, 힘들긴요."

단오를 바라보는 유하의 눈빛은 다정하기 그지없었다. 그는 늘 그래 왔다. 친오라버니처럼 누구보다 가까운 사람으로서, 그들은 삼 년의 시간을 함께했다.

유하가 아닌 다른 사내를 마음에 담았다고 해서 그를 밀어내다니. 그건 은혜를 모르는 배은망덕한 행동처럼 느껴졌다.

"단오야, 너에게 제일 소중한 것…… 이화원이라고 했지?"

유하가 물었다. 단오가 고개를 끄덕였다.

"이화원만 지킬 수 있다면 무엇이든 할 수 있을 거라고……. 넌 늘 그런 마음이었던 거겠지."

"예. 그건 왜요?"

"그냥 물었어. 문득 생각이 나서."

잠시 말이 없던 유하가 갑자기 단오의 얼굴을 뚫어져라 바라보았다.

"그런데 말이다. 단오 네 입술…… 아까는 볕이 좋아 그리 붉어 보이나 했었거든. 혹시 입술에 뭘 바른 거야?"

"아……. 그, 입술을 깨물었더니 붉어졌나 봐요."

차마 반야에게 연지를 얻어 발랐다는 말을 할 수는 없어서, 단오는 대충 둘러댔다.

"어쩐지. 오늘따라 평소보다 예뻐 보이더라니."

제 입으로 말해 놓고서도 유하는 쑥스러운 모양이었다. 그가 하하, 꾸밈없이 웃었다. 그러나 다음 순간, 단오의 눈에서는 예기치 못하게 눈물 한 방울이 툭 떨어졌다.

"단오야."

"아, 왜 이러지……."

평소보다 예뻐 보인다는 말. 단오가 그 말을 듣고 싶었던 사람은 따로 있었다. 정작 그는 바뀐 입술을 알아보기는커녕, 얼굴을 보자마자 화를 냈지만…….

"정녕 무슨 일이 있었던 게로구나."

"아니에요. 그런 게 아닌데……."

별일 아니다. 산은 원래 거친 사람이었다. 그걸 뻔히 알면서도, 한번 터진 눈물은 쉽게 그치지 않았다.

유하가 소매로 단오의 눈물을 닦아 줬다. 마음을 가라앉힌 단오가 천천히 고개를 들었다. 단오의 눈에 제일 먼저 들어온 건, 제 앞에 있는 유하가 아닌 그 뒤편에서 저를 보고 있는 산의 얼굴이었다.

"산."

유하가 산을 돌아봤다. 산의 미간이 꿈틀했다.

그것은 가슴 아픈 장면이었다. 울고 있는 단오의 앞, 그녀의 눈물을 닦아 주는 이가 다름 아닌 유하라니. 하지만 무슨 할 말이 있을까. 그는 이미 단오에게 약속했다. 상처 입히지 않겠노라고, 따뜻하게 대해 주겠노라고. 약조를 먼저 저버린 건 자신이었다.

"산, 잠시 자리를 비켜 줘."

"……뭐?"

"단오와 할 이야기가 있으니, 비켜 달라고."

산은 조금쯤 기막힌 표정으로 유하를 노려보았다. 그러나 유하는 잔뜩 심각한 표정으로 단오를 곁눈질할 뿐이었다. 비켜 달라고, 울고 있는 단오를 달래 주는 건 산이 아닌 제 몫이라고. 유하의 표정은 그렇게 말하고 있었다.

물론 유하의 행동에는 아무런 악의도 없을 것이다. 유하는 그들의 관계에 대해서 아무것도 모르고 있었기에.

"산."

유하의 목소리가 한 번 더 들렸고, 산은 곧장 몸을 돌렸다. 산의 가슴속에 무엇인가가 맹렬하게 들끓었다. 우는 단오를 보았으면서도, 비 맞은 개처럼 처량하게 쫓겨 가는 신세라니. 하지만 누구를 탓하랴. 모두 못난 제 탓이었다.

"산, 어디 가?"

지나치던 시열이 산을 불렀다. 그러나 시열의 말이 끝났을 즈음에, 산은 이미 이화원 대문을 나서고 있었다.

"망할 놈. 그래 가지고 어디 대문이 부서지겠냐."

쾅, 닫힌 대문을 바라보던 시열이 혼잣말을 했다. 그가 휘휘 주변을 둘러보았다. 단오와 유하의 모습은 보이지 않았다. 내기 장기를 두러 나갔는지, 육호 역시 자취를 감췄다.

"뭐야. 나 말고는 아무도 없는 거야?"

시열이 허탈하게 중얼거렸다. 그 순간 달그락- 소리가 났다. 그 소리는, 다름 아닌 홍주의 방에서 들려온 것이었다.

한 뼘 열려 있는 문틈. 그 사이로 하얀 손이 슥 나왔다가 사라진다. 홍주를 부르려던 시열의 시선이 갸름한 손가락이 머물렀던 자리로 향했다.

그 자리에 놓인 하얀 노리개 위로 오월의 햇살이 쏟아져 내렸다.

단오와 유하는 부엌 문지방에 나란히 앉아 있었다. 시무룩한 단오도, 자못 심각한 표정을 짓고 있는 유하도 내내 말이 없다. 비좁은 틈을 비집고 앉은 탓에 두 어깨는 맞닿은 상태였다.

"부엌일을 마치고 나면, 오라버니랑 여기 앉아서 그렇게 수다를 떨었는데."

"그래. 그랬었지."

"그러다가 어머니 소리가 들리면 오라버니는 걸음아 날 살려라 도망가고."

"내가 부엌에서 어슬렁대다 걸렸다간 네가 혼이 나니까. 어쩔 수 없었어."

"그때가 참……."

그립다- 그리 말하려던 단오가 입을 다물었다. 무척 오래전 일처럼 느껴지는 기억. 하지만 기껏 두어 달 전의 일일 뿐이다.

본래 그녀와 가장 가까웠던 이는 산이 아닌 유하였다. 그때 유하가 베풀었던 모든 호의를 당연한 듯 받아 놓고서, 이제 산에게 마음을 주었다 하여 그를 멀리하는 건 옳지 않은 일처럼 느껴졌다.

"오라버니."

"응?"

"우리, 변치 말도록 해요."

단오의 말뜻을 가늠하듯 유하가 고개를 갸웃했다.

"무엇을 말이냐?"

"친오라비처럼, 진짜 누이동생처럼 이렇게 사이좋은 거."

"그랬으면 좋겠어?"

단오가 고개를 끄덕거렸다.

"그럼요. 그랬으면 좋겠어요. 지금뿐만 아니라 나중에도요. 오라버니는 곧 과거에 급제해서 큰 인물이 되실 테니까, 내 오라버니가 이런 사람이라고 동네방네 자랑하고 다닐 거예요."

유하가 희미하게 미소 지었다. 지금 그는 행복하다. 아무 일도 일어나지 않았던 몇 달 전으로 돌아간 것 같은 이 순간이 그는 행복했다.

"오라버니는 싫은가 보다. 대답 안 하는 걸 보니."

"그래. 꼭 그렇게 하자."

유하 역시 변치 않고 싶었다. 그도 단오와 나누는 이런 순간들이 영원하길 바랐다. 그러나 단 한 가지만은 동의할 수가 없었다. 이제 유하는, 오라버니라는 이름 안에 갇혀 있기 싫었다.

"그래서, 이제 마음은 좀 괜찮아지셨어요?"

"내 마음?"

"어머님 일……."

"아."

유하는 그 사실조차 잊었던 사람처럼 어색하게 웃었다. '마님'이라고 불렀던 양모의 죽음은 그에게 별다른 슬픔을 남기지 못했기 때문이었다. 다른 이들이 들으면, 역시 서자란 아무짝에도 쓸모없는 것이라고 손가락질을 하겠지. 그러나 마음이 그런 걸 어찌하겠는가.

평생 그에게는 눈길조차 제대로 주지 않았던 분이었다. 그랬기에, 마님이 임종 직전에 남긴 유언은 더욱 수수께끼처럼 느껴졌다.

"괜찮아……. 서출이지 않느냐. 서출의 삶은 평범한 부모 자식 간과는 다르거든. 정 같은 거, 느껴 본 적 없어."

"그런데 요즘 왜 그렇게 어두운 표정이에요?"

"일이 좀 있어서 그렇다."

"무슨 일?"

"그건……."

그에게 일어난 일. 그걸 이 부엌 귀퉁이에서 어찌 설명할 수 있을 것인가.

마님을 통해 전달된 '유품'이라는 이름의 금붙이와 기생 화령이 전해 준 엄청난 양의 은. 그가 손에 넣은 것은 막대한 부(富)였다. 그러나 유하는 조금도 기쁘지 않았다. 갑자기 밀어닥친 이상한 일들의 끝에, 큰 비밀이 숨겨져 있을지도 모른다는 생각 때문이었다.

솔직해지자면, 그는 두려웠다.

"나중에 말해 줄게."

"에휴."

단오가 나지막하게 한숨을 내쉬었다.

"어찌 그러느냐?"

"다들 무슨 일이 있나 봐요. 물었다 하면, 약속이라도 한 것처럼 다음에 말해 준대."

"나 말고 또 누가 그러디?"

"다요, 다."

어쩐지 유하 앞에서 산의 이름을 입에 담는 것이 쑥스러워, 단오는 대충 얼버무렸다. 그렇지만 언제까지 유하를 속일 수는 없다. 진짜 오누이처럼 변치 말자 먼저 말해 놓고, 제 속내를 꽁꽁 감추는 건 그를 기만하는 일이었다.

그래. 차라리 지금 말해 버리자. 괜한 비밀을 만들었다가, 그의 마음을 다치게 할까 봐 두려웠다.

"저기, 오라버니……."

"저기, 단오야……."

단오와 유하가 동시에 입을 열었다.

"말씀하세요, 오라버니."

"아니다, 네가 먼저 말해라."

"으음……."

단오는 차마 입이 떨어지지 않는 듯, 고개를 숙인 채 발치를 내려다보고 있었다. 어떻게, 뭐라고 말을 시작해야 할까. 언제부터 산과 마음을 나누는 사이가 되었다고 말해야 할지…….

그러나 머뭇대는 단오를 바라보는 유하는 평소와 완연히 다른 표정이었다.

그도 단오에게 할 말이 있었다. 오래도록 그의 마음에 품었던 말. 지금껏 단 한 번도 꺼내 보이지 못했던 말. 이제야 끝끝내 용기를 내보려 하는 말. 그건, 그녀를 연모하고 있노라는 고백이었다.

"단오야."

어쩌면 단오 역시 어떤 내밀한 고백을 하려는 것이 아닐까. 그래서 그녀의 볼이 이리 붉어져 있는 게 아닐까.

"내가 먼저 말할게."

그러하다면, 사내인 제가 먼저 마음을 보이는 게 옳았다.

"나 말이다……."

망설이던 유하가 입을 떼려던 순간이었다.

"단오야!"

단오를 부르는 어머니의 목소리. 놀란 단오가 벌떡 자리에서 일어섰다. 그녀가 떨떠름한 표정으로 유하를 바라보았다.

"나중에 얘기해요, 오라버니. 어머니께 가 볼게요."

단오가 후다닥 부엌을 빠져나갔다. 뒤따라 안뜰로 나서던 유하가 한숨을 내쉬었다. 그로서는 기다리고, 기다리고, 또 기다린 끝에 용기를 냈던 일. 그러나 오늘은 때가 아닌 모양이다.

유하는 은 이백 량으로 이화원의 빚을 갚기로 결심했다. 단오에게 가장 소중한 곳, 이화원을 그의 손으로 지켜 줄 수 있다는 사실에 그는 기쁨을 느꼈다. 단오에게 이화원이 전부이듯, 언제부턴가 유하에게는 그녀가 전부가 되었기 때문이었다.

그러나 그것과는 별개로, 유하는 이설을 찾는 여정 역시 뒤따라갈 생각이었다.

희뿌연 장막 아래 손짓하는 이설의 그림자. 그가 그 길의 끝에서 마주치는 것은 누구일까. 이설일까. 혹은 정유라는 껍데기를 뒤집어쓰고 살아온 누군가일까…….

"계십니까!"

카랑카랑한 소년의 목소리가 이화원 대문 밖에서 들려온 건, 그로부터 시간이 얼마 지나지 않은 오후였다.

어머니의 방에 들어가 있던 단오가 별일이라는 표정으로 걸어 나왔다. 이화원은 수시로 사람이 들고 나는 곳이 아니었기에, 방문객이 찾아드는 건 굉장히 드문 일이었다.

"윤단오 아씨 되십니까?"

단오를 본 소년이 대뜸 물었다.

"그러한데……."

"받으십시오."

단오는 소년이 내민 서간을 받아 들었다. 여러 번 접힌 종이를 펼친 그녀의 표정이 당황한 듯 굳었다.

<지금 당장 내 집으로 오너라. 조금이라도 지체해서는 아니 된다. 바로 들르지 아니하면, 약조는 없던 것으로 할 것이다.>

서찰 말미에는 장태화의 이름이 적혀 있었다.

서찰에 담긴 내용은 요청이 아닌 명령이다. 또한 단오는 그 명령을 거역할 수 없는 처지였다. 하지만 장태화는 춘하관 앞에서 그녀의 몸을 건드린 전적이 있는 자다. 그런 사람을 혼자 찾아갈 수는 없는 노릇이 아닌가.

산. 그가 필요하다. 단오가 종종걸음으로 안뜰을 가로질렀다.

"오라버니."

산의 방문을 두드렸으나 대답은 돌아오지 않았다. 단오가 덜컥 방문을 열었다. 평소라면 절대 하지 않을 일이지만 마음이 급했다. 그러나 수련이라도 하러 간 것인지, 그의 방은 텅 비어 있었다.

이어 유하의 방쪽으로 시선을 돌린 그녀가 난감한 얼굴을 했다. 유하의 방 툇마루 아래, 그의 신이 보이지 않았기 때문이었다.

"아⋯⋯. 어쩌지."

단오가 초조하게 입술을 짓씹었다. 수련장까지 가는 데는 제법 시간이 걸린다. 만약 그곳에 산이 없다면 그야말로 큰 낭패였다.

아쉬운 대로 시열이나마 있으면 좋으련만. 하지만 시열은 본래 이화원에 붙어 있는 일이 드문 사람이었다. 이렇게 화창한 날, 그가 방에 있을 리가⋯⋯.

"어?"

무언가를 발견한 단오가 성큼, 시열의 방으로 향했다. 그의 방문 앞엔 갖신 한 켤레가 가지런히 놓여 있었다.

유하는 생각에 잠긴 채 산책 중이었다. 살금살금 붉은 노을이 침범하는 시각. 종일 쨍쨍하게 내리쬐던 햇볕의 기세가 이제야 좀 꺾인 것 같다. 아무래도 올여름은 꽤나 무더울 모양이었다.

"단오⋯⋯."

무심코 튀어나온, 단오의 이름. 언제부터였던가. 해맑간 소녀를 마음에 담았던 것이.

단오는 언제나 의젓하고 당차게 행동했지만, 그녀는 말 그대로 이화원의 가장이었다. 단오의 작은 어깨 위에 지워진 짐이 얼마나 무거운지, 유하는 누구보다 잘 알고 있었다.

유하가 단오를 위해 할 수 있는 일은 많지 않았다. 그래서 그저 말이라도 들어 주고 싶었다. 단오 너는 혼자가 아니라고, 네 마음을 알아주는 이가 있다는 걸 잊지 말라고. 그렇게 위로나마 해 주고 싶었다.

오래전부터 시작된 연모의 마음. 그러나 유하는 미처 그 감정의 정체를 알아채지 못했다. 여동생 같은 존재라고, 사랑은 아닐 것이라고. 그는 그렇게 제 마음을 숨겼다.

"유하."

이름을 부르는 목소리에, 유하가 고개를 들었다. 그의 앞에는 산이 서 있었다. 그는 수련을 마치고 돌아오는 길인 듯 땀에 젖은 모습이었다.

"유하 네가 여긴 웬일이냐?"

"산책 중이었다. 수련하고 오는 길이야?"

"그럼 달리 뭐겠어?"

산의 말투에는 날이 서 있었지만, 유하는 크게 개의치 않았다. 그는 원래 아무 때나 뾰족한 가시를 내보이는 사람이었으니까.

산의 그 가시는, 근래 들어 한 사람을 향해서는 잘 보이지 않았다. 단오 앞에서는 좀체 볼 수 없게 된 그의 가시. 무엇이 그 날카로운 마음을 없앴을까.

"산. 혹시 단오에게 마음이 있어?"

문득 유하는 궁금했다. 부쩍 달라진 산의 태도, 단오를 바라볼 때 일렁이던 그의 눈빛. 그것들이 무엇을 말하는 것인지 알고 싶었다.

"있으면 어쩔 거고, 없으면 어쩔 건데."

툭, 내던지는 것 같은 말투. 산의 어조는 공격적이라기보단 무심했다.

산이 제 감정을 숨기려고 애쓰는 중이라는 걸 유하는 눈치채지 못했다. 유하는 어쩌면 산도 저와 같은 상태일지 모른다고 생각했다. 단오를 마음에 담았으되, 아직 고백하지 못한 것이라고 말이다.

그러나 여인에게 마음을 빼앗겨 전전긍긍하는 것은 산에게 전혀 어울리지 않았다. 그게 유하의 마음을 오히려 불안하게 했다.

"산, 나 말이다."

유하가 어렵게 입을 열었다. 그는 처음으로 제 마음을 인정할 생각이었다. 왠지 모르지만 그래야 할 것 같았다.

비겁하고 못난 생각이지만, 만약에 산도 단오를 연모한다면, 제가 산과 경쟁해야 하는 처지라면……. 먼저 마음을 내보이기라도 해야 지킬 수 있을 것 같았다.

"나, 단오를 여인으로 좋아해."

산의 표정이 순식간에 경직되었다. 그의 미간이 움찔거렸다.

"단오를…… 여인으로 여긴다고?"

"그래. 네게 털어놓고 싶었어."

이화원에 머물러 온 지난 시간 동안 유하는 그 누구보다 단오의 일에 적극적이었다. 뻔히 보이는 사실이었기에, 산 역시 그의 마음을 어느 정도 알고는 있었다.

하지만 그는 여기까진 생각하지 못했다. 유하의 연모가 이리도 컸음을. 입 밖으로 굳이 끄집어낼 만큼 큰 것이었음을.

"그래서 궁금했던 거야. 산 너도 그런 것 같아서……. 너, 단오를 마음에 두었지?"

"내가 그러하다면 넌 어쩔 건데?"

"너 역시 같은 마음이라면……."

유하가 고개를 들어 산을 바라보았다.

"그건 단오가 선택해야 할 문제겠지."

"그럼 단오에게 맡기면 되겠네."

"인정하는 거야?"

"무엇을?"

"네 마음."

산은 이미 단오에게 마음을 보였다. 그러나 유하에게 대답하는 것은 쉽지 않은 일이었다. 벗, 혹은 연적. 그는 유하가 제게 어떤 존재인지 생각했다.

"내가 너에게 대답해야 할 이유가 있을까."

"산."

자리를 지나치려던 산이 유하를 돌아보았다.

"나는…… 단오를 행복하게 해 주고 싶어."

"단오를……."

유하의 말을 되뇌던 산이 문득 말끝을 흐렸다.

"행복하게 해 주고 싶다고?"

그건 중얼거림이 아닌, 자신에게 던지는 질문처럼 들렸다.

"그게 무슨 뜻이지?"

"산, 나는 단오의 꿈을 지켜 주고 싶다."

"단오의 꿈이 대체 뭔데?"

"몰라서 묻는 게냐? 이화원을 지키는 것. 어머니와 홍주 낭자, 그렇게 셋이 행복하게 살아가는 것…… 그게 단오의 소망일 게다."

산의 입에서 깊은 한숨이 흘러나온다. 그것이 단오의 꿈이었던가. 그녀에게 중요한 것은 오직 이화원 하나뿐이란 건가. 그렇다면, 그건 산으로서는 이뤄 줄 수 없는 바람이었다.

"장 판관에게 찾아가 이화원의 빚을 갚을 생각이다."

"은 이백 량이야. 그만한 돈이 어디 있다고."

"유산을 물려받았어."

기뻐해야 할까. 산의 눈동자가 먼 곳을 바라보았다.

"잘됐네."

잘된 일이다. 단오에게는.

"이화원을 구해 줬으니, 그 대가로 혼인이라도 하자고 말하려는 생각이냐?"

"말도 안 되는 소리 마. 그렇지 않아."

"네 마음을 단오가 알고 있다면, 그런 큰 빚을 지고도 모른 척할 수 있으리라고 생각하는 건 아니겠지?"

“어디까지나 단오의 선택이야. 내가 단오를 위해 이화원의 빚을 갚는 것 역시, 나 자신을 위한 행동일 뿐이니까. 난 단오가 행복하기를 바란다. 그것뿐이야.”

“정말이지…….”

산이 유하를 향한 시선을 거뒀다.

“반듯하기가 짝이 없구나. 더럽게 반듯해서, 네 옆에 서 있자니 나란 놈은…….”

비참해진다. 초라해진다. 산은 단오의 마음을 갖고 싶었다. 그녀를 원했다. 그러나 그것뿐이었다.

단오가 진정코 바라는 것이 유하의 말 그대로라면, 산이 해 줄 수 있는 것은 많지 않았다.

“난 그렇게 할 수 없어. 너처럼 이화원을 구할 은자 따위 난 가지고 있지 않아. 그러니 너는 네 방식대로 행동해도 된다. 나한테 허락 같은 거 구하려고 들지 마.”

점점 무엇인가가 치밀어 올랐다. 이 분노는 누구를 향한 것일까. 유하일까? 아니다. 그건 스스로를 향한 분노였다.

“나한테 단오에 대해 미주알고주알 털어놓을 필요 없어. 왜 나한테 동의를 구하려고 하지?”

“네가…… 단오를 마음에 두고 있는 것이 눈에 보이니까.”

“나도 짐작하고 있었어. 유하 네가 단오 좋아하는 것.”

산이 비죽 입꼬리를 끌어 올렸다.

“난 그런 것 따위 신경 쓰지 않았어. 네가 단오를 좋아하든 말든, 단오를 위해서 어떤 희생을 하려고 하든 간에. 나랑은 아무런 상관없는 문제니까. 그게 네 방식이라면, 나에게는 내 방식이 있어. 나에게 설명하려 들지 마.”

"산. 넌…… 정말 이기적이야."

"몰랐어?"

허무한 마음. 산의 입에서 나오는 말들은 가시처럼 날카로웠다.

"유하 네가 생각하는 행복에 단오를 욱여넣으려고 하지 마. 그거야말로 이기적이니까."

"……."

"갑자기 불쑥 튀어나와서, 단오의 인생을 책임지겠다고? 왜 그런 얘기를 나에게 하는 거지?"

"내가 불쑥 튀어나왔다고?"

유하의 표정이 굳었다. 불쑥 튀어나온 건 그가 아닌 산이었다. 단오를 바라보던 유하의 마음이 늘 봄 안에 있었다면, 산은 한겨울 눈 같은 사람이었다. 내내 차디차게 굴던 그가 갑자기 튀어나와 유하의 봄을 깨부수고 있는 것이다.

그래 놓고 저에게 불쑥 튀어나왔다는 소리를 할 줄이야.

"마치 이미 단오의 마음을 가진 사람처럼 말하는구나, 산."

"닥쳐."

위협적인 목소리. 저벅저벅 멀어지는 뒷모습. 유하는 망연히 그 모습을 바라보고 있었다. 마음 한편이 시큰했다.

무언가를 얻고 싶어 한 대가로 무언가를 잃어버린 것 같다. 그가 '벗'이라고 부르던, 무심하지만 마음이 가던 그런 존재를.

"장 판관 영감을 뵈러 왔습니다."

미리 언질을 받은 듯, 몸종은 공손히 단오와 시열을 안내했다.

"들어오라 하십니다."

단오가 장태화가 기다리는 내실로 들어가려 신을 벗었다.

"단오야, 나는 그냥 여기서 기다릴까?"

"그러세요, 오라버니."

단오가 머뭇대는 기색으로 시열을 바라보았다.

"오라버니와 함께 왔다고, 장 판관에게 말은 해 둘게요. 혹시라도 여인 혼자 왔다고 얕잡아 볼까 봐서……."

"그래. 그렇게 해."

총총히 사라지는 단오의 뒷모습을 바라보는 그의 눈빛이 언뜻 흔들렸다.

"왔느냐."

보료에 비스듬히 기대어 있던 장태화가 자세를 고쳤다. 단오가 그의 앞에 앉는 사이, 그는 빈틈없는 눈길로 그녀의 모습을 훑었다. 잔뜩 경직된 표정을 짓고 있었으나, 단오는 묵묵히 그의 눈길을 받아 내었다.

"온 장안이 들썩이고 있더구나. 이화원에서 호성군의 서찰이 나왔다고. 터무니없는 헛소리지. 네 짓이냐? 아니면 같이 다니는 선비들의 생각이었더냐?"

"선비님들은 오히려 저를 말렸습니다. 제가 결정한 일이고, 제가 책임을 질 것입니다. 수소문하는 것만으로 이설을 찾는 것은 불가능하기에 그리하였습니다."

"당돌한 계집이로구나."

쯧, 하고 혀를 차는 소리. 하지만 장태화는 딱히 책망하는 표정은 아니었다.

"그러나 마음에 든다."

"무엇이요?"

"너 말이다."

"무슨 말씀이신지……."

단오가 조심스레 되물었다. 장태화는 위압적인 기운을 가진 사람이었다. 그를 대하는 것은 수월치 않았다.

"계집이란 주로 징징대며 사내에게 떼를 쓰는 존재지. 앞에서는 자존심을 부리다가도, 뒤에선 사내들을 충동질해서 사리사욕을 채우려고 하는 게 흔히 말하는 여장부 아니더냐?"

"저는 그렇게 생각하지 않습니다."

"그래. 그런 듯 보이더군. 그래서 네가 마음에 든다는 말이다."

"저를 그렇게 생각하셨다면, 똑같이 사내처럼 대해 주시지요."

"무슨 소리더냐?"

단오가 고개를 들었다. 마주친 장태화의 시선에는 기묘한 구석이 있었다. 그건 찬탄과 업신여김이 뒤섞인 모호한 눈빛이었다.

고작 열여덟, 그러나 넓은 배포를 가진 여인에 대한 찬탄. 그리고 고작 열여덟, 객주 일을 하는 별 볼 일 없는 계집을 향한 경멸. 단오는 장태화가 평생 열등감을 가졌던 자의 딸이었다. 그는 윤원의 딸을 인정하고 싶지 않았다.

"지난번, 춘하관 앞에서 뵈었을 때 제 몸에 손을 대셨지요. 사내를 대하듯 하셨다면 결코 하지 않았을 행동이었습니다."

"내 사과하마."

장태화는 곧장 사과했다. 아무런 망설임이 없는 태도였다.

춘화관 앞에서 있었던 일은 다분히 계산된 행동이었다. 그는 콧대 높은 여인의 기를 죽이는 데 그보다 더 좋은 방법이 없다고 생각했다. 그러나 이제 의미 없는 기 싸움은 필요치 않았다. 뜻밖의 인물의 등장으로 사건이 방향을 틀었기 때문이었다.

"너를 부른 이유는……."

장태화가 목소리를 낮췄다.

"이설을 찾아라. 그것은 변하지 않는다. 하나, 또 다른 자를 찾아야 할 것이다.”

“또 다른 자라니요?”

“그는 무인일 것이다. 대단히 빼어난 무인. 혼자서 장정 여럿을 단숨에 제압할 수 있는 자일 것이니라.”

“이름이 무엇입니까?”

“모른다. 이설 또래의 젊은 사내일 것이다. 그 외에는 아무 정보가 없다.”

단오가 허탈한 표정으로 장태화를 바라보았다.

“대체 누구이기에……. 이설을 찾는 것 하나만도 버겁습니다.”

“그를 찾는다면, 이설 역시 따라올 것이다.”

“따라오다니요?”

장태화가 의미심장한 시선을 던졌다.

“그는 이설을 보호하는 자다. 평생 오직 이설만을 따라다녔을 것이다. 그를 찾으면. 자연히 이설 역시 찾게 될 것이니라. 그는…….”

“무얼 하는 놈이냐!”

그 순간, 쿠당탕 요란한 소리와 동시에 장지문이 활짝 열렸다.

“놓으시오! 아니, 이 무슨 짓인지…….”

덩치 큰 몸종에게 멱살이 잡혀 끌려온 건, 다름 아닌 시열이었다.

“오라버니!”

“영감, 이자가 문 앞에서 말씀을 엿듣고 있었습니다.”

“엿들었다니요! 그저, 단오가 걱정되어 와 있었을 뿐입니다!”

“놓아주거라.”

장태화의 말이 떨어지기가 무섭게 몸종은 솥뚜껑 같은 손을 떼어 놓았다. 시열이 콜록콜록 거칠게 숨을 몰아쉬었다.

“김홍익 대감의 서자, 자네 이름이 시열이라고 했나?”

“그, 그렇습니다만…….”

"궁금한 게 있다면 함께 들어왔으면 될 것을. 쥐새끼처럼 남의 말을 엿듣는 이유가 뭔가?"

"저는 그저, 저 같은 무지렁이가 끼어들 자리가 아닌 듯하여서……."

"왜 눈을 마주치지 못하는 겐가. 숨기는 것이라도 있는지?"

"숨기다니요!"

시열이 발끈한 듯 고개를 들었다. 그와 장태화의 시선이 허공에서 정확하게 맞물렸다. 장태화의 눈빛이 순간 섬묘하게 빛났다.

'보았었어.'

어디선가, 분명히 보았다. 그러나 장태화는 이내 번뜩이는 눈빛을 지웠다.

"아무튼, 어차피 자네도 단오에게 이야기를 전해 듣겠지. 이 자리에서 하는 이야기가 비밀인 것은 자네도 알고 있을 것이니…… 내 하던 말을 계속하도록 함세."

장태화가 단오에게로 시선을 돌렸다.

"그자는 이렇게 불린다. '파수꾼'이라고."

"오라버니, 정말 괜찮은 거예요?"

장태화의 집을 나선 후, 울상이 된 단오가 물었다. 얼마나 호되게 멱살을 잡혔는지 시열의 목에는 벌건 피멍이 올라오고 있었다. 게다가 드잡이할 때 긁힌 듯 눈썹 부근이 살짝 찢어지기까지 했다.

"안 괜찮지. 망할 놈. 그리 우악스럽게 사람을 패대기치다니."

"밖에 계신다더니, 왜 이야기를 엿듣고 계셨어요?"

"너까지 그렇게 말할 거야? 엿듣기는 무슨. 장태화 그 인간이 또 무슨 짓을 할까 싶어서 동태를 살피고 있었던 거라고."

시열의 얼굴이며 목덜미에 난 상처들을 보던 단오가 한숨을 내쉬었다.

"아무튼, 얼른 들어가서 약을 발라야겠어요."

"아서라, 아서. 산이 들으면 또 종일 비웃을 거라고. 냅둬. 며칠이면 알아서 나을 테니."

"오라버니도 고집은……. 아, 이화원 선비들은 어찌 이리 고집이 센지 모르겠네."

"단오 너만 할까. 주인부터가 고집불통이니, 객식구들도 그걸 따라가는 거지. 어?"

피멍이 든 자리가 욱신거리는 통에 인상을 쓰던 시열의 시선이 앞으로 향했다.

붉은 노을을 등진 채, 역광을 받아 새카만 그림자처럼 보이는 산의 모습.

"어디를 다녀오는 게냐. 시열 네 꼬라지는 또 왜 그 모양이고?"

"아. 강산 너는 정말……. 너는 양반 아닌 거 같아. 확실해. 절대로 너는 양반 아니야."

"뭐라는 거야. 대답 안 해?"

산이 시열을 윽박질렀다. 그는 잔뜩 날이 서 있는 상태였다.

"장 판관에게 다녀왔어요."

"왜 너희 둘이 거기를 가? 나한테 연통을 했어야지."

"왜 안 하려고 했겠어요. 방에도 없고, 아무리 기다려도 오지 않으니 저라고 별수 있어요?"

"그래, 단오 말이 맞아. 나라고 가고 싶어서 갔겠냐? 개똥도 약에 쓰려면 없다고 하더니 딱 그 짝이잖아! 어디 가 있다가 이제 나타나서 미친놈처럼 으르렁대는 거야?"

단오가, 이어 시열이 말했다. 낮은 한숨을 뱉은 산이 다시 물었다.

"너, 어쩌다 그런 꼴이 된 거냐."

"장태화의 몸종이랑 실랑이를 좀 했어. 사람을 막 패대기치더라니까? 완전히 미친놈이더라고."

"몸종이 너를 왜 패대기쳤는데?"

"몰라. 별거 아냐."

"정말 별일 아닌 거 맞아?"

"그리 걱정이 되셨으면 자리에 계셨어야죠."

그 순간, 단오가 차갑게 쏘아붙였다.

"필요할 때는 늘 보이지 않으면서, 뒤늦게 나타나 화를 내시다니요. 제가 오라버니를 필요로 할 때, 거기 계셨어야죠."

단오가 길 한복판에 버티고 선 산을 노려보았다. 단오는 산의 몸을 밀치며 그를 지나쳤다. 그녀는 뒤도 돌아보지 않은 채 자리를 떠났다.

"엄마야. 쟤 왜 저래······."

시열이 겁먹은 표정으로 중얼거렸다.

"산, 너 단오랑 요즘 왜 이래? 내가 하다 하다 이제 단오까지 무서워해야겠냐? 너에 유하에 단오에······. 뭐야. 나만 왜 이렇게 나약해?"

"비켜."

"어디 가?"

"단오한테."

"무, 무, 무슨 짓을 하려고!"

산에게는 시열의 말이 들리지 않는 듯했다. 그가 저벅저벅 걸음을 옮기기 시작했다.

"언니. 나 좀 봐."

빼꼼 열린 홍주의 방문 사이로, 단오가 얼굴을 내밀었다.

"까치수염 말려 둔 거, 어디 뒀지?"

"광에 넣어 두었을 거야. 누가 다치기라도 했어?"

"응. 시열 오라버니가······."

"시열 선비님이?"

한 뼘의 문틈이 이내 활짝 열렸다.

"많이 다치셨어?"

"아니, 그렇게 큰 상처는 아닌데…… 멍이 들어서. 까치수염 말린 걸 붙이면 멍이 금방 가라앉잖아?"

"으응. 그게 어디 있냐면……."

홍주가 초조한 듯 손을 맞잡는 순간 발소리가 들려왔다. 뒤를 돌아본 단오의 표정이 싸늘해졌다.

"얘기 좀 해."

"저 지금 바빠요, 산 오라버니."

"중요한 얘기야."

산이 단오의 어깨를 붙잡았다. 그러나 단오는 몸을 비틀어 그에게서 멀어졌다.

"바쁘다고 했잖아요. 나중에……."

"광에는 내가 다녀올게, 단오야."

그 말과 함께, 홍주가 문지방을 넘어 마루로 나왔다. 단오의 눈이 동그래졌다. 홍주도 가끔 방 밖으로 나올 때가 있지만, 그건 선비들이 없을 때의 일이기 때문이었다.

"시열 선비님 약은 내가 가져다드릴게. 그러니 이야기 나눠, 단오야."

"으응……."

단오가 얼떨떨한 표정으로 대답했다. 홍주는 금방 뒤뜰을 향해 사라졌다. 멀어지는 홍주의 모습 뒤로, 산이 단오의 손을 붙잡았다.

"가자."

"어딜 가요?"

"얘기하러."

"이것 놓고 말해요."

산의 잇새로 억눌린 한숨이 새어 나왔다. 그는 착잡한 표정으로 단오를 보고 있었다.

"놓으면…… 가 버릴 거잖아."

입을 꾹 다문 채, 단오는 산의 손에 이끌려 대문을 나섰다. 누가 볼까 걱정조차 되지 않는지, 산은 단오의 손을 놓지 않았다.

얼마나 걸었을까.

"누가 봐요. 손 놓고 얘기해요."

외진 길목에 다다른 단오가 손을 비틀어 빼냈다. 툭, 허망하게 멀어지는 그녀의 손은 그의 마음만큼이나 차가웠다.

"단오야. 나한테 화났느냐?"

산이 물었지만, 단오는 그를 쳐다보지 않았다.

"먼저 화를 낸 건 오라버니잖아요."

"나는 걱정이 되어 그랬을 뿐이야."

"저는, 오라버니가 무얼 걱정하는 건지 도통 모른단 말이에요."

단오의 목소리에 힘이 들어갔다.

"말을 해 주셔야지요. 무엇 때문에 계속 그렇게 날이 서 있는 건지, 무엇 때문에 내가 나다니는 게 싫은 건지……. 매번 이유는 말해 주지 않고 걱정된다면서 화를 내시잖아요."

"조심해야 하는 때가 아니냐. 이설을 찾겠다며, 온 한양에 소문을 내놓았지 않아."

"그러니까 무엇을 조심해야 하는데요?"

"그건……."

산이 입을 다물었다. 단오가 조심해야 하는 것은 대체 무엇일까. 산은 아직 그 위험의 실체를 알지 못한다. 단지 그는 느낄 뿐이었다. 정체 모를 어떤 존재가 이화원 주변을 맴돈다는 것을.

이화원을 살피는 걸까? 누군가를 노리는 것일까? 아니면, 호성군의 서찰이라는 미끼를 문 누군가가 드디어 나타난 건가?

한동안 산은 묵묵히 단오를 바라보기만 했다. 단오는 상처받은 표정을 하고 있었다.

너를 지키겠다는 욕심 탓에, 오히려 네 마음을 다치게 만들었던가. 또다시, 바보 같게도.

"다정하게 대해 주겠다고, 마음 다치지 않게 하겠노라고 내 약속했었지?"

"기억은 하고 계시네요. 까맣게 잊으신 줄 알았더니."

"그리 냉정하게 말하지 마."

오가는 이 없는 한적한 길목. 산은 거대한 고목이 만들어 낸 그늘 아래로 단오를 잡아끌었다.

"약속할게. 다시는 그렇게 화내지 않겠다고."

하지만 단오는 그와 눈을 마주치지 않는다.

"단오야. 내가 잘못했어."

산이 다시 그녀를 불렀다.

"단오야……."

"그만 불러요. 내 이름 닳겠어요."

"화, 풀린 거지?"

단오가 고개를 끄덕였다. 그제야 그녀는 산을 마주 보았다. 비로소 보는 산의 모습은 조금 낯설었다. 그의 눈에 비치는 불안과 두려움, 외로움. 단오는 그런 산의 얼굴을 한 번도 본 적이 없었다.

문득 단오는 그가 약해 보인다는 생각을 했다. 어쩌면 산은, 저런 모습을 숨기고 싶어서 그토록 날을 세웠던 걸지도 모르겠다고.

"오라버니. 요새 무슨 일 있어요?"

평소였다면 절대 하지 않을 행동이었으나, 단오는 산의 품에 몸을 기댔다. 어디서 온 건지 모를 그의 불안을 안아 주고 싶어서. 기다렸다는 듯 산의 팔이 단오를 가두었다.

"내 곁에 있어, 단오야."

"내가 어디 가기라도 할 것처럼 말하네? 이상해, 오늘……."

단오가 중얼거렸다. 하지만 산의 표정은 무거웠다. 그건 유하와 나눴던 대화 때문이었다.

유하가 이화원의 빚을 갚아 준다면, 그리고 단오가 그의 마음을 알게 된다면 그녀는 어떤 반응을 보일까. '빚을 갚아 준 건 고맙지만, 사내로는 여기지 않아요.'라고 말할 수 있을까?

"나는 오라버니가 좋아요. 이미 말했잖아요. 내 마음, 산 오라버니 거라고."

단오의 말은 그를 향한 대답처럼 들렸다.

"날더러 믿으라면서요. 나는 오라버니를 믿는데, 왜 오라버니는 나를 불안해해요? 이렇게 약하게 굴면, 날더러 어떻게 믿으라고."

그 말이 산의 말문을 막히게 했다. 그랬었나. 유하의 마음은 유하의 것일 뿐, 이미 네 귀한 마음을 받았으면서, 그걸 까맣게 잊고 불필요한 불안을 키웠나.

"불안해하지 않을게. 다시는 안 그러마."

산의 표정이 비로소 편안해졌다.

"나 같은 여인이 세상에 어디 있대. 어여쁘지, 착하지, 게다가 이리 든 든하기까지 하고."

단오의 말이 맞다. 이 순간에는, 그녀가 산보다 훨씬 강한 사람이었다. 단오가 방긋 웃으며 산과 시선을 맞추었다. 그녀의 웃음 앞에, 끝내 산의 입꼬리도 호선을 그렸다.

"그런데 단오야."

스윽, 산의 손끝이 단오의 입술을 스쳤다. 여린 살에 닿는 야릇한 감촉에, 단오의 입술이 흠칫 떨렸다.

"어찌 입술이 이리 붉어?"

"그걸 이제야 알았어요?"

단오가 되물었다. 오전부터 내내 봐 주기를 바랐던 입술. 한 사람의 마음이 상대방에게 닿는 게 이토록 힘든 일이라니.

"그럴 리가. 진즉 알았다."

예상 밖의 대답에 단오의 입술이 비죽거렸다.

"그런데 왜 이제야 아는 척을 해요?"

"어여뻐서."

"그런 대답이 세상에 어디 있어요?"

"계속 어여쁘다, 어여쁘다 소리 내서 말했다간 세상 모두가 그걸 알게될까 봐서……. 누군가 널 채 갈까 봐 두려워서."

그리고 그 누군가가, 하필 '벗'이라 부르던 이일까 봐.

"그렇지만 이제 그런 생각은 절대 안 할게. 약속할게."

"손가락 걸어요."

단오가 새끼손가락을 내밀었다. 두 손가락을 얽은 채로, 그는 단오를 더욱 가까이 끌어안았다.

"누가 볼지 모른다고 말해 봤자, 오라버니는 분명 아무도 안 본다고 할테죠?"

"그래. 여긴 아무도 안 와. 그리고 가끔은 차라리 누가 보아 버렸으면 생각할 때도 있어."

"큰일 날 소리를! 나 먼저 갈 테니, 천천히 와요."

단오가 산의 가슴팍을 툭 치며 품에서 벗어났다. 이화원으로 돌아가는 그녀의 입가에서 흩날린 미소가 해 질 녘을 물들였다. 단오의 모습이 이화원 안으로 사라진 후, 그제야 산 역시 걸음을 떼었다.

사랑을 하면서도 사랑을 몰랐던 산. 그는 이제야 사랑하는 법을 배워 가는 중이다. 상대를 지키려면 자신 먼저 단단해져야 한다는 것 역시 그는 비로소 알아 가고 있었다.

여름 기운을 담은 바람이 분다. 딱 적당하게 따스한 평화로운 오후였다. 그러나 그 바람이 닿은 자리엔, 예상치 못한 풍경을 마주한 탓에 얼어붙어 버린 사내가 있었으니-.

유하의 마음속, 잔잔히 불어 오던 미풍이 뚝 그쳤다.

순식간에 그의 안에서 무언가가 툭툭 깨져 나갔다. 조각조각 부서진 날카로운 파편들이 유하의 마음에 고스란히 박혔다.

"단오가……."

허무하게 흩어져 사라지는 그녀의 이름.

"산을."

그리고 되돌아와 다시 한번 가슴을 찌르는 이름. 서서히 어둠이 온다. 푸르던 하늘도, 붉은 노을도, 이리저리 흔들리던 연초록 잎새들도 모두 밤빛에 가려졌다.

늦었던 탓에, 지나치게 사려 깊었던 탓에, 묵묵히 기다려 온 탓에 처음으로 가졌던 연모의 대상을 잃었다.

산산이 부서진 사내는 밤이 깊도록 그 자리를 떠나지 못했다.

8장. 화살이 시위를 떠난 밤

홍주는 시열의 방 앞에 서 있었다. 그녀가 제 손에 들린 소반을 내려다보았다.

짓찧어서 붙이면 상처를 금방 아물게 한다는 까치수염이 한 줌, 깨끗한 물 한 사발, 흰 무명천이 반 자락. 그러나 안절부절, 좀체 발걸음이 떨어지질 않았다. 홍주에겐 문을 두드리는 사소한 일조차도 큰 용기가 필요했다.

순간 문이 덜컥 열린 탓에, 홍주는 한 걸음 뒤로 물러났다.

"어이쿠."

"시, 시열 선비님."

"무슨 일로 고운 아씨께서 사내 방 앞에 망부석처럼 서 계시는 게요."

"그…… 단오에게 들었는데……."

떠듬거리던 홍주가 고개를 들어 시열을 바라보았다. 그의 눈썹 옆에 피딱지가 앉은 흉터가 보인다. 그리 단정치 못한 시열의 옷매무새 사이로 보이는 목에는 선명한 보랏빛 멍이 들어 있었다.

"다치셨다고요."

"별건 아닌데……."

대수롭지 않다는 듯 말끝을 흐리던 시열이 씩 웃었다.

"그래서 홍주 낭자께서 저를 위해 약을 준비해 오신 것이오?"

"단오가 한다고 했는데……. 바쁜 일이 있다고 해서요."

홍주가 공손히 소반을 내밀었다.

"물에 적신 천으로 상처를 씻어 내시고, 그 위에 약초 찧어 놓은 것을 바르세요. 금방 멍이 가실 거예요."

"아……."

일어서 있던 시열이 풀썩, 무릎을 꿇었다. 갑작스런 행동에 홍주의 얼굴이 하얗게 질렸다.

"왜, 왜 그러세요? 많이 아프세요?"

"갑자기…… 힘이 쭉 빠지는 것이……."

"육호 아재를 모셔 올까요?"

"아니, 아니요. 약을 바르면 괜찮아질 것 같은데……."

엉금엉금 이부자리로 기어간 시열이 와르르 무너지듯 쓰러졌다.

"약을 좀 발라 주시오, 낭자. 그래야만 좀 살 것 같소."

"제가요?"

"으응. 아아……."

미간을 찌푸린 시열의 모습이 왠지 안쓰러워 홍주는 발을 동동 굴렀다. 어찌해야 할까.

"홍주 낭자."

머뭇대던 홍주가 제 발을 내려다보았다.

높지 않은 담장 안에 자리 잡은 이화원. 홍주는 지난 사 년간 그 담장 안에 속해 있었다. 가끔 부엌이나 안뜰을 드나들 때도 있었지만 그 역시 그녀의 공간은 아니었다. 오직 방 안. 볕 한 줌 들지 않는 작은 방만이 홍주의 세상이었다.

"부탁이오, 낭자."

부탁이오. 시열의 그 말에, 사 년 내내 뿌리내린 듯 묶여 있던 홍주의 발이 홀린 듯 문지방을 넘었다. 무엇이 걸음을 움직이게 했는지 생각할 겨를도 없이.

"어쩌다가 이리 험한 일을 당하셨어요."

"사람들이 가만두지를 않으니 말이오. 좀 미남이어야지."

시열의 농담에도 홍주는 웃지 않았다. 그녀는 조용히 제 할 일에 집중했다. 무명천을 물에 적신 그녀가 조심조심 시열의 눈가를 닦아 냈다. 따끔한 감촉에 시열의 눈꼬리가 움찔거렸다.

"왜…… 방 안에만 있는 것이오?"

"가만히 계세요. 약 바르게요."

"왜 밖에 나가지 않는 게요?"

"가만히 좀……."

시열의 눈가에 약초를 가져다 문지르는 그녀의 손이 가느다랗게 떨렸다.

"무례한 질문인 거, 나도 아오."

"……."

"안타깝다는 생각이 들어서 말이오. 자유란 게 얼마나 소중한 것인데. 어떤 이에게 자유란, 억만금으로도 구할 수 없는 것이거든요."

시열은 말을 쉬지 않았다. 그 탓에 그의 눈가에 발라 놓은 약재들이 자꾸만 흘러내렸다. 약재에서는 바싹 말라 버린 풀의 향기가 풍겼다. 생기를 잃어버린 그 먹먹한 향취 속에서 홍주가 입을 열었다.

"두려워서요."

"뭐가 그리 두렵소?"

"하늘도, 산도, 땅도 늘 그대로인데…… 제가 연모하던 이만이 아니 계시다는 사실이 두려워서요. 하여, 그 세상이 두려워서요."

가만가만 침묵이 떠돌았다. 고개를 숙이고 있던 홍주가 떨리는 손길로 약재며 물건들을 정리했다.

"여기 두고 갈게요. 끼니때마다 한 번씩 덧바르세요."

"홍주 낭자."

"예?"

"나도 가끔 두렵소."

물음을 가득 담은 홍주의 눈이 시열에게로 향했다.

"나는 변해서는 아니 되는 사람이라오. 그런데 자꾸 변하려고 하는 내 자신이……."

언제부턴가 시열은 그답지 않게 초연해졌고, 생각에 잠기는 순간이 많아졌다. 그 이유가 무엇이던가. 혹은, 누구 때문이던가.

"내 마음이…… 나는 가끔 두렵소."

* * *

"정유하."

춘하관의 내실. 몸단장을 위해 꺼내 놓은 장신구며 화장도구들을 어지러이 늘어놓은 채, 화령은 깊은 생각에 잠겨 있었다.

"강산……."

붉은 입술 사이로 흘러나오는 혼잣말. 화령이 미간을 더욱 좁혔다.

"행수."

갑작스러운 문소리에 화령이 고개를 들었다.

"반야 네가 무슨 일로?"

"왜요? 제가 못 올 데라도 왔어요?"

화령이 마뜩잖은 표정으로 반야를 노려보았다.

"그리 정떨어지는 소리만 해 대니 모두가 너를 싫어하는 게다."

"잘됐네. 저도 딱 질색이에요, 여기 사는 천한 계집애들."

"그 천한 것에 너도 포함된다는 사실을 잊지 마."

"잊은 적 없어요. 나는 반야라는 이름을 달고 있는 나 역시 딱 질색이니까."

화령이 한숨을 내쉬었다. 마음 같아선 매라도 쳐서 반야의 몹쓸 태도를 고쳐 놓고 싶었다. 그러나 천성이 쉽게 변할 리 있을까.

반야는 상처가 많은 아이였다. 매를 친다 한들 그 속에 품은 독기가 풀어지진 않을 터다.

"그래서, 무슨 일이냐?"

"백분을 빌리려고요."

"춘하관 안에 기생이 도합 스무 명이나 되는데, 분가루 빌릴 동무 하나가 없어서 행수를 찾아왔어?"

"동무 따위 있어서 뭐 하게요. 어서 분이나 줘요."

화령이 내미는 분통을 집어 든 반야가 빙글 몸을 돌렸다. 문지방을 넘던 반야가 퍼뜩 생각났다는 듯 태연하게 입을 열었다.

"소문 들었어요?"

"무슨 소문 말이냐?"

"무슨 얘긴지는 모르겠지만……. 호성군? 뭐, 그런 사람의 서찰 수십 통이 이화원에서 나왔다나, 뭐라나."

"누가 그런 소리를 해?"

"누구긴요. 여기 모여든 사내들마다 죄다 그 얘기를 하고 있던데. 몰랐어요?"

반야의 입가에 묘한 웃음이 걸렸다.

"행수, 관심 많잖아요. 이화원, 거기 사는 선비들."

“무슨 소리를 하는 게야?”

“아니면 말고요. 그런데…… 행수, 낯빛이 어찌 그리 허예요? 분을 너무 많이 바른 거 아니에요?”

휙 고개를 돌린 반야와 화령의 시선이 마주친다. 반야가 새치름하게 웃었다. 반짝, 빛나는 눈을 하고선.

* * *

“단오야, 나 좀 보자.”

빨아 놓은 옷가지들을 개키고 있던 단오가 고개를 들었다. 그녀는 조금 당황했다. 늘 싱글거리던 육호의 표정이 잔뜩 굳어 있었기 때문이었다.

“무슨 일이세요, 아재?”

주변을 쓱 훑어본 육호가 고갯짓을 했다. 뒷짐을 진 그는 어슬렁어슬렁 뒤뜰로 향했다. 단오가 그의 뒤를 좇았다.

“대체 무슨 일이 일어나고 있는 거냐?”

대뜸 날아온 육호의 질문. 당황한 단오가 눈을 끔벅거렸다. 단오는 한 가지 사실을 간과했다는 걸 깨달았다.

육호는 비슷한 또래의 과거 장수생들과 어울리는 것을 즐겼다. 달리 낙이라고는 없어 내기 장기 따위로 시간을 보내는 한량들이, 이화원에 관한 소문을 모르고 지나칠 리 없는 것이다.

“호성군의 서찰? 그것도 다름 아닌 네 아버님과? 대체 그게 다 무슨 소리냐? 가는 곳마다 모두 그 이야기를 하더구나. 한데, 이화원에 사는 나만 그걸 모르고 있었어.”

“육호 아재…….”

“너마저 이제 나를 뒷방 늙은이 취급하는 게냐?”

"절대로 그런 거 아니에요."

"아니긴 뭐가 아니냐. 그리 중한 일을 내게는 일언반구도 없이……."

육호와 이화원의 인연은 오래전부터 이어졌다. 육호는 단오의 부모님과 가까웠다. 그는 단오와 홍주가 아이였던 시절부터 피붙이처럼 자매를 챙겨 준 사람이었다.

단오가 얕은 한숨을 내쉬었다. 육호에게 거짓말을 하자니 양심의 가책을 느꼈다. 그렇다고 진실을 밝힐 수도 없었다. 그가 단오를 얼마나 아끼는지 알기에 더더욱 그랬다.

"아재. 미리 말씀드리지 못한 점은 정말 죄송해요. 뒷방 늙은이라니, 그런 당치 않은 생각은 하지 마셨으면 좋겠어요. 나름의 이유가 있어서 어쩔 수가 없었어요."

이유는 명확했다. 호성군의 서찰이라는 건 애당초 없었기 때문이었다.

"하지만 아재……."

단오가 육호의 눈을 마주 보았다. 그의 표정에 드러난 착잡함에 단오의 시선 역시 흔들렸다.

"그건 별거 아닌 일이에요. 일종의 수(數)라고 여기시면 되어요. 자세한 이야기는 나중에 반드시 말씀드릴게요."

"수라니? 그게 대체 무슨!"

"아재, 저 믿죠? 늘 똑똑하고 당차다며 기특하게 여기셨죠? 그러니 이번 한 번만 더 저를 믿어 주세요. 일이 해결되는 대로 제일 먼저 자초지종을 말씀드릴게요."

육호가 한숨을 내쉬었다. 피붙이가 없는 육호는 단오를 진심으로 아꼈다. 그녀의 아버지 원이 그러했듯, 육호 역시 단오가 사내로 태어났다면 필시 큰 인물이 되었으리라고 여겼다.

"그 수라는 게, 이화원을 지키는 것과 관련돼 있는 일이냐?"

"예. 그러해요. 딱 거기까지만 말씀드릴 수 있어요. 부디 이번 한 번만 그냥 넘어가 주세요. 제발요."

"하나만 묻자."

"예. 말씀하세요."

"너 혼자 벌이는 일이냐? 아니면 유하와 산, 시열도 함께하고 있는 것이냐?"

단오는 잠시 망설였지만, 이마저 거짓을 고할 수는 없었다.

"모두 저를 도와주고 계세요."

"허허. 역시나 나는 골방 늙은이가 된 게로고."

"그런 거 정말 아니래두요."

육호가 헛웃음을 지었다. 이제 불혹을 넘겨 삶의 후반부에 들어선 인생. 이화원 담장 안에서 세월을 낚는 사이, 그는 청춘 틈에 끼어들기엔 이미 늦은 나이가 돼 버렸다.

"똑똑한 유하가 있으니 허튼 일을 벌이지는 않을 것이고, 무인인 산이 있으니 위험에서 너를 지켜 줄 수 있을 거고, 시열은……. 그 뭐냐 옷도 잘 입고……. 암튼 시열이도 있고. 그러니 일단 마음은 좀 놓이는구나. 알았다. 단, 약조는 꼭 지켜야 한다."

"알았어요, 아재."

"몸조심을 해야지. 홍주가 저러고 있는데, 너라도 강건해야 한다. 네가 다치면 큰 불효를 저지르는 것임을 잊지 말아라."

"예, 그럼요. 항상 명심할게요."

"그래. 알았다."

뒤뜰을 벗어나는 육호의 뒷모습을 바라보던 단오가 짙은 한숨을 쉬었다.

"시간이 없어."

혼잣말이 흘러나왔다. 장태화가 정해 준 기한의 거의 반이 지났다. 아무 결과 없이 속절없이 지나 버린 시간들이 허무했다.

"빨리 이설을 찾아야 해……."

"누구를 찾는다고?"

"엄마야!"

소스라치게 놀란 단오가 짧은 비명을 내질렀다. 불쑥 모습을 드러낸 산이 빙긋 웃음을 흘렸다.

"오라버니는 왜 항상 이렇게 불쑥불쑥 나타나는 거예요?"

"아재랑 대화하는 자리에 끼어들 틈이 없어서."

"다 들었어요?"

산이 고개를 끄덕였다.

"어쩔 수 없지. 걱정 많은 노친네를 끌어들여 봐야 딱히 도움 될 일도 없을 게다."

"그리 말하니 아재가 진짜 할아버지뻘쯤 되는 것 같네. 아직 장가도 안 드신 분인데……."

"아, 아직 장가를 안 드셨어? 나는 한 번쯤 다녀오신 줄 알았네."

별소리를 다 듣겠다는 듯, 눈을 동그랗게 뜬 단오가 산을 올려다보았다.

"다녀오긴 뭘 다녀와요?"

"사별이라든가……. 뭐 그런 줄 알았지."

"아니에요. 과거 공부하다가 혼인할 때를 놓치신 거예요."

"안됐네, 육호 아재."

"장가 못 든 게 안 된 거예요?"

"뭐……."

산이 어물쩍 말끝을 흐렸다.

"오라버니는 언제 혼인할 건데요?"

"응?"

"오라버니도 세월아, 네월아 하다가 육호 아재처럼 마흔 넘긴 노총각 될까 봐서."

"흐응."

산이 미묘한 소리를 냈다. 그의 입꼬리가 꿈틀거렸다.

"또 나를 놀리려고 드는 게로군."

"내가 언제 놀렸다고!"

"단오 너는 하나만 알고 둘은 모르는 것 같아서."

"뭘요?"

"내가 만약 혼인 못 하고 노총각이 된다면, 너도 똑같은 처지일 게다. 그야말로 어마어마한 노처녀가 되어 있겠지."

뭐가 그리 재밌는지, 산은 실실 웃고 있었다.

"흠, 저는 혼인 같은 거 해도 그만, 안 해도 그만이에요."

"그래. 네 마음대로 생각해."

웃음기를 거두지 않은 채로 산은 걸음을 옮겼다. 단오의 곁을 지나치던 그의 팔이 슥 움직였다. 그가 단오의 볼을 꾹 눌렀다.

"난 너와 할 생각이니까."

"으응?"

눈이 시큰하도록 푸르른 하늘, 미동 없이 둥실 멈춰 있는 새하얀 솜털 구름. 고요하기 짝이 없는 담장 안 풍경 속, 단오의 심장이 덜컥 발끝까지 내려앉았다.

"지금 뭐라고 했어요?"

"몰라."

인사라도 건네듯 손을 쓱 들어 보이곤 성큼성큼 사라지는 산의 뒷모습. 너무 놀란 나머지 단오는 한동안 숨을 쉬는 것조차 잊었다. 그의 모습이 모퉁이를 돌아 사라지고 나서야 그녀는 캑캑 기침을 했다.

여름이 제법 깊었다. 낮이 길어진 탓에, 저녁 식사를 끝내고도 한참 지난 후에야 어둠이 찾아왔다.

"시열 오라버니, 이 시간에 또 어딜!"

단오의 앙칼진 목소리가 문간에 울렸다. 대문 앞에 서 있던 시열이 움찔했다.

"간 떨어질 뻔했잖느냐. 어찌 목소리가 그리 커."

"이 시간에 어디 가세요? 설마 또 기방에……."

"어허! 기방이라니, 대체 누가 그런 델 가?"

갑자기 누가 들으라는 듯 목소리를 높이는 시열의 행동이 영 수상쩍다. 단오는 척 팔짱을 끼고 시열을 노려보았다.

"대체 누가 그런 델 가다니요. 나중에 죽거들랑 기방 앞에 묻어 달라던 사람이 누군데요! 어쩐지 한동안 잠잠하다 했더니, 또 기방엘……."

"어허, 어허! 기방 안 가! 안 간다고!"

"거짓말."

"얘가 왜 이래. 자꾸 그렇게 말하면, 내가 진짜 무슨 난봉꾼 같지 않으냐. 나 기방 안 가. 안 간 지 진짜 오래됐어!"

"그런데 왜 이렇게 고래고래 고함을 질러요?"

성큼 시열에게로 다가선 단오가 킁킁, 냄새를 맡았다.

"술 냄새도 안 나는데……. 왜 소리를 지르고 그래요?"

그 순간, 홍주의 방문이 살짝 열렸다.

"봐봐요. 오라버니가 하도 시끄럽게 하니까, 언니도 이렇게……."

단오가 홍주를 향해 괜찮다는 듯 손짓을 했다. 평소 같았다면 홍주는 금세 문을 닫고 사라졌으리라. 그러나 홍주는 가만히 시열과 단오를 바라보고 있었다.

"단오야."

"응, 언니."

"선비님께서 외출하시는 데는 다 이유가 있을 텐데, 어찌 길을 막고 그래."

"으응?"

단오는 진심으로 놀랐다. 선비들이 보일 때는 문밖출입조차 웬만해서는 안 하던 홍주였다. 그랬던 언니가, 저런 말을 하다니.

"거봐! 홍주 낭자도 저리 말하지 않느냐."

"그래서 어디 가시는데요?"

"산책 간다, 산책! 기방 같은 소리 하지도 마라. 남세스럽게, 요즘 세상에 누가 기방 같은 데를 간다고."

호들갑스럽게 떠들던 시열의 말이 문득 뚝 그쳤다. 그가 흠흠 헛기침을 했다.

"사색을 할 거야. 밤이 이렇게 푸르고 아름답지 않으냐. 오늘따라 유난히 별도, 달도 밝고 좀 좋아? 홀로 말고 누군가와 함께 바라본다면 더욱 아름답겠지만……."

홍주를 힐끔거리던 시열의 한쪽 눈이 찡긋, 움직이는 걸 단오는 미처 보지 못했다. 시열이 과장된 몸짓으로 팔을 휙 들어 올렸다. 한바탕 재주를 부린 꼭두쇠가 인사를 하듯, 시열은 장난스럽게 허리를 꾸벅 숙였다.

"그러니 나는 이만 다녀오겠소, 아리따운 낭자들."

끼익, 대문이 열렸다. 무엇이 그리 재미있는지, 너털웃음을 흘리며 자욱한 어둠 너머로 사라지는 시열을 보던 단오가 어깨를 으쓱했다.

"미쳤나."

아무리 생각해도 시열답지 않은 모습이다. 단오가 다시 한번 쯧 혀를 찼다.

"진짜 왜 저래, 시열 오라버니."

시열만 이상한 게 아니라, 홍주도 평소 같지 않았다. 그러나 그사이 홍주의 방문은 다시 굳게 닫혀 있었다.

물론 홍주가 세상으로 나오는 건 단오가 늘 바라던 일이었다. 그렇기에 그걸로 불만을 가질 이유는 전혀 없었다.

"그나저나 오늘은 이화원이 텅 비었네."

단오가 혼잣말을 했다. 산은 저녁 식사를 마치자마자 수련장으로 떠났다. 유하도 본가에 일이 있다며 이화원을 비웠다. 육호 역시 장기를 두는 한량들과 술 한잔 걸친다며 외출한 상태였다.

이제 시열마저 없으니, 이화원에 남은 건 단오와 어머니, 그리고 홍주 셋뿐이다.

"여인 셋만 남았네."

이화원에 객식구들이 말끔히 사라진 건 참으로 드문 일이었다.

"언니."

단오가 홍주의 방문을 톡톡 두드렸다.

"언니, 선비님들이랑 육호 아재 모두 외출하셨어. 나랑 평상에서 밤바람이나 쐴까? 오늘 선선하고 날이 좋아. 별도 엄청 많고."

"그럴까?"

선뜻 뜰로 나온 홍주가 단오 옆에 앉았다. 참으로 고요한 밤. 파르라니 별빛이 쏟아진다.

오랜만에 평상 위에 나란히 앉아, 도란도란 이야기를 나누던 자매는 꿈에도 몰랐다. 이 밤이 얼마나 길지, 얼마나 많은 이야기들이 이 밤 속에 들어찰 것인지를.

그로부터 몇 시간 후, 좌의정 신운호의 집.

밤중이라기엔 너무 늦었고, 새벽이라기엔 아직 동트기 전인 시각이었다. 일찍 잠에서 깨어나 습관처럼 안뜰을 거닐던 신운호의 머리 위로 날카로운 소리가 울렸다. 고요한 찬 공기를 가르는 그 소리는 마치 휘파람과 같이 들렸다. 곧이어 날아온 화살이 퍽 하는 소리와 함께 대청 기둥에 꽂혔다.

놀란 기색은 찰나였다. 신운호는 금세 표정을 지운 근엄한 얼굴이 되었다. 기둥에 꽂힌 화살을 뽑아 든 그가 살 끝에 매달린 종이를 펼쳐 들었다.

〈我 李設也.〉

신운호의 미간이 잔뜩 좁아졌다. 서찰에 써 있는 건 네 글자가 전부였다. 그 내용은 지나치도록 간결하여 어떤 은유도, 비밀도 품고 있지 않았다. 오직 화살을 쏜 자의 정체를 말하고 있을 뿐.

"아(我)는 이설야(李設也)라……."

〈내가 이설이다.〉

서찰에 쓰인 글자를 또박또박 읽는 신운호의 음성이 새카만 밤의 장막을 무너뜨렸다.

먼 하늘이 희뿌옇게 밝아 오기 시작했다. 동이 트고 있었다.

그날 밤, 유하의 행적

유하의 시선이 높다란 처마 끝으로 향했다.

반달이었다. 눈부신 달빛이 주변의 어스름을 밀어냈다. 그 달의 숨겨진 반절은 그래서 더욱더 검었다.

"들어오라십니다."

미심쩍은 눈초리의 몸종이 유하를 안내했다. 나지막하게 심호흡을 한 유하는 장태화가 기다리는 방으로 걸음을 옮겼다.

"정유하. 자네와 내가 이리 늦은 시각에 왕래할 만큼 가까운 사이였나?"

유하의 얼굴을 훑는 장태화의 눈빛이 날카롭다. 진즉 잠자리에 들 준비를 마친 듯, 그는 간소한 복장으로 유하를 맞이했다.

"끝내야 할 일이 있어 들렀습니다."

"끝내야 할 일이라니?"

유하는 잠시 말이 없었다. 깊은 밤, 그가 장태화를 찾아온 이유. 유하가 들고 온 묵직한 꾸러미를 장태화 앞으로 밀어 보냈다.

"무엇인가?"

"은 이백 량입니다."

"뭐라……."

장태화는 진심으로 놀란 듯했다. 그의 얼굴이 일그러졌다.

"이것으로 이화원의 빚은 모두 사라졌습니다. 그렇지요?"

대답 대신, 장태화는 유하가 내민 꾸러미를 풀어헤쳤다. 나무함 뚜껑을 들어 올리자 드러나는 창백한 빛. 은덩이들이다. 장태화의 입에서 낮은 신음이 흘러나왔다.

"놀랍군."

"무엇이 말입니까?"

"도무지 믿을 수가 없네. 자네 같은 젊은 선비가 무슨 수로 이 많은 은을 구해 온 건가?"

"굳이 아실 필요가 있겠습니까?"

유하를 응시하던 장태화가 시선을 거뒀다. 은 이백 량을 요구하면서도 그것이 가능하리라고 여긴 적 없는 그였다. 빚을 트집 삼아 이화원을 손에 넣으려는 의도였을 뿐, 은 이백 량은 애초에 실현 가능성이 없는 금액이었다.

은 이백 량의 가치는 막대했다. 이걸 받았으니, 장태화는 해묵은 감정 따위 가뿐히 포기할 수 있었다. 어찌 그러하지 않겠는가?

"이화원의 빚을 모두 갚았다는 문서를 써 주십시오."

"그래. 물론 그래야겠지."

지필묵을 꺼낸 장태화가 빠른 손놀림으로 글자를 써 내려갔다.

"내 그저 궁금하여 묻는 것인데 말일세."

문서의 끝에 이름 석 자를 남기던 그가 무심한 어조로 물었다.

"자네, 단오와 혼인이라도 하는 겐가?"

"글쎄요."

"글쎄요, 라니. 참으로 괴상한 대답이구먼."

먹이 마르기를 기다리던 장태화가 유하를 마주 보았다.

말갛게 빛나는 흰 살결, 단정한 눈썹 아래 진중한 눈매, 반듯한 콧날. 고상한 이목구비의 사내에게서는 나이에 걸맞지 않은 격조가 풍겼다. 그것은 꾸며 내서는 가질 수 없는 타고난 귀태였다.

"혼인을 할 것도 아닌 여인을 위해, 은 이백 량을 선뜻 쾌척한다는 건가?"

"제가 꼭 답을 해야 할 필요가 있겠습니까?"

"그래, 단오 얘기를 꺼내는 것이 불편한 모양이군. 알겠네. 그건 그렇고……."

장태화의 눈이 가늘어졌다. 정헌 대감의 서자, 정유하는 얼마 전부터 그의 흥미를 끌고 있었다. 지극히 저열한 호기심이라고 할 수 있겠지만, 문득 참을 수 없는 궁금증이 일었다.

"자네 말일세. 어머니에 관해 알고 있나?"

"어머니요?"

유하의 얼굴에 당황한 빛이 떠올랐다.

"그래. 자네의 생모 말일세."

"모릅니다. 알고 계신 게 있습니까?"

"소문을 좀 들었을 뿐이지. 나도 정확한 것은 모르네."

"무슨 소문을요?"

장태화가 턱을 쓰다듬었다. 그는 유하를 바라보며 뜸을 들였다.

"선비에게 실례가 되는 말인 것 같아서……."

"괜찮습니다. 말씀해 주십시오."

"그런 소문이 있었네. 정헌 대감과 호성군은 꽤나 가까운 사이였지. 화령이 호성군의 사노비이던 시절에 낳은 아이가 있었는데……."

순간, 유하의 표정이 무섭게 굳었다.

"춘하관의 행수 화령을 말하는 것입니까?"

"그저 소문일 뿐이네. 사실 나는 그 소문을 믿지 않네. 자네 부친이 어떤 분인데, 천한 노비에게서 자식을 볼 리가."

말끝을 흐리며, 장태화는 유하를 지그시 응시했다.

유하는 표정을 감추려고 애쓰는 듯 보였다. 그러나 흔들리는 눈, 떨리는 입술. 유하의 손이 도포 자락을 꾹 움켜쥐는 것을 장태화는 놓치지 않았다. 시선을 거둔 장태화가 문서를 내밀었다.

"여기 있네. 이것으로 나와 이화원 사이에 더 이상 볼일은 없겠군. 단오와 했던 거래 역시 이제 없는 일일세. 되었네. 거래는 끝났어."

이제 그만 돌아가라는 의미를 담은 말이었으나, 유하는 떠날 생각이 없는 사람 같았다. 서찰을 내려다보던 유하가 마침내 입을 열었다.

"끝나지 않았습니다."

"뭐라?"

"단오와 판관 영감 사이의 거래가 끝났을 뿐입니다."

"그럼 무엇이 남았다는 말인가?"

유하가 장태화의 눈빛을 묵묵히 마주 보았다.

"이설을 찾는 일은 끝나지 않았습니다. 제가 그 일을 하려 합니다."

"어서 오십시오!"

꾸벅꾸벅 졸고 있던 문지기가 반사적으로 소리를 내질렀다.

"안으로 뫼시겠습니다. 이쪽으로……."

유하를 알아본 문지기가 말끝을 길게 늘였다. 근래 몇 번 춘하관을 찾아왔던 선비였으나, 여흥이 한창인 깊은 밤의 방문은 처음이었기 때문이었다.

"술을 드시러 오셨습니까?"

"그러네."

"예. 이리 오십시오. 곧 어여쁜 계집을……."

"아닐세."

단칼에 거절하는 말에, 문지기가 멀뚱멀뚱 그를 올려다보았다.

"아, 그럼 기생 없이 술만 드시렵니까?"

"아니네. 행수를 불러 주게."

"행수는……. 객 마음대로 들일 수 있는 여인이 아니라서……."

"정유하가 물을 것이 있어서 왔다고 전하시게나. 알아들을 걸세."

"아, 예. 알겠습니다요!"

유하가 안내받은 곳은 한둘의 객을 위한 것으로 보이는 작은 내실이었다. 갓끈을 풀고 자리에 앉은 유하가 벽에 등을 기댄 채 눈을 감았다. 마른 입술 사이로 긴 한숨이 흘러나왔다.

속이 쓰리다. 종일 먹은 것이 없기 때문일까. 아니면 헛헛한 마음 때문일까. 장태화에게 예상치 못한 이야기를 들은 탓에, 잠시 잊고 있던 단오의 얼굴이 떠올랐다.

봄 햇살 같은 여인. 누이동생 같던 소녀는 여인이 되어, 끝내 그의 연모의 대상이 되었다. 그러나 다음 순간 꼬리를 물고 따라오는 건, 산의 품에 안겨 있던 단오의 모습이었다.

언제부터였을까. 어찌 몰랐던 걸까. 산에게 안겨 있는 단오의 태도는 지극히 자연스러웠다. 유하의 눈에 비치는 단오에게선 늘 반짝반짝 빛이 났다. 그리고 제 것이 아니라는 걸 깨달은 순간, 그녀는 더욱 눈부셔졌다.

문득 유하는 밤하늘에 걸려 있던 반달을 떠올렸다. 산의 곁에 있는 그녀의 모습이 찬란한 만큼, 그녀를 반쪽이라 여겼던 유하의 마음은 한없이 캄캄해졌기 때문에.

"흐응."

묘한 콧소리가 들려왔다. 화령의 얼굴을 예상하였으나, 문을 열고 들어온 사람은 그녀가 아닌 반야였다.

화려한 어여머리, 강렬한 붉은 색 의복, 백분을 발라 지나치게 흰 뺨 위에 유난히 붉은 입술. 그러나 공들인 몸치장에 어울리지 않게, 반야는 인사도 없이 유하의 곁에 털썩 앉았다.

"행수를 불러 달라고 했소."

"행수는 지금 바빠요."

"그럼 기다리겠소. 나가 보시오."

유하가 반야를 보았다. 분칠을 했음에도 뺨이 불그레한 것이, 반야는 제법 술을 마신 듯했다.

"행수가 저한테 여기 있으랬어요. 반 시진 내로 올 테니 말동무나 해 드리라고."

"아니요. 나는 정말 괜찮소."

"아, 그러지 말고 좀……."

갑자기 반야가 미간을 찌푸렸다. 그녀가 긴 한숨을 내쉬었다.

"그냥 잠시만 있을게요."

"괜찮다고 하지 않소."

"여기 그냥 있게 해 주세요. 밖에 나가면 또…… 손님을 받아야 한단 말이에요."

유하와 눈이 마주치자, 반야는 슬그머니 시선을 피했다. 고개를 떨어뜨린 그녀가 풀 죽은 목소리로 중얼거렸다.

"말도 안 걸고, 시끄럽게도 안 할게요. 그냥 없는 사람이라고 치면 되잖아요."

평소의 유하였다면 반야의 모습에 동정심을 가졌을 것이다. 그러나 지금 유하의 머릿속엔 숱한 생각들이 실타래처럼 뒤엉켜 있었다. 한숨을 내쉰 유하가 지그시 눈을 감았다.

반야에게서 풍겨 오는 이름 모를 향내가 코끝을 스친다. 달콤하면서도 씁쓰레한 향기에는 독주 냄새가 섞여 있었다. 쪼르르- 술 따르는 소리에 유하가 눈을 뜨자, 반야는 잠자코 그 앞에 술이 찰랑이는 잔을 밀어 보냈다.

"한 잔 드세요."

대답 대신 유하는 물끄러미 반야를 바라보았다. 그녀가 무안한 듯 얼굴을 붉혔다.

"입 다물게요. 말 안 걸고."

술잔을 내려다보던 유하가 잔을 비웠다. 제법 독한 술이었는지 목구멍이 화끈거렸다. 맛이 아닌 그저 독 같다. 그렇지만, 쓰면서도 달게 느껴지는 건 왜일까.

반야가 다시 빈 술잔을 채웠다. 유하는 연거푸 술을 들이켰다. 문밖에서 들려오는 여흥의 소리와는 달리 너무나 고요한 방 안에서는 술을 따르는 소리와, 그 술을 마시는 소리만이 들려올 뿐이었다.

"뭐 하나 물어도 되오?"

유하의 질문에, 반야가 고개를 끄덕거렸다.

"사람의 마음은…… 과연 변하는 것이겠소?"

말똥말똥 유하를 바라보던 반야가 입을 열었다.

"변해요. 왜 아니 변하겠어요."

"정녕 변하는 것이 마음이오?"

"세상천지에 변하지 않는 것이 어디 있겠어요?"

반야의 말투는 당연한 사실을 말하듯 태연스러웠다. 단순하지만 진리처럼 들리는 말. 세상에 변치 않는 것이란 없다는 반야의 말이 유하의 마음을 위로했다.

"단오를 연모하시는 게지요?"

그건 무척이나 갑작스러운 질문이었다. 또한 무례한 질문이기도 했다. 그러나 유하는 천천히 고개를 끄덕였다.

"그런가 보오."

단오를 향한 감정이 생의 기쁨이던 날들이 여전히 생생하다. 하지만 그 사실은 하루아침에 마음을 옥죄는 고통이 되어 버렸다. 그러나, 그럼에도 불구하고.

"그렇소. 그러하다오."

"제가 좋은 방법을 알려 드릴까요?"

"방법이라면……."

"빼앗으세요."

유하의 빈 술잔에 술을 따른 반야가 홀짝 그것을 마셨다. 그녀가 입꼬리를 당기며 새치름하게 웃었다.

"잘은 모르지만, 높으신 나리님의 아드님이라면서요. 그리 귀한 분이 무엇 하러 그런 마음고생을 하시나요? 빼앗으세요. 혼인을 한 여인도 아닌데, 뭐 어때요."

유하가 고개를 들었을 때, 그의 눈은 붉게 충혈되어 있었다.

"빼앗아 억지로 곁에 두는 게 소용 있겠소? 마음에는 여전히 다른 사내를 담고 있을 것인데……."

"빼앗고 싶지도 않고, 단오의 마음을 바꿀 자신도 없다면……. 방법이 또 하나 있지요."

"그게 무엇이오?"

"선비님의 마음을 바꾸시면 돼요. 남의 마음을 변하게 하는 것보다야 그게 훨씬 쉬운 방법일걸요?"

유하가 쓰게 웃었다.

"어찌 바꾸면 되겠소? 오래도록 품어 온 마음이거늘……. 한순간에 다른 마음을 가질 수 있겠소?"

"다른 여인을 곁에 두세요. 여인 때문에 다친 마음은 여인으로 치유하는 것이 가장 빠르답니다."

"다른 여인이라니……."

허허, 헛웃음이 새어 나왔다. 유하가 술병으로 손을 뻗었다.

"예를 들자면, 저도 있을 거고요."

반야가 유하에게 몸을 기울였다. 순식간에 눈앞으로 닥쳐드는 새하얀 얼굴, 술에 젖어 반질거리는 붉은 입술. 무슨 일이 일어나는지 유하가 채 깨닫기도 전에 그 입술이 유하의 입술에 닿았다.

소스라치게 놀란 유하가 급히 몸을 떼려던 순간이었다.

"네 이년!"

그새 열린 문 사이로, 화령의 비명에 가까운 고함 소리가 들렸다. 유하가 당황한 표정으로 화령을 바라보는 사이, 방 안으로 들어온 화령이 냅다 반야의 뺨을 올려붙였다.

"악! 왜 이래요!"

"반야 네년이, 네년이 감히……."

화령이 반야의 머리채를 휘어잡았다.

"아악! 미쳤나 봐! 놔요! 놓으라고요!"

"감히 네년이, 이분이 누구시라고!"

밀려드는 술기운, 난생처음 입술에 닿은 여인의 향취, 이어서 들이닥친 화령, 비명과 욕지거리. 연달아 일어난 일들 탓에, 방 안은 순식간에 난장판이 되었다.

요란한 소리에 뛰어 들어온 기생들이 화령을 반야에게서 떼어 놓았다. 그러나 반야 역시 만만치는 않았다. 떠밀리듯 방을 떠나는 반야가 내지르는 악다구니가 들려왔다.

"하아……."

머리가 핑글 도는 듯, 화령이 이마를 짚었다.

"송구하옵니다, 선비님."

멀어지는 반야의 아우성마저 사라졌다. 언제 소동이 있었냐는 듯, 바깥에서 다시 가야금 소리가 들리기 시작했다.

"면목이 없습니다. 흉한 꼴을 보인 것을 용서해 주십시오."

비로소 이성을 되찾은 듯, 화령이 고개를 푹 수그렸다. 난리통에 술기운이 싹 달아난 유하가 그런 화령을 바라봤다.

무슨 말로 대화를 시작해야 할까. 유하는 생각한다.

"이리 늦은 시간에 어쩐 일로 오셨습니까?"

다시 화령이 물었다. 하지만 유하는 여전히 한 마디도 꺼내지 못했다.

그의 시선은 한동안 화령의 얼굴 위에 머물렀다. 중년에 접어든 여인의 얼굴은 우아하고 아름다웠다. 비록 노비 출신이었으나, 여느 반가 여인 못지않은 기품 있는 외모였다.

유하가 옷섶 안에 넣어 두었던 물건을 꺼내 상 위에 내려놓았다. 묵직한 소리가 났다.

"이것이 무엇인지 말해 주시오."

그것은, 본가의 마님이 임종 직전에 유품이라며 건네준 물건이었다. 꾸러미를 들추던 화령의 손이 그대로 정지했다. 그녀의 기름한 눈이 자그마한 금붙이 위에서 어지러이 흔들렸다.

"그리고 하나 더."

화령에게서 시선을 떼지 않으며, 유하는 말을 이었다.

"나는 대체 누구요?"

그날 밤, 산의 행적

저녁 식사를 마친 직후 산은 이화원을 나섰다. 여느 때처럼 손에는 애지중지하는 장검이 들려 있었다. 몸 여기저기가 개운치 못한 것이 영 찌뿌듯하다. 지난 며칠 이화원에 신경을 쓰느라 수련을 게을리한 탓이리라.

여름. 오월도 이제 끝물이다. 저녁이 다 됐음에도 여전히 밖은 훤했다.

"곧 수릿날이네."

날짜를 곱씹던 산이 무심코 중얼거렸다. 수릿날은 음력 오월 닷새, 단오절을 달리 이르는 말이다. 수릿날은 단오의 생일이기도 했다. 단옷날에 태어나서, 단오라는 이름이 붙은 것이라고.

살금살금 밀려드는 푸른 저녁을 바라보던 산의 머릿속에 평소 생각지 않았던 온갖 물건들이 스쳐 지나갔다. 댕기, 향낭, 노리개, 꽃신 같은 여인의 물건들이. 선물을 받아 들 단오의 표정이 몹시 궁금했다.

"단오는 뭘 좋아할까……."

제집처럼 익숙한 길을 걸으며, 혼잣말을 하던 산이 갑자기 걸음을 멈췄다. 부스럭, 뒤에서 들려오는 발소리. 거의 본능적인 감각으로 산은 검을 뽑아 들며 몸을 돌렸다.

"어이쿠! 산!"

"여기서 뭐 하십니까?"

"이보게, 애 떨어질 뻔했잖나!"

얼굴이 새하얗게 질린 육호가 외마디 소리를 질렀다.

"떨어질 애가 있을 줄은 몰랐는데요, 아재."

"말이 그렇다는 거지, 이 사람아."

괜스레 비명을 지른 것이 무안한 듯 육호가 손부채질을 했다. 산이 검을 들었던 손을 내렸다.

"어찌 기척도 없이 오십니까?"

"기척이 없기는 무슨……. 기척이 있었으니 자네가 호랑이 같은 표정을 하고 검을 뽑아 든 게 아닌가. 장기판에서 싸움이 났다네. 휘말리기 싫어 도망쳐 나오는 길이야."

"그런데 왜 이화원이 아닌 이 길로 오셨습니까?"

"이화원 앞에서 자네를 보았지. 나이가 먹어서 그런지 밤눈이 침침하여, 자네인지 아닌지 영 가물가물해서…….."

산은 무언가 개운치 않은 표정이었다. 변명을 늘어놓는 듯한 육호의 말투가 영 꺼림칙했기 때문이었다.

"그래서 따라오셨다고요? 이름을 부르시면 될 것을."

"어찌 선비 체면에 고래고래 소리를 지르겠나. 아무튼, 내 긴히 할 말이 있어 따라온 것이야."

"무슨 말씀이시기에……."

주변에 사람이라고는 오직 둘뿐. 그러나 대단히 은밀한 이야기라도 되는 양 육호는 산을 향해 몸을 기울였다.

"요즘 자네들 셋과 단오가 무슨 일을 꾸미고 있다는 걸 알고 있네."

"일을 꾸미기는요. 아닙니다."

"그리 넘어가려 들지 마시게나. 아무튼, 내가 하려는 건 자네나 단오 이야기가 아닐세."

"그럼 무엇입니까?"

"자네 말일세. 단오의 아버님께서 스스로 벼슬에서 물러난 이유를 알고 있나?"

육호에게서 들으리라고는 예상치 못한 말이었다. 산이 대답하지 않자, 육호는 조급하게 입을 열었다.

"단오 아버님은 지금의 임금이 보위에 오르는 것에 반대하여 스스로 관직을 버렸네. 그게 무슨 의미인 줄 아나?"

"모릅니다. 말해 주십시오."

"호성군이 남긴 서찰이 여기에 있다는 이야기가 임금의 귀에 흘러 들어가는 순간, 분명 귀찮은 일이 생길 거라는 의미지."

산의 얼굴이 삽시간에 싸늘하게 굳었다.

"조심하게. 자칫 잘못하다가 이화원이 화를 입을 수 있어. 원 형님의 가족이라고는 형수와 단오, 홍주뿐이지 않나. 여인 셋이 모진 일을 당할까 저어되네."

"모진 일이라니요?"

"뻔하지 않은가. 원 형님은 임금에게 반하여 사직한 사람이란 말일세! 그가 임금의 가장 큰 위협이 되었던 호성군과 가까웠다는 게 밝혀지면……. 임금이 그 서찰을 가만두려 하겠나?"

산은 잠시 침묵했다. 육호의 말은 분명코 무거운 진실을 담고 있었다. 그나마 한 가지 위안이 되는, 그러나 백성으로서 불경하기 짝이 없는 생각이 있다면…….

"하지만 임금은……. 목숨이 오늘내일한다지 않았습니까."

그것이었다. 임금은 여전히 사경을 헤매고 있지 않은가. 산을 무심히 바라보던 육호가 쯧- 혀를 찼다.

"지금껏 여러 번 오락가락한다던 목숨 아닌가. 그러나 늘 멀쩡하게 살아 있었어."

"하지만……."

무엇인가 말하려던 산이 입을 다물었다. 굳은 입술 새로 무뚝뚝한 말이 흘러나왔다.

"조심하도록 하겠습니다."

"그래도 자네가 있으니 그나마 마음이 좀 놓이네. 유하나 시열은 그저 글월만 읽은 선비들이라……. 나라고 뭐 다르겠냐마는."

설렁설렁 거닐던 육호가 걸음을 멈췄다. 그새 스멀스멀 몰려들던 푸른 밤이 제법 짙어졌다.

"다른 장기판을 찾아가 봐야겠구먼. 그럼 열심히 하게."

멀어지는 육호의 뒷모습을 바라보던 산의 미간이 희미하게 떨렸다. 쓰읍, 그가 짧은 숨을 들이마셨다.

"이창……."

산의 입에서 나온 이름. 그것은 감히 그 누구도 입에 담을 수 없는 지엄하고도 두려운 자의 것이었다. 또한 바람 앞의 등불처럼 언제 꺼질지 모른다는 자의 것이기도 했다. 이창. 그것은, 조선의 임금의 이름이었다.

검이 허공을 가르는 소리가 쉴 새 없이 울려 퍼졌다. 주변을 파리하게 물들이던 어둠은 그사이 점점 더 짙어졌다.

밤이 깊은 것도 모를 정도로 수련에만 집중한 탓일까. 밤하늘의 달마저 예리한 검에 베인 듯 반으로 뚝 나뉘어 있었다.

땅 위의 모든 빛이 사라진 밤. 그리하여 더욱 선명한 달빛이 산의 드러난 등줄기를 비추었다. 검이 움직일 때마다 산의 어깻죽지 역시 함께 들썩였다. 촘촘히 자리 잡은 근육 사이로 흘러내린 구슬 같은 땀방울이 맨 땅을 적셨다.

"하아……."

고요를 베는 소리가 멈췄다. 폐가의 안뜰, 산의 거친 숨소리는 한참이 나 계속됐다. 툇마루에 털썩 주저앉은 산이 상체의 땀을 닦았다. 내내 검 을 쥐고 있던 오른팔이 무지근했다.

저고리를 입던 산의 시선이 불현듯 툇마루로 향한다. 며칠 전, 그는 단 오와 함께 여기 있었다. 환영처럼 그날 단오의 모습이 되살아났다. 달빛 아래 반질대던 앙증맞은 입술, 귓전을 간지럽히던 단오의 숨결이 기억난 다. 그녀를 품에 안을 때 느껴지는 말랑한 감촉이 그려졌다. 여전히 달콤 한 여인의 체취가 제 곁에 머무는 것 같다.

그렇지만, 밀회의 추억은 곧 또 다른 기억을 불러들였다. 누군가 떨어 뜨리고 간 검은 복면. 그 복면은 대체 무엇을 상징하는 걸까.

'미적거릴 틈이 없다.'

산과 단오의 밤을 훼방 놓았던 자. 그리고 육호가 건네고 간 불길한 예 언 같은 이야기. 정체를 알 수 없기에 더욱 위협적으로 느껴지는 것들.

다행히 아직 이화원은 큰 사고 없이 평화로웠다. 그러나 이 평온함이 얼마나 지속될지는 누구도 장담할 수 없었다. 언제 엄습할지 모르는 위험 이 다가왔다는 걸 아는 이상, 그 발톱이 드러날 때까지 멀뚱히 기다리는 것은 이치에 맞지 않는다.

'내가 먼저 찾아 나서는 수밖에.'

산은 그렇게 결론을 내렸다. 위험이 아닌, 위험의 근원을 찾아내야만 한다고. 산은 곧장 폐가를 떠났다. 산의 걸음은 이화원이 아닌 반대편을 향해 거침없이 나아갔다. 그는 굳건한 걸음으로, 자욱하게 내려앉은 어둠 속으로 들어갔다.

단오는 산의 것이었다. 오래도록 간직하기만 했던 마음을 꺼내 놓은 순간부터 그러했다. 소유한 것을 지킨다. 그것은 무사의 당연한 도리였다.

산이 한참을 걸어 당도한 장소는 다름 아닌 춘하관 앞이었다.

담장 안에서 들려오는 가야금 소리와 간드러지는 여인들의 웃음소리, 공기 중에 떠다니는 알싸한 술 냄새. 더 이상 객이 찾아들지 않을 늦은 시각. 문지기는 꾸벅꾸벅 졸고 있었다.

"이보게."

"예, 예! 나리!"

잠에서 깨어난 문지기가 황급히 머리를 조아렸다. 산을 알아본 그가 고개를 갸웃했다.

"설마……. 선비님께서도 행수를 보러 오셨습니까?"

"나 말고 또 행수를 보러 온 사람이 있나 보군."

춘하관 안으로 들어서던 산의 걸음이 멈췄다. 낯익은 얼굴을 발견했기 때문이었다.

"유하. 네가 여긴 어쩐 일이냐."

"산, 너야말로."

"잠시 알아볼 일이 있어 들렀다. 신기하군. 시열이라면 모를까, 유하 네가……. 이 시각에 기방 출입이라니."

"시열은 되고, 나는 안 된다는 법이라도 있어?"

"너에게 어울리지 않으니까."

산을 바라보던 유하의 입꼬리가 희미하게 뒤틀렸다. 그건 제가 하고픈 말이었다. 산이야말로 이곳과는 어울리지 않았다. 그가 기방에 들락거리는 걸 과연 단오는 알고 있느냐고 묻고 싶었다.

"무엇 때문에 왔어?"

"행수를 만나려고."

짧은 순간, 유하의 눈이 흔들렸다. 그러나 그는 곧 산에게서 시선을 거뒀다.

"행수, 저 방 안에 있다."

유하가 굳게 닫힌 방문을 가리켰다.

"일 보고 오도록 해. 먼저 간다."

유하의 걸음이 산을 스쳐 지나갔다. 그에게서 냉랭한 찬바람이 불었다. 유하는 빠른 걸음으로 춘하관을 떠났다.

춘하관 안뜰에 남은 산이 미간을 찌푸렸다. 행수를 만나러 온 또 다른 사람이 다름 아닌 유하였다니. 산으로서는 예상조차 하지 못한 일이었다. 유하의 뒤를 따라갈까, 잠시 망설이던 산이 천천히 고개를 저었다. 일단은 화령을 만나는 것이 우선이었다.

분 냄새와 술 냄새, 여전히 들려오는 가야금 소리, 사내들의 웃음소리와 교태 어린 기녀들의 목소리. 환락의 소리로 가득한 뜰을 가로질러, 산은 화령이 있다는 방문을 열었다.

"흐음."

산의 잇새로 낮은 침음이 흘러나왔다. 그 소리에 화령이 고개를 들었다.

도무지 나이를 가늠할 수 없는 여인. 높다란 가채로 꾸민 흑단 같은 머리칼과 희게 분칠한 얼굴, 유난히 새까만 눈. 검거나 혹은 희거나, 오직 무채색뿐인 그 얼굴 위에 핏빛으로 선명한 입술. 화령의 얼굴은 온통 젖어 있었다.

이해할 수 없다는 표정을 한 채, 산은 눈물로 범벅이 된 화령을 내려다보았다. 눈물은 영영 끊이지 않을 비처럼 쏟아졌다.

"때를 잘못 맞춰 찾아온 것 같구려. 다음에 다시 오겠소."

산이 몸을 돌리려던 순간, 다급히 내밀어진 화령의 팔이 그의 옷자락을 붙들었다.

"선비님."

산은 본디 무심한 성격이었다. 스무 해를 살아오는 동안 그의 마음을 동요케 한 이는 오직 단오 하나뿐이었다. 그랬기에 평소의 산이라면, 별 관계 없는 이가 설령 피눈물을 흘린다고 한들 관심을 가지지 않았을 것이다.

"선비님……."

그러나 산은 더 이상 움직이지 못했다. 화령의 눈에 비친 산의 눈 역시 거세게 흔들리고 있었다. 그 목소리에 담긴 비탄 때문일까. 비좁은 방을 가득 채운 찐득한 슬픔의 장막 때문이던가. 곧 그 찬연한 붉은 입술 사이로 흐느낌 섞인 말이 흘러나왔다.

"잠시만, 잠시만 곁에 있어 주십시오."

산의 옷깃을 붙들고 있던 흰 손이 툭 떨어졌다. 바닥에 쓰러진 채 울음을 토해 내는 여인을 산은 한참이나 바라보고 있었다.

뿌옇게 차오르는 감정의 정체를 모르겠다. 어찌 슬픈 것인가. 어찌하여, 여인을 내버려 두고 떠나지 못하는 것일까.

'이제 아무 상관 없는 사람이거늘…….'

산은 천천히 몸을 숙였다. 그의 손이 화령의 등을 부드럽게 도닥였다. 곧 여인의 입에서 서러운 울음이 터져 나왔다. 그리고 산 역시 슬퍼졌다. 이 방을 나서던 유하가 그러하였듯이.

그날 밤, 시열의 행적

연푸른 도포 자락이 밤바람에 휘날린다. 오월이란 밤마저 생동하는 계절이었다. 시열은 그 생동하는 여름밤 속에 있었다.

터벅터벅, 서두르지 않는 여유로운 걸음. 시열의 발은 분명한 목적을 가지고 움직였다. 몇 개의 갈림길을 맞닥뜨렸으나 그는 망설임 없이 나아갔다.

이화원은 진즉 먼 뒤로 까마득해졌다. 시열은 이제 마을 초입마저 벗어났다. 그는 달밤을 밟으며 걷고 또 걸었다.

"아……."

마을 입구를 지키고 있는 거대한 수양버들 아래를 지나던 시열이 눈썹께를 어루만졌다. 버드나무 잎사귀가 얼굴을 스친 탓이었다. 단오와 함께 장태화의 집을 찾았을 때 생긴 상처는 아직 다 아물지 않았다.

초록에 물든 풀내음이 넘실거리는 밤. 그 밤의 향취 속에서, 문득 시열은 홍주가 정성껏 발라 주었던 약초 내음을 맡았다. 그가 나지막한 한숨을 쉬었다.

며칠 전, 제 얼굴에 난 상처를 치료해 주던 홍주의 손. 홍주가 그러하듯 그녀의 손 역시 바람에 날릴 듯 가냘팠다. 시열의 얼굴에 닿던 그 손 끝은 내내 바들바들 떨고 있었다. 홍주가 시열의 방을 떠나려던 순간이 기억났다.

"어쩌자고 그랬을까."

시열이 혼잣말을 중얼거렸다. 그냥 보냈어야 할 것을.

홍주의 모습이 너무 애처로워 보였다. 바람 앞의 촛불처럼 훅 꺼지고 말 듯 위태로워 보였다. 그래서 저도 모르게, 시열은 홍주의 손을 덥석 붙잡고 말았다.

* * *

홍주의 낯빛이 파리하게 질렸다.

"시열 선비님."

"얘기 좀 하십시다."

"나중에요. 할 일이 많아요."

홍주가 움찔 손마디를 움직였다. 그러나 시열은 손을 놓아주지 않았다.

"어찌 항상 이리 도망치시오?"

홍주가 고개를 들었다. 검은 눈이 시열을 바라보았다.

"어찌 항상 도망칠까요?"

그러나 그건, 시열에게 하는 말이라기보다는 자신에게 던지는 물음과 같았다.

"도망치는 것이 습관이 되어서 그런 게 아닐까요……."

홍주가 고개를 떨어뜨렸다.

"낭자."

시열의 손에 쥐어진, 잘게 떨리는 손.

"떨지 마시오."

시열의 눈이 먹먹하게 가라앉았다.

"나에게는 참 나쁜 습관이 여럿 있었소. 하나는 술을 좋아하여 기방을 들락거리는 것이고, 또 하나는 매사 진지하지 못한 것이었지요. 나는 내가 그렇게 타고난 자인 줄 알았소. 정을 몰라서 아무에게나 치근댄다고, 태생이 가벼워서 성품도 그러하다고…………."

"……."

"그런데, 고쳐지더이다. 나도 모르는 새 나쁜 습관이 모조리 사라졌소. 무엇 때문인지 아시오?"

홍주가 고개를 들었다. 우울한 눈. 홍주의 눈동자는 한없이 검은 우물 같았다. 저 우물에 가득 들어찬 슬픔을 모두 퍼내고 싶다면, 그건 지나친 욕심일까.

"어떤 여인을 보니 그렇게 되더이다. 내가 바란 것도 아닌데, 저절로 그리되었다오. 그러니까, 홍주 낭자도 곧 그리되지 않겠소?"

싱긋. 그의 얼굴에 장난스러운 미소가 떠올랐다.

"곧, 바깥으로 나갈 수 있지 않겠소?"

시열이 홍주의 손을 꾹 그러잡았다. 여인의 손은 아직도 떨고 있었다.

천천히, 시열의 손끝이 움직였다. 그의 손이 작고 마른 손등을 어루만졌다. 올록볼록 작은 굴곡을 그리는 손마디처럼, 그녀의 인생도 야트막한 내리막 끝에 다시 솟아오르기를. 그리하여 그녀에게도 봄이 오기를.

"언니!"

밖에서 단오의 목소리가 들려왔다.

"가, 가 보아야겠어요."

손을 빼낸 홍주가 황급히 자리에서 일어섰다.

"아 참, 홍주 낭자."

시열이 도포 자락을 살짝 걷어 보였다.

허리에 맨 술띠 아래, 은은한 빛을 내는 단아한 노리개 하나. 그 노리개는 풀꽃 다발에 대한 답례로, 홍주가 방문 앞에 놓아두었던 물건이었다.

"항상 간직할 것이오. 내, 항상."

* * *

한숨 같은 웃음이 쓰디쓰다. 가만히 제 지나온 생을 더듬어 본다.

시열은 여인들을 사랑했다. 여인들의 자태와, 그들 사이로 흐르는 술과, 그들이 주는 유희를 사랑했다. 그러나 그뿐이었다. 그가 사랑하는 건 여인들 사이에 머무는 평화로운 한때일 뿐. 단 하나의 여인을 사랑하고픈 욕망 같은 건 품어 본 적 없었다.

홍주에게 끌리는 마음을 어찌 설명할 수 있을까. 무심코 밤하늘을 올려다본 그의 눈에 반쪽짜리 흰 달이 담겼다. 반달. 반은 빛이고, 반은 어둠이다. 지금 홍주의 자리는 분명 저 어둠 속일 터였다.

"무슨 생각을 그리하십니까."

어둠을 뚫고 들려온 목소리에, 시열이 고개를 번쩍 들었다.

"오셨는가."

"공(公)답지 않게 무슨 상념에 그리 잠겨 계십니까."

눈앞에 나타난 삿갓을 쓴 남자. 그는 중년 정도로 보이는 사내였다. 어둠 속에 드러난 회색은 분명 승복일 것이었다.

"머리에 그런 고깔 같은 걸 뒤집어쓰고 있으니 못 알아볼 수밖에. 그걸 벗어야 민머리가 번쩍번쩍해서 대낮처럼 주변이 환해지잖나. 그래야 아, 땡중이 왔구나 하지 않겠어?"

"쓸데없이 걱정을 했나 봅니다. 여전하시군요."

"내 걱정 같은 거 하지 말라고 몇 번을 말해. 아무튼 물건이나 주시게."

승려가 들고 있던 길쭉한 나무함을 내밀었다. 사람의 팔 길이를 넘는 나무함은 무게가 꽤 나갔다.

"빠짐없이 챙겼겠지?"

"다 넣었습니다. 그 물건이야 그렇다 치고……. 어찌 다른 이도 아닌 중에게 저런 걸 가져다 달라 하시는지. 아무리 땡중이라 해도, 저는 엄연히 부처를 모시는 몸이란 말입니다."

땡중이라 불린 승려가 불만스럽다는 듯 내뱉었다. 시열이 민망한 표정으로 시선을 돌렸다.

"내 바빠서 그러네."

"바쁘십니까? 꿈에도 몰랐습니다. 한량 생활에 도취되신 것 아니었습니까?"

"도취되다니. 나는 타고나길 한량인 것을. 그저 태생에 맞게 살아가고 있을 뿐이야."

"말이나 못 하시면요."

시열이 피식 웃었다. 그가 나무함을 두어 번 앞뒤로 흔들었다. 안에서 무언가 턱턱 부딪치는 소리가 들렸다.

"난 이만 가 보겠네."

"공."

승려의 목소리에, 시열이 인상을 찌푸렸다.

"그 이상한 이름으로 좀 부르지 마시라 내 몇 번을 말했나. 공이 무언가, 공이."

"그럼 뭐라고 불러 드리리까?"

"아무렇게나 부르시게. 공만 아니면 되니까."

"대충 아무거나 괜찮다고 하시면……."

승려가 희미한 웃음을 지었다.

"전하라고 부르는 건 어떻겠습니까?"

승려가 그 말을 내뱉은 순간, 시열의 표정이 싸늘하게 굳었다.

"재미없네. 닥치시게."

시열이 몸을 돌렸다.

"공, 다음 연통은 언제 주십니까?"

"무소식이 희소식이잖아. 아닌가?"

"무소식이 길어지면, 혹여 공의 몸이 상했을까 저어되어 그러지요."

"땡중, 쓰잘머리 없는 걱정은 넣어 두라 내 말했네."

시열은 올 때와 같이 망설임 없는 걸음으로 다시 어둠 속으로 나아갔다.

"공! 왜 엉뚱한 길로 가십니까? 이화원으로 돌아가셔야지요!"

부러 화를 돋우려는 듯, '공'이라는 호칭으로 시열을 부르는 승려의 목소리는 짐짓 과장스러웠다. 시열은 대꾸하지 않았다. 곧 익숙한 밤이 그의 모습을 집어삼켰다.

이화원이 보이는 길목. 그곳에 시열이 다시 모습을 드러낸 건, 동이 트기 시작한 이른 새벽이었다.

"괭이인가……."

어디선가 부스럭대는 소리가 들린 것도 같다. 잠시 멈춰 섰던 시열이 다시 걸음을 옮겼다.

"어이쿠!"

시열이 외마디 소리를 냈다. 길바닥에 굴러다니는 돌멩이를 밟는 바람에 발을 헛디딘 탓이었다.

"아이고, 깜짝 놀랐네……. 무슨 놈의 돌멩이가."

제 풀에 놀란 시열이 민망한 듯 중얼거렸다. 그가 이화원을 향한 걸음을 재촉하던 그때였다.

"뉘, 뉘시오?"

사내 넷이 사방에서 튀어나왔다. 겁에 질린 시열의 눈이 요동쳤다. 검은 복장의 사내들이 시열을 에워쌌다. 그들은 하나같이 얼굴을 복면으로 가리고 있었기에, 보이는 것은 살기 어린 눈빛뿐이었다.

"이, 이보시오……. 사, 살려 주시오!"

그러나 사내들에게는 어떤 대답도 돌아오지 않았다. 넷은 시열을 포위한 것 같은 모양새로 간격을 벌린 채 서 있을 뿐이었다.

"그, 사, 산책이라도 가시나……. 보, 볼일이 없으시면……. 소인은 이만……."

한참 눈치를 살피던 시열이 한 발짝 움직인 순간이었다.

"잡아라."

나지막한 목소리와 동시에, 넷 중 둘이 시열을 붙들었다. 시열이 들고 있던 나무함이 요란한 소리와 함께 바닥에 내동댕이쳐졌다. 그 안에서 와르르 무엇인가가 쏟아져 나왔다.

"아……."

시열의 입에서 외마디 소리가 흘러나왔다. 넷 중 우두머리인 듯한 사내가 몸을 숙였다. 그의 시선이 바닥에 어지러이 나뒹구는 길쭉한 물건들을 훑었다.

여러 개의 둘둘 말린 두루마리. 사내가 그중 하나를 집어 들었다. 순식간에 그림 족자가 좌르륵 펼쳐졌다.

복면 위로 드러난 사내의 눈이 그 화폭을 뚫어져라 노려봤다. 그러나 난과 나비 따위가 전부인, 평범한 초충도(草蟲圖). 더 볼 것 없다는 듯, 사내가 두루마리를 툭 내던졌다.

"이보시오! 재, 재물이 필요하시오? 내 뭐든 드리리다!"

팔을 붙들린 시열이 애원했다. 그 순간, 무리들 중 우두머리인 듯한 사내가 까딱 턱짓을 했다.

"헉!"

이어 강력한 일격이 시열에게로 날아들었다. 사내들은 하나같이 검을 소지하고 있었다. 그러나 그 누구도 검을 빼어 들지 않았다. 주먹과 발길질이 끝없이 날아들 뿐이었다.

"으악! 살려 주시오!"

시열이 비명을 내질렀다. 몸 곳곳에서 터지고 부서지는 충격이 느껴졌다. 터진 입술에서 비릿한 피 맛이 확 몰려들었다.

바닥에 쓰러진 채, 시열은 발길질을 피해 손으로 얼굴을 감쌌다. 그러나 별 소용 없는 일이었다. 머리를 가리자 공격은 배와 가슴으로 날아들었다.

캄캄한 어둠, 까무룩 잠겨 드는 정신. 그 시커먼 틈새에서 눈을 뜨려 애썼지만 피인지 뭔지 모를 찐득한 것이 얼굴을 뒤덮어 그마저 요원치 않았다. 시열이 나락으로 떨어지는 고통을 맛보고 있을 때, 멀리서 들려오는 낯익은 목소리.

"거기 누구 있어요?"

단오의 목소리가 들린 순간, 무참히 가해지던 구타가 거짓말처럼 뚝 그쳤다.

"사람 있어요? 거기 누구예요?"

단오의 목소리는 아득하도록 먼 곳에서 들리는 것 같다. 아니, 어쩌면 바로 곁에서 들려오는 소리일는지도. 동시에 투다닥대는 발소리가 들렸다. 아마도 복면을 한 사내들이 떠나는 소리였으리라.

"오지…… 마."

시열이 가까스로 중얼거렸다. 아직 그자들이 가지 않았을지도 모른다. 단오마저 다치게 만들 수는 없다.

"오지…… 마. 제발……."

시열이 힘겹게 상체를 일으켰다. 그의 손은 무엇인가를 찾아 몇 번이나 바닥을 할퀴었다. 마침내 그림 두루마리가 손에 잡힌 순간, 울컥 피를 토해 낸 시열의 몸이 풀썩 쓰러졌다. 곧 그의 세상이 검게 물들었다.

반달, 그 찬란한 반쪽 건너편에 숨죽인 그림자처럼.

* * *

화살에 묶여 있던 서찰. 그것을 내려다보던 좌의정 신운호가 고개를 들었을 때는, 이미 동이 트고 있었다.

신운호는 일찌감치 벼슬길에 들었고, 누구보다 빨리 진봉을 거듭했다. 궐에서 보낸 세월이 너무 긴 탓에, 그에게 권력이나 영화란 부질없는 것에 지나지 않았다.

신운호는 이전 임금의 시대에도 좌의정이었고, 이창이 피를 뿌리며 임금이 되었을 때도 좌의정이었다. 또한 이창이 쓰러져 생사가 불투명한 지금에 이르러서도 여전히 좌의정이었다.

혹자들은 신운호를 비난했다. 천륜을 저버린 왕을 섬긴다며. 그러나 사람들이 모르는 것이 있었으니, 그것은 신운호가 섬기는 것이 임금이 아니라는 점이었다.

"조선이 어찌 되려 이러는가……."

신운호가 중얼거렸다. 그에게 중요한 것은 권력도, 계파도, 가문의 명예나 그 무엇도 아니었다. 그는 인간이 아닌 국가에 충성을 바치고 있었다. 그는 오직 조선만을 위해 살아 가는 사람이었다.

조선은 곧 이씨 왕조를 뜻한다. 왕실의 대가 끊기는 순간 조선 역시 무너질 수밖에 없다. 신운호의 관심사는, 오직 왕실을 이어 조선을 번영시키는 것 하나뿐이었다.

"아(我)는 이설야(李設也)라……."

다시 한번, 서찰을 읽은 신운호가 고개를 크게 끄덕였다.

이설. 그가 존재를 드러냈다. 신운호는 깨달았다. 더 이상 이설을 찾기 위해 세상을 들쑤실 필요가 없다는 것을. 저 서찰은 선언이었고, 때를 보고 있으니 굳이 나를 찾지 말라는 통보였다.

임금이 붕어하는 순간, 그는 시위를 떠난 화살처럼 당당한 모습으로 세상에 나타날 것이다. 이설, 호성대군의 적자. 조선의 다음 임금으로서.

* * *

햇살이 뜰을 비추는 오전이었다. 그러나 이화원의 공기는 그 어느 때보다 스산했다.

바싹 마른 안뜰 흙바닥에 쉼 없이 뿌연 먼지가 일었다. 수많은 걸음이 이화원 문지방을 넘나들었다. 의원이 바쁜 걸음으로 당도하고, 약재상에 다녀온 유하가 헐레벌떡 안뜰로 들어섰다. 물동이를 인 단오가 종종걸음으로 수차례 우물과 이화원 사이를 오갔다.

굳은 얼굴의 산은 검을 들고 대문 밖을 서성였다. 안절부절못하던 육호 역시 속이 갑갑한 듯 몇 번이나 먼 하늘을 보며 울분을 삼켰다.

"오라버니……."

몇 번째인지 셀 수도 없을 만큼 우물가를 오가던 단오가 걸음을 멈췄다. 몇 걸음 앞에 서 있는 산. 그를 본 순간 갑자기 왈칵 눈물이 차올랐다.

"시열이는 괜찮을 거야."

살기 어린 눈으로 주변을 둘러보던 사람 같지 않게, 산의 목소리는 너무나 따듯했다. 그래서인지 도무지 울음이 멈추지 않았다.

"저러다 큰일이라도 나면 어떡해요……."

산이 성큼 단오 앞으로 다가왔다. 그가 흐르는 눈물조차 닦지 못하는 단오의 젖은 뺨을 닦아 주었다. 산이 단오가 이고 있는 물동이를 내렸다. 그는 곧장 단오를 품에 안았다. 지금은 훤한 대낮인 것도, 이화원 코앞인 것도 중요치 않았다.

"걱정하지 마라. 시열은 깨어날 거고, 더 이상 아무런 일도 없을 거야. 내가 지킬게. 반드시 지켜 줄게."

단오를, 그리고 단오가 사랑하는 이화원을. 그 이화원 안에 속해 있는 사람들을.

"그러니 울지 마라."

산이 단오의 등을 도닥였다. 단오의 어깨가 들썩였다. 이화원으로 돌아가는 단오를 보던 산이 이를 꽉 물었다.

시열이 쓰러져 있던 자리, 멀지 않은 곳에 떨어져 있던 검은 천 조각. 자객이란 본디 검은 복장을 하는 법이었다. 그러나 이화원에 기거하는 사내둘이 연달아 피습당한 일을 우연이라 치부할 수는 없을 터였다. 누군가 그들을 노리는 것이 분명했다.

덜컥, 시열의 방문이 열리며 초로의 의원이 얼굴을 내밀었다.

"여인네들뿐입니까?"

마루에 서 있는 홍주와 어머니를 본 의원의 표정이 난감해졌다. 때마침 유하는 약을 사러 나갔고, 산과 육호 역시 밖에 나간 상태였다.

"워낙 다친 곳이 많아 이대로는 치료할 수가 없겠습니다. 얼른 옷을 벗기고 상처를 살펴봐야 하는데……. 사내가 있으면 좋으련만. 한시라도 빨리 치료를 해야 몸을 부지할 것인데."

"의원님. 제가 도울게요."

앞으로 나서는 홍주를 어머니가 만류했다.

"어찌 시집도 안 간 네가 그런 일을 하겠느냐. 이 어미가 어떻게든……."

"어머니는 피를 보면 혼절하시잖아요."

"그, 그렇다면…… 선비님들이 오시기를 기다리는 것이……."

초조한 기색으로 모녀를 바라보던 의원이 입을 열었다.

"이러다 송장 치운다니까요! 마님이든 아씨든, 어서 들어오십시오."

"제가 할게요."

심호흡을 하며, 홍주는 방으로 들어섰다. 숨을 들이마시자마자 비릿한 피 냄새가 확 밀려들었다.

"상처를 꽉 누르고 있는 동안, 아씨께서 선비님의 저고리를 벗겨 주십시오."

"……."

"아씨?"

의원이 홍주를 재차 불렀다. 넋이 나간 표정으로 시열의 얼굴을 보고 있던 홍주의 눈에서 후드득 눈물이 쏟아졌다.

시열은 어느 한 곳 성한 데 없이 참혹한 모습이었다. 눈과 코, 입술은 형체를 알아볼 수 없을 정도로 부어올랐고, 온 얼굴은 검붉은 피멍에 뒤덮여 낯빛이 보이지 않을 지경이었다.

"아씨, 정 못 하시겠으면⋯⋯."

"아니에요. 아닙니다."

홍주가 시열의 저고리를 붙잡았다. 옷은 곳곳이 터지고 찢어져 있었다. 늘 멀끔하게 차려입는 걸 좋아하는 시열의 것이라고는 느껴지지 않는, 피로 물든 옷.

머나먼 과거의 일. 그러면서도 어제 일어난 일처럼 결코 빠져나갈 수 없는, 수렁과 같은 그날의 일이 떠올랐다. 그 밤, 현도 이처럼 슬픈 모습을 하고 있었다. 홍주가 사랑했던 사람. 홍주의 정인도.

홍주가 떨리는 손을 꽉 움켰다. 그녀가 시열의 저고리를 조심조심 벗겼다.

"흠⋯⋯. 이건 오래된 흉터인데⋯⋯. 창상(創傷)15)이로군."

의원이 중얼거렸다. 의원의 눈을 따라, 홍주의 시선이 움직였다. 시열의 가슴팍 위. 이미 오랜 시간이 지난 듯 완전히 아문 흉터 하나가 보인다. 사람을 치료하는 일에 무지한 홍주가 보기에도 큰 상처였을 것으로 보이는 깊은 자흔이었다. 또한 그 흉터는 꽤나 기묘한 모양을 하고 있었다.

"아씨, 서두르십시오."

"예."

홍주의 손이 분주하게 움직였다. 갈기갈기 찢긴 옷 조각들이 훌훌 벗겨져 나갔다.

시열의 허리께, 술띠에 매달린 노리개를 본 순간 홍주의 마음 깊숙한 곳에서 무엇인가가 울컥 치밀어 올랐다. 터져 나올 것 같은 눈물을 꾹꾹 삼키며, 홍주는 다시금 숨을 가다듬었다.

"아이고⋯⋯."

---

15) 칼이나 창에 찔린 흉터.

더럭 문이 열렸다. 시열의 방 안으로 들어온 육호가 혀를 끌끌 차며 탄식했다.

"마침 잘 오셨습니다. 이제 바지를 벗겨야 해서 난감하던 참인데……."

의원의 말에 육호가 고개를 끄덕였다.

"홍주가 고생이 많았다. 내가 왔으니, 홍주 너는 이만 나가 보거라."

"예……. 아재."

일어나는 순간 가벼운 현기증이 일었다. 그러나 홍주는 숨을 크게 내쉬며 허리를 꼿꼿이 세웠다. 방을 떠나던 그녀가 힐끗 뒤를 돌아보았다. 죽은 듯 눈을 감고 있는 시열의 모습이 그녀의 눈에 담겼다.

'사셔야 해요.'

시열 선비님. 제발 당신만은.

'죽지 말아요.'

의원은 한참이 지난 후에야 이화원을 떠났다. 육호와 산, 유하가 번갈아 시열의 방을 들락거렸다.

"생명에는 지장이 없을 겁니다. 상흔이 깊어. 의식을 되찾는 데 며칠 걸릴 수도 있지만……. 젊은 분이니 곧 깨어나길 바라 봅시다."

의원이 남기고 간 말을 되새기며, 단오는 안도의 한숨을 내쉬었다. 아직 마음을 놓긴 이르지만, 적어도 목숨만은 건졌다니 다행이 아닌가.

시열을 발견했던 순간이 떠오른 단오가 부르르 몸서리를 쳤다. 밖에서 들려오는 기묘한 소리에 잠에서 깬 단오가 대문을 나섰던 것이 이른 새벽이었다. 때마침 이화원으로 돌아오던 중인 산과 유하가 시열을 들어 옮겼다.

'마치 일어나고야 말 일인 것처럼…….'

하필 모든 선비들이 이화원을 비운 시각에 벌어진 일.

평상 위에 앉은 채 뻐근한 다리를 쭉 뻗으며, 단오는 깊은 생각에 잠겨 있었다. 털썩. 산이 제 옆에 앉은 후에야 기척을 알아챈 단오가 놀란 가슴을 쓸어내렸다.

생각이 많은 건 모두 매한가지인 듯, 산에 이어 유하 역시 안뜰에 모습을 드러냈다. 산과 단오를 본 유하가 잠시 멈칫했다. 그러나 유하는 이내 표정을 지운 채 단오 곁에 앉았다.

"모두에게 힘든 하루였어요. 그렇죠?"

잔뜩 풀 죽은 단오의 목소리. 산과 유하 역시 고개를 끄덕였다.

"정말 귀신에 홀린 것 같은 기분이 들어요. 이화원을 맡아 온 이래 처음 있는 일이거든요. 과거생 모두가 밤새 돌아오지 않은 것도, 그래서 여인들만 객주에 남아 있었던 것도, 누군가가 이렇게 초주검이 된 것도……."

산 역시 부상을 입었던 적이 있지만, 그는 잠시 정신을 잃었을 뿐 곧장 자리에서 일어났다. 반면 시열은 살아 있는 게 기적적일 정도로 심각한 상처를 입었다.

"대체 누구의 짓일까요?"

"일단 시열이 깨어나야 얘기를 들어 볼 수 있겠지."

유하가 참담한 표정으로 중얼거렸다. 휘잉. 나란히 앉은 셋 주변으로 부는 바람. 후덥지근한 여름 바람에도 오한이 드는 것 같았다. 단오가 목을 움츠렸다.

"산 오라버니랑 유하 오라버니는…… 무슨 일로 새벽에야 돌아오신 거예요?"

누구도 선뜻 대답하지 않았다. 무안해진 단오가 발끝으로 바닥을 툭툭 쳤다.

"함께 어디 다녀오신 거예요?"

여전히 묵묵부답. 갑자기 조금 서글픈 마음이 들어, 단오는 입을 꾹 다물었다.

이런 게 사내들의 세상인가. 아무리 당차고 영민하다는 소리를 들어도, 여인인 단오로서는 범접할 수 없는 사내만의 영역이 따로 있다는 건가. 어쩌면 산과 유하에게 늦은 귀가의 이유를 캐묻는 제가 이상한 걸지도 모른다. 그들은 사내였고 단오는 여인이었으니까.

조선은 그런 세상이었다. 사내가 하늘이고 여인은 땅이라고 하는 세상. 그게 당연한 세상. 유하가 의학서를 뒤져 온갖 어려운 이름의 약재며 약방문을 구해 오고, 산이 검을 든 채 이화원을 사수하는 사이 그녀가 할 수 있었던 건 물을 길어 나르는 일 하나뿐이었다.

문득 마음이 갑갑했다. 세상이 야속했다. 저도 기회를 가졌다면 달랐을까? 여인인 제게도 사내만큼의 기회가 주어졌더라면……. 그랬다면, 시열을 위해 이보다 더 나은 일을 할 수 있지 않았을까?

"하아……."

단오가 한숨을 내쉬었다. 이상하게 마음이 헛헛하여, 단오는 산의 어깨에 머리를 기댔다. 그래도 이것만은 참 좋았다. 산의 아낌을 받는 여인이어서. 산의 든든한 어깨에 기대어 위로받을 수 있다는 것이나마 다행이었다.

"어……."

화들짝 놀란 단오가 벌떡 일어섰다. 제 곁에 유하가 앉아 있는 것을 까맣게 잊고 말았던 것이다.

"저, 저는……. 이, 이만 들어가 볼게요."

삽시간에 귀까지 새빨개진 단오가 급히 제 방으로 모습을 감췄다. 바삐 사라지는 단오를 보고 있던 산 역시 자리에서 일어섰다. 그때였다.

"산, 그럴 필요 없어."

"뭐가?"

"단오와 네 사이, 알고 있다."

그 말을 뱉은 유하가 쓰게 웃었다. 진즉 알고 있었다. 하지만 알고 있는 것과, 그 사실을 말하는 건 다른 일처럼 느껴졌다. 유하는 그제야 실감했다. 단오의 마음과 산의 마음이 서로를 향하고 있다는 것을.

그 말을 들었음에도 산은 가타부타 대꾸하지 않았다. 산의 침묵은 곧 대답이었다.

"시열 상황도 저렇고……. 긴 얘기를 하고 싶은 생각은 없지만 말이다."

유하가 산을 힐끔 곁눈질했다. 늘 냉랭하기 짝이 없던 산의 마음은 언제부터 단오에게로 향했던 걸까.

"산. 이제 나도 숨기지 않으려고 해."

"무엇을?"

"내 마음을. 너도 알고 있잖아. 너와 단오가 그런 사이인 줄 모르고, 천치처럼 네 앞에서 이미 내보였으니까."

단오를 좋아한다고, 여인으로서 좋아한다고.

"그때 난 이미 대답했어. 네 뜻대로 하라고."

산이 비로소 입을 열었다.

"한 가지 묻고 싶은 게 있다. 산, 너는 이미 짐작했었다고 했지? 내가 단오를…… 연모해 온 것 말이다."

산이 고개를 끄덕였다. 답은 그것으로 충분했다.

"그래. 그럼 됐어."

"뭐가 됐다는 거냐."

"난…… 단오를 처음 본 순간부터 마음에 담았어. 오랜 시간이었다. 차마 말은 꺼내지 못했어. 내가 산 너처럼 거침없는 성격이었다면, 이야기가 달라졌을지도 모르지. 용기가 없었던 내 탓이기에 너를 원망하지는 않아. 하지만 드러내지 않았다고 하여 내 마음이 작다고 생각하지 않는다."

"그렇게 생각한 적 없어. 단지……."

산은 잠시 유하를 바라보았다. 벗…… 일지도, 혹은 이었을지도 모르는 그의 얼굴을.

"그러기엔, 나 역시 마음이 너무나 컸다. 그것뿐이다."

"그래. 그렇게 말해 주니 오히려 고맙네."

더 이상 쓸데없는 미련을 갖지 않게 해 주어서.

유하가 먼저 자리에서 일어섰다. 그는 산을 보지 않았다.

'산, 나는 포기하지 않는다.'

산의 말이 백번 옳았다. 산이 그의 방식으로 단오에게 다가갔듯, 유하에게는 자신만의 다른 방식이 있을 것이다.

사내답게, 선비답게 패배를 인정하고 물러나는 것은 분명 아름다운 일이리라. 유하는 늘 양보하며 살았다. 그러나 양보 끝에 유하가 얻은 것은 과연 무엇이었을까. 아니, 그가 얻은 것이 있기는 한 걸까?

이토록 고통스럽다면, 차라리 싸워서라도 쟁취하는 편이 나은 선택이지 않을까. 더군다나 그 대상이 평생 처음으로 간절히 바라게 된 여인이라면…….

제 것일 수도 있었던 것을 빼앗긴 삶은, 지금만으로 족하지 않을까.

방으로 돌아가는 유하는 완연히 다른 눈빛을 하고 있었다.

시열은 내내 죽은 듯 잠들어 있었다. 첫날밤엔 육호와 유하가 번갈아 시열을 돌봤고, 이튿날 낮엔 단오와 어머니가 돌아가며 그의 상태를 살폈다. 다시 돌아온 밤. 이번에는 산이 시열의 곁을 지킬 차례였다.

"망할 놈……."

잠들었는지, 기절했는지 모를 시열을 내려다보던 산이 중얼거렸다. 장난기가 그득하던 모습은 어디에서도 찾아볼 수 없었다. 퉁퉁 부어오른 시열의 얼굴은 온통 자줏빛 멍투성이였다.

삼 년간, 쉼 없이 투덕대며 서로 잡아먹을 듯 으르렁대며 살아온 그들이었다. 미운 정도 정이라던가. 그렇다면 그놈의 미운 정이 꽤나 단단히 든 모양이었다.

키가 크고 골격이 좋은 산과 유하에 비해 시열은 날렵한 체격이었다. 한량처럼 살아왔으니 달리 무예를 익힌 적도 없을 것이다. 시열의 몸에 난 상처들은 그를 향한 공격이 얼마나 가혹했는지를 알려 주고 있었다. 솔직히 말하자면, 목숨을 부지한 것 자체가 기적이었다.

시열은 유난히 겁이 많았다. 그는 별것 아닌 일에도 경기라도 하듯 호들갑을 떨곤 했다. 그리 약해 빠진 심성을 가졌으면서, 어쩌자고 깊은 밤 싸돌아다니다가 이런 꼴이 되었는지…….

"……멍청한 자식."

"왜 불러."

시열의 대답에 화들짝 놀란 산이 그를 쳐다봤다.

"시열!"

"나, 살았냐?"

퉁퉁 부은 입술과 얼굴 탓에, 시열의 발음은 부정확하게 뭉개졌다.

"미친놈아. 그럼 죽었을까 봐?"

시열이 잔뜩 부어오른 눈꺼풀을 들어 올렸다.

"착하게 살았으니 죽었으면 극락왕생했을 텐데, 눈 뜨자마자 소도둑 같은 놈한테 욕이나 처먹고. 확실히 이번 생은 글렀어."

"괜찮은 게냐."

"너 같으면 괜찮겠냐? 아파서 뒈질 것 같다."

"그렇게 입이 살아서 나불나불하고 있으니 괜찮아 보일 수밖에."

"지금 내 모든 기력을 입에 집중하고 있는 거거든. 네놈한테 깨자마자 욕먹은 게 억울해서."

그러나 어찌 아프지 않겠는가. 말을 마치자마자, 시열의 입에서는 끄응 앓는 소리가 흘러나왔다.

"내 이럴 줄 알았다. 입 다물고 가만히 있어."

산이 밖으로 시선을 던졌다. 문밖이 푸르게 밝아 오는 것을 확인한 그가 몸을 일으켰다.

"단오를 깨워서 약을 가져오라고 할게. 기다려."

"산."

"왜?"

"아, 아니야."

"그 입만 다물어도 반나절은 일찍 자리에서 일어날 수 있을 게다. 가만 누워서 기다려."

방문을 열고 툇마루로 나서던 산이 멈칫했다. 시열의 방문 앞, 벽에 머리를 기댄 채 곤히 잠들어 있는 여인은…….

"어, 홍주 낭자."

홍주가 반짝 눈을 떴다. 산과 눈이 마주친 그녀가 황급히 자리에서 일어섰다.

"어찌 여기 계십니까. 방에서 주무시지 않고요."

"시, 시열 선비님이 깨어나시면 약을 가져오려고……."

"시열이는 방금 깨어났습니다. 달여 놓은 탕약이 있습니까?"

시열이 깨어났다는 말을 들은 홍주의 눈에 왈칵 눈물이 차올랐다.

"예, 가져올게요."

고개를 수그려 얼굴을 감춘 채, 홍주는 빠른 걸음으로 안뜰로 향했다.

그런 홍주의 모습에, 산이 고개를 갸웃했다. 산이 이화원에서 보내온 삼 년간 홍주와 말을 섞은 건 이번이 처음이었다. 저렇게 생생하게 움직이는 홍주를 보는 것 역시 그랬다.

"큰일이 나긴 했나 보네."

혼잣말을 한 산이 다시 시열의 방으로 들어섰다. 문소리에 고개를 돌리던 시열이 오만상을 찌푸렸다. 통증이 시작된 모양이었다.

"단오는?"

"안 깨웠어. 마침 홍주 낭자가 깨어 있기에."

"아……."

산이 시열을 바라봤다. 그의 태도는 왠지 부자연스럽게 느껴진다. 그런 몰골을 하고서도, 시열은 매우 초조한 사람처럼 경박스럽게 굴었다.

"뭐 할 말이라도 있냐?"

"아……. 단오를 좀 불러 줘."

"단오는 왜?"

"그냥! 보고 싶어서."

"하."

산이 기가 막힌다는 듯 실소했다.

"내 소원이다. 생사의 기로에서 살아 돌아왔는데, 욕이나 처먹는 내 신세가 불쌍하지도 않아? 나는 단오가 보고 싶어. 단오가 보고 싶다고!"

"몸은 살아 돌아왔는지 몰라도, 정신은 완전히 맛이 갔구나."

"몰라. 그러니까 단오를 불러다오! 어서 단오를……."

갑자기 시열이 조용해졌다. 열린 문 사이로 들어오는 하얀 버선코. 이내 약그릇을 받쳐 든 홍주의 창백한 얼굴이 보였다.

홍주가 들어오는 것을 본 산이 자리에서 일어섰다. 마뜩지는 않았지만, 저리 난리 법석인 걸 보니 단오를 불러 주긴 해야겠다는 생각이 들었기 때문이었다.

"기다려. 단오 일어났나 보고 올 테니."

산이 방을 떠났다.

"……단오를 어찌 그리 찾으세요."

홍주가 조심조심 약이 담긴 소반을 내려놓았다. 그녀의 말에, 온통 피멍이 앉은 시열의 얼굴은 그나마 멍이 들지 않은 자리까지 벌겋게 달아올랐다.

"다, 단오에게 물어볼 게 있어서 그런 것이오."

홍주는 대꾸하지 않았다. 그녀가 수저에 약을 떠 올렸다.

"약 드세요."

"아니, 정말이오. 달리 단오를 찾은 것이 아니라……."

"시열 선비님."

달칵. 홍주가 수저를 내려놓는 소리.

"저는 아무렇지도 않아요."

변명을 주워섬기던 시열의 말이 뚝 그쳤다.

무색무취의 유령과 같이 이화원 안을 떠돌던 여인. 좁은 담장 안에 스스로 유폐되어 망령이 되기를 선택했던 여인. 그 여인이 그의 마음에 들어온 것은 언제였을까.

"살아 계셔서, 살아 주셔서……."

홍주가 천천히 고개를 숙였다.

"고맙습니다."

연분홍 치마폭 위로 떨어진 눈물이 붉게 스며든다. 그 눈물이 빛깔이 없던 홍주의 삶을 물들였다. 홍주의 생은 변화하고 있었다. 희끄무레한 슬픔으로 쌓여진 담이 허물어진다. 굳게 언 땅이 녹아내렸다.

자리에 누워 있던 시열이 가만히 팔을 들어 올렸다. 엄습하는 통증에 인상을 찌푸리면서도, 그는 홍주의 얼굴을 향해 천천히 손을 뻗었다.

"내 약조하리다."

단지 생을 부지하는 것만으로 그대를 기쁘게 할 수 있다면, 내 기꺼이 약조하겠으니.

"나는 죽지 않을 것이오."

창백하던 홍주의 얼굴에 발간 홍조가 돌아왔다. 차갑던 손마디에 온기가 감돌았다. 어른어른, 문밖을 밝히는 미명처럼 세상은 조금씩 밝아지고 있었다.

9장. 청춘애사(青春愛史)

"단오야."

산은 단오의 방 앞에 서 있었다. 나지막이 이름을 불러 보았으나, 대답
은 돌아오지 않았다. 산이 조심스레 방문을 열었다. 이불을 목까지 끌어
올린 채 곤히 잠든 단오의 모습이 보인다. 고단한 꿈이라도 꾸는 중일까.
잠든 단오의 입술이 비죽거렸다.

단오에게는 정말이지 힘들었을 이틀이었다. 시열의 병간호에 동분서주
하면서도 그녀는 이화원 관리를 게을리하지 않았다. 그런 까닭에 산은 감
히 단오의 단잠을 깨울 엄두를 내지 못했다.

문득, 산이 손을 뻗었다. 말간 이마 위로 흘러내린 잔머리를 쓰다듬는
그의 눈빛이 고요하게 흔들렸다.

"으응……."

이마께를 간질이는 손길에 단오가 몸을 뒤척였다. 졸음이 잔뜩 매달린
눈꺼풀이 올라갔다. 단오의 졸린 눈에 산의 모습이 담겼다.

"큰일이 났네."

"큰일?"

"으응……."

이마를 지나 볼을 쓰다듬는 산의 따스한 손. 포근한 이부자리의 감촉. 열린 문틈으로 들어오는 청명한 새벽 공기…….

"자꾸만 멋있는 선비님이 꿈에 나와서. 오직 나한테만 잘해 주는 그런 사내가."

"지금처럼?"

"응. 지금처럼."

그녀가 잠에 취한 새끼고양이처럼 산의 손에 볼을 비볐다. 다시 잠이 쏟아졌다. 숨 돌릴 틈조차 없던 며칠이었다. 어제도 단오는 늦은 밤까지 탕약을 달인 후에야 겨우 잠이 들었다.

묘한 불안이 그녀를 엄습하곤 했다. 처음에 습격을 당한 건 산이었고, 다음엔 시열이었다. 애써 떨쳐 버리려고 애썼지만, 가끔 겁이 났다. 연이은 사고가 불길한 전조가 아닐까 하는 생각 때문이었다.

그러나 이 순간만은 모두 잊고 싶었다. 따스한 잠, 그리고 다정한 산의 곁에서.

매일이 이렇게 몽롱하고 꿈결 같았으면 좋겠다. 슬픈 사람도, 아픈 사람도, 다치는 사람도 없이, 제 가족도, 산과 유하, 그리고 시열도…….

"시열 오라버니는요?"

단오가 눈을 번쩍 떴다.

"깨어났어."

"정말?"

"그래. 자꾸 너를 불러 달라며 헛소리를 하긴 하지만……. 설마 머리를 다친 건 아니겠지. 가뜩이나 머리도 좋지 않은데."

그제야 단오는 후다닥 자리에 일어나 앉았다.

"허."

갑자기 산이 풀쩍, 한 걸음 뒤로 물러섰다.

"일단 약을 가져와야겠어요. 시열 오라버니는 어때요? 많이 아프진 않대요? 어쩌다가 그렇게 된 건지는 들으셨어요? 일단 내가 가서……."

"다, 단오야……."

단오가 어쩔 줄 모르겠다는 표정으로 서 있는 산을 바라봤다. 무슨 까닭인지, 산은 그녀의 눈을 마주 보지 못했다.

"왜 그런 표정으로 봐요?"

무언가가 이상하다, 는 생각을 함과 동시에.

"엄마야!"

단오가 소리를 꽥 지르며 후다닥 이불을 끌어 몸을 가렸다.

"어, 어떡해……."

"단오야, 그게……."

"저리 가요!"

단오가 다시 한번 소리를 빽 질렀다. 주춤주춤 뒤로 물러나던 산이 발을 헛디뎠다.

이불 속 단오의 옷고름은 칠렐레팔렐레 풀어헤쳐져 있었다. 벌어진 저고리 사이로 숨길 수 없이 드러난 뽀얀 맨살. 그 희디흰 살빛이 눈에 들어온 순간, 산의 세상은 잠깐 멈춰 버린 것 같았다.

"아, 아, 아무것도 못 봤어."

"빨리 가라고요!"

결국 산은 도망치듯 단오 곁을 떠났다. 후다닥 모습을 감추는 산은 얼굴은 물론 귓불까지 빨갛게 달아올라 있었다.

"어떡해……."

단오가 제 몸을 감싸고 있던 이불을 슬쩍 들춰 안을 들여다보았다.

"어떡해!"

옷고름을 죄 풀어헤치고 잠든 걸 보니, 아마도 간밤에 탕약을 달인 일로 더위를 탄 모양이었다. 단오는 이불 안에 숨은 채로 발을 굴렀다.

"어쩌지?"

달리 무슨 답이 있겠는가. 이미 산은 보아 버린 것을. 속절없이 아침이 밝고 있었다. 울상이 된 단오의 귓가에 눈치 없이 지저귀는 새소리가 들려왔다.

시열이 정신을 차렸다는 소식에 침울하던 이화원 분위기는 한결 밝아졌다. 여전히 입만 살아 나불거리는 시열에게 된통 면박을 주고선 방을 나선 육호가 어슬렁어슬렁 걸음을 옮겼다. 육호가 안도의 한숨을 내쉬었다.

"참으로 다행이야."

육호와 시열은 스무 살가량 나이 차이가 났다. 젊은 날 첫사랑에 실패하지만 않았던들, 육호에게도 그만한 나이의 자식이 있을 터였다.

문득 육호는 먼 과거 어느 날을 떠올렸다. 육호의 젊은 시절에도 연모하던 여인이 있었다. 비록 그 여인은 육호의 마음을 눈치채지 못한 채 다른 사내에게 시집을 가 버렸지만 말이다.

육호가 끝내 장가를 들지 않고 노총각-비록 남들은 홀아비라 생각하지만-으로 나이를 먹은 건, 그 나름의 순정이자 정절이었다.

이제 육호는 나이가 들었다. 하지만 그에게도 찬란했던 청춘이 있었다. 그렇기에 산과 유하, 시열을 바라보는 육호의 시선은 늘 복합적이었다. 늘 아비처럼 너그러운 마음으로 그들을 대했지만, 때로 그들의 젊음이 부럽고 질투 나기도 했다.

"나는 뭐 하나 이루지 못했다네."

육호가 자조하듯 중얼거렸다. 연모하던 여인에게 마음 한 번 내보이지 못하고 그녀를 떠나보냈고, 과거장에만 들어가면 울렁증이 도지는 통에 그 무수한 날들을 허송세월했다. 양친이 물려주신 알량한 재산을 까먹으며 과거생 노릇을 하고 있었지만, 과거 급제의 꿈은 이미 접은 지 오래였다.

"그러니 자네들만은 나를 닮지 말고 번듯하게 살아가기를 바랐건만."

어디 세상사가 제 뜻대로 되는 것이던가. 느긋하게 세상을 관조하며 살아온 육호였다.

산이 피습을 당했고, 이번엔 시열의 차례였다. 호성군의 서찰에 대한 소문이 장안에 무성했다. 그 모든 것이 씨실과 날실처럼 엮여 있음을 육호는 진즉 눈치채고 있었다.

"큰일이 나지는 않았으면 좋겠구먼……."

쯧쯧, 혀를 차며 뒤뜰로 향하던 육호가 걸음을 멈추었다. 어푸어푸 물 튀기는 요란한 소리가 들려온 탓이었다.

"산. 자네 지금 뭐 하나?"

육호가 어안이 벙벙한 표정으로 산을 바라보았다. 아무리 발길이 오가지 않는 뒤뜰이라지만, 이화원은 여인이 셋이나 사는 장소가 아닌가. 한데 미리 언질도 없이 웃옷을 벗어젖힌 채 등목을 하고 있다니.

더군다나 산의 행동은 몸을 씻는 것처럼 보이지도 않았다. 귀한 물을 막무가내로 들이부으며 요란하게 머리를 털어 대는 것이…….

"저런, 물에 빠진 미친개도 아니고."

그러나 산에게는 육호의 말소리조차 들리지 않는 모양이었다.

"산! 대체 뭐 하나?"

해괴한 꼴을 바라보던 육호가 산에게 다가가 툭, 그의 어깨를 쳤다.

"으아!"

대경실색하며 풀쩍 물러나는 산. 육호가 의심이 가득한 눈초리로 그를 바라보았다.

"이보게. 단오가 새벽부터 힘들게 길어 온 물 아닌가. 물을 이렇게나 낭비하다니, 대체 무슨 괴상한 짓인가?"

"다, 단오가……. 예, 단오가."

"자네 어디 아픈가?"

"아닙니다, 아재."

"그런데 어찌 이리 얼굴이 벌건 겐가?"

육호가 대뜸 산의 이마에 손을 짚었다.

"이마가 불덩이 같은데? 고뿔이 든 거 아닌가? 아니, 그런 몸을 하고서 찬물로 등목을 하다니 자네 제정신인가?"

"아닙니다. 더워서 그랬습니다. 너무 더워서……."

육호는 젊은 날 한때 어깨너머로 의술을 배운 적이 있었다. 대뜸 산의 가슴팍을 짚어 본 육호가 인상을 찌푸렸다.

"이 무슨 일인가. 자네, 심장이 어찌 이리 쿵쾅대는 게야. 열병이 든 거 아닌가? 단오에게 약을 꺼내 달라고 할 테니 기다리게."

"아닙니다!"

산이 버럭 소리를 질렀다.

"시열이 때문에 내내 신경을 쓴 데다 잠도 모자랐으니 고뿔이 든 게지. 들어가서 쉬고 있게. 오늘은 수련 같은 거 하지 말고."

"예!"

물에 흠뻑 젖은 몸을 닦지도 않은 채, 산은 옷소매에 팔을 꿰어 넣었다. 멀어지는 그의 뒷모습을 보던 육호가 중얼거렸다.

"얼음장 같던 사람이 바보 천치 짓을 하는 데에는 두 가지 이유가 있는 법인데……."

하나는 돌았을 때. 다른 하나는 사랑에 빠졌을 때.

"쯧쯧…… 산이가 돌았나 보구나!"

어깨를 으쓱하며, 육호는 다시금 걸음을 옮겼다.

"오라버니. 저 좀 들어갈게요."

탕약이 올라간 소반을 받쳐 든 단오가 조심스레 시열의 방문을 열었다.

"움직이지 마세요. 조심해요!"

"어이구, 단오야."

시열이 반색을 하며 몸을 일으켰다. 단오가 황당한 표정으로 그를 바라보았다. 시열이 깨어났다는 소식을 들은 후, 어머니와 육호와 함께 이미 그를 찾았던 그녀였다. 그때 시열은 만사가 귀찮다는 듯 드러누워 눈조차 뜨지 않았었다.

"아까는 다 죽어 가는 것 같더니, 잠깐 사이에 어떻게 이리 쌩쌩해지셨어요?"

"워낙 혈기 왕성한 몸이라 한시가 다르게 팔팔해지는 모양이지."

"약이나 드세요. 산 오라버니가 걱정하고 있다고요. 자꾸 저를 찾고, 이상한 소리를 늘어놓는다고."

약그릇을 내려놓은 단오가 몸을 일으켰다.

"단오야!"

"왜요, 오라버니?"

"가지 말고, 잠깐만 여기 앉아 봐."

"지금 바쁜데……."

단오는 영문을 모르겠다는 표정이었다. 시열은 단오에게 늘 스스럼없이 구는 사람이긴 했다. 그렇지만 오늘 시열의 태도는 좀 수상쩍었다. 그는 단오가 보고 싶다기보단, 용건이 있는 사람처럼 굴었다.

"다른 게 아니고……."

목이 타는 듯, 주변을 두리번거리던 시열은 결국 물 대신 약사발을 들이켰다. 쓴맛에 그가 오만상을 찌푸렸다.

"단오 네가 제일 먼저 나를 발견했다고 그랬지?"

"그랬어요. 얼마나 놀랐는지 알아요?"

"그때 내 주변에 뭐 떨어진 거 없었나……. 있었을 텐데……?"

단오는 그제야 고개를 주억거렸다.

"아, 그림 족자 말씀하시는 거죠?"

"그래. 그거! 지금 어디 있어?"

"그림 족자라면, 광에 두었어요. 나무함에 다시 넣어서요."

"안에 들어 있었던 것…… 누가 열어 보았나?"

"열어 보고 말고 할 것도 없던데. 죄 바닥에 쏟아져서 흩어져 있었거든요."

갑자기 단오가 흐음 콧소리를 냈다.

"오라버니. 왜 이렇게 안달복달하시는지 제가 모를 것 같아요? '그것' 때문이잖아요."

"그, 그것?"

"거짓말해도 소용없어요. 이미 봤다니까요? 그림 족자들 사이에 덩그러니 들어 있던데. 흙인지 먼지인지 좀 묻어서 제가 잘 닦아 놨어요. 오라버니가 대체 그런 걸 왜 갖고 계신지는 모르지만……. 아무튼, 잘 챙겨 놨어요. 다른 오라버니들한테도 말 안 했고요."

"아하!"

갑자기 시열이 버럭 소리를 질렀다. 그의 표정이 한결 편안해졌다.

"뭐, 중요한 물건이에요?"

"아, 그게……. 우리 집 대대로 내려오는 선대 어르신의 물건이거든. 그림도 그렇고…….”

"설마, 그것도? 새것처럼 보이던데?"

"단오야. 여기까지 하자."

말을 뚝 잘라 버리는 시열을 바라보던 단오가 입술을 비죽거렸다. 하지만 시열은 환자였고, 그게 아니라도 그녀가 과거생의 사생활에 간섭할 이유는 없는 것이다.

"그리고 단오야."

"아이, 이러다가 다들 점심 굶겠어요."

"중한 얘기라서 그래. 그때 장태화가 했던 얘기 말이다…….”

"무슨…….”

시열이 목소리를 낮추었다. 단오는 그런 시열을 빤히 바라보고 있었다. 오늘 시열의 태도는 여러모로 수상쩍었다.

"장태화가, 파수꾼이 어쩌고 그런 이야기를 했었잖아?"

"음, 그랬었죠. 그날 실랑이가 나서 오라버니도 다치고, 또 이런 일이 생기고 해서 저도 까맣게 잊고 있었는데…….”

그 순간 문 두드리는 소리가 났다. 단오와 시열이 동시에 고개를 돌렸다.

"들어가도 돼?"

열린 문틈으로 얼굴을 드러낸 건, 다름 아닌 유하였다. 시열이 깨어난 이후 무슨 까닭인지 두문불출하던 그였다. 유하가 방으로 들어서자마자 그 뒤로 굵직한 목소리가 따라붙었다.

"무슨 얘기를 하는지는 모르겠지만, 나도 들어간다."

유하가 힐끔 뒤를 돌아보았다. 그의 눈길을 무던히 받아넘긴 산이 방에 자리를 잡았다.

"그럼 저는 일 보러 나가 볼게요. 오라버니들 말씀 나누세요."

"아니야. 단오 너도 있어야 해."

"저도요?"

유하의 말 탓에, 몸을 일으키던 단오는 엉거주춤하게 다시 자리에 눌러앉았다.

단오가 유하의 얼굴을 살폈다. 유하에게서 풍기는 묘한 기색이 영 낯설었다. 방에만 틀어박혀서 보낸 며칠 사이, 유하의 분위기는 더욱 확연히 달라졌다.

단오뿐 아니라 모두가 느끼고 있을 유하의 변화. 그 때문이었을까. 늘 유쾌하던 넷 사이에는 오늘따라 서먹한 기류가 흘렀다.

무거운 분위기를 가장 먼저 깨뜨린 건 산이었다.

"난 이화원이 안전하지 않다고 생각해."

"안전하지 않다니요?"

단오가 되물었다. 그녀가 평생을 살아온 이화원. 그토록 오랫동안 애정을 쏟아부어 온 이곳이 위험하다니.

"호성군의 서찰에 관한 소문. 나는 그 소문 때문에 시열이 이런 꼴을 당했다고 생각한다."

"하지만……. 정말 그 서찰을 찾기 위해 온 자들이었다면, 왜 이화원으로 바로 쳐들어오지 않은 걸까요? 그날 밤 이화원엔 어머니랑 저, 언니 셋뿐이었는데……."

"그자들이 그 사실을 몰랐기 때문이겠지."

그날 느꼈던 무력감. 산에게는 여전히 생생한 기억이었다. 그날을 떠올린 산이 인상을 썼다. 다시 한번, 그는 절대 밤 시간에 이화원을 비우지 않으리라고 다짐했다.

시열이 겪은 사고는 산에게도 큰 충격이었다. 하지만 만약 그 대상이 시열이 아닌 단오였다면? 그 생각만으로도 등골이 오싹해졌다.

"우리가 이설을 찾기 시작한 지도 시간이 꽤 지났어. 이설이라는 자는 아무런 반응도 보이지 않고, 그저 소문만 무성할 뿐이지. 우리가 이설을 찾으려면…….”

그때, 내내 조용하던 유하가 입을 열었다.

“찾을 필요 없어.”

모두 동시에 유하를 바라보았다. 그러나 유하의 얼굴에서 특별한 기색이라고는 읽을 수 없었다. 그는 그저 고요할 뿐이다. 마치 마음의 정리를 끝낸 사람처럼.

“이설을 찾는 일, 이제 할 필요 없어.”

“무슨 소리를 하시는 거예요. 그렇다면 이화원은…….”

유하가 단오에게 문서 하나를 내밀었다.

“이게 뭐예요?”

“받아. 읽어 보도록 해.”

유하의 말에, 단오는 그것을 집어 들었다. 문서를 펼쳐 든 그녀의 눈에 들어온 건, 대담한 필체로 쓰인 글자들이었다.

<나 장태화는, 은 이백 량을 담보로 했던 이화원의 소유권을…….>

단오가 눈을 깜빡거렸다. 한 번, 두 번, 그러나 나머지 내용은 도무지 이해가 가지 않았다.

“이, 이게 대체 뭐야?”

시열이 당황한 목소리로 물었다. 그러나 유하는 묵묵부답, 그의 시선은 그저 단오를 바라보고 있을 뿐이었다.

“……생각지도 못했던 전개로군.”

산의 목소리는 차가웠고, 거칠었다. 유하가 그를 향해 고개를 돌렸다. 둘의 시선이 짧게 교차했다.

분노가 담긴 목소리와는 달리, 산의 눈빛은 흔들리고 있었다. 유하의 눈빛 역시 갈 곳을 잃었기는 마찬가지였으리라. 그러나 그는 곧 시선을 거두었다.

"오라버니."

문서의 글귀를 뚫어져라 바라보던 단오가 마침내 입을 열었다. 문서는 단오가 짊어진 은 이백 량이라는 어마어마한 빚을 장태화에게 갚을 이유가 사라졌음을 말해 주고 있었다. 그러나 한편으로 그 빚은 사라진 게 아니기도 했다.

"저랑 밖에서 얘기 좀 해요."

다시 한번 문서를 내려다본 단오의 목소리가 파르르 떨렸다. 백지 위에 쓰인 한 글자 한 글자가 그녀의 머릿속에 선명하게 새겨졌다.

<나 장태화는, 은 이백 량을 담보로 했던 이화원의 소유권을 정유하에게 넘긴다.>

"유하 오라버니. 이게 대체 뭐예요?"

이화원을 벗어나 얼마쯤 걸었을까. 굳은 표정으로 걷던 단오가 마침내 입을 열었다.

"보이는 그대로야."

"오라버니께서 이걸 대체 어찌 갖게 되셨는지를 묻는 거예요."

"장태화에게 은 이백 량을 주었어, 그리고 그 문서를 받았다."

"오라버니가 그런 큰돈이 대체 어디서 나서……."

"유산을 물려받았다."

깊은 한숨을 내쉬던 단오가 고개를 흔들었다. 이해 가지 않는다고, 단오는 생각했다. 이치에 맞지 않는다. 유산은커녕, 어머님의 상도 치르지 못하고 쫓겨나듯 이화원으로 돌아온 유하 아니었던가.

"믿을 수 없어요."

"단오야."

유하가 단오의 어깨에 손을 얹었다. 열기 띤 손이었다. 단오의 어깨 주변을 금세 뜨겁게 물들이는…….

"내 언제 너에게 참이 아닌 소리를 한 적 있더냐?"

"하면, 어째서요?"

그녀의 말끝이 설핏 떨렸다. 어째서, 대체 왜 유하는 이런 짓을 했단 말인가.

"어째서 그리하신 건데요. 그건 오라버니의 몫이잖아요. 은 이백 량이라니요. 그게 얼마나 큰돈인데, 그 돈으로 얼마나 많은 일을 할 수 있는데……. 귀한 유산을 어찌 이화원을 위해 쓰신다는 거예요."

어째서 그런 건지, 정녕 단오는 모르는 것일까. 그 가녀린 어깨에 얹힌 짐을 덜어 주고 싶음을 왜 모르는 걸까.

하늘에서 뚝 떨어진 것이나 다름없던 이백 량. 막상 손에 쥐고서도 그 묵직함은 전혀 실감이 나지 않았다. 애당초 제 것이 아니었던 은자 따위 없어진다 하여 무엇이 아쉽겠는가. 유하가 바라고 꿈꾸었던 것에, 번쩍이는 금은보화는 속하지 않았다.

유하가 품 안에 들어 있던 또 하나의 문서를 꺼내 단오에게 내밀었다.

"이건 또 무엇이에요?"

"펴 보아라."

서걱, 종이가 펼쳐진다. 단오가 그것을 읽어 내렸다. 유하가 내밀었던 장태화의 문서와 거의 같은, 그러나 그 안에 담긴 의미는 완전히 다른 글귀를.

<나 정유하는 이화원의 소유권을 윤단오에게 넘긴다.>

"……오라버니."

"받아. 네 거야. 원래부터 네 거였어."

단오의 눈에 눈물이 가득 고였다. 제일 먼저 든 감정은 고마움이었다.

삼 년간 마주쳐 왔다지만, 언제든지 끊어질 수 있는 관계. 친오라버니처럼 가까이 느꼈을지언정 이토록 큰마음을 건넬 이유 따위 없는 그녀였다.

고마움에 뒤이어서, 곧장 다른 물음이 따라붙었다. 대체 무엇 때문에?

"오라버니, 저는……."

탑이 났다. 이화원은 그녀가 가장 사랑해 온 공간이었다. 단오가 살아 온 모든 생의 순간들이 이곳에 매여 있었다.

"받을 수 없어요."

그러나 받을 수 없다. 이렇게 큰마음을 되돌려 줄 수 없기에, 이것을 받은 순간부터 유하에게 빚을 지고 살아가게 될 것이기에.

"이미 나는 장태화와 거래를 했어. 네가 설령 받지 않는다고 해도 달라지는 건 없다. 장태화쯤 되는 인물이 거래를 무르려고 들지도 않을 테니, 그냥 받아. 받아다오. 이화원은 이제 네 것이다."

"안 돼요. 저는 받을 수 없어요."

단오가 고개를 흔들었다. 한 줄기 바람에 종이가 나풀거렸다. 그 종이의 끝을 붙든 단오의 손마디가 가느다랗게 떨렸다.

그녀는 마냥 종이를 내밀고 있었고, 유하는 바라만 볼 뿐 그것을 거두어 가지 않는 지난한 대치가 계속되고 있었다.

"이 빚은 제가 무슨 수를 써서든 갚을게요. 당장은 힘들겠지만, 반드시 갚을게요. 그러니 이 문서는…… 가지고 가세요."

"갚으라고 주는 것이 아니다. 어찌 내 마음을……."

유하는 말을 끝내지 못한 채 깊은 한숨을 내쉬었다. 간밤, 유하는 수많은 생각에 잠을 이루지 못했다.

그는 원한다면 이 문서를 빌미로 단오에게 혼인을 요구할 수 있었다. 그녀의 어깨를 내리누르고 있는 가족에 대한 책임감을 볼모 삼아서. 아마도 단오는 거절할 수 없었으리라. 그러길 바랐던 것 아닐까. 단오가 흔쾌히 문서를 받아 들고, 그 대가로 저에게 미안한 마음을 품기를. 그리하여 제게 와 주기를 바랐던 것이 아닐까?

그러나 어찌 그리 파렴치한 방법을 쓰겠는가. 세상에 비겁한 사내로 낙인찍히는 것은 아무런 상관없었다. 하지만 단오에게만은 그런 존재가 되고 싶지 않았다.

"오라버니, 저는 받을 수 없어요. 제가 어떻게 이걸 받겠어요."

단오는 또 한 번 고개를 내저었다. 유하가 말하길, 마음이라 했던가. 그건 그녀로서는 결코 돌려줄 수 없는 것이었다. 끝내 결심한 듯, 단오는 유하의 손을 덥석 붙들고선 문서를 쥐여 주었다.

어루만지듯 손 위에 잠시 머물렀던 온기. 그러나 곧 여인의 손길은 떠나가고, 남은 건 바람결에 흔들리는 외로운 종이 한 장뿐이다.

"어찌 아니 되느냐."

"오라버니."

"어찌 아니 된다 하느냐. 내, 너에게 아무것도 바라지 않았다. 나를 보아 달라고, 애틋하게 여겨 달라고 네게 마음의 짐을 지우지 않았단 말이다."

"오라버니……."

단오의 얼굴이 하얗게 질렸다. 이런 이야기가 나올 줄은 꿈에도 상상치 못했다. 그녀는 유하를 늘 따뜻한 오라버니라고, 든든한 사람이라고 여겨 왔을 뿐이었다.

"바라만 보고 있었던 게 죄가 되는 것이냐? 나는 노력하고, 또 노력했어. 과거에 급제하고 싶어서. 반 푼짜리 서출이 아닌, 벼슬에 든 어엿한 사내가 되어 네게 다가가고 싶어서……. 너는 늘 그렇게 말했지 않느냐. 사내에게 관심 따위 없다고, 혼인 같은 건 생각조차 하지 않는다고……."

그리하여, 아무런 의심 없이 기다려 온 시간들이 우수수 스쳐 지나간다. 유하는 자꾸만 커져 가는 마음을 꾹꾹 눌러 담으며 기다렸다. 단오가 늘 그 자리에 머물러 있을 줄 알고. 이화원의 꽃, 그만을 위한 꽃으로.

"한데, 너무 늦어 버렸다. 너를 놓친 것도 결국 내 탓인 걸 알아. 그래도 너에게 이것만은 해 주고 싶었다. 네가 가장 소중히 여기는 것, 그거 하나라도 지켜 주고 싶었을 뿐이야."

그러나 그 꽃은 너무나 아리따웠다. 그리하여, 갓 피어나자마자 그 향을 탐한 다른 이의 곁에 자리를 잡은 것이다……

찬란하던 봄날, 그의 마음을 살랑살랑 일깨우던 소담스런 꽃봉오리. 피지 않은 연초록이 이렇게 슬픈 색일 줄은 꿈에도 몰랐다. 그로 인해 이리 사무칠 줄 알았다면, 저 역시 진즉 손을 뻗었을 것을. 그랬다면 이렇게 후회스럽지 않았을 텐데.

"산이 주는 것이라면, 거절하지 않았겠지."

"오라버니……"

못난 소리. 못난 마음. 처음으로 내보이는 진심이 이다지도 초라하다는 게 서글펐다. 제 모습이 저를 보아 달라며 떼쓰는 어린애 같아서 부끄러웠다.

그의 사랑은 그렇지 않았다. 한순간이라도 단오에게 마음을 들킬까, 그녀에게 부담을 주지 않을까……. 삼 년을 오롯이 지켜 왔던 유하의 사랑은, 그렇게 가볍지 않았다.

'하지만 이 순간, 나는 네게 그저 구차한 사내일 뿐일 테지.'

유하의 손에 들려 있던 흰 종이가 바람에 날려 단오의 발치에 떨어졌다. 유하의 걸음이 무심히 단오의 곁을 지나쳤다. 그의 눈가는 피어나자마자 죽어 버린 마음속 꽃가지처럼 붉었다.

바람이 불었다. 유하가 남기고 간 종잇장이 펄럭 소리를 내며 흙바닥에 나뒹굴었다. 망연히 서 있던 단오가 손을 뻗었다. 그러나 다시 한번 속절없이 부는 바람. 종잇조각은 몇 걸음 밖으로 도망치듯 날아간다. 그 뒤를 쫓아 단오는 계속 걸음을 내디뎠다.

차마 떠나는 유하의 뒤를 쫓아갈 수는 없었다. 그가 두고 간 것은 한낱 종잇장이 아닌 마음 아니던가. 유하의 마음을 바닥에 내버려 둔 채 갈 수가 없어, 단오는 얼룩덜룩 흙물이 든 문서를 손에 쥐었다.

한참을 그렇게 바닥에 웅크리고 앉아 그것을 내려다보고 있던 새, 갑자기 꺼먼 그늘이 졌다.

"울어?"

툭. 떨어진 눈물이 쥐고 있던 흰 종이에 스며들었다. 옷고름으로 눈물을 쓱 닦으며 자리에서 일어선 단오가 제 주위에 서늘한 그늘을 만들고 있는 산을 바라보았다.

고작 열여덟 살, 중인만도 못한 몰락한 반가의 여식. 그러나 이화원의 주인으로 살아온 단오는 누구보다 당당하게 살았다. 주눅 들지도, 남의 처지와 제 처지를 비교하지도, 눈치를 보지도 않았다.

그녀는 머나먼 이른 봄밤 저를 구했던 사내를 기억한다. 산이라는 새로운 사랑이 왔을 때, 그녀는 그 과거를 떠나보내는 데 주저하지 않았다. 가장 중요한 건 단오 제 마음이었기 때문이었다. 누구도 그녀의 삶을 대신 살아 주지 않음을, 단오는 알고 있었다.

그러나 제 마음이 귀중하다 한들, 다른 이의 마음에 상처를 낼 만큼 중할까. 유하. 늘 가족처럼 여기던 그의 마음을 이토록 참담하게 할 만큼 제가 대단한 계집이던가…….

"다 큰 처녀가 길바닥에서 눈물 바람이나 하고. 잘하는 짓이다."

툭, 내뱉는 산의 말투는 과거 어느 날을 떠올리게 했다. 그 차디찬 말 안에 숨겨진 마음에 대해서 생각지 못했던 날들. 산의 마음과 유하의 마음이 동시에 그녀의 주변을 떠돌고 있던 그 시간들을.

"가자."

산이 갑자기 단오의 손을 잡았다. 성큼성큼 걷는 그를 따라가는 그녀의 걸음이 종종거렸다. 급한 걸음을 따라, 흐드러진 오월의 초록이 휙휙 뒤로 물러났다. 이윽고 그들은 산이 수련장으로 쓰는 폐가에 이르렀다.

"단오야."

세상에서 가장 듣기 좋던 그의 목소리, 나직하게 이름을 부르는 산의 목소리가 들렸으나 단오는 고개를 들지 않았다.

진즉 알았다면, 두 마음 모두를 내쳤을 것이다. 유하의 마음을 알고 있었다면, 결코 산의 마음만을 취함으로써 그를 비참하게 만들지 않았을 것이다.

"무슨 생각을 하는 게냐."

산은 제 마음이라도 읽은 것일까. 용기를 내 고개를 들자, 산의 눈동자가 눈에 담겼다. 그의 눈빛은 시리도록 처연했다.

산이 단오를 품 안에 끌어안았다. 단오는 이화원을 위해 희생하는 것이 습관이 된 여인이었다. 그녀가 이화원의 평화를 위해 또 다른 것을 희생하려 들지 않을까 싶은 조바심이 그의 마음을 거세게 흔들었다.

"가지 마라."

당장 멀리 날아가 버릴 것처럼, 그런 슬픈 표정 짓지 말란 말이다.

"……나 두고 아무 데도 가지 마라."

말 끝마디에 울컥 뜨거운 것이 치밀었다. 평생 많은 것을 포기하며 살아왔던 건 산 역시 매한가지였다. 제가 포기해 온 수많은 것들 중에, 오직 너 하나만은 지키고자 하는데……. 이런 나를, 설마 네가 포기하려는 것이냐.

산의 몸이 스르르 무너져 내렸다. 제 운명에 맞서 싸우지는 못했으나, 평생 단 한 번도 무릎 꿇은 적 없는 그였다.

"나는 너만은 잃지 않을 거야. 너만은 절대 포기하지 않는다."

산의 목소리가 그토록 간절했던 건, 그는 이미 모든 것을 잃은 사람이 었기 때문이었다. 가족, 가문, 재산, 그리고 제 이름마저도. 그는 모두 잃어 버렸다.

"그러니 단오야. 나를 버리지 마⋯⋯."

애원 같아서, 구차하여서 차마 꺼내 놓을 수 없었던 고백이 흘러나왔 다. 그는 정말로 두려웠다. 단오가 제 곁을 떠날까 봐, 그녀를 잃게 될까 봐서.

따스한 온기가 산의 거친 뺨을 감쌌다. 산 앞에 서 있던 단오가 천천히 무릎을 꿇었다. 오직 그녀의 것인 사내의 앞. 그녀는 작은 손으로 그의 눈 물을 닦았다.

"비가 오나 봐요. 그래서 오라버니 얼굴에 빗방울이 떨어졌나 봐."

단오가 하늘을 쓱 올려다보았다. 이내 그녀는 산의 목을 꼭 끌어안았다.

늘 든든한 버팀목이 되던 산. 언제나 너른 어깨가 되어 지친 마음을 쉬 어 가게 해 주던 산. 산이 울 리 없다. 그의 얼굴에 얼룩진 것은 눈물이 아 닌 빗방울일 것이다. 찬연한 그들의 청춘을 시샘하는 여우비가 몰래 내렸 으리라.

"죄책감이 들어요. 유하 오라버니의 마음을 아프게 만든 사람이 나라는 게, 저도 마음이 아파요."

단오의 목소리는 조용하고 침울했다.

"그렇다고 내가 오라버니 마음마저 아프게 할 것 같아요?"

단오는 이제 알았다. 때로는 세상에서 가장 강인하던 사내도 약해질 때 가 있음을 알았다. 그리고 그것이 다름 아닌 사랑 때문임을, 그녀를 사랑 하기 때문임을⋯⋯. 그 사실을 알기에, 마음이 북받쳤다.

"단오야."

"오라버니야말로 무슨 생각 하는 건데요. 나보고 가지 마라니요. 내가 그렇게 지조 없는 사람인 줄 알아요?"

산의 입에서 흘러나오는 깊은 한숨. 그 입김에 금세 그녀의 품이 따스해졌다.

단오의 마음은 여전히 아팠다. 그의 모든 것이었을 종잇장을 남기고 떠나간 유하의 뒷모습이 기억에 선연했다. 그러나 단오의 사랑은, 유하의 말처럼 누군가 먼저 가져가기를 기다리는 사랑은 아니었다.

제 마음을 가져갈 이가 나타나기를 그녀 역시 기다려 왔다. 삼 년 전 초봄의 선비를 그리워해 왔으나 그는 끝끝내 나타나지 않았다.

그리고 긴 기다림에 고단해질 무렵, 툭툭 무심한 소리를 던지던 사내에게 제 마음을 빼앗기고 말았다. 그리하여 아껴 둔 귀한 마음을 주었다.

꽃은 꺾인 것이 아니었다. 꽃을 사로잡은 나비를 만나, 더욱더 활짝 피어났을 뿐.

"자꾸 서운한 소리나 하고……. 내가 갈 데가 어디 있다고 그러는 건데요."

단오가 산의 가슴팍에 가만히 손을 얹었다. 두근두근, 박동하는 심장의 울림. 단오는 이미 산에게 마음을 주었다. 그 규칙적인 울림 속엔, 산의 마음뿐 아니라 그녀의 마음까지도 함께하고 있는 것이다.

"내가 갈 곳은 여기뿐이라고요."

산은 물끄러미 그녀를 바라보고만 있었다. 가슴 한편이 먹먹하다. 단오를 볼 때면, 가장 행복한 순간에마저 슬플 때가 있었다.

때로 살아온 세월과 관계없이 사람의 마음을 보듬고 움직이는 이들이 있음을 과거 어느 서책에서 읽었던 기억이 난다. 어쩌면 눈앞의 여인이 그런 사람이 아닐까.

산에게 단오는 하늘에서 내려 준 선물 같았다. 황폐한 삶을 사느라 고생했노라고, 외로운 나날을 버텨 낸 그에게 상을 내리겠노라고.

"단오야. 내 너를 연모해."

연모한다는 고백에 제 평생의 진심을 담는다. 입 밖으로 내는 순간 흩어지고 마는 짧은 말이지만, 진심이 맹세가 되고 맹세가 약속이 되어 영영 그들의 운명을 결속하기를 바랐다.

문득 밀려드는 그녀의 향기. 미처 깨닫지 못한 새, 산의 주변은 단오로 가득했다. 갑자기 참을 수 없을 만큼 단오가 갖고 싶었다. 영원히 제 품 안에 가두어, 그 어떤 위협도 없는 안온함 속에서 영영 살아가고 싶었다.

"내 곁에 있어. 우리가 살아 있는 한, 늘 내 곁에서."

눈빛이 얽혀 들었다. 볼이 발갛게 달아오른 여인이 그의 품 안에서 고개를 끄덕였다.

"오라버니도 약속해요. 항상 내 곁에 있겠다고."

"나는…… 처음부터 그런 마음이었다."

어쩌면 그 밤, 그 순간부터 예감하고 있었는지도 모른다.

두 입술이 포개졌다. 단숨에 입 안으로 밀려들어 오는 짙은 향기가 그의 몸 속 숨겨진 감각들을 일깨웠다. 숨결을 삼키고, 말캉거리는 살결을 탐험하고, 완전히 하나가 되도록 입술을 탐닉했다. 그러나 아무리 탐하고 또 탐해도 만족스럽지 않았다. 채워지지 않는 갈증이 밀려왔다.

더 이상 참을 수 없을 만큼 벅차오른 사내의 마음과는 달리, 그 오후는 청명하고 고요하기만 했다. 따사로운 햇살이 단오의 목덜미를 타고 죽 미끄러졌다. 햇빛을 머금은 살갗이 눈부시도록 희게 빛났다.

눈앞을 어지럽히는 그 말간 살빛. 끝내 산은 단오의 새하얀 목덜미에 입술을 묻었다. 하아, 하는 젖은 신음이 그녀의 입술 사이로 흩어졌다.

한 번 드러낸 연모를 숨길 수 없는 것처럼, 욕망 역시 쉽게 멈출 수가 없다. 뜨거운 열기를 남기는 손길, 붉은 열꽃을 남기는 입술은 오래도록 단오에게서 떨어지지 않았다.

그들이 처음 만났을 때, 단오는 그 계절의 연둣빛처럼 풋풋한 소녀였다. 그리고 제 입술을 훔쳐 간 소녀의 뒤를 홀린 듯 따라갔던 그 역시 풋내나는 소년에 불과했다. 함께 지내 온 시간 속에 소녀는 여인으로 피어났다. 연초록은 점점 짙어져 녹음이 되고, 그 눈부신 초록의 끄트머리에서 작은 꽃봉오리가 솟아났다.

단오는 이제 여인이다. 이화원의 주인이라는 삶 속에서 마음을 숨기고, 연심을 외면하고, 욕망을 모르던 소녀는 이제 없다. 때가 되었고, 꽃은 스스로 피어나고 싶었다. 단오는 화려하게 피어나기를 선택했다.

단오의 팔이 산의 목을 휘감았다. 여인의 입술이 거친 숨에 젖은 사내의 입술을 소유했다. 그렇게 여인이 되고, 오랫동안 이 순간만을 기다려 온 그 역시 비로소 완전한 사내가 되었다.

산도, 단오도 영영 잊지 못할 것이었다. 은애와 연모를 넘어, 진짜 사랑이 피어난 그 순간을.

"선비님."

늦은 오후, 시열의 방문 앞에 서 있던 홍주가 기척을 했다. 홍주의 손에는 고약이 담긴 작은 그릇이 들려 있었다.

"시열 선비님."

연거푸 이름을 불렀으나, 안에서는 대답이 없었다. 그가 잠들었으리라고 여긴 홍주가 조심스레 문을 열었다.

"시열……."

홍주의 눈이 동그래졌다. 흐트러진 이부자리뿐, 방이 텅 비어 있었기 때문이었다.

당황한 그녀가 주변을 둘러보았지만, 비좁은 방에 숨을 곳이 있을 리 없다. 성치 않은 몸으로 대체 어디를 간 것인지 걱정과 불안함이 밀려들었다. 떨리는 손으로 약 종지를 내려놓은 홍주가 방을 나서려던 순간.

"어디를 다녀오세요?"

"어이쿠야!"

홍주보다 시열이 더 놀란 모양이었다. 그의 얼굴에는 여전히 붉은 멍이 선명했고, 매무새를 돌아볼 시간조차 없었는지 옷차림 역시 흐트러져 있었다. 게다가 시열은 빈손이 아니었다. 그의 손엔 길쭉한 데다 꽤나 묵직해 보이는 나무함이 들려 있었다.

"그건 선비님이 다치셨을 때 단오가 챙겨 둔 것인데요……."

"쉿!"

시열이 입술에 손가락을 댔다. 주위를 휘휘 둘러본 그가 재빨리 방으로 들어갔다. 쿵, 나무함을 내려놓는 소리가 제법 요란했다.

"저…… 약을 가져왔는데요."

홍주의 말이 끝나기가 무섭게 시열의 팔이 그녀를 붙잡았다. 놀랄 틈도 없이 홍주는 시열의 방 안으로 끌려 들어갔다. 그녀의 볼이 불길처럼 새빨개졌다. 누가 보기라도 하면 어쩌려고 이러시는지.

"홍주 낭자, 비밀 좀 지켜 주시오."

"무슨 비밀을요?"

"내가 이걸 가지러 광에 다녀왔다는 것 말이오."

"다른 이에게 가져다 달라고 말씀하시면 될 것을……. 어찌 그런 몸으로 바깥출입을 하십니까."

"사정이 있어 그렇다오. 비밀, 지켜 주실 게지요?"

홍주는 떨떠름한 표정으로 고개를 끄덕였다. 멍 자국이 그득한 시열의 얼굴을 본 그녀가 약 종지를 집어 들었다.

"약을 발라 드릴 테니 누우세요."

"홍주 낭자가 누우라면 누워야지요. 내가 무슨 힘이 있나."

순순히 이부자리에 몸을 누인 시열이 얌전히 눈을 감았다. 시열의 얼굴 곳곳에 고약을 발라 주던 홍주가 그를 물끄러미 바라보았다.

비록 상처투성이지만, 홍주의 눈에 비치는 시열의 얼굴이 참 해사하다. 입꼬리가 살짝 올라간 그의 입술은 당장이라도 웃음을 터뜨릴 것처럼 보였다.

제 입술도 시열처럼 올라가 있다는 걸 깨달은 홍주가 급히 표정을 가다듬었다. 숨겨진다고 숨겨질까 모르겠지만. 시열이 이런 제 마음을 벌써 눈치챈 것 같아 걱정도 되지만…….

"참 이상한 분이에요."

"나처럼 멀쩡한 사람이 어디 있다고 그러시오?"

"진중한 구석이라고는 요만큼도 없으면서도……. 때로는 영 다른 사람처럼 보이기도 하니 말이지요."

"그게 내 매력 아니겠소. 홍주 낭자도 그 매력에 빠진 것 아니오?"

"아닙니다."

능글거리는 시열 탓에, 이미 볼이 발갛던 홍주의 얼굴은 귀까지 새빨개졌다.

"뭐 그리 정색까지 하고 그러시오. 서운하게."

"그건 그렇고……. 저 함 안에 든 게 무엇이기에 그리 몰래 들고 오셨나요?"

"아……. 그건……."

반짝 눈을 뜬 시열이 나무함으로 손을 뻗었다. 덜컥 소리와 함께 열린 함 안에 든 것은 예닐곱 개는 될 법한 그림 족자들이었다.

"별거 아니오. 집안의 물건이라오. 일종의 유산이랄까."

"집안에 그림을 그리는 분이 계셨나 봐요."

"뭐, 그렇다 칩시다."

"가만, 가만 계세요."

홍주가 고약을 바른 채 몸을 일으키려는 시열을 만류했다. 결국 시열은 마지못한 듯 다시 자리에 누웠다. 그는 드러누운 채로 더듬더듬 족자 사이를 헤집었다.

"무얼 하세요? 제가 꺼내 드릴까요?"

"괜찮소. 기다려 보시오."

나무함 안에서 꿈지럭거리는 시열의 손. 이내 쓱 빠져나온 그의 손에 무엇인가가 들려 있다. 참으로 화사하고 고운 것. 어여쁜 물건이.

"선비님……."

"내가 드리는 선물이라오."

"이건……."

시열이 그 물건을 홍주 앞에 내려놓았다. 가만히 그것을 내려다보던 홍주의 눈에 눈물이 가득 고였다. 고운 연둣빛, 마치 시열이 처음 그녀에게 건네주었던 풀꽃 다발을 닮은…….

"내 몸이 다 나으면 말이오."

따뜻한 그의 손이 홍주의 손 위로 포개어졌다.

"이거 신고, 나랑 바깥 구경 안 가시겠소?"

푸른 바다 같고 초록 들판 같은 사람. 그런 시열의 마음이 담뿍 담긴 비단 꽃신. 그 위에 눈물 얼룩이 질까 봐서. 홍주는 황급히 눈가를 닦았다.

"갈게요, 갈게요."

비록 쉬운 걸음은 아니겠지만, 그대가 곁에 있어 주신다면야. 어디든 갈게요.

* * *

문밖은 가악(歌樂)과 여흥의 소리로 가득했다. 밤이 깊을수록 더욱 분주해지는 곳, 춘하관의 내실에서 술을 따르던 반야가 신운호의 손짓에 행동을 멈추었다.

"잠시 나가 있거라."

"예, 좌상 대감."

재깍 자리에서 일어선 반야가 조심스럽게 방에서 물러났다.

장태화와의 인연으로 좌의정 대감의 술시중을 들게 된 덕에, 춘하관에서 반야의 위상은 높아져만 갔다. 콧대 높은 벼슬아치, 만석꾼이며 태평한 한량들. 그 누구도 반야에게 함부로 행동하지 못했다.

'저 아이가 좌상 대감이 매번 불러들인다는 기녀라네. 상당히 어여삐 여기신다지.'

'아아. 그러한가. 역시나 미색이 기가 막히구먼.'

'원래 양반 출신이라 하더군. 하여 기생임에도 품위가 있어.'

사내들은 반야를 보며 수군거렸다. 그녀를 대하는 태도 역시 한결 정중해졌다. 혹시라도 좌의정이 아끼는 여인을 건드렸다가 눈 밖에 날까 두려워한 자들은, 넘볼 수 없는 값비싼 것을 대하듯 그녀를 쳐다볼 뿐이었다.

그래서 반야는 기뻤다. 특별한 존재가 된 듯한 기분이 마냥 뿌듯했다. 가장 좋은 건, 함부로 집적대는 자들이 사라졌다는 사실이었다.

좌의정과 장태화는 평소에도 하루가 멀다 하고 술자리를 가졌다. 그러나 오늘 그들의 분위기는 유난히도 무거웠다. 호기심이 일어, 반야는 문에 귀를 바짝 가져다 댔다.

"그만두라니요?"

예상치 못한 말을 들은 탓에, 장태화의 어조는 제법 날카로웠다. 그의 말을 듣고도 모른 척, 신운호는 속없는 웃음을 흘릴 뿐이었다. 그러나 그 웃음 속에 무엇이 도사리고 있을지 간과해서는 아니 된다. 장태화가 허리를 꼿꼿이 세웠다.

"말 그대로일세. 이설을 찾아오라는 명을 철회하는 것이네."

"대감께서 명하시니 저야 당연히 그 뜻에 따르겠습니다만……. 한동안 매우 독촉하지 않으셨습니까. 이토록 허무하게 멈추시는 이유라도 있습니까?"

"굳이 찾을 필요가 없어졌거든."

"무슨 말씀이신지……."

여전히 신운호의 표정을 읽을 수는 없었다. 속내를 감추는 것이리라. 저보다 몇 수 앞을 내다보고 있을 노련한 좌의정. 그가 작정하고 숨기는 것을 알아채기는 힘들 터였다.

"소인 궁금하여 그렇습니다. 저 역시 꽤나 공을 들인 일이니까요. 오래도록 대감을 모셔 왔는데, 그 정도는 알려 주셔야 저도 일 할 맛이 나지 않겠습니까."

"이유를 따지는 일이 없는 자네가 이렇게 졸라 대다니. 꽤나 궁금한 모양이구먼그래."

"예, 몹시 궁금합니다."

흠흠, 신운호가 헛기침을 했다. 다시 입을 연 그의 목소리는 한결 가라앉아 있었다.

"이설이 나를 찾아왔네."

신운호의 말을 들은 장태화의 눈에 동요가 일었다. 윤단오와 맺은 거래와는 별개로, 장태화 역시 이설의 자취를 찾고 있었다. 그러나 그는 어떤 실마리도 찾아내지 못했다. 허벅지에 붉은 점이 있다든가, 하는 사소한 정보가 전부였다.

"그분이……. 직접 대감을 찾아갔단 말입니까?"

"그래, 직접 찾아왔지."

물론 이설이 제 발로 신운호를 직접 찾아오지는 않았다. 그는 왕가의 자손다운 질풍 같은 모습으로 뜻을 전하였을 뿐이다. 새벽의 어스름을 뚫고 과녁에 명중한 화살. 그것이 이설이 모습을 드러낸 방식이었다.

신운호의 얼굴에 뜻을 알 수 없는 묘한 웃음기가 어렸다. 장태화는 신운호의 충실한 수족이었다. 하지만 그는 개일 뿐이다. 마당에서 키우는 개에게는 남은 음식이면 충분하다. 쓸데없이 사람대우를 해 줬다간, 그 개는 목줄을 끊고 안방까지 기어 들어오기 마련이었다.

개를 부리는 주인인 신운호는, 장태화에게 더 이상의 정보를 알려 줄 생각이 전혀 없었다.

"찾아왔다면, 무어라고 하더이까?"

"때를 기다리겠다고 하셨네. 아직은 그 때가 아니라고."

"때라면……."

장태화가 말끝을 흐렸다. 모골이 송연해진 까닭이었다. 그 때란 다름 아닌 임금의 죽음, 즉 붕어(崩御)를 말하는 것이기에.

"그러니 여기까지일세. 더 이상 그분의 주변을 들쑤시지 말게. 지난 십오 년간 모습을 드러낸 적 없는 분이지 않은가. 야인 생활에 길들여져, 만사가 귀찮다며 멀리 떠나 버리기라도 하면 그야말로 낭패일세."

기실 신운호가 받아 든 건 이설임을 밝히는 오직 한 줄이 전부였다. 하지만 신운호는 확신했다. 그는 이설이 모습을 드러낼 준비에 들어갔음을 믿어 의심치 않았다.

"장 판관, 어찌 대답 하지 않는가?"

"예……. 여부가 있겠습니까."

장태화는 곧장 대답했지만, 그의 표정엔 석연찮은 기색이 감돌았다.

신운호와 장태화의 관계는 지극히 수직적이었다. 명령과 복종만이 존재하는 관계. 결코 토를 달아서는 아니 되는, 주인과 개의 관계. 그러나 끝내 장태화는 참을 수 없는 궁금증을 누르지 못했다.

"그러하면, 파수꾼이라는 자가 누군지는 알아내셨습니까?"

"파수꾼이 무슨 의미가 있나. 그분께서 직접 오셨다고 하지 않아."

더 이상 질문을 용납하지 않겠다는 듯, 신운호가 상을 탁 쳤다.

"반야. 안으로 들어오너라."

"예, 대감."

장태화가 방으로 들어서는 반야를 쏘아보았다. 객들이 밀담을 나눌 때, 기녀는 방 근처에 머무르지 않는 것이 원칙이었다. 그렇지만 반야는 부르기가 무섭게 되돌아왔다.

"뭐 그리 심각한 표정을 하고 있나. 술이나 들게."

"예, 대감."

"받으시어요, 영감."

반야의 낭창한 웃음소리가 술잔을 따라 쪼르르 흐른다. 하나 그 술은 어찌 이리도 쓰디쓴 것인지, 장태화는 한참 동안 굳은 표정을 펴지 못했다.

헛헛한 마음을 달래러 나선 밤 산책이었다. 유하의 걸음은 갈 곳을 찾지 못하고 중촌 근방을 떠돌았다.

얼마나 걸었을까. 고개를 들어 보니 눈에 들어오는 것은 붉고 푸른 초롱불을 훤히 밝힌 담벼락이다. 춘하관 앞에 선 유하가 기가 막힌다는 듯 웃었다.

지난 삼 년간 글공부에 매진해 온 그가 오갔던 곳은 세책점 정도가 고작이었다. 몇 번이나 찾아왔다고, 춘하관으로 향하는 길을 기억하고 있단 말인가.

"자네가 여긴 웬일인가. 기방에 취미를 가지고 있었나?"

반대편에서 들려오는 목소리에 유하가 고개를 돌렸다.

"판관 영감."

"그래. 여기서 만나는군."

장태화가 유하를 위아래로 훑었다. 이미 술자리를 파한 듯, 그에게서 들큼한 술 냄새가 났다.

"술을 드시러 온 겐가?"

"그저 거닐던 중입니다만……."

"하필 기방 앞으로 걸음이라니, 술이 고팠던 게지. 마침 잘됐군, 나도 술 한 잔 더 하고 싶은 참이었네. 술이란 편한 자리에서 마셔야 흥이 나는 법인데, 오늘은 그러지 못하였거든. 기왕 만났으니, 나와 한잔함세."

의외의 제안이었다. 유하는 장태화로부터 눈을 돌렸다.

"저는 술을 즐기지 않습니다."

"술을 즐기지 않으면, 여색을 즐기던가? 그리 보이지는 않았는데……. 하기야 사내의 속을 알 수는 없는 것이지. 술이든 여인이든 부족하지 않게 해 주겠으니 들어가시게. 은 이백 량을 받아 놓고 술 한 잔 사지 않았으니, 이런 결례가 어디 있단 말인가."

잠시 망설이던 유하는 이내 고개를 끄덕였다. 술이 딱히 고픈 것도 아니었고, 여인이 그리운 것은 더욱더 아니었다. 말동무가 필요했으나 의뭉스러운 구석이 있는 장태화에게 속내를 털어놓고픈 마음은 조금도 없었다.

그러나 유하에게는 아직 해결하지 못한 일이 남아 있지 않은가. 장태화는, 그가 접근할 수 있는 이들 중에 그 해답에 가장 가까운 사람이었다.

"반야를 불러오너라."

"예예! 알겠습니다, 판관 영감."

반야. 그 이름이 들린 순간 유하는 살짝 미간을 찌푸렸다. 지난번 돌발적이고 일방적이었던 입맞춤이 떠올랐기 때문이었다. 그러나 이제 와서 무를 수도 없는 노릇이었다.

"가신 줄 알았더니 어찌 다시……."

장태화를 맞으러 나오던 반야가 말끝을 흐렸다. 유하를 발견한 그녀의 입꼬리가 쓱 말려 올라갔다.

"화령은?"

"행수는 아파서 쉬고 있어요. 열이 펄펄 난다나…….'

반야가 유하에게 야릇한 시선을 던졌다.

"그날부터 그리되었어요. 선비님께서 화령에게 다녀가신 날."

무표정한 유하와 달리 장태화의 눈은 즐거운 기색으로 일렁거렸다. 은 이백 량을 건네던 날, 장태화가 흘리듯 던진 이야기를 유하는 허투루 듣지 않았던 것이다.

"어서 방으로 드시어요. 제일 좋은 술로 준비하라 이르겠습니다."

반야가 잠시 자리를 비웠다. 그사이 장태화와 유하는 술상을 사이에 두고 마주 앉았다.

"그날, 결국 화령을 만나러 왔던 게로군."

"그러길 바라고 말씀하신 것 아니었습니까?"

"허허. 무슨 말을 그렇게 하나. 그건 그저 저속한 풍문일 뿐이야. 그렇지 않은가?"

정헌 대감의 서자, 정유하의 생모가 기생 화령이라는 풍문. 저를 놀리듯 떠보는 장태화의 태도가 마음에 들지 않아, 유하는 부러 고개를 빳빳이 쳐들고 그를 마주 보았다.

"그래서 화령에게 물어보았습니다."

"무엇을? 설마 자네의 생모냐 물었다는 것인가?"

"예."

유하가 고개를 끄덕였다. 장태화의 얼굴 위로 숨길 수 없는 호기심이 일었다.

"무어라 하던가?"

"화령이 제 생모가 맞다면, 제가 감히 이렇게 이름을 부를 수 있겠습니까?"

"하하!"

장태화가 너털웃음을 터뜨렸다.

"그렇지, 그렇고말고. 내 처음 자네가 단오와 함께 찾아왔을 때부터 눈여겨보았지. 범상치 않은 풍채에, 용모가 귀하여 기억하고 있었네. 그런 자네가 한낱 노비의 자식일 리 있겠는가."

"그래 봤자 여전히 어미를 모르는 서출일 뿐입니다."

"내 딱히 친교는 없었으나, 정헌 대감의 명성은 익히 알고 있네. 평생 고고한 학자로 사셨던 분이지. 그런 분께서 아무에게서 자손을 보았을 리 있는가. 분명 자네의 생모 역시 천한 신분은 아닐 걸세."

힐끔, 장태화가 유하의 얼굴을 바라보았다.

"게다가 자네는 대감의 다른 자손들과는 닮지 않았으니 말일세."

"제 형님들을 아십니까?"

장태화의 얼굴에 낭패한 기색이 스쳤다. 유하의 뒤를 캐고 다녔음을 스스로 인정한 꼴이나 다름없었기 때문이었다.

"안다고 할 것까진 없지만, 나야 여기저기 발을 걸치고 지내는 사람이니 말일세."

장태화는 능란하게 실수를 수습했다.

"그렇습니까. 하지만 마님마저 운명하시어, 이제 제 생모를 찾을 길은 영영 사라진 듯합니다."

"아쉬운 일이지. 그러나 천륜이 어찌 쉽게 끊어지겠는가. 언젠가 찾을 수 있을 걸세."

"그러기를 바라고 있습니다."

장태화가 말한 그대로였다. 정유하, 그는 정헌 대감의 혈육과는 조금도 닮지 않은 모습을 하고 있었다. 정헌 대감의 자손들은 대부분 왜소한 체구에 작은 눈, 펑퍼짐한 콧날을 가졌다.

'자네가 누굴 닮았는지 모르는 겐가, 혹은 모른 척하고 있는 겐가?'

꽤 지난한 과정을 거쳐, 장태화는 얼마 전 귀한 초상화 하나를 얻었다. 그 초상화의 주인공은 반역의 누명을 쓰고 죽어 한 줌 흙으로 돌아간 사람이었다.

정유하는 그, 호성군 이평을 닮았다. 청아한 낯빛과 부드럽게 떨어지는 뺨의 골격, 가로로 긴 듯한 눈매와 애수가 묻어 있는 눈빛, 반듯한 콧날. 그들은 분명히 많이 닮아 있었다.

"조금 늦었지요? 송구합니다."

곧 반야가 다른 기생 하나를 이끌고 방으로 들어섰다. 많은 말이 오가지 않았음에도 술자리는 점점 무르익어 갔다. 술잔은 비어 있을 새 없이 계속 채워졌다.

"오늘따라 곱구나, 반야."

이미 전작이 있었던 터. 장태화는 금세 술이 오른 듯했다.

"아앗!"

갑자기 반야가 째진 소리를 내질렀다. 장태화의 손이 치마 속으로 불쑥 들어왔기 때문이었다. 장태화의 거친 행동에, 반야의 표정에 경악이 서렸다.

장태화는 반야의 후원자를 자처했다. 그의 비호 아래 반야는 기생으로 살면서도 사내의 노리개가 되는 삶을 피할 수 있었다. 그 대가로 반야는 장태화에게 이화원의 정보와 기방에서 듣는 잡다한 이야기들을 넘겼다.

반야는 정보를 주었고, 장태화는 반야의 뒤를 봐주었다. 그것이 그들 사이의 약조였다. 그러나 약조가 무색하게도, 장태화는 우악스럽게 반야의 몸을 희롱해 댔다. 반야가 그의 손을 피해 몸을 비틀었다.

"영감. 어, 어찌 이러십니까."

반야는 기생이 된 지 그리 오래지 않은 여인이었다. 장태화 덕택에, 그녀는 사내들의 비위를 맞추는 해어화의 삶에서 벗어나 있었다. 함부로 들이닥치는 모욕적인 손길 앞에 저도 눈물이 고였다. 더군다나 그녀 앞에 있는 이는 유하가 아닌가.

"영감, 취하셨나 봐요. 어찌 이러세요……."

"하나도 안 취했느니라."

장태화의 말대로, 그는 웬만해선 취하지 않는 사람이었다. 취해서가 아니다. 그저 반야라는 여인의 용도가 사라졌을 뿐이었다.

이설을 찾는 것을 중지하라는 명이 내려왔고, 단오와의 거래 역시 끝났다. 더 이상 이화원의 동정을 살필 이유가 사라졌으니 반야를 이전처럼 곱게 대할 까닭 역시 없었다.

억센 손이 반야의 옷고름을 잡아당겼다. 속절없이 벌어진 옷섶 틈으로 새하얗게 질린 가슴 둔덕이 드러났다.

"하지 마십시오!"

반야가 소리를 내지른 순간, 장태화의 손이 득달같이 반야의 뺨으로 떨어졌다. 작고 가냘픈 여인은 벗겨진 저고리를 추스를 새도 없이 바닥에 나뒹굴었다.

"어찌 이러십니까!"

유하가 장태화의 손을 꽉 붙들었다. 그러나 왜소해 보이는 체구와 달리, 그의 팔은 돌덩이처럼 단단했다.

"기생년 따위가, 오냐오냐해 주었더니 사내의 머리 꼭대기에 올라서려 하는 게지."

"아직 어린 여인입니다. 이게 무슨 행동입니까!"

"자네야말로 나이가 어린 탓에 기생 다루는 법을 모르는 게 아닌가? 이런 계집의 응석을 끝없이 받아 주었다간, 제가 궁중의 마마님이라도 된 듯 설치기 마련이라네."

장태화가 유하의 곁에서 바들바들 떨고 있는 기녀에게 손짓을 했다.

"반야를 내보내 채비시켜라. 내 오늘 밤 이년을 사겠다."

"싫어요!"

쓰러져 있던 반야의 입술 새로 흐느끼는 목소리가 흘러나왔다. 터진 입술에서 선혈이 흐르고 있었다.

"싫으냐?"

장태화가 조소했다.

"네가 싫다 한들 달라지는 건 없다. 그게 기생년의 운명이니까. 돈 몇 푼이면 하룻밤 취하고 버릴 수 있는 몸뚱이 말이다. 그러다 애를 배어 계집이라도 낳았다간, 그 계집 역시 똑같이 기생이 되는 게지. 그걸 몰랐단 말인가."

입술을 타고 흐르는 피가 번진 반야의 얼굴이 참혹하여, 유하는 자기도 모르게 눈을 돌렸다. 장태화는 반야는 물론이거니와 유하의 존재 역시 개의치 않았다. 그가 반야에게로 손을 뻗었다.

"반야는 내가 사겠습니다. 그 손, 거두시지요."

끝내, 유하의 굳은 목소리가 들렸다.

등잔불 심지가 타닥타닥 타오르는 소리. 멀찍이 치워져 있는 작은 술상. 얼핏 신랑신부가 초야를 치르는 방처럼 꾸며져 있는 이곳은, 실상 춘하관의 손님방이었다.

여인의 몸을 취하는 대가로 돈을 치른 자들의 밤을 위해 준비된 방. 그런 이유로 유하는 몹시나 께름칙한 표정을 짓고 있었다.

"다친 데는 괜찮소?"

반야가 대답 대신 고개를 끄덕였다. 호된 손찌검을 당해 찢어진 반야의 아랫입술은 잔뜩 부풀어 있었다.

"그리 앉아 있지 말고 편히 있으시게."

"의복을 벗겨 드릴까요?"

"무슨 소리를……."

"왜요. 제가 당연히 해야 할 일인 것을요. 돈을 주고 저를 사셨으니까요."

감정 없이 툭 내뱉는 말. 흔들리는 불빛에 비친 반야의 얼굴에 쓰디쓴 자조가 떠올랐다.

"그게 제 주제인 것을 오늘에서야 깨닫다니. 참으로 우습지요? 기생 옷을 입고, 기생 머리를 하고, 기방에서 잠을 자고 술을 따르고 웃음을 팔면서…… 나는 창기와는 다르다고 여겼다니……."

반야의 씁쓸한 목소리가 들렸다.

"그래 봤자 똑같은 것을요. 관에 매인 노비 신세인 것을. 기방 담장을 벗어나는 순간 추노꾼에게 머리채를 잡혀 끌려올 것을……."

반야의 눈에서 흘러내린 굵은 눈물방울이 툭툭 바닥에 떨어졌다. 소리 죽여 흐느끼는 소리를 따라 작은 어깨가 들썩였다.

아무리 노력하고 갈망해도 절대 바뀌지 않을 서출이라는 신분의 굴레. 유하 역시 평생을 그 벽에 가로막힌 채 살아왔다. 그 역시 반야의 고통을 완전히 이해할 수 있었다.

"선비님도 결국 사내잖아요. 아직 머리도 올리지 않은 예기(藝妓)를 사셨으니 무척 많은 값을 치르셨겠지요?"

울음을 그친 반야가 입을 열었다. 지극히 무미건조한 목소리였다. 머리를 올려 주는 이가 무서운 장태화가 아닌 심성 좋은 선비라는 것이 그나마 위안이 되었다.

"이제 불을 끌까요?"

"그냥 두시게."

"그럼……."

눈을 질끈 감으며, 반야는 제 옷고름을 잡아당겼다. 그러나 이내 다가

온 유하의 손이 그 손목을 붙들었다.

"하지 마라."

"저를 사셨잖아요."

"네 몸을 산 게 아니다. 여기서 보낼 하룻밤을 샀을 뿐이야. 네게는 손끝 하나 댈 생각 없으니, 그러지 않아도 돼."

유하의 말투는 그새 달라져 있었다. 아래를 내려다보고 있던 반야가 고개를 들었다.

"사내란 다 똑같다고 하던걸요. 괜찮다, 괜찮다. 내 오늘 너의 손만 붙잡고 잠들 것이다……. 그 말을 믿은 여인이 잠들면, 어느새 몸 위로 올라와 숨을 헐떡이고 있다고."

"정 그렇다면, 자리를 비워 줄까?"

잠자코 제 손끝을 만지작대던 반야가 유하의 눈치를 살폈다.

"갑자기 저한테 하대를 하시네요."

"아, 그랬나……. 미안하오."

반야에게서 단오의 모습을 보았던 걸지도 모르겠다고, 유하는 생각했다. 이화원이라는 묵직한 짐을 짊어졌으면서도 힘든 내색 따위 하지 않던 그녀가. 감당하기 버거운 일이 있을 때면, 눈물을 꾹꾹 눌러 담은 채 부엌으로 사라져 버리던 소녀의 모습이.

"저는…… 괜찮아요. 편하게 대해 주세요."

유하를 바라보던 반야가 등잔불을 혹 불어 껐다. 곧 방 안은 새카만 어둠에 잠겼다.

그 고요한 방 안에서 들리는 사각사각 옷자락 스치는 소리. 유하가 깊은 생각에서 깨어났을 때, 반야의 체취는 숨결이 느껴질 만큼 가까이 다가와 있었다.

"오늘 밤, 모시게 해 주세요."

"……."

"어차피 기생으로 살아야 하는 운명이라면, 선비님께서 제 머리를 올려 주시기를 원해요."

옷자락 위에 닿는 매끄러운 나신. 몸을 가릴 것이 사라진 여인에게서 풍겨 오는 살내음은 술기운이 달아나도록 짙었다.

마음을 기댈 곳이 없는 나머지, 몸을 맞대는 것으로 위로받고 싶었던 슬픈 청춘의 밤은 그렇게 흘러가고 있었다.

단오의 방문은 활짝 열린 채였다. 방 안에 있던 단오가 고개를 쭉 빼고 대문을 바라보았다.

밤이 깊었다. 오늘따라 이화원은 너무나 고요하기만 했다. 시열이 자리 보전을 하고 있는 데다, 유하마저 아직 돌아오지 않았기 때문이었다. 일찍 잠자리에 든 모양인지 산의 방마저 불이 꺼졌다.

"이리 시간이 늦었는데……."

단오가 초조하게 중얼거렸다. 문서 한 장과 무거운 고백을 남긴 채 멀어져 가던 유하의 뒷모습이 떠오른다. 왠지 모를 불안함이 마음을 어지럽힌 탓에, 단오는 그를 기다리고 있었다.

"밤길에 무슨 일이라도 생기면 어떡하지……."

혼잣말을 하던 단오가 몸을 흠칫 떨며 고개를 가로저었다. 말이 씨가 된다고, 쓸데없이 입방정을 떨어서 좋을 것이 뭐 있겠는가.

덜컥. 낮은 문소리에 단오는 문밖으로 몸을 내밀었다. 그러나 소리의 근원은 대문이 아닌 산의 방이었다. 방에서 나온 산은 망설임 없이 단오에게로 왔다.

"어찌 아직까지 깨 있어?"

"그게……."

차마 유하를 기다리는 중이라는 말이 떨어지지 않아, 단오는 말꼬리를 길게 늘였다.

"유하가 걱정돼서 여태 이러고 있는 거지?"

"시간이 워낙 늦어서요. 시열 오라버니 일도 있었고……."

"내가 나갔다 오마."

"저도 같이 갈까요?"

"아니. 너는 그만 자도록 해. 괜한 걱정 같은 건 하지 말고."

단오가 고개를 떨어뜨렸다. 유하를 걱정하고 있었다는 것 때문에 산에게 미안한 마음이 들었다. 그리고 동시에, 그런 미안함을 가진다는 사실마저 유하에게 미안하다. 단오는 이러지도 저러지도 못하는 제 마음이 괴로웠다.

"그런 표정 지으면, 예쁜 얼굴에 주름이 진다."

단오의 기분을 풀어 주고 싶은 모양이었다. 산의 목소리가 살가웠다.

"나중에 제가 쪼글쪼글해지면, 그때는 더 이상 예쁘게 여기지 않겠네요?"

산이 웃음기 없는 얼굴로 고개를 저었다.

"그럴 일은 절대 없을 게다."

산이 괜히 새치름한 표정을 지어 보는 단오의 머리를 쓰다듬었다. 따뜻한 손길. 단오는 스르르 눈을 감았다.

별다른 일 따위 일어나지 않아도, 충분히 고단한 이화원 주인의 삶. 종일 마음을 누르던 걱정 탓에 느끼지 못했던 피로가 확 밀려들었다.

"그러고서 조는 게냐."

"으응."

끄덕끄덕 졸던 단오가 반짝 눈을 떴다. 마치 꿈결처럼 다가온 산의 입술이 반쯤 벌어진 단오의 입술을 지그시 쓰다듬고선 멀어져 갔다.

"다녀올게."

반쯤 감긴 눈으로, 단오는 멀어지는 산의 모습을 바라보았다.

입술에 닿았던 감촉마저 꿈이었나 싶을 만큼 잠에 취한 정신이 몽롱했다. 어쩌면 이 노곤함마저 여름밤 꿈일지도 모른다. 까마득하게 먼 일 같은 언젠가의 날들처럼. 잠에서 깨면, 이화원 세 선비와의 행복한 한때가 그녀를 기다리고 있을는지도.

단오가 이부자리에 몸을 뉘었다. 그러나 그녀의 그 꿈은 갈 곳 없이 스러질 요원한 바람이었다.

오늘따라 달빛조차 희미한 탓에 밤길은 칠흑처럼 캄캄했다. 유하를 찾아 밤길을 나섰지만, 산에게도 달리 갈 곳이 없기는 매한가지였다. 유하의 행방을 모르니 어느 길로 돌아올지도 알 수가 없었다.

불 켜진 단오의 방을 보자마자 그녀의 불안을 감지한 건, 산 역시 불안했기 때문이었다. 시열이 겪은 일 때문인지, 유하 때문인지조차 알 수 없는 불안감. 둘 다 아니라면, 혹은…….

바스락. 산이 걸음을 멈췄다. 한 줄기 소슬바람인가. 그 바람에 스친 잎사귀 따위에서 나는 소리일 뿐일까. 그의 정처 없는 걸음을 오래도록 따라온, 해묵은 바람의 장난질인 걸까.

다시 걸음을 떼려던 순간, 또 그 소리가 났다. 산은 곧장 검을 뽑아 들었다. 차디찬 날붙이가 허공을 가르는 소리. 바람이 우짖었다.

"나와라."

소슬한 수런거림이 거짓말처럼 뚝 끊겼다. 날 선 긴장감이 산의 등골을 훑는다. 쭉 뻗은 검날은 언제라도 벨 태세를 갖춘 채 주변을 방비하고 있었다.

"언제까지 그리 쥐새끼처럼 따라다닐 것이냐. 모습을 보여라."

일렁이던 밤바람마저 숨을 죽였다.

"혹시 아느냐. 고분고분 말을 들으면, 목숨만은 살려 줄지."

산이 나직이 말을 뱉었다. 그의 말이 끝남과 동시에, 모습을 감추고 있던 수선한 발소리의 주인들이 모습을 드러냈다. 산의 검이 허공을 갈랐다.

파리한 미명이 비추는 이른 새벽. 객이 모두 떠나간 춘하관은 쥐죽은 듯 고요했다.

밤을 보내고 가는 객들을 위한 별실의 문이 살그머니 열렸다. 문틈으로 들어온 푸른빛이 어둑한 방 안, 잠든 여인의 얼굴 위로 어른거렸다. 몸을 뒤척이던 반야가 눈을 반짝 떴다.

텅 빈 곁. 허전한 이부자리. 반야는 혼자다.

"일어났느냐?"

허탈한 표정을 한 반야가 문가로 시선을 던졌다.

"왜요. 또 뺨이라도 후려치려고요?"

저를 내려다보는 화령을 바라보는 반야의 시선이 곱지 않았다. 그러나 화령의 존재보다 더 못마땅하고 서운한 것은 쓸쓸한 옆자리였다.

"유하 선비님은 어디 가시고?"

"보면 몰라요? 밤도망이라도 쳤는가 봐요. 워낙 반듯한 도령이시니, 여인과 몸을 섞고 나니 부끄러워진 겐가."

화령의 안색이 금세 어두워졌다. 안으로 걸어 들어온 그녀가 대뜸 반야가 덮고 있는 이불을 들쳤다.

"아, 왜 이래요!"

"머리를 올렸다는 계집이 어찌 이리 철갑처럼 옷을 껴입고 있어?"

"선비님 성미가 어찌나 급하던지. 차마 옷을 벗을 새도 없이 달려드는 바람에 어쩔 수가 없었어요. 여인과 사내가 교합하는 데, 꼭 옷을 벗으란 법은 없잖아요?"

반야가 아득바득 대들었다. 화령에게 뺨을 맞은 데 대한 분이 채 가시지 않은 탓이었다. 반야의 어투엔 가시가 잔뜩 돋쳐 있었다.

"아무리 기생이라지만, 남부끄럽지도 않으세요? 내일모레면 나이 마흔이 되는 행수가, 아들뻘쯤 되는 젊은 선비를 탐하기라도 하는 거예요?"

"그 따위로 입을 놀려 대니, 어제도 장 판관에게 호된 꼴을 당했던 게지."

그 말에, 반야의 눈이 돌아갔다.

"그래요! 왜요? 내가 겁간이라도 당하길 바랐어요? 그게 아니면, 내가 선비님이랑 몸을 섞었는지 아닌지 확인이라도 하고 싶어서 여길 찾아왔어요?"

벌떡 자리에서 일어난 반야가 화령을 마주 보았다.

"유하 선비님 일이라면, 어찌 이리 만사 젖혀 두고 찾아와 난리를 부릴까? 아들을 낳아 멀리 보냈다더니, 그게 유하 선비님인가 보지요? 내 그분과 몸을 섞었으니, 이제 어머님이라고 불러 드릴까요?"

"네 이년!"

화령의 입가가 경련하듯 떨렸다. 어깨 근처까지 올라온 그녀의 손 역시 바들바들 떨고 있었다.

"감히 그분이 뉘라고 그런 말을 지껄이는 게야!"

"아하!"

장태화의 손찌검 탓에 거뭇한 딱지가 앉은 입술이 꿈틀댄다. 반야는 비소를 머금었다.

"그럼 그 사람인가 보지요? 사라졌다는 왕가의 자손! 그럼 나는 승은을 입은 여인이 되는 셈이네? 고작 기생년 따위가, 승은을 입어 팔자를 펴게 된 건가?"

"한 번만 더……."

화령이 떨리는 손으로 문틀을 붙들었다.

"한 번만 더 그따위 말을 감히 나불거리면, 내 쥐도 새도 모르게 네년의 밥에 독약을 타 넣을 거다."

"마음대로 하세요. 이런 꼴로 사느니, 차라리 그게 낫겠네."

화령도, 반야도 서로를 쏘아보고 있는 시선을 거두지 않았다. 지난한 눈길의 대치. 마주 본 눈동자 사이로 불꽃이 튄다.

마침내 화령이 몸을 돌렸다. 부서질 듯 쾅 닫힌 문이 덜컹거렸다. 반야 홀로 남은 방은 다시 푸른 어둠에 파묻혔다.

단오는 일찌감치 눈을 떴다. 본래 단오는 웬만해서 늦잠을 자지 않았다. 새벽 일찍 깨어나 이화원의 하루를 준비하는 것이 몸에 배어 있었기 때문이었다.

옷매무새를 다듬고, 흐트러진 머리를 단정히 매만진 단오가 자리에서 일어섰다. 문밖으로 나서려는 그녀의 눈에 반닫이 위에 놓인 곱게 접은 백지가 들어왔다.

"유하 오라버니……."

유하가 내던지다시피 떠넘기고 간 이화원의 집문서. 단오의 평생 단 한 번도 제 것이 아니라 여긴 적 없었던 이화원은, 봄이 지나는 새 장태화의 손을 거쳐 유하에게로, 그리고 다시 단오에게로 돌아왔다.

"꼭 갚을 거예요."

스스로에게 되뇌듯 중얼거린 단오가 고개를 굳게 끄덕였다.

은 이백 량은 어마어마한 돈이었다. 사실 단오는 그 정확한 가치가 어느 정도인지조차 알지 못했다. 은 스무 량이면 고래 등 같은 기와집 한 채를 살 수 있다는 말을 들었던 기억이 있어 어림짐작할 뿐.

그 돈이라면 유하는 무엇이든 할 수 있었을 것이다. 제깟 게 뭐라고. 저따위가 대체 뭐라고…….

끼익, 밖에서 들리는 문소리에, 상념에서 깨어난 단오가 방을 나섰다.

"유하 오라버니."

정녕 유하는 밖에서 밤을 지새우고 들어온 모양이었다. 어제와 꼭 같은 차림새인 그의 눈가에 거무스레한 그늘이 져 있었다.

단오에게 있어 산이 사랑이었다면, 유하는 가족과 같은 이였다. 친오라버니와 다름이 없어 그 앞에서 무엇이든 내보일 수 있었던, 그런 다정한 사람.

그러나 다정했던 오라버니가 연정을 드러낸 순간, 정겹던 관계는 무척이나 어색해졌다.

"오라버니."

단오는 서둘러 신을 신고 안뜰로 걸어 나갔다.

"밤새 어디 계시다가 이제 오세요."

"일찍 일어났구나."

"밤이 깊을 때까지 내내 기다렸는데……. 오라버니 오시기를."

데면데면 먼 곳을 보던 유하가 시선을 돌렸다.

"왜?"

제게 무슨 볼일이 있냐는 듯 무심한 말투였다. 단오가 민망한 표정으로 눈을 내리깔았다.

"미안해요."

"무슨 말이냐?"

"오라버니가 제 생각 많이 해 주신 것, 저도 잘 알아요. 늘 고맙게 여겼고, 언젠가 꼭 마음의 빚을 갚으리라고 생각했어요. 힘들 때, 고단할 때, 속상한 일이 있을 때…… 늘 오라버니가 제 곁에 있어 주셨으니까……. 그런데……."

문득 눈물이 차올라 목이 메었다. 단오는 유하를 잃고 싶지 않았다. 그녀가 지키기 위해 그토록 애썼던 이화원. 그 소박한 풍경 안에 속해 있는 그를 잃고 싶지 않았다.

기댈 것 없는 삶, 든든한 오라비가 되어 주던 유하에게 상처를 준, 상처를 줄 수밖에 없었던 제 자신이 못 견디게 미워졌다. 결국 단오의 눈에서는 굵은 눈물이 뚝뚝 떨어져 내렸다.

"단오야."

유하가 천천히 숨을 가다듬었다.

"내가 너를 연모하지 않았다면, 모두가 행복할 수 있었겠지. 산도, 나도, 너 역시."

유하의 음성이 미세하게 떨렸다. 그럴 수 있었더라면, 마음이란 것이 제멋대로 요동치지 않고 말을 들어줬더라면…….

"하지만 모두가 행복해지는 결말 같은 건, 존재하지 않을지도 몰라."

모두가 행복해질 수는 없다. 그걸 왜 이제야 깨달았을까. 세상모르던 어린아이 시절에는 모두가 행복하게 살 수 있으리라고 믿었던 것 같다. 그러나 서출이라는 그늘에 숨어, 삶을 켜켜이 뒤덮은 비밀들과 함께해 온 사이 유하는 어른이 되었다. 이화원에 가장 아름답던 시절 한 자락을 남겨 둔 채, 단오의 곁에 그 해사한 웃음을 남겨 둔 채로.

"미안한 마음 같은 거, 가지지 마라."

"오라버니."

"진정으로 너의 행복을 바랐다면, 산과 함께인 네 모습을 보고 기꺼이 축하해 주었겠지. 나는 그렇게 하지 못해. 너를 연모하는 것, 너를 마음에 품고 있는 것……. 그건 모두 내 행복을 위한 일이다. 너를 위한 일이 아니야. 그러니 내게 미안할 필요 없어."

모두가 행복해질 수 없다면, 불행해야 하는 건 누구의 몫일까. 평생 겪었던 수많은 모멸. 그것만으로도 충분히 불행한 삶이라 여겼다. 그러니 끝이 아니었나. 나는 또다시 불행해져야 하는 걸까.

"정녕 나를 위한다면, 내게 이렇게 다가오지 마라. 신경도 쓰지 말고, 미안하다는 소리도 하지 마."

자꾸만 다가와서 흔들지 마라. 네가 손에 쥔 행복이 정녕 단단한 금붙이인지, 놓치는 순간 깨져 버릴 질그릇에 지나지 않는지 시험하고 싶게 만들지 말란 말이다…….

"하지만, 오라버니……."

"그만."

말을 탁 자르는 유하의 목소리가 칼날처럼 귀를 파고들었다. 유하의 모습이 낯설어서, 단오는 멍하니 그를 바라보고만 있었다.

그녀를 지나쳐 제 방으로 사라지는 유하의 발끝 아래 뿌연 흙먼지가 일었다. 방문을 닫은 이후에야 유하는 잊었던 숨을 몰아쉬었다.

그는 가난하지 않았고 먹을 것이나 입을 것이 부족한 적도 없었다. 갖고 싶은 것, 필요한 물건을 얻지 못한 적도 없었으며, 배우고 싶은 것이 있으면 무엇이든 뛰어난 스승에게 배웠다.

그런 삶이었음에도 유하가 늘 불행했다고 느꼈던 건, 그 누구도 사랑을 주지 않았기 때문이었다. 늘 외로웠기 때문이었다.

"단오……."

다시금 불행해지기를 선택한 사내가 지그시 눈을 감았다. 밖이 희게 밝아 온다. 그러나 밀려드는 빛마저 그런 유하의 마음을 밝혀 주지 못했다.

"밥상머리가 어찌 이리 썰렁한 겐가."

아침상 앞에 앉은 육호가 중얼거렸다. 시열의 상태는 꽤 회복되었으나 여전히 바깥에 나설 처지는 아니었다. 몸이 좋지 않다는 핑계로 유하 역시 방에 틀어박혔다.

항상 시끌벅적하던 이화원의 아침이 무색하게도, 오늘 평상 위에는 육호와 산 단둘만이 앉아 있을 뿐이었다.

"이보게 산."

육호가 산에게 말을 건넸다. 그러나 산 역시 딴생각에 잠긴 듯 대꾸가 없었다.

"산!"

"아, 예. 아재."

"무슨 생각을 하느라 그리 정신을 빼놓고 있는 겐가?"

분풀이라도 하고 싶은지, 육호의 어투는 몹시 퉁명스러웠다.

"아닙니다. 제게 하실 말씀이라도?"

"시열이 말일세. 저리 몸이 상했는데…… 아무리 서출이기로서니, 본가에 연통을 함이 옳지 않겠나?"

"시열 본인이 본가에 연락하는 걸 그리 내켜 하지 않았던 것 같습니다만……."

미적지근한 산의 대꾸에, 육호가 혀를 끌끌 찼다.

"아무리 그래도 그래선 안 되지. 이리 큰일이 생겼는데……. 본가가 아니라면, 낳아 주신 어머님께라도 연통을 하는 게 맞지 않겠나."

"어머님에 대한 이야기는 한 번도 들어 본 적이 없어서요."

"그러면 못쓰네. 관례를 치른 후에 만난 사이가 진정한 벗이라고 하지 않나. 시열이 저러고 있고, 유하도 요즘 영 바빠 보이니 자네가 나서서 연통을 좀 해 보게."

"예. 그렇게 하겠습니다."

이내 들려오는 단오의 발소리. 소반을 손에 든 그녀가 육호와 산을 향해 걸어왔다.

"아재, 오라버니, 식혜 드세요."

"요즘 자주 자리를 비우더니, 이런 건 또 언제 만들었느냐."

괜히 민망한 기분이 들어, 단오는 슬그머니 시선을 피했다.

"어머니께서 담가 놓으셨어요."

"요즘 형수께서 허리가 아프다는 말씀을 자주 하시더구나. 네가 어련히 알아서 하겠지만, 좀 더 신경을 쓰도록 하려무나."

"예, 그리할게요."

"오냐. 하기야 단오 네가 여기서는 가장 바쁜 사람이겠지…… 그건 그렇고, 산, 밤새 밖에 흉흉한 일이 있었던 모양이네."

그제야 생각이 났다는 듯, 육호가 말을 꺼냈다.

"무슨 일입니까?"

"저기 성황당으로 가는 길목 있지 않은가? 그 근처가 온통 피칠갑이었다고 하더군."

단오의 손에 들려 있던 그릇이 바닥으로 떨어졌다. 그릇은 펑 하는 소리와 함께 산산조각이 났다.

"저런저런, 손이 미끄러졌구먼. 다치지 않았느냐?"

"예, 아재. 괜찮습니다. 얼른 치울게요. 그런데 피라니……."

"아, 무슨 일인지는 아무도 모르더구나. 그저 누군가 피를 흘린 흔적만 남아 있었다고……. 혹시 모르지. 사람이 아니라 산짐승이 가축을 물어 간 것일지도."

말을 잇던 육호가 이상한 눈초리로 단오를 바라보았다.

"단오야. 어찌 그리 산이 얼굴을 들여다보고 있느냐?"

"예? 아, 피라니……. 무서워서요."

허둥지둥 사라지는 단오를 보던 육호가 어깨를 으쓱했다.

"자꾸 이상한 일이 생기니 영 께름칙하지 않은가……. 산, 자네도 몸조심하게."

"저야 별일 있겠습니까."

"그래도 말일세. 알겠는가?"

"예, 알겠습니다, 아재."

산이 자리에서 일어섰다. 그가 제 방으로 돌아가려던 때였다.

"산. 자네, 살생을 한 적은 없겠지?"

갑자기 날아든 육호의 질문.

"그럴 리가요."

"그래야지. 전장이 아닌 곳에서 사람을 베어선 아니 되네."

"그렇겠지요."

방으로 들어간 산이 문을 닫았다.

"전장이 아닌 곳이라."

산이 나직하게 중얼거렸다. 전장이 달리 있을 것인가. 산에게는 지나온 발밑이 모두 전쟁터였다.

방 한편에 얌전히 놓여 있는 장검을 바라보던 그가 검을 집어 들었다. 잠시 쉴까 했던 마음은 그새 사라지고, 산은 수련하러 나갈 채비를 했다.

"오라버니."

이화원 대문을 나서던 산이 뒤를 돌아보았다. 단오는 제법 급한 걸음으로 다가오고 있었다.

"무슨 일이냐?"

"오라버니."

주위를 휘휘 살핀 단오가 휴, 한숨을 쉬었다.

"조금만 같이 걸어요."

"흐음."

단오에게 시선을 던진 그가 걸음을 옮겼다. 단오 역시 그를 따라 걷기 시작했다.

"무슨 일이기에 그래?"

"아까 육호 아재께서 하신 말씀······."

"그게 뭐?"

갑자기 단오가 걸음을 멈추었다. 주변을 쓱 훑어본 그녀가 산의 손을 붙잡았다.

"오라버니가 했어요?"

"아니다."

"정말로요?"

"아니라고 하지 않아."

산을 뚫어져라 쳐다보던 단오의 고집스러운 표정이 그제야 풀어졌다.

"다행이다. 나는 또 오라버니가 그런 줄 알고······."

"넌 대체 나를 어떤 사람으로 여기는 게냐."

"글쎄요. 무서운 사람?"

"뭐?"

꽤나 걱정을 하고 있었던 모양인지, 단오는 제법 안심한 표정이었다. 그녀가 생긋 미소 지었다.

"누구든지 단숨에 제압할 수 있는 그런 강한 사람. 내게 무슨 일이 생겨도, 언제나 곁에서 지켜 줄 수 있는 그런 사내."

"듣기 좋은 말이네."

"오라버니께서 약속했잖아요. 늘 지켜 주겠다고."

산이 희미하게 웃었다. 여부가 있겠는가. 그는 단오를 위해서라면 무엇이든 할 준비가 되어 있었다. 그의 손이 단오의 볼을 톡톡 두드렸다.

"어서 들어가. 나는 수련장으로 가야 하니."

"알았어요."

몸을 돌리는 단오의 입에서 못내 아쉬운 듯한 콧소리가 흘러나왔다. 그러나 그녀에게는 이화원의 일이, 산에게는 그 나름의 일이 있는 법이다.

스무 걸음쯤 걸었을까, 단오가 문득 뒤를 돌아보았다. 여전히 그녀가 떠나온 자리에 머물러 있는 산의 모습이 보인다.

"오라버니!"

단오가 소리쳐 산을 불렀다. 소리를 내지 않고, 입 모양으로 '왜' 하고 묻는 산의 귀에 단오의 목소리가 들려왔다.

"좋아요."

"뭐가?"

"나 오라버니를 정말 많이 연모하나 봐요."

"잘 안 들리는데. 뭐라고?"

"나, 오라버니를 정말 많이 연모하는 것 같다고요."

"뭐?"

듣고도 모른 척하는 그의 모습에 단오가 샐쭉 눈을 흘겼다. 그러나 그 능청스러움이 싫지 않아, 그녀는 결국 큰 소리로 외쳤다.

"나, 오라버니를, 정말로, 연모한다고요!"

산이 웃었다.

"나도 그래."

순식간에 단오에게로 다가온 산이 그녀를 꽉 끌어안았다. 단오를 안은 산의 팔에 힘이 들어갔다. 조금 더, 조금이라도 더 심장 가까이 닿을 수 있도록.

"나 역시 마찬가지다."

두 팔 안에 폭 잠기는 사랑스러운 여인을. 영원히 지키고픈 그의 여인을.

"흘러가는 시간을 어찌할 수는 없겠지. 세월이 흐르고, 나이를 먹고, 설령 너와 나를 둘러싼 많은 것들이 바뀐다 해도……. 이것만은 결코 변치 않을 것이다."

"그것이 무엇인데요?"

너만을. 내 살아온 평생과, 내게 살아갈 모든 시간의 주인인 너를.

"나는 너를 연모해. 영원히 그리할 것이다."

* * *

"어떻게 되었나?"

장태화의 집. 그는 이른 낮부터 객을 맞고 있었다. 장태화 앞에 앉아 있던 젊은 사내가 입을 열었다.

"저희 쪽 두 명이 자상을 입었습니다."

"많이 다쳤나?"

"피를 많이 흘리기는 했습니다만, 급소를 노린 공격은 아니었습니다."

"의도적으로 그렇게 했다고?"

"그런 느낌을 받았습니다. 실력을 드러내지 않으려는 것 같더이다."

흐음. 장태화가 미간을 좁혔다.

"자네가 보기엔 어땠나?"

"서넛 정도는 너끈히 상대할 수 있는 자로 보였습니다."

"자네와 일대일로 겨룬다면?"

입을 열기 전, 젊은 사내는 잠시 망설였다.

"글쎄요……. 막상막하가 되지 않을까요?"

"확신할 수는 없는 것이냐?"

"그자는 몸을 사리고 있었습니다. 이유는 모르겠으나, 살생을 하지 않으려는 것처럼 보였습니다. 하여 실제로 겨뤄 보기 전에는 잘……."

"그렇군."

장태화가 고개를 끄덕였다. 그의 앞에 앉은 날렵한 사내는 장태화가 부리고 있는 사병이었다.

사 년 전 뼈아픈 손실을 겪었으나, 그는 다시금 몸놀림이 남다른 이들을 발탁하여 혹독하게 훈련시켰다. 앞에 앉아 있는 사내는 그들 중에서도 가장 빼어난 자였다.

"어제의 그자 말고, 그 전에 알아보라고 했던 자 말이다. 정말로 무예를 모르는 자이더냐?"

"모르는 정도가 아니라 허수아비나 다름이 없었습니다."

"어제의 그자처럼 실력을 숨기는 것일 수도 있지 않느냐?"

사내가 피식, 웃음을 지었다. 그러나 제게는 하늘과 같은 장태화의 앞이라, 그는 급히 웃음을 지웠다.

"그럴 수는 없습니다, 영감. 몇 대 얻어맞을 때 방어를 하지 않는 것이야 가능하겠으나, 초주검이 되도록 무예를 숨기다니요. 그런 상황에서는 누구라도 본능적으로 몸을 굳히기 마련입니다. 절대로 아닙니다. 평생 검 따위 만져 본 적 없는 한량일 것입니다."

"그렇구먼……. 알겠네. 고생했다."

"예, 영감. 이만 물러가겠습니다."

사내가 떠난 이후, 장태화는 한참 동안이나 깊은 생각에 잠겨 있었다. 정체를 알 수 없는 모호한 의심이 머릿속을 떠돈다. 세 사내의 모습 위에 덧씌워진 뿌연 장막이 시야를 흐린다.

어디선가 분명히 본 기억이 있는 자, 김시열.

호성군의 초상화를 빼닮은 정유하.

미심쩍은 두 사내와 한곳에 머물러 있는 무사, 강산.

"모습을 보이시게."

장태화가 음산하게 중얼거렸다.

"나는 이미 충분히 오래 기다렸단 말일세."

10장. 흑(黑)

"송구하오나, 반야는 불러 드릴 수 없습니다. 다른 기생을 청하십시오."

춘하관의 내실 안. 장태화를 마주한 화령이 눈을 내리깔았다.

"뭐라……."

부아가 치밀었으나, 장태화는 마음을 가다듬었다. 비록 관노 신분이었으나 화령은 춘하관의 우두머리였다. 화령의 심기를 거슬렀다간 요긴하게 이용해 온 회동 장소를 잃을지도 모른다.

"자네, 지금 내 부탁을 거절하는 겐가?"

"영감, 지난번에 반야에게 손을 대시지 않았습니까."

장태화가 불편한 표정으로 헛기침을 했다.

"술이 과했네. 버릇없이 굴기에 야단친다는 게 실수를 했지 뭔가."

"반야의 성정, 모르지 않습니다. 하지만 영감께서도 뻔히 알면서 가까이 두신 아이 아닙니까? 송구하오나 이것이 춘하관의 철칙입니다. 손찌검을 하신 객에게 아이를 들여보낼 수는 없나이다."

"내 사과하지."

장태화의 태도에는 망설임이 없었다.

"자네뿐 아니라, 반야에게도 내가 직접 사과할 것이네. 그러니 불러 주게."

"말씀하신 것처럼 오만방자한 아이입니다. 이렇게까지 곁에 두시는 이유가 무엇입니까? 몸 정을 나누는 사이도 아니시면서요."

"좌상 대감께서 그 아이를 제법 귀여워하지 않는가. 대감과 술자리를 가질 때마다 반야가 시중을 들었네. 이렇게 부탁하겠네."

화령이 난감한 듯 한숨을 내쉬었다.

"반야에게 말을 해 보겠습니다만, 강제로 끌어다 앉힐 수는 없으니 그리 아십시오. 다녀오겠습니다, 영감."

방을 나서는 화령의 뒷모습을 바라보던 장태화가 술잔을 움켜쥐었다. 찰나만 지체했다면 술잔은 산산조각이 났을 것이다.

한참을 기다린 후에야 방문이 조심스레 열렸다. 문틈으로 화령의 얼굴이 보였다.

"데려왔습니다. 약조를 지키십시오."

뒤로 물러서던 화령이 불안한 눈길로 반야를 바라보았다. 불같이 화를 내리라는 화령의 예상과 달리, 반야는 순순히 장태화를 만나겠다며 그녀를 따라나섰다.

"반야. 무슨 일이 있거든……."

"됐어요."

반야는 화령의 말을 뚝 자르며 방으로 들어섰다.

"반야 왔느냐."

"예, 오셨습니까, 영감."

반야가 문을 닫았다. 미덥잖은 화령의 얼굴이 그 문 뒤로 사라졌다.

"몸은 좀 어떻느냐."

"괜찮아요."

반야가 장태화를 흘낏 바라보았다. 그녀가 빈 술잔을 채우기 위해 술병을 들었으나, 장태화는 손을 휘휘 내저었다.

"술을 마시러 온 게 아니다. 너와 얘기를 하러 왔느니라."

"저 역시 드릴 말씀이 있었어요."

"그래? 말해 보아라."

반야가 고개를 들어 올렸다. 연지를 바른 입매가 야무졌다.

비뚤어진 계집. 매사 불만투성이인 못된 년. 춘하관 사람들은 대부분 반야를 싫어했다. 하지만 원래부터 반야가 그랬던 건 아니었다. 평범한 반가 소녀로 살던 시절의 반야는 지금처럼 억세지 않았다.

어린 나이부터 수도 없이 상처받았던 그녀였다. 가시에 찔릴 바엔 차라리 가시를 세워 누구도 가까이하지 않는 것이 낫다. 그것이 반야가 깨달은 세상의 이치였다.

"저를 자유의 몸으로 만들어 주시겠다는 약조, 여전히 유효한 것입니까?"

장태화의 입가에 희미한 웃음이 스쳤다. 상대방에게 바라는 것이 있는 자는 절대 우위에 설 수 없는 법이었으니까.

"안 그래도 그것 때문에 불렀느니라."

"유효합니까?"

반야가 다시 한번 답을 재촉했다.

"너 하기에 달렸다."

"이미 영감의 뜻대로 따르고 있지 않습니까."

"내가 묻고 싶은 건 하나뿐이다. 단, 절대 거짓이 있어서는 아니 될 것이야."

"말씀해 주십시오."

"그날 밤, 정유하가 네 머리를 올려 주었지. 정유하와 밤을 보냈으니, 그의 몸을 보았을 것이다."

잠시 뜸을 들인 장태화가 말을 이었다.

"그의 몸에 눈에 띄는 것이 없더냐? 점 같은 것 말이다."

반야가 마른 입술을 핥았다. 단 하나의 대답. 여기에 제 자유가 걸려 있단 말인가.

"잠시 머물다 가셨을 뿐, 몸을 섞지는 않았어요. 옷을 벗지 않았으니 아무것도 보지 못했고요."

장태화가 헛웃음을 지었다. 그래. 그러고도 남을 위인이었다.

"그러하다면 답이 나왔구나. 정유하와 하룻밤을 보내거라. 그것이 어렵거나 내키지 않으면, 능력껏 다른 방법을 써도 괜찮다."

"하룻밤을 보내라고요?"

"그래. 그의 몸에 점이 있는지 살펴보거라. 있는지, 없는지. 있다면 어디 있는지, 그리고 그 빛깔은 어떤지. 그걸 알아내어 말해 주면 된다."

"그리한다면⋯⋯."

"너는 그날로 자유의 몸이 될 것이다. 화령을 불러와라. 내 당장 약조하는 문서를 써 주겠다."

반야의 눈에 동요의 빛이 어렸다. 각서를 써 준다니. 빈말이 아닌 진심임에 틀림없었다.

"단, 절대 화령에게 이 일에 관해 누설해서는 아니 된다. 화령뿐만 아니라, 다른 그 누구에게도."

"혹시⋯⋯. 유하 선비님께 해가 되는 일입니까?"

장태화의 입꼬리가 움찔거렸다. 아둔한 계집이 주제를 모르고 풋사랑에 빠진 모양이었다.

"전혀 그렇지 않다. 오히려 그에게는 매우 좋은 일일 테지. 내 명예를 걸고 맹세할 수 있느니라."

애당초 장태화가 관심을 가지고 있는 건 이설 따위가 아니다. 정유하의 정체가 이설이든 아니든 그에게는 중요치 않았다. 장태화에게 이설이란, 파수꾼을 수면 위로 끌어 올리기 위한 도구일 뿐이다.

"그렇다면, 알겠습니다, 영감."

장태화를 바라보던 반야가 고개를 크게 끄덕였다.

어스름이 내린 저녁. 늦은 방문객을 맞이한 대비의 표정에 의구심이 어렸다.

"국정에 바쁜 좌상께서 어찌 이리 늦은 시각에 찾아오셨는가. 혹시······."

임금께서 정신을 차리지 못하고 있으니 조정이 혼란스러운 것은 당연한 이치였다. 삼정승 중 가장 오랜 세월 조정에 몸담아 온 좌의정 신운호의 책임이 막중한 시기. 그렇기에 대비는 합당한 추론에 이르렀다.

"'그'를 찾았는가?"

대비의 명으로, 모든 궁인들이 자경전에서 물러났다. 그럼에도 후계자의 이름을 입에 올리는 것은 지극히 조심스런 일이었다. 대비의 음성이 들릴 듯 말 듯 고요해졌다.

"찾았다고 하긴 이르옵니다만, 소식이 있었습니다. 소신 그 이유로 긴히 여쭐 것이 있어 왔사옵니다."

"물으시게."

"마마."

성성한 흰 눈썹 아래, 신운호의 눈빛이 형형하게 빛났다.

"본인이 이설이라고 주장하는 자가 있다면, 그가 진짜인지 혹은 가짜인지를 구분할 방법이 있겠습니까?"

"진짜와 가짜라······."

무엇인가를 떠올리려는 듯, 대비는 지그시 눈을 감았다.

호성군 이평, 그녀가 몹시 사랑하였던 차남. 어려서부터 수려한 풍모를 가졌던 그는 그림에서 튀어나온 듯하다는 칭송을 받곤 했다. 동생의 손에 의해 살육된 그가 남긴 단 하나의 자손, 이설을 구분할 방법이란…….

"평은 자신만의 징표를 만들어 아끼는 물건마다 새기곤 했다네."

"징표요?"

"그래. 어려서부터 문양과 문자에 관심이 많더니, 장성한 후에도 습관이 이어졌지. 그 아이는 생전부터 훗날에 대한 준비를 많이 하였네. 금상이 자신을 눈엣가시로 여기는 걸 알았던 게지……."

호성군이 걱정한 건, 귀양을 가거나 추방되는 일 정도였을 것이다. 차마 동생의 칼날이 제 목을 꿰뚫을 줄은 몰랐으리라.

잊었다 생각했는데, 그리운 아들의 모습이 되살아난다. 어려서부터 호전적이었던 창은 어미에게도 차갑기만 한 자식이었다. 그러나 평은 다정했고 속이 깊었으며, 도리를 지키는 아들이었다.

"……대비마마."

"미안하네. 아무래도 죽을 때가 된 것 같구먼."

대비의 주름진 뺨 위로 눈물이 흘러내렸다. 조선 여인으로 태어나 올라설 수 있는 가장 지엄한 자리에 있는 그녀였다. 그러나 궁은 대비에게도 감옥이고 지옥이었다.

제 배로 낳은 자식 전부와 피붙이들을 도륙한 살인자, 이창. 그 살인자를 낳은 것 역시 그녀 자신이었다. 대비가 사지로 내몰릴 수 있는 일에 뛰어든 건 그 때문이었다. 이창을 낳았으므로, 속죄하고 싶어서.

"이것이네."

대비가 문갑 깊은 곳에서 작은 배냇저고리 하나를 꺼냈다. 배냇저고리는 오래 묵어 누렇게 빛이 바래 있었다.

"평의 아이들이 태어났을 때, 그가 직접 가노(家奴)들에게 지시하여 만든 것이지."

배냇저고리 한가운데, 금실로 수놓인 독특한 문양을 신운호는 한참이나 바라보았다. 그것은 글자가 아닌 문양이었다.

"그것은……. 태양 아닙니까."

"그러하네."

배냇저고리를 살짝 쓰다듬는 대비의 손끝이 바르르 떨렸다.

"그렇다면 이설께서도 그 배냇저고리를?"

"그럴 것 같진 않지만, 분명 이 문양 하나쯤은 가지고 있겠지. 잘 기억해 두게나."

"그 물건이 무엇인지는 모르시는 겁니까?"

"그것까지는 나도 모르네."

"예, 대비마마."

신운호의 눈길은 오래도록 그 빛바랜 금빛 위에 머물렀다.

모든 빛을 잃고 기억 저편으로 사라진 자의 징표. 하필 그 징표가 태양인 건, 생전 이런 일이 닥칠 것을 예감했던 호성군의 선견지명일까. 조만간 모습을 드러낼 이설. 그는 훗날 왕이 될 자이기에.

자경전을 나서는 신운호는 무거운 표정이었다. 떠나는 그의 머릿속에는 어디메 숨은 것인지 알 수 없는 태양 빛이 선연했다.

그러나 비밀을 가진 자가 그 하나만은 아니었다. 장지문 뒤에 숨어들어 있던 지밀의 그림자. 그에게도 태양 문양은 마음 깊이 새겨졌다.

* * *

시열은 거동이 가능해진 이후에도 한동안 외출하지 못했다. 단오의 굳센 고집 탓이었다.

"다 나았어."

"안 돼요."

"다 나았다고!"

"얼굴에 아직 멍이 시퍼렇잖아요. 어엿한 선비님께서 어찌 그런 얼굴로 밖엘 나가신대요?"

단오의 말대로, 시열의 얼굴에는 검푸른 멍 자국이 선연했다.

"멍 아니라고 하면 되잖아! 점이라고 할 테다. 얼굴에 왕 점이 있다고. 내가 바로 조선의 점돌이라고!"

"아무튼, 안 돼요."

"돼."

"안 돼요."

"돼!"

"안 돼요!"

"안 돼!"

"돼요!"

시열이 손뼉을 딱, 쳤다.

"그래, 돼! 나는 오늘부터 해방이다!"

"아, 진짜, 시열 오라버니!"

단오는 수시로 안뜰을 들락거렸고, 감시를 게을리하지 않았다. 결국 시열은 며칠간 꼼짝없이 구들장을 지고 있어야만 했다.

그렇게 며칠이 흘러 마침내 찾아온, 시열이 오매불망 꿈꾸던 그날.

밤이 깊었다. 모두가 잠든 시각, 시열은 모처럼 화사한 의복으로 단장한 채 평상 위에 앉아 있었다. 이윽고 낮은 문소리가 들렸다.

"오시었소."

"예."

홍주의 목소리도, 모습도 긴장이 역력했다. 특별한 밤이었기에 홍주도 꽤 공들여 준비를 한 모양이었다. 평소에도 단아했던 그녀는 오늘 더욱 아름다운 모습이었다. 시열이 선물한 연둣빛 비단신과 색을 맞춘 듯한 연초록 치맛자락이 고요히 나부꼈다.

"준비되셨소?"

"예."

신을 신으려던 그녀가 멈칫했다.

"아, 아니요……. 잠시만……."

그녀가 후우, 심호흡을 했다. 마음을 가라앉히려고 애써 보지만, 두려움에 마음이 흔들린다.

홍주는 꼬박 사 년간 저 대문 밖으로 단 한 걸음도 나가지 않았다. 나가지 않았다기보단, 나가지 못했다는 말이 맞으리라. 작은 껍데기만이 세상 전부라 여기는 겁 많은 달팽이처럼 그녀는 어둠 속에 갇혀 있었다.

"자리에 앉아 보시오."

영문도 모른 채, 홍주는 툇마루에 걸터앉았다.

"선비님."

"쉿. 사람들이 깨요."

시열이 홍주 앞에 웅크려 앉았다. 연둣빛 비단꽃신을 집어 든 시열이 그녀의 버선발을 쥐었다. 비단신은 맞춘 것처럼 그녀의 발에 쏙 들어갔다.

"가십시다."

시열이 홍주에게로 팔을 내밀었다. 머뭇머뭇, 그녀가 그의 팔을 붙들었다. 그들은 느릿한 걸음으로 안뜰을 가로질렀다. 대문 앞에 다다른 시열이 조심조심 대문을 밀어 열었다.

이화원 바깥으로 나가는 문. 꽤나 널따랗지만, 홍주의 눈엔 하염없이 좁아 보이는 문. 그 문밖의 세상이 열린다. 초조한 듯 치맛자락을 움켜쥐던 홍주는 시열의 눈치를 살폈다.

시열 선비님은 이런 나를 바보 천치라고 여기겠지. 고작 한 발짝 내딛는 것도 못 하는 천하의 병신이라고.

"낭자."

"예."

"눈 좀 감아 보시겠소?"

"누, 눈이요?"

싱긋 미소 지은 시열이 고개를 끄덕였다. 그 웃음을 보고 있자니 쿵쿵 요동치던 마음이 가라앉는 것 같았다. 홍주가 지그시 눈을 감았다.

"사람들이 깰 수 있으니, 소리를 내지는 마시오."

"……예. 그럴게요."

"놀라지 마시오."

시열의 당부 덕에 입술을 꼭 깨물고 있었기에 망정이지, 홍주는 하마터면 빽 소리를 지를 뻔했다.

두 발이 허공으로 휙 떠오르는가 싶더니, 순식간에 바닥으로 되돌아왔다. 짧은 순간 제 허리춤을 감싸 안았던 시열의 손길이 생생했다. 홍주의 볼이 홍매처럼 붉게 물들었다.

"이제 눈을 떠 봐요."

홍주가 질끈 감았던 눈을 떴다. 그녀는 이제 문밖에 서 있다. 태산처럼 높아 보이던 이화원의 대문은 그녀의 등 뒤로 자리를 옮겼다.

이화원 앞으로 펼쳐진 흙길을 보는 게 얼마만인가. 담장 밖 세상에서 보는 달은 더욱 휘영청 밝았다. 달빛 아래 흙과 모래알들이 노리개에 꿰인 보석처럼 반짝반짝 빛났다. 나뭇잎이 바람결에 스치는 소리마저 청명한 노래 같았다.

"오랜만이지요? 이리 산책을 나온 것이."

"사 년 만이에요……. 선비님."

"나와 보니 어떻소?"

홍주의 커다란 검은 눈동자. 그 안에 뜨거운 눈물이 차올랐다. 반짝이는 세상 풍경이 흐릿하게 이지러졌다.

"예뻐요."

홍주는 급히 눈물을 흘려보냈다. 너무나 오랜만에 마주하는 세상. 잠시라도 놓치고 싶지 않았다. 모조리 눈에 담고 싶었다.

"세상이 이리 아름다운데, 어찌 저 안에서 그 오랜 시간을 보냈을까요. 예뻐요……. 너무너무 예뻐요."

"홍주 낭자."

시열이 가만히 그녀의 손을 잡았다. 달빛을 머금은 눈물이 그녀의 뺨을 타고 투두둑 떨어져 내렸다.

"내 눈엔, 낭자가 더 예쁘오."

시열은 평생 세상이라는 것에 마음을 두어 본 적 없었다. 삶이란 그에게 선택의 영역이 아니었기 때문이었다. 그렇기에 시열은 자신 있게 말할 수 있었다.

어찌 감히 세상 따위가 홍주에게 비하겠느냐고. 그의 여인, 홍주보다 아름다운 것은 존재치 않노라고.

사뿐, 걸음을 내디디며 홍주는 눈을 지그시 감았다. 숨을 깊이깊이 들이마신다. 공기마저 이화원 안과는 다르게 달콤했다. 이번엔 다시 눈을 떠 보았다. 꼬박 사 년 만에 마주하는 세상이 눈동자 안으로 쏟아져 들어왔다.

이화원 담장을 경계로, 안과 밖이 분명하던 세상. 칩거를 선택한 날부터 아픈 과거는 점점 두꺼운 갑옷처럼 자라났다. 홍주는 담장이 아닌 그 과거 안에 갇혀 있었다.

살아도 산 것 같지 않았던 삶, 과거에 멈춰 있는 시간으로부터 한 발 내

딛기까지 걸린 시간, 사 년.

"참으로 좋은 밤이오."

사 년간 뿌리 내려 있던 홍주의 발을 단 한순간에 들어 올려 세상으로 내보내 준 사람. 시열이 홍주의 손을 가만히 잡았다. 움찔, 긴장한 손가락 끝이 움직였으나 홍주 역시 그 손을 살며시 맞잡았다.

손바닥에 와 닿은 온기가 그녀의 마음을 녹였다. 꽁꽁 얼어 있던 해묵은 외로움이 흔적도 없이 스러졌다.

"홍주 낭자."

"예, 선비님."

시열이 천천히 입을 열었다. 홍주의 얼굴 가득 퍼져 나가는 감격의 순간을 방해하고 싶지 않아서 내내 침묵했던 그였다.

"이제 오래전 기억들은, 잊었소?"

시작은 사소한 호기심이었다. 방 안에만 갇혀 지내는 여인에 대한 궁금증, 그리고 동정심. 처음에는 시열 자신도 그 감정이 어디로 흘러갈지 꿈에도 몰랐다. 본래 연모란 몰래몰래 내리는 가랑비 같아서, 정신을 차리고 난 후엔 이미 흠뻑 젖어 버린 후였음을.

홍주가 고개를 들어 시열을 마주 보았다. 시열은 지난 삼 년 내내 이 화원에 머물렀다. 그는 그늘이라고는 없는, 태양처럼 유쾌하게 빛나는 사내였다. 홍주는 그가 저와는 전혀 동떨어진 세상을 사는 사람이라고 생각했다.

그래서 다른 선비보다 그가 제일 겁났다. 너무 밝아서, 환해서. 그와 눈이라도 마주칠까 봐 몰래 피해 다니던 날들이 떠오른다.

"잊지 않았어요. 단지……."

잊으려고 온갖 애를 썼던 시간들이었다. 그러나 어찌 잊히겠는가. 그는 한때 홍주의 전부였던 사내였다.

"그 자리에 남겨 놓으려고요. 언젠가 문득문득 다시 떠오를 때가 있겠지요. 슬퍼지고, 그리워지기도 하겠지요. 그렇지만 그대로 남겨 놓으려고요. 뒤에 남겨 놓고, 이제 그이를 편하게 해 주려고요……."

그리고 저 역시 편해지기를 배워 보려고요.

홍주가 걸음을 내딛는다. 시열의 손은 참으로 따뜻하였다.

"소중한 것을 잃은 것이 어디 나쁘겠어요……. 다른 이들이 그러하듯, 저도 이제 앞을 보며 걷고 싶어졌어요."

깊디깊은 밤의 고요. 오직 두 사람만을 비추는 고즈넉한 달빛. 여름 초입의 촉촉하게 물오른 공기. 아름다운 밤이었다. 시열과 홍주의 밤에는, 모든 아름다운 것들이 뒤섞여 있었다.

"그래요. 나도 걷고 싶어졌소."

시열이 손에 힘을 꾹 주었다.

"낭자와 함께요. 그러니 둘이 같이 걸어가면 되겠지요?"

무료했던 삶. 작은 바람과 같은 일탈이라 여겼던 여인. 그러나 이제 놓고 싶지 않았다.

밤의 정취에 취해 있던 시열이 문득 걸음을 멈췄다. 멀찍이서 다가오는 말발굽 소리가 그의 신경을 거슬렀다. 워낙 늦은 밤이었던지라 누군가를 마주치리란 생각은 미처 한 적이 없는 그들이었다. 홍주와 시열은 붙들고 있던 손을 놓고 한 걸음 서로에게서 떨어졌다.

말발굽 소리와 함께 말 등에 탄 사내 둘의 그림자가 나타났다. 역광을 받은 탓에 그들의 얼굴은 보이지 않았다.

그들 역시 야심한 시각 길 한복판에 서 있는 사내와 여인이 예상 밖인 듯했다. 날카로운 눈초리가 시열과 홍주를 쓱 훑어보았다. 갈 길이 바쁜 모양인지, 이내 말 탄 사내들의 모습은 북촌을 향해 멀어져 갔다.

"오늘은 이만 돌아가십시다."

시열과 홍주 역시 다시 이화원을 향해 걸음을 옮겼다. 돌아가는 길, 시열은 다시금 그녀의 손을 꼭 잡았다.

그들로부터 저만치 멀어진 길목. 시열과 홍주를 마주쳤던 두 사내 역시 변함없이 밤을 가르는 중이다.

"여기서 마주치다니. 묘한 일이군."

느릿한 속도로 말을 달리며, 오랜만에 밤 나들이를 나섰던 장태화가 중얼거렸다.

"그러게나 말입니다. 그것도 이리 늦은 시각에……. 몇 년 만에 보는 얼굴인지 모르겠습니다."

곁에서 말을 달리는 심복의 말에, 장태화의 눈이 커졌다.

"자네, 저 얼굴을 알고 있나?"

"예, 알지요. 어찌 모르겠습니까?"

김시열, 어쩐지 눈에 익었던 그자를 기억하는 것이 저뿐이 아니란 말인가. 장태화의 말투가 조급해졌다.

"저자가 대체 누구인가?"

"저자라니요? 아, 사내 말입니까?"

"사내 얘기를 한 게 아닌가?"

"예. 그 곁에 있던 여인을 보고 말한 것입니다."

실망한 기색을 내비치던 장태화가 다시 물었다.

"저 여인이 대체 누구기에?"

"아, 영감께서는 얼굴을 모르실 수도 있겠습니다……."

심복이 말끝을 흐렸다.

"최현의 정인이었습니다. 사 년 전 일, 설마 잊지는 않으셨겠지요? 혼인 전날 죽었던……."

"……."

"영감?"

"아, 그래. 그랬군."

무의식중에 고삐를 당겼던 장태화가 다시 말의 옆구리를 툭 걷어찼다. 전진하는 말의 움직임을 따라 장태화의 몸이 위아래로 흔들렸다. 그러나 그는 완전히 다른 생각에 빠져 있었다.

최현. 과거 이설을 쫓기 위해 파견했던 육인회의 일원이었던 사내. 그는 장태화가 무척이나 아끼던 무인이었다.

최현은 신출귀몰했던 자객에게 죽임을 당했다. 그때 그 꽃다운 나이가 스물이었던가.

"그 여인 말일세. 이화원의 두 딸 중 하나이지?"

"그렇습니다. 최현이 죽은 후에 수절이라도 하는지 통 모습을 보인 적이 없었는데……. 하기야, 혼인도 안 한 사이였으니 사 년도 무척 긴 시간이긴 했지요."

"그렇군……."

최현의 정인이었던 여인. 그리고 자꾸만 신경을 거스르는 김시열이라는 선비. 그 둘 사이의 접점은 대체 무엇이란 말인가. 떠오를 듯 말 듯, 끝없이 그의 기억 어딘가를 건드리는…….

어서 밤이 지나가기를, 그 실낱같은 기억이 환하게 밝아지기를 바라는 수밖에 없겠지.

마음속으로 되뇌며, 장태화는 까마득히 멀어져 보이지 않는 밤길을 돌아보았다.

살랑살랑 불어오는 바람이 뺨을 간질였다. 그러나 단오는 좀처럼 눈을 뜨지 않았다. 단오의 잠에 무척이나 행복한 꿈이 찾아든 모양이다. 곤히 잠든 그녀의 입꼬리는 방긋 미소 짓고 있었다.

"으응……."

단꿈에서 깨고 싶지 않아, 단오는 잠결에도 아쉬운 한숨을 쉬었다. 행복한 꿈이었다. 단오가 사랑해 마지않는 꽃들이 만발한 드넓은 들판에 앉아 있는 꿈.

잠에서 깬 단오가 가느다랗게 눈을 떴다. 그녀가 코를 킁킁댔다. 분명보이는 것은 이화원 제 방의 천장인데, 여전히 꿈결을 거니는 것 같다. 들꽃 만발한 산자락에 파묻힌 것처럼 온 방 안에 꽃향기가 진동했다.

"어!"

발딱, 자리에서 몸을 일으키는 단오의 주변으로 우수수 꽃잎들이 흩어졌다. 가뜩이나 큰 눈이 더 휘둥그레진 단오가 주변을 두리번거렸다.

조그마한 그녀의 방은 꽃에 파묻혀 있었다. 산 깊숙한 곳에서야 딸 수 있는 큼지막한 함박꽃과 앙증맞은 보랏빛 제비꽃 묶음, 새초롬한 분홍 앵초와 푸르른 현호색……. 그 외에도 이름조차 생소한 온갖 들꽃들이 그녀의 방 한편에 가득했다.

"꿈을 꾸는 건가……."

앵초꽃 묶음을 들어 올리며 단오가 중얼거렸다.

"그럴 리가."

단오가 문 쪽으로 고개를 돌렸다. 파르라니 밝아 오는 새벽을 배경으로 그녀를 내려다보고 있는 산이 보인다. 산이 단오를 향해 손을 내밀었다.

"오라버니 손……."

그 손을 붙잡던 단오가 굳센 손마디를 내려다본다. 종일 검을 쓰는 사내답지 않게 새파란 풀물이 든 그의 손끝을.

"생일 축하해."

이내 산의 팔에 힘이 들어가며, 단오를 제 쪽으로 덥석 끌어당겼다.

"이 꽃, 죄다 오라버니가 다 가져다 놓은 거예요?"

"아마 그럴걸."

애매한 대답에 저도 모르게 웃음이 나왔다. 금세 아득한 행복감이 밀려들었다.

"벌써 수릿날이네요."

산의 너른 품 안에 폭 파묻힌 채, 단오가 중얼거렸다. 바쁜 나날 탓에 까맣게 잊고 있었다. 음력 오월 오일, 단옷날이 왔음을.

"수릿날 아니야."

산이 단오의 귓가에 속삭였다.

"네가 태어난 날이지."

"지금껏 귀빠진 날 같은 거 챙겨 본 적 없는데……."

단옷날에 태어난 까닭에 어여쁜 이름을 얻었지만, 명절을 지내느라 늘 바빴던 탓에 생일을 따질 여유도 없었다. 그동안 단오에게 단옷날은 생일이라기보단 평소보다 두 배 바쁜 날일 뿐이었다.

수리취며 쑥을 뜯어 와 떡을 만들고, 창포와 청보리를 삶아 머리 감을 물을 우리고, 약쑥을 태우고…….

"앞으로는 내가 매해마다 챙겨 줄게."

"매해 이렇게 꽃 선물을 해 준다고요?"

"단오 네가 원한다면야."

산은 새벽 내내 뒷산을 오가며 꽃을 꺾었다. 밤이슬을 맞으며 험한 산을 타는 사이, 대체 이게 뭐 하는 짓인지 모르겠다는 생각도 문득문득 떠올랐었다. 하지만 단오를 기쁘게 해 주고 싶었다. 단오를 웃게 하고, 행복하게 해 주고 싶다는 바람이 상념을 이겼다.

산은 밤새 단오의 방을 들락거렸다. 그녀가 혹시라도 깰까, 잔뜩 발뒤꿈치를 세운 채로.

"다음 해에도, 그다음 해에도?"

"나중에 단오 네가 할머니가 되었을 때도."

기약조차 할 수 없는 먼 훗날의 일. 그러나 단오의 입가에 환한 미소가 걸렸다. 그녀가 가장 사랑하는 두 가지가 곁에 있었다. 꽃. 그리고 산이.

"좋은 냄새가 나."

단오가 중얼거리며 산의 품에 코를 비볐다. 그의 품에서 풍겨 오는 냄새가 좋았다. 힘들게 뒷산을 오르내렸음을 방증하는 들척지근한 땀내와 풀 이파리에서 묻어온 풋내 말이다. 이내 그것들은 방 안 가득 넘실거리는 꽃향기에 파묻혀 희미해졌다.

밀려드는 행복감에 단오는 스르르 눈을 감았다. 그리고, 순간 코끝을 스치는 낯익은 향기.

"이거……"

그녀는 계속 코를 킁킁댔다. 떠오를 듯 말 듯, 기억을 뒤흔드는 향기. 온갖 들꽃 사이에서도 또렷하게 느껴지는 그윽한 향기. 이 향의 정체는…….

"그리고 이건, 마침 피어 있기에 꺾어 왔다."

산이 내미는 하얀 꽃 한 송이를 바라보던 단오의 고개가 갸웃 기울어졌다. 도톰한 하얀 꽃잎, 가운데 몽글한 노란 꽃술, 난꽃을 닮은 청아한 향.

기억 속 소녀 단오의 밤이 다시 펼쳐진다. 서책 사이, 고이 간직해 두었던 추억 하나가 그녀에게로 돌아왔다.

"그때 그 자리에 피어 있었어."

"그때…… 그 자리요?"

"그래. 네가 매달려 있던 벼랑 끝 아래. 변함없이 거기 있었다. 네가 이걸 꺾으려다가 또다시 벼랑 아래로 떨어지면 큰일이지 않느냐. 그래서 꺾어 왔다."

단오는 하얀 꽃송이와 산의 얼굴을 번갈아 바라보며 머릿속을 정리하려 애를 썼다. 뒤엉킨 기억이 자리를 잡는 데는 시간이 조금 걸렸다.

"오라버니가, 어, 어찌……."

"어찌 알 것 같으냐?"

그의 얼굴이 단오의 코앞으로 다가왔다. 눈 깜짝할 새, 산의 입술이 단오의 입술 위에 머물렀다 떨어졌다.

"내 입술, 그때 네가 이렇게 훔쳐 가지 않았느냐."

"그때 그 선비님이, 아니, 오라버니가……."

산. 그 밤과 함께 남아, 내내 단오의 마음에 자리를 잡고 있었던 사람. 그가 산이었다니. 단오는 꿈을 꾸는 것 같았다.

그 선비가 툭툭 내던지던 짧은 말들, 어둠에 잠겨 보이지 않던 얼굴, 새카만 밤길 속 유일한 길잡이가 되어 주던 연푸른 도포 자락. 조각을 맞추듯, 산의 얼굴이 그 위에 자리를 잡았다.

"이 꽃 이름이 뭔지 알아?"

단오의 서책 안에 빛바랜 모습으로 잠들어 있는 꽃. 그러나 그녀 곁으로 되돌아온 지금, 그 빛깔은 눈이 시리도록 희디희다.

바래진 기억이 다시 찬란하게 돌아온다. 심장이 쿵쾅거렸다. 잔뜩 벅차오른 가슴이 쉼 없이 오르내렸다.

"바람꽃이야. 너와 나를 만나게 해 주었던 꽃."

그날의 입맞춤은 그 밤, 짧디짧은 순간만으로도 오래도록 잊히지 않았었지. 어쩌면 그 순간 예감했는지도 모르겠다. 결국 이렇게 맺어질 운명이었다는 것을.

시간을 돌고 돌아 삼 년을 기다린 끝에 마주한 그의 입술이 다시 포개졌다. 촉촉한 입술이 꽃 내음을 머금은 입 안을 가른다. 오래전 그 밤에 맞닿았던 입술이 그랬듯, 영영 기억에 새겨질 달콤한 입맞춤이 오랫동안 이어졌다. 아찔한 향기가 그들의 주변을 물들였다.

머릿속에도, 마음속에도, 그들의 눈 안에도 꽃이 피었다. 주변에 가득한 이슬을 머금은 꽃봉오리들이 그들의 청춘처럼 피어났다.

"어……."

입술이 떨어지고, 가파르게 오르내리는 가슴이 조금 진정될 무렵. 문틈으로 불어온 바람 한 줄기가 휘잉 방 안을 가로질렀다.

풀썩, 꽃잎들이 바람에 날렸다. 하얀색, 노란색, 보라색, 분홍색. 온갖 색상의 조그만 꽃잎과 꽃가루들이 일제히 공중으로 붕 떠올랐다.

"눈이 오는 것 같아요."

마치 꿈속을 거니는 것 같은 몽환적인 광경. 입을 다물지 못한 채, 단오가 나지막하게 중얼거렸다.

이른 오월의 꽃눈. 수릿날에 내리는 눈.

숨 막히도록 아름다운 장면에서 눈을 떼지 못한 채 단오는 산의 어깨에 고개를 기댔다. 그 순간 단오는 세상에서 가장 행복한 여인이었다.

"유하는 오늘도 안 보이네."

단오가 가져다 놓은 수리취떡을 집어 들던 시열이 중얼거렸다. 단옷날을 맞은 이화원 안에는 희뿌연 연기가 떠돌고 있었다. 건강을 기원하는 의미로 태운 약쑥 냄새가 매캐했다.

"요 근래 참 이상해졌어. 유하도, 산 너도, 그리고…… 나도."

"넌 원래부터 이상했어."

산이 무심하게 대꾸했다. 평소의 시열이었다면 산의 한 마디에 수십 마디의 말로 되갚아 주었을 것이다. 그러나 시열은 깊은 생각에 잠긴 모습이었다. 그런 시열을 바라보던 산의 눈이 가늘어졌다.

시열의 말 그대로다. 평화롭던 이화원 풍경은 봄을 지나는 사이 완연히 달라졌다. 매사 데면데면하던 산 저부터가 그렇지 않은가. 시열의 변화 역시 뚜렷했다. 그는 기방 출입을 하지 않았고, 딴생각에 빠져 있을 때가 많았다.

그러나 누구보다 확연하게 변화한 사람은 유하였다. 그는 완전히 다른 사람이 되었다.

유하는 이화원에 붙어 있는 일이 드물었으며 심심찮게 외박을 하기도 했다. 예전의 그로서는 상상조차 할 수 없는 일이었다. 그는 이화원에 머물 때조차 두문불출하여 대부분 방 안에 틀어박혀 있었다.

"그 일 이후부터였나."

"무슨 일?"

"무슨 일이겠어. 이설을 찾아 나선 후부터겠지."

"그런가……."

말꼬리를 길게 늘이던 시열의 얼굴에 화색이 돌았다. 홍주의 방문이 열렸기 때문이었다.

"홍주 낭자, 수리취떡 드시오."

"많이 드시어요. 저는 부엌에서 먹으면 됩니다."

"그러지 말고요. 어서요."

시열이 홍주에게 수리취떡을 내밀었다. 산을 의식한 탓인지 잠시 머뭇거렸지만, 그녀는 떡을 받아 들었다. 부엌으로 사라지는 홍주의 뒷모습에 시열의 시선이 머물렀다.

"처음 보네. 우리가 나와 있는데도 스스럼없이 돌아다니는 것."

산의 말에, 시열이 빙긋 웃었다. 하지만 그의 표정이 이내 진중해졌다.

"산."

"왜?"

"내가 언젠가 갑자기 사라지면……. 너는 서운할까?"

"미쳤냐."

산이 기가 막힌다는 듯 대꾸했다. 그러나 시열은 멀뚱멀뚱 산을 바라볼 뿐이었다. 시열의 얼굴에는 웃음기가 없었다.

"산. 어느 아침에 내가 코빼기도 보이지 않으면, 그냥 사라진 줄 알아. 찾을 생각일랑 하지 말고, 나를 따라올 생각도 하지 마라."

"대체 무슨 근거로 내가 널 찾을 것이며, 따라갈 거라고 생각하는 건데?"

"그래도 그동안 쌓아 온 인연이 있잖아. 매정한 놈. 내 너를 진정 벗이라 여겼거늘."

새삼스러운 눈길로 산은 시열의 얼굴을 훑었다.

"그럼 나도 따라가도록 할게. 네가 가는 곳."

"뭐?"

산의 입에서 피식 웃음이 흘러나왔다.

"미쳤네, 김시열. 내가 하는 말을 곧이곧대로 믿고."

"이제 아주 사람을 가지고 노는구나. 얼음장 같던 강산 도령이 어찌 이리 말이 많아졌는지, 참 알다가도 모를 일이야."

"그런데 갑자기 어디 간단 소리는 뭣 하러 하는 게냐? 기방에 외상 빚이라도 졌냐?"

"아오, 기방에 발길 끊은 지가 언젠데. 그냥……."

대충 얼버무리던 시열이 고개를 들었다.

눈 안에 담기는 건, 쪽물이 든 것처럼 시리도록 파란 하늘. 그 푸르른 풍경에서 시선을 조금 내리자, 눈앞에 보이는 건 홍주의 방이다.

"행복하게 살고 싶어서 그래."

자유로워지고 싶어서 그래.

하루를 마감하는 밤. 단오는 뻐근한 어깻죽지를 두드리며 안뜰을 가로질렀다.

여느 해 생일과 다르지 않은 날. 하루 종일 일에 시달린 몸은 물먹은 솜처럼 무지근했다. 단옷날마다 떡을 빚는다, 약쑥을 태운다 부산을 떨다 보면 이렇게 하루가 저물곤 했다.

그럼에도 단오의 걸음은 한없이 가벼웠다. 그녀의 방 안엔 여전히 산이 선물한 꽃들이 만발할 테니까. 방 안 가득 넘실대는 향기 속에 노곤한 몸을 누이면, 금세 달콤한 잠이 찾아올 것이다.

단오가 산의 방을 흘깃 쳐다보았다. 밤새 꽃을 따 나르느라 피곤했던 탓인지, 그의 방은 진즉 불이 꺼져 있었다.

"……오라버니."

제 방문을 열려던 단오가 멈칫 손을 거뒀다. 몇 발짝 너머, 종일 모습을 보이지 않던 유하의 모습을 발견한 그녀가 그에게로 다가갔다.

방금 전까지 그토록 행복한 기분이었다는 것이 믿기지 않을 정도로 마음이 착 가라앉았다. 가슴 깊은 데가 먹먹해졌다. 어둠 속에 아득한 유하의 눈이 너무 슬퍼 보이기 때문이었을까.

"약쑥도 태우고, 수리취떡도 만들고……. 다들 모여서 단옷날을 보냈는데, 오라버니는 내내 어디 다녀오셨어요?"

"일이 있어서. 밖엘 좀 다녀왔다."

"으응……."

유하의 태도는 데면데면했다. 오랜 시간 동안 친근하고 다정한 오라비였다는 게 무색할 정도였다.

어떻게 해야 이 서먹한 관계를 예전처럼 돌릴 수 있을까. 묻고 싶었지만, 단오는 입을 열지 못했다. 일전 유하의 매정한 말이 떠올랐기 때문이었다. 미안해하지 말라고, 신경 쓰지 말라고. 그것이 진정 유하 저를 위하는 것이라는 말이.

"이게 뭐예요?"

단오는 유하가 내미는 물건을 내려다보았다.

"뭐 해. 어서 받지 않고."

"무엇인데요?"

"네 귀빠진 날이잖으냐."

허공에 무안하게 떠 있는 그의 손이 안쓰러워, 단오는 결국 그것을 받고 말았다.

"풀어 봐도 돼요?"

"그럼."

망설이던 단오가 비단 천을 끌러 내렸다. 이번에도 예전에는 하지 않았던 걱정이 들었다. 지나치게 값진 물건이 들은 것이 아닐까, 하는.

"아…… 곱네요."

그러나 안에서 나온 것은 비단으로 지은 소박한 향낭(香囊)이었다. 은은한 백단 향기가 코끝을 스쳤다.

"고마워요, 소중하게 간직할게요."

단오의 진심 어린 목소리. 향낭을 가만히 쓰다듬는 그녀를 묵묵히 바라보던 유하의 시선이 아득해졌다.

"단오야."

"예?"

"나……."

눈을 맞춰 본다. 고작 한 계절 전만 해도, 그와 눈이 마주칠 때면 단오는 초승달 같은 눈매를 하고 웃곤 했다. 곱게 접히는 단오의 눈을 볼 때마다 유하의 마음도 꾹 눌러 접힌 듯 떨리곤 했고…….

그때는 미처 몰랐다. 그를 향한 단오의 웃음이 얼마나 소중한 것이었는지. 어쩌면, 그 순간을 마지막으로 영영 보지 못할지도 모른다는 걸. 그때는 조금도 알지 못했다.

"나, 어쩌면 곧 이화원을 떠날지도 모르겠다."

"떠나요?"

예상치 못한 말. 단오의 눈이 크게 일렁였다.

"잠시 비우는 것이 아니고, 아예 짐을 싸서 나가신다고요?"

"그럴지도 모른다는 거야. 아직 정확한 것은 아니다."

단오는 저도 모르게 그가 건넨 향낭을 꽉 움켜쥐었다.

"어디로 가시는데요?"

"나도 잘 모르겠다. 아직은."

"가지 않으시면, 안 돼요?"

불쑥 튀어나온 말. 단오가 입술을 잘근 깨물었다.

유하의 마음을 알고 있으면서, 이런 말을 할 자격이 있을까. 그가 어찌하여 이화원을 떠나려는지 뻔히 알면서 가지 말란 소리를 하는 제가 뻔뻔하게 느껴졌다. 그의 마음을 받아 줄 것도 아니면서…….

"오라버니께 갚아야 할 빚도 있고……."

"단오야."

유하의 목소리는 낮게 가라앉아 있었다. 그 음성에 묵직하게 밴 감정이 슬픔이라는 걸 감지한 단오가 고개를 떨어뜨렸다. 아무것도 해 줄 수 없다면, 그를 잡아서는 아니 되므로.

"너에게 무언가를 바라지 않아. 원하지만, 바랄 수 없다는 것을 알고 있다. 하지만……."

그가 손을 내밀었다. 그러나 멈칫, 손은 허공에 멈췄다.

"내가 어디에 기거하든 그건 중요치 않아. 나는…… 너를 기다릴 생각이다."

머뭇대던 그가 단오의 머리를 슥 쓰다듬었다.

"오라버니……."

"네가 말했듯 친오라비 같은 이여도 좋아. 무엇이 되든 상관없다. 그냥

465

나는 내 자리에 있을게. 비록 그곳이 이화원은 아닐지라도, 언제든 네가 찾을 수 있는 사람으로 거기 있을게."

말을 잇지 못하는 단오. 그 모습을 눈에 담아 본다. 웃어 주면 좋으련만.

"그것마저 아니 된다고는 하지 마라."

쓸쓸한 바람이 불었다. 유하의 뒷모습을 바라볼 용기가 나지 않아, 단오는 한참 발끝을 내려다보며 문 앞에 서 있었다.

유하의 방문이 닫히는 소리를 들은 후에야 단오는 제 방문을 열었다. 향낭에서 풍기는 은은한 향과는 비교조차 되지 않을 만큼 만발한 꽃향기가 순식간에 그녀의 몸을 감쌌다. 하지만 행복했던 새벽과는 너무 다른 기분이었다.

소중한 것을 얻은 대가로 소중한 것을 잃는다. 지극히 당연한 이치일 수도 있는 일이지만, 결국 단오는 눈물을 쏟고 말았다.

장태화는 다시 훈련원으로 돌아갔다. 신운호가 이설을 찾으란 명을 거둔 탓에, 더 이상 휴직을 할 명분이 없었기 때문이었다.

느지막한 오후, 궐을 나선 그는 말을 타는 것 대신에 걷는 것을 선택했다. 완연한 여름의 길목이라 햇볕이 따가웠다. 종일 무사들과 훈련장을 누빈 탓에 미처 빠져나가지 못한 열기가 철릭 안에 맴돌았다.

생각에 잠긴 채 걸음을 옮기던 장태화의 눈에 정자 하나가 보였다. 정자에는 풍채가 꽤나 좋은 사내 하나가 부채질을 하며 앉아 있었다. 장태화는 길을 가로질러 정자 아래 자리를 잡았다.

"안녕하십니까."

장태화가 넉살 좋게 옆에 앉은 사내에게 말을 붙였다.

"뉘시오?"

"함께 술잔을 기울였던 적이 몇 번 있습니다만. 잊으셨습니까?"

"아. 그랬소?"

초로의 사내가 킬킬 웃었다.

"내가 술을 워낙 좋아하는지라, 매일같이 술 동무가 바뀌니 어디 기억을 할 수가 있어야지. 젊은 양반께서 이해하시게나."

"예. 이해하고말고요."

"하면 자네, 오늘도 나와 술 한잔 어떠신가?"

"술 좋지요. 아직 시간이 이르긴 합니다만……."

"걱정 마시게. 일찍 여는 단골집이 있으니, 거기로 가면 되네."

호기롭게 대꾸한 사내가 자리에서 벌떡 일어섰다. '술'이라는 말을 듣는 것만으로도 신이 나는지, 사내의 얼굴에는 화색이 돌았다.

"단골집은 저자 근처에 있다네. 가십시다!"

들뜬 사내는 성큼성큼 앞서 걸었다. 사람들이 모여 있는 장소인지라 더욱 덥게 느껴지는 저자 안. 풍채 좋은 사내와 앞서거니 뒤서거니 하며 걷던 장태화가 문득 걸음을 멈췄다.

"여기서 마주치는군. 공교롭게도."

장태화를 발견한 시열 역시 놀란 듯 표정을 굳혔다.

시열은 굳이 대답하지 않았다. 장태화와, 그의 일행인 퉁퉁한 사내를 힐끔 본 그가 대충 고개를 까딱했다.

"어딜 가는 길인가?"

"의복을 사러 갑니다만."

"한데, 자네."

장태화의 부름에, 그의 곁을 지나치던 시열이 고개를 돌렸다.

"왜 부르십니까?"

"자네와 나 말일세. 정녕 언젠가 마주친 적이 없나?"

"없습니다."

"아무래도 낯이 익어서 그러네."

"착각하신 거겠지요. 흔한 생김이라는 말, 자주 듣습니다."

시열이 재빨리 묵례를 했다.

"이만 가 보도록 하겠습니다."

꽤 바쁜 걸음으로 사라지는 시열을 바라보던 장태화의 입에서 기묘한 웃음소리가 흘러나왔다.

"이보게. 술을 마시러 가겠더니 어찌 그리 길 한복판에서 멀뚱멀뚱 서 있는 게야! 어서 가자고."

"송구합니다. 잠시 딴생각을 했습니다. 그런데 말입니다. 혹시……."

"혹시, 뭐?"

"방금 저와 이야기를 나누고 간 사내, 혹시 아십니까?"

"글쎄다. 모르겠는데? 저 사내도 술자리에서 만난 자인가?"

하하! 장태화의 입에서 짧은 헛웃음이 튀어나왔다.

"모르시면 되었습니다. 아 참, 이런."

장태화가 난감하다는 듯 어깨를 으쓱했다.

"중한 일이 있는 것을 깜빡했습니다. 아쉽지만 술은 다음을 기약해야겠습니다."

"뭐야? 기방이 코앞이거늘, 그게 무슨 소린가."

"송구합니다. 술은 나중에 함께하시지요."

얼굴이 붉으락푸르락하는 사내를 뒤로한 채, 장태화는 몸을 돌렸다. 이내 그가 사내의 이름을 읊조렸다.

"김홍익 대감."

임금의 침소인 강녕전(康寧殿).

시복을 입은 어의가 강녕전으로 들어섰다. 그는 제일 먼저 자리에 꼼짝

않고 누워 있는 임금을 향해 절을 올렸다.

임금이 붕어하는 순간 바람 앞의 등불이나 다름없는 것이 어의의 목숨이다. 운이 좋다면야 귀양살이 정도로 끝나겠지만, 운이 나쁘면 임금을 살리지 못한 죄로 사약을 받게 될지도 몰랐다. 그런 까닭에 어의의 몰골은 누워 있는 왕 못지않게 해쓱했다.

혼수상태에 빠진 임금은 처참하게 야위어 가고 있었다. 어의가 매일 여덟 차례 찾아와 진맥을 하였지만, 혈도가 뒤틀린 것 같은 기묘한 맥은 정상으로 돌아올 기미를 보이지 않았다.

그러나 임금께서 살아야 어의 역시 산다. 어의는 여전히 희망을 놓지 않은 채였다.

"일어나셔야 하옵니다, 전하."

어의의 목소리는 퍽 간절했다. 그가 바싹 마른 임금의 손목에 가만히 손을 가져다 댔다. 흠칫, 그가 숨을 멈추었다. 다시 한번…….

"저, 전하!"

어의의 입에서 격앙된 소리가 터져 나왔다. 떨리는 손으로, 그는 다급히 침구(鍼灸)를 꺼내 들었다.

* * *

"홍주 언니……?"

이화원으로 돌아가던 단오가 걸음을 멈췄다. 이화원 대문 앞에 서 있는 두 남녀를 발견한 탓이었다. 하나는 시열이었고, 여인의 뒷모습은 홍주를 닮았다. 하지만 홍주가 밖에 나와 있을 리가…….

"단오야."

"언니!"

단오는 한달음에 그녀에게로 달려갔다.

"어떻게 한 거야? 어떻게 밖에 나왔어, 언니?"

"으응."

홍주가 말끝을 흐렸다. 곁에 서 있던 시열이 대신 대답을 했다.

"벼, 볕이 좋아서."

"해가 이미 졌는데요?"

"달이 밝아서 말이다."

"달이…… 아직 안 떴는데요, 시열 오라버니."

"떴었는데? 해였나?"

새삼스레 되묻던 시열은 볼일이라도 있는 사람처럼 대문 안으로 사라져 버렸다. 무척 수상한 태도였지만, 단오에게는 그보다 중요한 게 있었다.

"언니. 어떻게 된 일인지……."

"단오야. 나도 이제 바깥에 나오기로 마음먹었어. 처음 밖에 나오려고 했을 때는 쉽지 않았는데, 이제는 괜찮아졌어."

홍주가 방긋 웃음을 지었다.

"이제 나도 물도 길어 오고, 저자에도 나가고……. 내 할 일을 할게. 단오야, 그동안 혼자 고생하게 해서 정말 미안해."

"언니……."

가슴 깊은 데서 뭉클한 감정이 치밀어 올랐다. 단오는 가만히 홍주의 손을 붙잡았다.

단오 홀로 이화원을 돌보는 것은 쉽지 않았다. 어머니와 홍주가 손을 놓고 있는 건 아니었지만, 바깥일은 모두 단오의 몫이었다. 이화원의 살림뿐 아니라 가족을 책임져야 한다는 마음의 짐까지 죄다 짊어지고 있었기에 단오는 늘 힘이 부쳤다.

하지만 그건 아무래도 괜찮았다. 일을 덜게 되었다는 안도보다 홍주가 밖으로 나왔다는 기쁨이 훨씬 컸다.

"언니, 이제 같이 바깥 구경도 하고, 산책도 할 수 있는 거야?"

"할 수 있고말고."

"우리 어릴 때처럼…… 같이 나물도 뜯으러 가고?"

"그럼. 당연히 같이 가야지."

단오의 눈에 눈물이 가득 고였다. 내내 어른스러운 척을 하느라 '괜찮다'는 말은 단오의 습관이 되어 있었다. 그러나 단오는 비로소 제 마음을 읽는다.

괜찮지 않았던 모양이다. 많이 힘들었었나 보다. 그리고 늘 그리웠나 보다……. 평범했던 소녀의 삶. 이화원의 귀여운 막내딸로 불리던 그 시절이.

"언니. 언제부터 밖에 나오기 시작한 거야?"

옷소매로 눈물을 씻어 내며 단오가 물었다.

"얼마 안 됐어."

"혼자 나왔어?"

"혼자는 아니고……."

"혹시 시열 오라버니랑?"

이내 홍주의 볼이 조금 붉어졌다. 대답 대신 그녀는 고개를 끄덕였다.

"언니, 시열 오라버니랑……. 둘이 무슨 사이야?"

붉어진 볼. 맞잡은 손. 잠시 망설이는 듯 보였으나, 홍주는 차분하게 입을 열었다.

"미리 말 못 해서 미안해. 단오야. 나 그분을 연모해."

"시열 오라버니, 저 좀 보아요."

밤이 깊은 이화원. 단오는 시열의 방문 앞에 서 있었다. 이내 그가 모습을 보였다. 두 사람은 나란히 평상 위에 자리를 잡았다. 달빛이 고요히 하늘을 물들였다.

"무슨 일이야, 단오야?"

"오라버니, 주제넘은 소리같이 들릴 수도 있지만……."

단오는 잠시 머뭇거렸다. 그녀가 시열을 바라보았다.

"홍주 언니, 잘 대해 주세요."

"아…… 그래."

"정말로요. 오라버니, 그저…… 한순간의 치기이거나, 호기심이라면요. 그렇다면……."

"그렇지 않아, 단오야."

내밀한 질문이 불편한 듯 바닥을 쳐다보던 시열의 태도가 이내 진중해졌다.

"치기도 아니고, 호기심도 아니야. 나, 예전과는 많이 달라졌다."

"시열 오라버니. 저는 오라버니에게 다른 건 바라지 않을 거예요. 그건 오라버니랑 언니 둘 사이의 문제니까요. 그렇지만 이거 하나만은……. 부탁할게요."

단오가 두 손을 간절히 모아 쥐었다.

"언니에게 상처 주지 마세요. 부디 언니를 아껴 주세요, 오라버니. 제발 더 이상 슬프지 않게 해 주세요. 우리 언니, 정말 선하고 좋은 사람이거든요. 그런데 지금껏 너무 가엾게 살았거든요……."

"단오야."

가만히 먼 하늘을 바라보고 있던 시열이 입을 열었다.

"내가 약속할 수 있는 건 단 하나뿐이야."

홍주를 마음에 담은 이래, 마음을 부유하던 질문에 대한 답을 그제야 찾은 기분이 든다.

시열의 눈은 흐르는 달빛의 궤적을 따라 움직였다. 저 달 아래 어느 곳엔가……. 그래. 그가 자리 잡을 곳이 있을 것이다. 홍주와 함께 새 삶을 시작할 곳이.

"나는 진심이야. 그리고 내 마음은 변하지 않는다."

이제 더 이상 흔들리지 않는다. 그는 마음의 결정을 내렸다.

"변치 않는다……."

시열의 말을 단오는 조용히 되뇌었다.

"그래요. 그거면 충분해요, 오라버니."

단오와 눈이 마주치자 시열은 빙긋 웃음을 지었다.

그 순간에는 모든 게 행복할 것 같았다. 그렇지만 단오도, 홍주도 모르고 있는 비밀 하나 있었으니, 시열은 결코 그들 곁에 머물 수 없는 사람이라는 사실이었다.

유하는 외로운 밤 속에 있었다. 사랑을 잃었기에 외로웠다. 사랑하는 여인이 연모하는 이는, 그가 벗이라 부르던 사람이었다. 그 사실이 그를 사무치도록 외롭게 했다.

"어찌 그리 보느냐."

술 취한 유하의 눈이 붉었다. 한때 바르다 못해 고리타분한 샌님이라고 불렸던 그였다. 그랬던 제가 긴 밤 끝에서 찾은 곳이 춘하관이라는 사실이 무척 우습게 느껴졌다. 유하의 입술 사이로 마른 웃음이 흘러나왔다.

"내게는 어울리지 않아? 이런 꼴 말이다."

널브러진 술병을 바라보던 반야가 한숨을 내쉬었다. 앙다문 입 끝이 움찔거렸다. 평소의 그녀였다면 술 취한 젊은 선비 따위 거들떠보지도 않았을 것이다. 그러나 유하에게는 그렇게 할 수가 없었다.

"그래요. 정녕 어울리지 않아요. 선비님께는요."

이미 비워진 술병을 치우는 그녀의 손이 분주하게 움직였다.

"술은 그만 드세요."

"술이 고파서 여기까지 왔는데, 어찌 그만 마시라 하느냐."

"어울리지 않는다고요!"

반야가 앙칼지게 쏘아붙였다. 그녀가 알고 있는 유하는 이런 사내가 아니다. 그는 진중하고, 반듯하며, 여인을 보호할 줄 알고, 또한 정절마저 지킬 줄 아는 사람이었다.

유하의 고고한 마음을 망가뜨린 것이 무엇인지, 반야는 잘 알고 있었다. 사랑이다. 사랑이 그를 흐트러뜨렸다. 천하의 못된 년이라고 불리던 기생 반야의 마음을 흐트러뜨린 것이 그것이듯이.

"고작 여인 때문에 이러시는 거예요?"

"그래, 고작 여인 때문에 이러는 게다."

"선비님은 여인 때문에 고단할 팔자를 타고나셨나 봐요."

무슨 소리냐는 듯, 유하가 풀어진 눈으로 반야를 바라보았다. 그녀가 샐쭉한 표정으로 맞받아쳤다.

"행수가 밖에서 안달복달하고 있어요. 여기 들어오지 마라 하셨다면서요? 대체 행수랑은 무슨 사이예요? 나라님이 와도 두려워 않는 것이 춘하관 행수 화령이란 말이에요. 그런 행수가, 어찌 선비님만 오시면 저리 쩔쩔매는 건지."

"무슨 사이일까, 화령과 나는."

유하가 힘없이 중얼거렸다.

"나도 그것이 몹시 궁금하구나."

화령. 그 이름을 생각하는 것만으로도 머리가 지끈거린다. 그러면서도 그는 이곳에 다시 찾아들었다.

잔뜩 오른 술기운에 눈앞이 어질어질하다. 아득한 정신 때문에, 화령과의 독대는 제법 먼 과거의 일처럼 느껴졌다.

'나는 대체 누구요?'

'어찌 그것을 저에게 물으십니까?'

'세간에서 그러더요. 정헌 대감이 바깥에서 낳아 온 서출의 생모가, 다름 아닌 춘하관 행수 화령이라고.'

'설마요. 제게 선비님의 어미냐고 물으시는 겝니까?'

'나는 어머님을 찾고 싶소. 묻고 싶은 것이 많소. 그리고 무엇보다 마음 붙일 피붙이라고는 단 하나도 없이 살았기에……'

'서자라지만, 정헌 대감 댁에서 계속 사시지 않았습니까? 가족이 계시잖습니까.'

'남보다 못한 것을요. 그리하여 늘 외로웠던 것을……'

'그분들이…… 잘 대해 주지 않았나 보지요?'

'서출의 신세란, 흔히 그러기 마련이니까요.'

'송구하지만 저는 답을 드릴 수가 없습니다. 어찌 저 같은 천출이 선비님의 핏줄이 될 수 있단 말입니까. 당치 않은 말씀을요. 당치 않은……'

고요한 침묵이 흐른다. 그들 사이에 놓인 순금으로 만들어진 동곳만이 덩그러니 반짝였다. 그것은 답을 얻기 위해 유하가 가져온, 정헌 대감의 유품이었다.

한참이나 그것을 바라보던 유하가 고개를 들었다. 그때, 그가 발견한 것은.

'그런데, 왜 우시오……?'

슬픈 비처럼 내리는 화령의 눈물이었다.

"오늘은 구름이 달을 가렸소."

"아쉬워요. 보름달이 떴을 텐데……."

"그깟 보름달, 앞으로 두고두고 볼 수 있는데요. 그래도 아쉬우시오?"

"그렇긴 하지만요. 지금은…… 시열 선비님이랑 같이 있으니까."

빛 한 점 없는 새카만 밤. 홍주가 살포시 볼을 붉혔다. 달이 없다고 서글 플 까닭이 있으랴. 아쉬운 마음이 드는 건, 그녀가 연모하는 시열의 얼굴 이 보이지 않기 때문이다.

"어찌 이리 늦은 시각에 저를 부르셨어요?"

야심한 밤. 시열은 홍주의 방문을 두드렸다. 밤새 그가 오기만을 기다 려 온 것처럼 홍주는 발딱 일어나 채비를 했다. 머리를 매만지고, 어둠 탓 에 잘 보이지도 않을 옷매무새를 가다듬는 손길이 얼마나 설레었는지 모 른다.

"고백할 것이 있어서요."

"고백······."

잠깐의 침묵이 떠돌았다. 그대는, 받아들일 것이오?

"홍주 낭자."

"말씀하시어요."

빠르게 흘러가는 먹구름 너머 한 번쯤 모습을 보일 만도 하건만, 여전 히 달빛은 드러나지 않았다. 비가 올 성싶었다.

"나는 홍주 낭자가 생각하는 것과는 다른 사람이라오. 어쩌면 낭자가 아는 김시열은 허상일 뿐일지도 모르오."

먼 곳을 보던 그의 시선은 이내 홍주에게로 향했다.

"그러나 내 마음만은 진심이오. 나는 다른 사람일지 모르나, 낭자를 향 한 마음만은 한 치의 거짓 없이 진심이라오."

두근두근 뛰던 홍주의 심장이 이내 고요해졌다. 그녀는 시열의 목소리 에 귀를 기울이고 있었다. 밤의 정중앙, 어느 곳을 향해 흘러가는지 모를 어둠 속에서.

"나는····· 그대를 연모하오."

이기적인 것이겠지. 그는 쉽지 않을 걸 뻔히 알면서도 대책 없이 불길

속으로 뛰어들었다. 그러나 이 방법이 아니라면, 어쩌면 평생 굴레에 갇힌 채 살아야 할지도 모르는 운명이었다.

끊어야만 한다, 이 가혹한 운명을.

"나는 모습을 숨기고 살아가야 하는 사람이오. 지금 당장은 말할 수 없지만…… 나는 여기서는 평범하게 살아갈 수 없소. 하여, 내가 원하는 것은……"

"마음만은 진심이라 하셨나요?"

서서히 달을 덮은 구름이 물러간다. 휘잉 바람이 불었다. 흐릿한 달이 그 얼굴을 드러냈다.

"그렇소."

"이곳을 떠나려고 그러시는 게지요?"

홍주의 말에, 시열이 고개를 끄덕였다. 떠날 것이다. 그녀가 함께해 준다면.

"그렇다면, 저도 데리고 가세요."

홍주는 망설이지 않았다. 비좁은 방 안에 갇혀, 파삭파삭 말라 가다 끝내 부스러져 흔적도 남지 않을 것 같았던 삶. 어느 날, 시열은 그녀의 닫힌 세상에 작은 창문을 뚫어 주었다.

잿빛 유령과 같던 홍주의 세상엔 그날부터 조금씩 물이 들었다. 초록, 노랑, 분홍과 파랑. 잃어버렸던 색동이 그녀를 물들였다. 그렇게 홍주는 삶을 되찾았다.

시열은 홍주의 빛이었다. 그는 그녀를 다시 살게 한 사람이었다. 그래서 단 한 순간도 주저하지 않았다. 그 마음이 진심이라면, 그곳이 어디든 홍주는 기꺼이 함께할 것이다.

"어디든 갈게요. 선비님과 함께라면요."

"겁나지 않소?"

"정녕 겁났던 것은, 제 방에서 홀로 죽어 가는 것이었어요. 그러니 제 걱정은 하지 마세요."

달빛. 모습을 드러낸 달빛이 그녀의 눈 안에서 고요한 춤을 춘다. 은빛 동경이 홍주의 눈동자를 물들였다.

"저를 데려가 주세요."

그대가 가려는 그곳으로.

시열이 문득 하늘을 올려다보았다. 세찬 물살처럼 흘러가는 구름이 달 위에 굽이친다. 달빛은 어쩐지 이지러져 흐려 보였다. 시열이 홍주를 품에 안았다.

"고맙소."

손길도, 목소리도 한없이 차분하였으나, 그건 그저 평생 습관이 된 자제심 덕일 뿐. 홍주에게 다가가는 그의 입술은 여느 사내의 것과 다름없이 불길처럼 뜨거웠다.

젖은 숨결, 어루만지는 손길. 그들은 서로에게 새 삶이 되기로 한다.

그리고 끝나지 않을 듯 길었던 입맞춤이 끝났을 무렵, 그의 품 안에 안겨 있던 홍주가 입을 열었다.

"시열 선비님."

시열이 홍주를 내려다보았다. 홍주가 그로 인해 세상으로 나왔듯, 그녀로 인해 그의 삶 역시 변화할 것이다.

"많이 고민했는데……. 드릴 말씀이 있어요."

"말씀하시오."

"과거 제게는 정인이 있었어요. 혼인을 앞둔 상태였고……."

"알고 있소. 그분은 세상을 떠났다고 했지요."

머뭇대던 홍주가 다시 입을 열었다.

"미리 말씀드리고 싶어서요……. 그래야 할 것 같아서……."

"낭자, 괜찮소. 나는 아무렇지도 않소."

제 과거에 비하면 홍주의 과거는 아무런 것도 아니리라. 지난 과거는 그들의 사랑에 티끌만 한 영향도 끼치지 못했다.

"선비님께서 다치셨던 날……. 의원을 돕다가 선비님 몸에 있는 상처를 보았어요."

"상처요? 아……."

시열의 목소리에 작은 동요가 일었다.

"제 정인이었던 분은 검으로 인해 목숨을 잃었어요. 노파심에 드리는 말씀이지만…… 부디 몸을 소중히 여긴다고 약조해 주세요."

"사 년 전에, 검으로 인해?"

"예."

"그대의 정인이 어디에서 무슨 일을 하였는지 물어도 되오?"

그때, 묻지 말 걸 그랬다고. 시열은 훗날 생각하곤 했다.

"훈련원 무관이었어요. 육인회라는 모임의 일원이었고요. 누군가를 쫓으러 나간다 하셨는데, 그게 마지막이 될 줄은……."

시열의 눈동자가 하늘로 향했다. 다시 검어진다. 구름은 빠른 속도로 몰려들었다. 당장 천둥이 치고 폭우가 쏟아져도 이상하지 않을 만큼.

계절에 어울리지 않는 소슬바람이 등골을 훑었다. 아니, 이 모골이 송연한 바람의 출처는 주변이 아닌 시열의 마음 어디메인지도.

달은 사라졌다. 완전히, 밝았던 적이 없었던 것처럼.

"선비님?"

"예, 예……."

"제가…… 괜한 말씀을 드렸나 봐요."

시열은 여전히 밤하늘을 보고 있었다. 모든 것이 검어져, 볼 것이라고는 오직 암흑뿐인 그 하늘을.

달빛 따위, 다시는 나타나지 않을 것이다. 구차한 인생에 주어졌던 찰나의 빛 따위는…….

"선비님."

"들어가십시다. 비가 오려나 봅니다."

"예……."

성큼, 걸음을 옮기는 시열의 곁을 홍주는 종종걸음으로 따라 걸었다. 늦은 후회가 밀려들었다. 어떤 사내가 여인의 과거 정인 이야기를 반기겠는가.

이내 홍주는 시열이 몸을 소중히 해 달라는 그녀의 말에 대답하지 않았음을 상기했다.

아둔한 것, 아둔한 것. 홍주의 눈가가 붉어졌다.

-2권에서 계속-